DEUTSCHE LITERATUR IN ENTWICKLUNGSREIHEN

REIHE REALISTIK DES SPÄTMITTELALTERS

KOMMENTAR ZU BAND 3

DEUTSCHE LITERATUR

SAMMLUNG LITERARISCHER KUNST- UND
KULTURDENKMÄLER IN ENTWICKLUNGSREIHEN

IN GEMEINSCHAFT MIT
WALTHER BRECHT UND DIETRICH KRALIK
HERAUSGEGEBEN VON
HEINZ KINDERMANN

REIHE REALISTIK DES SPÄTMITTELALTERS
HERAUSGEGEBEN VON
ANTON PFALZ

KOMMENTAR ZU BAND 3

1964

WISSENSCHAFTLICHE BUCHGESELLSCHAFT
DARMSTADT

KOMMENTAR ZU HEINRICH WITTENWILERS RING

VON
EDMUND WIESSNER

1964

WISSENSCHAFTLICHE BUCHGESELLSCHAFT
DARMSTADT

Mit Genehmigung des Verlages Philipp Reclam jun., Stuttgart,
herausgegebene Sonderausgabe
Unveränderter reprografischer Nachdruck der Ausgabe Leipzig 1936

PT
1101
.D3
Reihe4
Bd.3A
1964

Vorwort

Richard Heinzels Vorlesungen über die Geschichte der älteren deutschen Literatur lenkten vor fast vier Jahrzehnten zuerst meinen Blick auf Heinrich Wittenwilers „Ring". Wenn ich meine Ausgabe des Gedichtes seinem Andenken widmete, beseelte mich freilich nicht nur der Gedanke, daß sie — wie alle meine früheren Arbeiten über den Dichter und sein Werk — in seinem Hinweise wurzelte, sondern überhaupt das tiefe Gefühl des Dankes gegenüber einem Lehrer, Gelehrten und Menschen, der in seiner vornehmen Haltung und in seiner reinen Sachlichkeit wahrhaft vorbildlich wirkte.

Die schwere Ungunst der Zeit brachte es mit sich, daß Text, Einführung und Kommentar nicht auf einmal ans Licht treten konnten. Erst dem tatkräftigen Einschreiten der Kollegen Heinz Kindermann und Anton Pfalz gelang es, wenigstens dem Texte des „Ringes" sofort die Aufnahme in die großangelegte Sammlung „Deutsche Literatur" bei Philipp Reclam jun. zu sichern, wofür ich ihnen hier ebenso herzlich danke wie dem Verleger selbst, der sich bereitwillig in den Dienst einer Sache stellte, die andere bedenklich gemacht hatte.

Obgleich die Ausgabe selbst mit Worterklärungen versehen wurde, die lexikalischen Schwierigkeiten abhelfen sollten, war es doch von vornherein klar, daß der Text mehr erforderte, falls er in weiteren Gelehrtenkreisen Verständnis und Verwertung finden sollte. So war es denn von allem Anfang mein Ziel, in einem von Zeile zu Zeile fortschreitenden Kommentar den Wortlaut der Dichtung zu beleuchten. Hiebei kam mir zustatten, daß ich mich im Laufe der Jahre derart in sie eingelebt hatte, als ob ich sie selbst geschaffen hätte. Wertvolle Dienste leistete mir außerdem eine Aufnahme des ganzen Wortschatzes. Was auf diesem Wege für den Wort- und Satzgebrauch des Dichters zu ermitteln war, hielt ich bis in Kleinigkeiten fest. Die Veröffentlichung des Kommentars stieß auf unüberwindliche Hindernisse, bis endlich durch Druckkostenzuschüsse von drei Schweizer Körperschaften, dem Bürgerrate von St. Gallen, dem Katholischen Administrationsrate des Kantons St. Gallen und der Ortsverwaltung Lichtensteig, die Heinrich Edelmann (St. Gallen) in liebenswürdiger Weise angeregt hatte, sowie durch eine hochherzige Spende Professor Singers (Bern), des feinsinnigen Kenners der altdeutschen Literatur, die Bahn frei wurde.

Nun, da ich den Kommentar zu Heinrich Wittenwilers „Ring" aus der Werkstatt hinaussende, bin ich mir vollauf bewußt, Förderliches, aber nichts Fertiges geleistet zu

haben. Dankbar bewegten Herzens gedenke ich der vielfältigen freundlichen Unter-
stützung, die mir im Laufe der Jahre bei meiner Arbeit zuteil wurde. Carl von Kraus
und Dietrich von Kralik traten mir gelegentlich hilfreich zur Seite, Max Hermann
Jellinek lieh mir seinen gediegenen Rat. Das fruchtbarste Interesse brachte meinem
Unternehmen Professor Singer entgegen, der nie ermüdete, aus seiner umfassenden
Kenntnis mittelalterlichen Schrifttums heraus mich auf einschlägige, oft recht abgelegene
Bemerkungen aufmerksam zu machen, und durch zahlreiche treffende Auskünfte und Zutaten zu einem wertvollen Mitarbeiter wurde, wie aus den folgenden Blättern oft und
oft hervorgeht. So ist es mir ein Bedürfnis, dem gütigen und weisen Gelehrten hier
meinen innigsten Dank abzustatten.

Eine wesentliche Ergänzung des Kommentars bilden die Worterklärungen S. 331
bis 339 der Ausgabe: an entscheidender Stelle habe ich auf sie hingewiesen, ins Register
wurden sie nicht aufgenommen.

Wien, Herbst 1935.   Edmund Wießner.

Kommentar

1–54. Zur Vorrede des Dichters s. Zsfd²X. 50, 247 ff. und 64, 146 ff.

1–6. Die frommen Widmungszeilen des Eingangs greifen eine beliebte Einleitungsformel auf, die teilweise an den Beginn des Confiteor erinnert: so ruft der Verfasser
von Aristotilis heimlichkeit (Ausg. von W. Toischer) im Anfange Gott, Maria, die
Engel, die Patriarchen, die Apostel, die Bekenner, alle reinen Jungfrauen und die
hl. Dreifaltigkeit um ihren Beistand bei seinem Werkchen an und schließt mit ähnlichen
Wendungen 3055 ff.; vgl. ferner den Eingang der Reimchronik des Schwabenkrieges
von Joh. Lenz (Ausg. von Dießbach), bes. minen lieben gnedigen herren zu dienst,
lob und zu eren mit R. 4; im Stiftungsbrief der Lichtensteiger Pfarrkirche aus 1435
gott dem allmechtigen und allem himelschen her zu lob und zu er; und Eberhart
Windecke eröffnet seine Denkwürdigkeiten zur Geschichte des Zeitalters Kaiser Sieg-
munds (Ausg. von W. Altmann), S. 1: In dem namen des vaters und des sones
und des heilgen geistes etc. so wil dis bůch anevohen. Das helf mir die koniglich
můtter Maria und die heilige drifaltikeit ... das helf mir der heilge geist und die
wurdige můtter maget Maria und alle lieben gotes heilgen; s. ferner 227. 28 dem
almechtigen got, siner werden můtter Maria ... und allem himelschen here zü
lobe und zü ere u. ö. Über den himmlischen Hofstaat Reinmar von Zweter Nr. 12
u. S. Roethes Anm.

1. obrest Beiwort Gottes 2261, der Minne 2288, der Himmelskönigin 2548.

2. Vermutlich ist hier Marjen, 2472 Marja zu lesen: 701 ergibt der Rhythmus
Marjen; doch s. Roethe, Reinmar von Zweter, S. 133, Anm. 172. Zu 3814 ávemári
vgl. Helbl. 1, 1182 avê Marjâ.

Die ganze Zeile (ähnlich 2471) ist Gemeingut: s. z. B. Konrad von Helmsdorf,
Spiegel des menschl. Heiles (Lindqvist) 4149, Hans von Bühel, Königstochter 4153,
Hans Wintler 10154, der Mönch von Salzburg: Häßlerin 2, Nr. 84, 1, Muskatblut:
ebda. 1, Nr. 126, 1, Joh. Lenz, Schwabenkrieg, S. 1, Tanhauserlied bei Uhland, Volkslieder 5, Nr. 297 A, Str. 14 u. 22, ähnlich Hugo von Montfort XXV, 135; vgl. auch
Reinfr. v. Braunschweig 14086 die kiusken wandels frîen muoter magt Marîen
u. 21679 diu reine minnenclîch Marîa muoter magt; öfters in der Gestalt Marîa,
muoter unde maget wie in der Gold. Schmiede Konrads von Würzburg 139: s. Reinmar von Zweter 226, 1, Suchenwirt 2, 1 und 7, 193. Vgl. X. Salzer, Sinnbilder und
Beiworte Mariens (S. Abbr.), S. 106 ff.

3. allem himelschen her: stehender Ausdruck der mhd. Dichtung; f. Spervogel,
MFr. 30, 32, Gottfried v. Straßb. im Tristan 14901, Freidank, S. 180, 18
(W. Grimm, 1. Ausg., S. 327 f.), Warnung 1170, GA. Nr. 49, 347, Virginal
198, 4, Dietrichs Flucht 4315, Hugo v. Trimberg, Renner 10441 u. 12371, Konr. v.
Helmsdorf, Spiegel des menschl. Heiles (Lindqvist) 4581, Suchenwirt 3, 193, Hugo
v. Montfort IV, 166, Des Teufels Netz 570, 1258, 6754 u. 57, 6801, 6934, 12522,
Keller, Erz. aus altd. Hff. 42, 7, H. Folz, Klopfan Nr. 17, 18 (im Weimar. Jahrb. 2,
112), H. Sachs, Faftnsp. (Goetze) 67, 4 (: lob und er), L. Tobler, Schweiz. Volkslieder 2,
S. 99, Str. 5, Brandstetter, Urkundl. Gesch. d. Luzern. Mundart, S. 22 dz gantz
himlisch hör (1584). — Vgl. 7304 himelher: nach dem biblischen στρατιά οὐράνιος
bei Luc. 2, 13; vgl. Zebaoth im Alten Testament. Darnach z. B. Konr. v. Ammenhausen, Schachbuch 9894 mit allem sînem helschen her.

5 f. ze fröden schein wie 7176. Der Parallelismus des Ausdrucks im Anschluß an
ähnliche Wendungen: vgl. etwa Carmina Burana, S. 71, CLXX a opto placere bonis,
pravis odiosus haberi; GA. Nr. 20 beginnt: Ich bin der borte genant; hovischen
liuten sol ich sîn bekant, den argen sol ich vremde sîn.

7 f. Zu hörren ... ein puoch vgl. Heinr. v. Melk, Erinnerung 133 als wir diu
buoch hôren schrîben u. Heinzels Anm.; ähnlich später im R. (2275) ein briefelein
han ich vernomen: vgl. Neidh. 23, 11 die nû sîne brieve hœren wellen, Liedersaal 2,
122, 277 als wir an buchen hant vernomen, Brant, Narrenschiff 11, r so man doch
hört der gschrifft so vil; Alb. Köster schreibt im Briefwechsel v. Th. Storm u. G. Keller S. 267 wie ich brieflich oft gehört habe. Beliebt sind Wendungen wie Herbort,
Trojan. Krieg 1437 als ich daz buch hore sagen: vgl. z. B. Lamprechts Alex. (S)
1714 u. Biterolf 125 u. 179; im Orendel ist als wir d. b. hœren s. ein Formelvers:
177, 338, 446, 649, 731 usw. (f. Fr. Vogt, Einl. z. Salman u. Morolf, S. CXXXVII).
Ebenso in Dietrichs Flucht 2308 u. 92, 3537, 6631, 8243, 8930 u. 9266, Rabenschlacht 112, 4 u. 154, 4.

8—11. Der Titel des Werkes in Z. 8 und 29 ist eine Allegorie, die mit zwei verschiedenen Bedeutungen des Wortes spielt: a) mit der abstrakten = orbis, die sich aus
den Worten der welte lauff ... ze ring umb ergibt (vgl. 6264 und ze ring umb
Fischer, Schwäb. Wb. 5, 356, SJb. 6, 1087 = allenthalben), f. z. B. Stretlinger
Chronik (J. Baechtold), S. 11, 14 zů ringumb und b) mit der sinnlichen = anulus,
vingerli 13 (ebenso 5278 u. 7118), auf die auch das Bildnis des Ringes in der Initiale
verweist. Der Dichter hat dabei offenbar das latein. orbis im Sinne, das wie κύκλος
„Kompendium" bedeutet (vgl. Quintilian, Institut. orator. lib. 1, 10, 1 orbis doctri-
nae = ἐγκύκλιος παιδεία), aber auch den Fingerring bezeichnen kann (vgl. Ovid,
Amor. 15, 6 et digitum iusto commodus orbe feras). Auch mag ihn der Titel von
Boners Büchlein der edelstein (Vorrede 64 ff.) geleitet haben, woran nicht nur der
Ausdruck in 9 gemahnt, sondern auch die Begründung wan es usw. in 10, die mit

Boners Worten wand ez (das Büchlein) in im treit bischaft manger kluogkeit
parallel läuft. Wenn der Verfasser den Wert seines Werkes für den Verstehenden 13 f.
betont, so läßt sich in Boners Vorrede 69 f. wer niht erkennet wol den stein und
sine kraft, des nutz ist klein vergleichen. E. Schroeders Hinweis auf „Aurea gemma"
(b. i. Gemma aurata, im AfdA. 51, 82) beleuchtet den von Boner gewählten Titel, nicht
den W.s. Aurea gemma war (s. Karl Schorbachs Studien über das deutsche Volks-
buch Lucidarius 1894, Quell. u. Forsch. LXXIV, S. 13 ff.) ein Titel des Lehrbuchs
von Gott und der Welt für Laien, das unter dem Namen Lucidarius allgemein bekannt
geworden ist, der ersten deutschen Enzyklopädie, wie sie Sch. S. 12 nennt. Ähnlich wie
W. 10 f. äußert sich Brant in der Vorrede zum Narrenschiff 53 hie findt man der
welt gantzen louff.

9. bechlait wie 5284 gesteurt.

12. tuon und lassen auch 2529 und 3794 (ähnlich 3752 was er tuon und meiden
schol): eine bis heute lebendige Formel (DWb. 6, 220 c), die auch der Urkundensprache
geläufig ist (Mhd. Wb. 1, 944b 1); die Nachweise (s. Roethe zu Reinmar v. Zw. 101, 2)
ließen sich leicht vermehren. Die ganze Zeile ist literarisches Gemeingut: s. Hugo v. Trimberg, Renner 582; ähnlich 839 u. 24491 u. a.

13. Ganz ähnlicher Satzbau 1800 u. 4220; vgl. auch 3723.

14. Wie 4737 halt ... mit rechter huot.

15. In dreu (ebenso 9315): so sagt Konr. v. Ammenh. 728 f. alsus vieng er das buoch
an und teilte es in vierü dô (ähnlich 734).

16. nach den sinnen mein: wie 8284 in den sinnen sein.

17—20. hofieren mit stechen und turnieren ebenso 103 f.; das gleiche Reimpaar
838. 39 mit Wiederholung von 19. 20 in 840. 41; vgl. auch 195 f. ghofieret, gestochen
und gturnieret. Es handelt sich um eine beliebte Reimformel: sie findet sich z. B.
Reinfr. v. Braunschw. 27113 f., Kloster d. Minne, Liebers. 2, 124, 1709 f., Mhd.
Minnereden I (Ausg. v. K. Matthaei) 2, 535 f., Teichner, Hs. A 172b (Karajan,
Anm. 281), Suchenwirt 46, 97 f., Kaufringer 5, 107 f., Joh. Rothe, Ritterspiegel
274 f., Joh. ûz dem Virgiere 3124 f., Teufels Netz 3883 f. (in B), Göttinger Beitr.
z. deutsch. Philolog. II, Nr. XXIV, 7 f., Fastnachtspiele (Ausg. v. Keller) 151, 23 f.,
556, 9 f., 661, 25 f., 690, 9 f. und Nachlese 183, 16 f., 212, 16, Sterzinger Spiele 15,
654 f., Hans Sachs, Fastnachtsp. (E. Goetze) 35, 55 f. — Zu 18 f. vgl. in Kellers
Fastnsp. 744, 30 f. mit stechen, mit turniren, mit sagen und mit singen. — hofieren
vom Frauendienst wie 901, 1376, 1667 u. 3765, in besonderer Verwendung 6379:
s. Zarncke zu Brants Narrenschiff, Kap. 62 a. — Über das Wesen von stechen u. turner
(hastiludium, justa und torneamentum bei Du Cange) s. unten 899 ff. Die Koppelung stechen und turnieren (s. noch 8293) ist, wie schon die gebotenen Nachweise lehren (vgl. überdies DWb. 10, 2, 1269a), ungemein verbreitet.

24. Der Ausbruck wie 3354 hab dir daz von mir gesait und 4906 für ander ...
gezellet weis, 8248 daz haben wir für recht gezelt; vgl. auch 5838 und 8157 f.

28. stürmen (ebenso 9568 u. 9620) ... streiten: eine besonders in der heroischen
Epik wuchernde Stabreimformel; f. Gudrun 725, 3 u. 730, 4, Eckenlied 15, 10 u.
210, 10, Virginal 82, 10, 167, 6, 210, 10, 236, 6, 731, 9, Alpharts Tod 33, 3, 99, 4
u. 224, 4, Dietr. Flucht 3083, 6730, 7198, 7604, 8881, 9121, 9201 u. 9670, Rabenschlacht 234, 6, 249, 5, 465, 6, 550, 5, 704, 5, 822, 6 u. 925, 5, Ortnit C III, 236, 3,
Laurin (Holz) 6, 196, 210, K II 800, 930, D 244, 430, 464, Rosengarten A VIII,
244, 3, IX, 254, 4, D II, 36, 2 u. 55, 1, V, 173, 3, 185, 1, XVII, 436, 3, 458, 4,
459 3, XVIII, 467, 2. Sie begegnet aber auch sonst vielfach: f. Haupt zu Konr. v.
Würzb., Engelh. 3465 und St. Christophorus (Zf. 26) 195, Kinzel zu Lamprechts
Alexander 42, Reinfr. v. Braunschw. 957, 19613, 22230, Peter v. Staufenberg 337,
Heinr. v. Neustadt, Apollonius 11375, Konr. v. Ammenh. 6962, Suchenwirt 12, 107,
15, 197, 31, 179, Joh. Rothe, Ritterspiegel 3768, H. v. Bühel, Königstochter 1494,
Lieders. 2, 124, 1396 f. u. 137, 168, Lieberb. d. Hätzl. 1, Nr. 120, 36 u. 2, Nr. 18, 56,
Faftnsp. (Keller) 225, 14, 635, 22, 743, 28, Sterz. Spiele 15, 21 (sturem, vechtn,
streittn), 18, 101 und noch Nikl. Manuel, Vom Papst u. fein. Priesterfch. (Baechtolb)
66, 917, Hans Sachs, Faftnsp. (Goetze) Nr. 3, 313, Scheidt, Grobianus 2160, Rollenhagen, Froschmeufeler (Goedeke) 2, 3, 7, 58. Zum Verständnis der Formel vgl. Wilwolt
von Schaumburg S. 185 Einer wolt stürmen, der ander streiten. Der hauptman
sprach: Dis hat dem künig von Dennemarkt den schaden getan, das er zugleich
gestürmet und gestritten. Der einig hauf ist uns sturmbs zu stark, und wo wir
stürmen, sie behalten, und wir genüdigt vom sturmb abtretten, haben wir den
streit mit den gerueten an der hant.

29—31. Abschließende Übersicht über die drei Teile des Lehrgebäudes: hübschichait
(vgl. außer Lexer 1, 1368 und H. Fischer, Schwäb. Wb. 3, 1848 in Zarnckes Ausg. von
Brants Narrensch. 35, N 50 hübschkeit und hübsch im R. 2989, 3911 u. 6330) bezeichnet den erften, mannes zucht und tugend den zweiten, frümchät (f. 3683) den dritten.

32 ff. S. ZfdA. 50, 249 ff. u. auch Rollenhagens Vorrede zum 2. Buch des Froschmeufeler, bef. 25 ff.

32. stät wie 4760; sonst stätichait: 1802, 1893, 2111 u. 4823.

35. manger lai: bann noch attributives chainr lai 292 u. treier laie 1891, späterhin
gemieden.

36. gpauren gschrai: vgl. Lieberb. d. Hätzl. 1, 29, 109 f. gelück ... verpewt den
pawern ir geschrai. — gpauren ist die gewöhnliche Form des Wortes in der Hf. (43,
2971, 4399, 4400, 4864, 5644, 6456, 7244, 7687, 7867), feltener pauren (59, 158,
705, 4863, 6937).

38. dest hat die Hf. richtig an vierzehn Stellen; dester bietet fie an acht, 3767 u.
6282 irrig ftatt dest.

39. Die Zeile ist auf der gpauren gschrai u. diseu ler zu beziehen, Ausdrücke, die
unten törpelleben u. ernst ersetzen. Über diese bald grüne, bald rote Linie, die von Bl. 2
durch die Initialen läuft, s. Ausg. S. 8 u. 344 f.

41. törpel gebraucht der Dichter nur noch 160 u. 6475.

42. S. 2223, ähnlich 2657, 3510 u. 7366; vgl. auch 3916.

43—46. Zu dieser verächtlichen Deutung des Wortes gpaur, die dem allgemeinen
Sprachgebrauche folgt (Hugo von Langenstein, Martina 8, 59 f. gebur sint, die niht
tugende hant, der unfuog bi gestant; s. H. Hügli, Der deutsche Bauer im Mittelalt.,
S. 130), stimmt es, wenn 2971 u. 5644 gp. als Schimpfwort erscheint, wenn es 4864 f.
den Inbegriff der Sittenroheit bezeichnet, wenn es 6456 f. heißt, der gpauren schimph
führe in der Regel zu ungelimph, wenn der Verf. 7866 ff. ein bauernfeindliches Sprichwort zitiert und mit den Worten schließt gewalt der ist sein rechteu buoss und wenn
endlich der gelehrte Ammann von Konstanz, ein Liebling des Dichters, 7844 verächtlich
von den „Spreusäcken" spricht. Die bemerkenswerte Verwahrung 45—48 aber, ehrlich
arbeitenden Landleuten nahetreten zu wollen, steht nicht allein: Vintler z. B. eröffnet
3466 f. seinen giftigen Ausfall gegen die Falschheit der Bauern, der seine Zutat ist, mit
den Worten: iedoch main ich die frumen nicht, ich main neur die valschen wicht
und den ähnlichen 3784 ff. (wieder seine Zutat) schließt er ich mein nur die valschen
wicht, aber den frumen wünsch ich nicht anders zwar denn eitel guet. S. auch
Josef Morawski, Proverbes français antérieurs au XVe siècle (1925), Nr. 1418
Nus n'est vilains se de cuer ne li muet in einer Handschrift vom Ende des 13. Jhdts.
(Hinweis Singers).

44. läppisch nur hier im R., lapp nirgends; vgl. Lappenhausen 56.

45. gfert taucht erst gegen Schluß wieder auf u. dann stets im Reim: 8755 (: herte),
9067, 9121 u. 9173 (zuo, von dem selben gf. : hert).

45.—48. Anklingend an den 127. Psalm, 2 Labores manuum tuarum quia mandu-
cabis, beatus es et bene tibi erit; vgl. Teuf. Netz 12990 ff. Wer sich mit trüwen tuot
began, den wil got niemer lan; wan sælig ist der man, der sich siner arbait tuot
began. — mit trewer („ehrlicher") arbait wie 4611 gtrüwer wirker, stehende Ausdrücke: so im Renner 3649 (getriuwer arbeiter), 18232 (getriuwe arbeit), 18237
(getriuwen werken), im Netz 11652 die sich ir trüwer arbait tuond neren
(s. 12993 C), im Toggenburg. Gebet nach der Predigt (bei G. Scherrer, Kl. Toggenb.
Chron., S. 152) über alle trüw arbaitter (s. MSD.³ 2, 457, 13 f.), in der Wolfenbüttl. Hf. 2, 4. Aug. 2⁰ (Euling) Nr. 604, 90 getrewlich arbayten (s. Göttinger Beitr.
z. deutsch. Philolog. II, Nr. I, 1 und LXXV, 7), im pseudoneidh. Krechsenschwank der
Hf. f (Brill, Schule Neidharts, S. 188) Str. 20 ich bin ein armer trewer man ...
ich ner mich mit meiner arbeyt ... ich gen meiner trewen arbeyt nach, bei Hans
Sachs, Fastnsp. (Goetze) 3, 399 arbayttest in trewen müt.

47. mir in den augen = „in meinen Augen"; vgl. 8889 in deinen augen.

48. daz schült ir glauben wie 5286 u. 8708, vgl. auch 727 u. 3454.

50. nutz u. tagalt (nur hier im R.): die beiden ob. gen. Ziele des „Ringes".

51. mär (sonst bei W. stets im Plural gebraucht) hier in der durch unsere Wbb. auch sonst bezeugten Bedeutung „erlogenes Zeug"; vgl. bes. BWb. 1, 1634 aus Cgm. 270 u. 379 das hab dir für ein mär gen mir = „glaub's nicht!" Herm. v. Sachsenheim, Schleiertüchl. 210, 8 f. ich han es fur ein mer, das es (das Tüchlein) ein heyltum sy u. 226, 8 das het ich fur ein mer und ducht mich sin ein dant (zwei gleichwertige Phrasen!); ferner Stricker, Kl. Ged. (Hahn) 4, 153 dô mahte er ein mære („eine erfundene Geschichte"), Sterzing. Sp. 23, 231 der weiber red ist ein mär, Kellers Fastnsp., Nachlese 265, 21 f. ich hain dich dick gemanet serre, aber es was dir als ein merr und S. 1422 in einem Spruch do antwurt mir er, ich sollt nach seines hertzen ger sprechen gein im „hertzlieber". Ich sprach: „Was freut es euch? Es wer doch ein mer." S. W. Wackernagel, Gesch. d. deutsch. Lit. (2. Aufl. v. E. Martin), S. 182, Anm. 2, wo auch derselbe Bedeutungswandel von spel vermerkt wird.

52. Über die Sprachform dieser Signatur des Verfassers am Ende der Vorrede s. ZfsdA. 64, 146; betreffs der 3. Pers. s. S. Singer, Zu Wolframs Parz. 114, 12 (Festgabe für R. Heinzel). Mit also sprach (der) signieren Dichter des 14. Jhdt.s wie der Teichner und der Kaufringer (s. bei Euling Nr. 14, 16, 17) gerne kleinere erzählende oder lehrhafte Erzeugnisse. Zu also ließ der Name in der Zeile keinen Raum und deshalb fehlt vielleicht auch der vor W. (vgl. 7995); doch s. meine Abhdlg. „Urkundl. Zeugnisse über H. v. W.", S. 113.

53. Derschallend (nur hier) = mhd. erschellen st. V., dessen Präsensformen nirgends im R. erscheinen; das intrans. Prät. erschal 1378, transitives (= sonstigem erschalte) 203, 5383 u. (zweifellos) 6199, immer im Reime: -al, transf. erschiel 8576. — fro ist wohl Adverb wie 1794; sonst stets prädikativ. Adjektiv, das an 50 Stellen in den Reim tritt (Ausnahme nur 5227).

54. Dieselbe Phrase transitiv 1788, 4219, 5928, 6813, 7856. Vgl. nû hebt sich âventiuwer an im Übergang zur Erzählung GA. Nr. 18 (Heidin), 162 und ebenso alsô hebet sich daz mære Nr. 19 (Nußberg), 20. Die Federzeichnung im freigebliebenen Raum der Spalte stellt ein stehendes Liebespaar in Kuß und enger Umarmung dar: s. jetzt die Wiedergabe bei G. Müller, „Deutsche Dichtung von der Renaissance" usw., S. 73. Es ist das Brautpaar des Gedichts, wie der über den Bauch hinabhängende Kropf des Weibes (80 f.), ihr dünner, kurzer Zopf (79) und ihr krummer Rücken (83 f.) verraten. Bertschis Rechte wagt den „kühnen Griff", den Neidhart mehrmals, sich selbst dem Spotte preisgebend, bei seiner Schönen beklagt (44, 9 ff. u. 90, 12 ff.). Die Federzeichnung scheint eine Nachahmung gewisser Badebilder: s. z. B. das im Neidh. Fuchs (Bobertag, S. 258) beim Lied von der Graserin, die in der Gastein badet, und vgl. S. Singer, Neidhartstudien, S. 27 f.

55. Vgl. 7263 in der Grausner chraiss.

56. Die sogen. hiez-Konstruktion (J. Grimm, Kl. Schr. 3, 341) auch 8837. Das Geb. von der Bauernhochzeit weist sie in Z. 1 u. 2 der kürzeren, in Z. 2 der längeren Fassung auf. Den Dorfnamen Lappenhausen, der im R. zuerst erscheint, hat W. nicht aus seiner Vorlage, die Bärschis und Mätzlis Heimatsort unbenannt läßt (f. ZfbA. 50, 252); er war vermutlich damals schon sprichwörtlich wie späterhin zweifellos: vgl. Zimmr. Chron. 4, 150, 15 herr, wie kinden ir ein solcher Lappenheuser (= „Narr") sein? Hans Sachs, der Lappenhawser auch als Scheltwort kennt (A. v. Keller 4, 357, 6), sagt im Schwank von den Lappenhewser bawren (9, 383, 11 ff.) i. J. 1558 geradezu: darvon kompt noch das sprichwort auser, das man ein heist ein Lappenhauser, wer auß eim tollen, tummen mut viel ungeratner arbeit thut, on nutz und not viel ubersicht, stets viel verwarlost und zerbricht. Dieselbe Etymologie verraten die Eingangszeilen Lappenhausen... darinn gar leppisch pauren sendt, ferner 382, 38 der Lappenheuser leppisch werck u. 383, 7 f. mit den Lappenheusseren allen thetten ir leppisch köpff zerfallen. So versteht wohl auch W. das Wort (f. oben 44 und seine scherzhaften Ortsnamen Narrenheim 7882 u. Torenhofen 7887). Dagegen ließe sich von der Bemerkung 7495 f. der Weg zu einer andern Auffassung finden, die im Froschmeuseler zutage tritt: 1, 2, 10, 73 bald hinkt heran ein Lappenheuser (Bettler in Lumpen), 2, 3, 6, 28 er muß auch haben sein ansehen, nicht wie ein Lappenheuser gehen und ganz deutlich 3, 1, 3, 143 die haut blieb buntfarbiger art, wie die an kleidern funden ward, welch die Lappenheuser gepletzt, mit mancherlei flickwerk besetzt. S. Uhland, Schriften 8, 374, Anm. 3. Noch im Simpl. 1684, 3, 804 begegnet Lappenhäuser. Vgl. den fingierten Ortsnamen Lumpishüsen SJb. 3, 1282 (Hinweis Singers). Da das L. des „Ringes" in der Toggenburger Gegend zu denken ist (f. 5300 ff. u. 6959 ff.), verdient die Angabe im Schwank von H. Sachs bey Rappersweil im Schweytzerlandt (Rapperschwyl am Zürchersee) da liigt ein dorff gar weyt erkant, das man zu Lappenhausen nent (Meistergesänge im Ratsarchiv zu Zwickau: Tannhäusers Hofton 12, 297a aus 1552) bemerkt zu werden. Ob hier ein Zusammenhang besteht u. welcher Art, ist kaum zu entscheiden. lapp (f. oben zu 44) ist im Spätmittelalter geradezu ein Schlagwort der bauernfeindlichen Literatur: f. Uhland, Schriften 8, 374.

58. holtz und wasser (wie 8335) die Grundbedingungen für die Existenz des Dorfes: vgl. in Etterlins Chronik Bl. X von der Ansiedlung der Schwyzer in ihrer neuen Heimat sy ... fundent dâ hübsch holz, frisch guot brunnen ... — überreich = verstärktes reich wie 836; dagegen tadelnd überweit 3732, überweis 4411 und übervol 7845.

59 f. Fast wortgetreu aus Metz. Hochz. 71 f. (vgl. Meier Betz 117 f.). Über esler f. Ausg. S. 331. Das Wortspiel edel — esel (f. den Reim 5685 f. u. 7971 f.) ist vor und nach W. gang und gäbe: so im Renner 1419 ff. einez sint edelinge, daz ander eselinge. Ein edelinc tuot edellîchen, ein eselinc tuot esellîchen. Doch siht man ofte sich dringen eselinge mit edelingen. Ein edel kint hât edel site, dem volget tugent und êre mite; einem eselinge wont ein esel bî, swie rîche er friunde und guotes sî; edel — esel DWb. 3, 1148 (Steinhöwel u. Fischart), edelman — eselman 1150 (Keisersberg u. Logau), edelsleben — eselsleben 1154 (Simpliciſſimus). Ähnliche Wortſpiele auch ſonſt, wie z. B. ritterlîch — rinderlîch Reinmar v. Zweter 106, 1 f., kriegsmann — kriesiman Nikl. Manuel, Vom Papſt u. ſeiner Prieſterſchaft (Baechtolb) 61, 783 f.. edel wäre neben gpaur nach 4399 f. u. 7244 (vgl. 4862 ff.) geradezu eine contradictio in adiecto. — vil: 7998 f. ſtellt das Dorf 312 Streiter.

62. Über den Namen Bertschi Triefnas ſ. ZfbA. 50, 251 u. DWb. 11, 1, 2, 480; außerdem vgl. Faſtnſp. (Keller) 210, 8 du rotziger paur, Spottlieb auf die Bauern, ZffbA. 41, 179, Str. 11 er hat so wol gesungen von einem roczigen päwrelein, Faſtnſp. 786, 10 ff. ich urtail . . . das er schol in den hadern schliefen und auch darzu sein nasen triefen und in Fiſcharts Garg. (Alsleben), S. 66 die naßtrieffige . . . alte kupplern, 79 die nastropfige weiber, 119 trieffnäsige würstfüllstopper.

63. degen ironiſch wie hier 216, 451, 482, 844, dann noch 8168 u. 8990. S. zu held 112. − säuberleich (ſ. ZffbA. 50, 251) und stoltz ebenſo verbunden z. B. Ammenhauſen 12763 f. u. Keller, Faſtnſp. 619, 9.

64 f. Ähnlich Neidh. 80, 35 f. Hiwer an einem tanze gie er umbe und umbe. W.s Vergleich mit einem hölzernen Kreiſel iſt ſprichwörtlich: ſ. Lexer u. topf (J. V. Zingerle, Das deutſche Kinderspiel im Mittelalter, S. 27) und Apollonius 12816, Kloſter der Minne, Lieders. 2, 124, 1205 f., Kellers Faſtnſp. 194, 17 f. (ſ. Guſinde, Neidh. m. d. Veilchen, S. 216), Folz, Von einem Köhler bei Keller, Faſtnſp. 1245; ähnlich auch Reinfr. v. Braunſchw. 3650 f. du füerest unde trîbest mich umb und umb als einen klôz. — an dem feirtag: die Wochentage gehören der Bauernarbeit: 1270 ff.; daher findet das Stechen und Turnieren am Sonntag ſtatt 105, ebenſo die Hochzeit: vgl. 6951; die Gäſte treffen ſpätabends am Samstag ein 5360.

66 f. Beide Zeilen formelhaft für den Begriff „jedermann". Zur erſten vgl. etwa Kellers Faſtnſp. 652, 26 und Teufels Netz 493, pluraliſch König vom Odenwalde (E. Schroeder) 10, 25 ff.; ez wære krump oder sleht = „unter allen Umſtänden" Wolfr. Parz. 347, 23: ähnlich Boner 60, 13 u. Kaufringer (Euling) 1, 395; vgl. auch K. v. Odenw. 7, 54 die sliht und auch die krumbe. Zur zweiten Kellers Faſtnſp. 361, 31 mit singen mir niemant obleit, es sei ferr, nochet oder weit, ähnlich 435, 14 u. 595, 32 f., auch Hugo von Montfort 38, 55 die nahen und die versten, Netz 6410 si gangind nach oder verr. Im R. 2096 du seigist nahent (immer in dieſer Geſtalt bei W.) oder ferr = „überall".

68. sprechen mit Dativ = „nennen" noch 123, 4761, 6692.93 u. 7992, ruofen 6695 (anders 2641). − junker Triefnas nennt ihn W. ſelbſt 3493; andere Bauern 1266, 6556, 6865, 7424; ſ. auch 123; juncherr tituliert Neithart 412 ironiſch den Meier Leckſpitz, 833 wird er ſelbſt von Triefnas so angeſprochen. Joh. Rothe erkennt im

Ritterspiegel 30 diesen Titel nur dem Edelknecht zu, aber der junge Helmbrecht führt ihn 715 u. 794. Vgl. auch Heselloher (A. Hartmann) 1, 87 ff. nyemantz anders sprechen sol: er sey des adels alßo wol, ein graff von Lorion. Der Verf. der Reimchronik des Appenzellerkrieges, die dem R. örtlich und zeitlich nahesteht, meint 1544 ff. Es wil jederman edel sin, davon hept sich grossi pin und gros nid und haß. Es stůnd wårlich baß, man hett jederman, darnåch und er wär, es wäre her oder burger usw.

69. Der Dichter liebt solche meist einzeilige rhetorische Fragen an den Leser: f. 250, 621, 1254, 1308, 1370, 1500, 2109, 2587, 5449, 5638, 5699, 5880 f., 5913, 6010, 6095, 6255, 6422, 7865, 7959, 8090, 8684, 8952, 9190, 9219 ff., 9241 ff., 9643. Die Z. 69 ist eine vielgebrauchte Wendung, ein Thema abzubrechen; vgl. in den GA. Nr. 57 (Minneburst), 184, Nr. 58 (das Rädlein), 172, aus Enenkels Weltchronik ebd. 2. Bd., S. 606, 441, Apollonius (Singer) 9415, Ammenhausen 6367, 14774, 15366, 15605 u. 14, 15780, Boner XXI, 41, LX, 19, Mhd. Minnereden (Matthaei) 1, 267 u. 15, 210, Kaufringer 11, 318 u. Eulings Anm. S. 235, Kellers Erzählung aus altdeutschen Hff. 247, 37 u. 260, 22.

71 f. Betreffs der alten Frauen f. die derbe Szene 5421 ff. Zur Verbindung die alten und die jungen f. Martin zu Kudrun 548,2 und Kinzel zu Lamprechts Alex. 3218.

73 f. sunderbar stets im Reime, 1678 ähnlich wie hier, sonst noch 2025, 2945, 4054, 4154, 5977, 7228, 7338, 7982, 8064. Die Formel daz ist war folgt auf sunderbar auch 7229 u. 7339, überdies steht sie am Zeilenende 1585, 4060, 5558, 6476, 8235. Sie ist viel verbreitet: f. z. B. GA. Nr. 18 (die Heidin), 381 u. Nr. 20 (der Gürtel), 148, Suchenwirt 5, 91 u. 107, 8, 197, 10, 139 u. a., Zupitza, Einl. zur Virginal XXI, Fr. Vogt, Einl. zu Salm. u. Mor. CXXXVII f., Euling, Einl. zu Kaufringer, S. V u. zu I, 88 (S. 233).

75. Zum Namen Mätzli f. ZfdA. 50, 252. Er bezeichnet im R. auch schon gattungsmäßig die Bauerndirne (SJb. 4, 611 f. unter Mätz, Mätzli u. W. Wackernagel, Kl. Schr. 3, 167 f): mätz 3770, mätzel 5355, mätzli 6400, mätznen 6673, torffmätzen 1033 u. 5311; f. auch Mätzendorff 8164 u. ö., Mätzendorffer 8037 u. ö. Rüerenzumph auch 2117 u. 3465, zur Deutung f. 2118 f. Im Mosnanger Jahrzeitbuch, Stiftsbibl. St. Gallen, Cod. 1399, fand ich die Schreiberzote wär der wirt ain biderman, er griffi der frouen mit dem zumppen dran. Zu den Nachweisen unserer Wbb. ergänze zumpel in Kellers Fastnsp. 865, 13, zümpelin in Fischarts Garg. (Alsleben), S. 198 u. 201. Wie Rüerenzumph ist auch Nimindhand 3627 zu verstehn: f. AfdA. 33, 171 (zu Brill, Die Schule Neidharts, S. 95), ferner Kellers Fastnsp. 219, 16 ff. der solt mit meiner frauen tanzen, und so er mit ir wurd umbher swanzen, gab er ir den fisel in die hant und Fischart, Garg. (Alsleben), S. 255 Dann ad caudam tendunt, vltrò manibusque praehendunt. Das ist, Wurst stellet (I. stillet) den Meidlin den Durst, vnnd greiffen all, gern nach dem Al, vnd streichen kein Sand doch in die hand.

76—96. Die Schilderung Mätzlis (3426 ff. aufgegriffen und erweitert) parodiert das ritterliche Frauenschönheitsideal, öfters in der Form direkter Ironie: den lobenden Einsatz — vgl. rot 78, rosenlecht 89, chlein 90, lauchten 91, smacht 92, gstrichen 93 u. schon 95 — verhöhnt der folg. Vergleich. Dieselbe Technik schon in Wolframs Schilderung der Cundrî Parz. 313, 20 ein zopf ... linde als eins swînes rückehâr, in der der Dirne des Wirtshauses zu Überling bei O. v. Wolkenstein Nr. 60 (Schatz), 73 ff. zwai smale füesslin als ain schilt und ir ermlin, hendlin sind gevilt weiss als ain swarze ruechen; ähnlich Nr. 7 in Kellers Fastnsp. (71, 10 ff. u. 74, 2 ff.), Nr. 58, Nr. 86 (702, 14 ff.), auch die Schilderung eines häßlichen Bauern Nr. 36 (275, 3 ff.). S. Hügli, Der deutsche Bauer im Mittelalter, S. 127 f. und die Reimpaare im Lieberb. d. Hätzl. LXX ff., im Wunderhorn „Sie können es nehmen wie sie wollen" (1593). Eine reiche Sammlung von Belegen für die Einzelzüge des ritterlichen Frauenschönheitsideals bei Anna Köhn, Das weibl. Schönheitsideal in der ritterl. Dichtung, S. 92 ff.; f. ferner K. Weinhold, Die deutsch. Frauen im Ma.[3] 1, 201 ff., Alwin Schultz, Das höf. Leben zur Zeit der Minnesinger[2] 1, 211 ff., M. Heyne, Deutsche Hausaltertümer 3, 19 ff., K. Euling, Das Priamel bei Hans Rosenplüt, S. 98 f., Mondsee-Wiener Liederhf. (Mayer u. Rietsch) Nr. 44, 23 ff. u. die Anm. S. 449 ff.

76. krumpf wie 3447 (kumph der Hf. 3447 verbietet der Zusammenhang; die Verbindung „krumm und lahm" f. DWb. 5, 2444[8]) ist bei Lexer 2mal aus des Teufels Netz belegt, f. auch DWb. 5, 2443b; ferner in Kellers Erz. aus altd. Hff. 438, 3 (: stumpf); daneben im R. regelmäßig chrumb (im Reime : umb 66, 1586, 2200, 3418, 4996, 5619, 6016, 6681, 8466 u. 9316). chrumpf bezeugt das SJd. 3, 825 für das Subst. als Nbf. von chrumb aus dem Glarus (Hinweis Singers). Die Vorstellung, daß M. lahm ist und hinkt (das heißt krumpf: f. BWb. 1, 1370, 2, SJd. 3, 821b u. DWb. 5, 2443 f.) hält der Dichter 1504, 3429 (hinkt!) u. 3447 fest. 3447 f. kehrt auch die wunderliche Verknüpfung dieser Vorstellung mit dem Adel wieder: vgl. im Wunderhorn „Adelsucht": Er krümmt sich fast nach Adelssitt. — Mätzlis Adel läuft Bertschis Junkertum parallel. So sagt in Kellers Fastnsp. 69, 16 ein Bauer von einer Dirne sie ist als von eim edeln geschlecht, schildert sie aber gleich darauf als elende Metze; 873, 4 ff. spottet ein Bursche über eine andre, die sich adelig nennt gnad, jungfrow, ... ich hab nit gwüßt, daß ir so edel waren und daß ir künig Artus tochter sind. Ich wond, du werest eins buren kind.

77. Die Zähne der höfischen Schönheit sind weiß wie Elfenbein u. ä. (Schultz, H. L. 1, 215, Anm. 2, Köhn 101, Anm. 15—18), die Hände wie Schnee u. ä. (Schultz 217, A. 4, Köhn 94, A. 8—12). Der Vergleich (swarz) sam ein brand (f. darüber Zf. 50, 252, Anm. 5) ist typisch: außer den Bspp. des Mhd. Wb.s und Haupts zu Erek 653 f. noch Konr. v. Würzb., Turn. v. Nantheiz 557 u. Heinr. v. Neust.,

Apollon. 14282 f. Ironischer Vergleich wie bei W. das zu 76—96 gebrachte Zitat aus Oswald und Hans Sachs (Keller) V, 184, 22 u. 191, 23 ir hend weiß als der ofenherd. — Plural zen erscheint 5518 (: zwen), dagegen Dat. zenden 8970 (: wenden), 3165 zen mit nachgetr. d. Im Singular nur zan im Reime: -an, u. z. Nom. 3440, Dat. 2648, 5639 u. 6592. Vgl. Fülizan 6698, 8175, 8613.

78. mersand (sonst mhd. unbezeugt, dagegen ahd. bei Notker: f. Graff 6, 257) für den in diesem Vergleiche üblichen Rubin (f. z. 1814 f.): also fahl. Singer vermutet dagegen niersand.

79. Das Haar hat goldgelb, lang und lockig zu sein: f. Schultz, HL. 1, 212, A. 2 u. 220, A. 3, Köhn 104, 4—13. mäuszagel (sonst nicht nachgewiesen): der Vergleich ist eine verbreitete und heute noch geläufige Spötterei: f. DWb. unter Mäuse- und Rattenschwanz und in G. Kellers Beschreibung von Kätter Ambach (Leute von Seldwyla 2, 135) während am Hinterhaupte ein dünnes Rattenschwänzchen sich ringelte; gel als ein rabenzagel vom Haar bei Kummer, Erlauer Spiele, S. 55, 570 u. Sterz. Spiele 15, 532 f.; in Kellers Fastnsp. 275, 3 mein har gleicht eim schwarzen rosschwanz.

80—84. Zum Kropf (1948 u. 3447) und zum Höcker (3431 u. 51) Mätzlis könnte auf Stellen wie in Jörg Schilhers Lied Hätzl. 1, Nr. 28, 81 f. ir hälszlin... on argen wanck, vein uszgeschwaiffet zart verwiesen werden; sonst wird nur die Rundung des Halses hervorgehoben: f. Köhn 96, A. 5 und Apollonius 15070, Suchenw. 25, 188, Hugo v. Montf. 5, 45 u. 21, 12. Im Ausdruck vgl. Wolfdietr. B (DHB. IV, 2, 305) Str. 17, 3 sie truoc zwô grôze bruste giengen ir biz ûf diu knie.

82. 83. Lieben in der Anrede mit herren 1393 u. 7522, mit freunt 2657, mit kinder 3167 u. 7504, mit muomen 3633. — gsellen vom Publikum nur hier; in der Anrede mit lieber 1303, 1666 u. 4904, mit her 353, 1824 u. 6934, allein 1848, 3829, 4618 u. 9336. Mit höret wendet sich der Dichter an seine Zuhörer auch 308, 396 u. 5314, viel öfter mit secht (meist im Zeileneingang bei folgendem do): 215, 275, 439, 500, 512, 615, 652, 808 usw. (51 über das ganze Gedicht verstreute Stellen); mit sich nur 5989. Über diese seht u. hört in der Spielmannsdichtung f. Fr. Vogt zu Salm. u. Mor., Einl. CXXXIX f. — überschossen „zu üppig emporgewachsen", unbezeugt; doch f. DWb. 11, 2, 499 B 4 (Maler Müller).

84. drüber fordert der Rhythmus gegen die Hf. wie 571, ebenso dran 737 u. 8679, drauf 752, draus 5134, drein 1359, 6448 u. 8679, drinn 5659. hiet gossen = möhte g. han.

85. S. dagegen 3672. Schön sind schmale, kleine, gewölbte Füße: Köhn 94, A. 2 u. 3, Schultz, HL. 1, 219, A. 5 und Suchenwirt 25, 167—69 (wörtlich nach Wigamur 4941—43), Hugo v. Montf. XXI, 27 hochristig, smal ir fuesslin hol, Altswert, Spiegel 122, 29 spitzig füez, dagegen Hätzl. LXXVII, 104 als wäschplewl sind ir füsz.

88. sich widerstellen wie 7371; an widerstellen 4092, niemant tar (lies niempt tar sich ?) dir wider st. 4842, sich stellen ... wider 7305 f. und gen 6074.

89. Für die Röte der Wangen (Köhn 98, A. 6—11, Schultz, HL. 1, 214, A. 2) gebraucht O. v. Wolkenstein 60, 87 u. 61, 16 röselocht (noch öfter vom Munde), das hier und 4325 in der Hf. entstellt wurde. Vgl. rosenwängel 3457 u. chropfecht 3447, bugglocht 3431, hogrocht 3451, straublocht 3658, glatzocht 5292. äschen (zum Nom. Sg. hier und 3348 f. BWb. 1, 166, rechen 125 und ein snöder aschen : waschen Suchenwirt 42, 25) ist bei W. femin.: f. 1522, 2771 u. 5495.

90. Der Busen soll klein, fest sein und nicht schlaff herabhängen; er wird mit Äpfeln oder Birnen verglichen: Köhn 92, A. 11 u. 12 u. 93, A. 1 u. 2, Schultz, HL. 1, 217, A. 7; vgl. ferner Minnelehre (Pfeiffer) 659 ir brüstel klein unde vîn, GA. Nr. 40, 22 ir brüstlîn klein und sinewel, Apollonius 1629 ff. ir prustel ... zwayr parißapfel sinewel, 13215 als apfel aus dem paradyse, Suchenwirt 24, 156 ir prüstel chlain gefüget, 25, 184 zway prustel als zwai pirnl, Hätzl. (Jörg Schilher) 1, 28, 83 f. zway prüstlin ... in rechter höh empor geruckt u. 59, 13 ir prüstlen hertt. Der Vergleich mit Äpfeln auch bei H. v. Montfort 3, 27: f. Wackernells Anm. z. St. und in Fischarts Garg., S. 113 apffelrunde und lindharte Marmol Brüstlein, rechte Paradißöpflin usw. (im folg. zitiert er Jörg Schilhers Verse). — chlein: f. 3456 grosses tüttli; smirtäschen (sonst nicht nachgewiesen): Taschen für Schmiere? In Südmähren hörte meine Frau gelegentlich Schmiertäsch als Schimpfwort für ein unsauberes Frauenzimmer. schmerkappl BWb. 2, 554 und DWb. 9, 1034, schmerhaube ebd. (= Lederkappe, Pelzhaube) stehen wohl ferne. Ähnlich drastische Vergleiche für häßliche Hängebrüste in Kellers Fastnsp., S. 702, 19 reht sam zwu lere sateltaschen, im Wigalois 6314 ir bruste nider hiengen ... gelîch zwein grôzen taschen, Hätzl. LXXI, 14 ir prüstlen ragen also ser recht als zwü plattern wassers lär, Gr. Alexander (G. Guth) 3996 f. Ir brüstel ... warnd als ain pfeyffensak, N. Manuel, Vom Papst u. sein. Priesterch. (Baechtold) 54, 590 sit dass mine tutten anfiengend hangen wie ein lerer sack an einer stangen, Thomas Murner, Die Gäuchmatt (W. Uhl) 3147 u. 53 die fleschen von den weiblichen Brüsten.

91. Schöne Augen leuchten wie Sonne, Mond und Sterne: Köhn 103, A. 3—5, Schultz, HL. 1, 213, A. 4, ferner Minnelehre (Pfeiffer) 632 f. ir ougen lûter unde klâr spilten sam der sunnen schîn, GA. Nr. 24, 125 ir ougen als der sterne schîn, in Kellers Fastnsp., S. 265, 2 ff. eim weiblein, dem die augen fenstern, recht als die sunne tut her glenstern.

92. Ähnlich 3430 u. 49. Über den duftenden Atem der höfischen Schönen f. Köhn 102, A. 2; Fischart, Garg. 112 der Athem war recht balsam oder Specereikräfftig usw.; dagegen Sterz. Spiele Nr. 2, 93 ier stinckht auch der atem gar ubel u. Euling, Das Priamel bis Hans Rosenplüt, S. 554 ein weip, der der odem stinkt, H. Sachs, Fastnsp. (Goetze) Nr. 35, 319 Auch schmecket jr gar hart der Atn.

93 f. gwändel auch 758; gstrichen (2425 vom Haar) wie bei Hugo v. Montfort 25, 6
die stoltzen lib gestrichen die warent gar zergangen. Auf den vollen Formen einer
schönen Gestalt liegen die Kleider faltenlos: vgl. z. B. in Gottfrieds Tristan 10909 ff.
der roc der was ir heimlich, er tet sich nahen zuo der lich: ern truoc an keiner stat
hin dan, er suohte allenthalben an usw., ähnlich in Konrads Engelhard 3078 ff. Neidharts Lieder, unechte Strophe in Cc (S. 288), 3 f. er ... strîchet sîniu kleider, daz
ein vedere niht an im belîbet u. 5 f. der schouwet ofte sîn gewant und strîchetz
nâch den sîten beidenthalben mit der hant, daz im die röcke iht wîten. Mätzlis
Gewand schlottert aber wie an einer Leiche; f. auch 3429.

95 f. Eine Parodie von Phrasen wie z. B. GA. Nr. 15, 71 (si) ... kund lieblîch
gebâren. Der Ausdruck wie 3469 u. 5237. — 96 vielleicht nach einer Redensart: Joh.
Lauremberg, Niederdeutsche Scherzged. 1, 221 f. de Welt... hefft nicht mehr Verstand als ein drejahrig Kind; in Kellers Fastnsp., Nachlese 242, 5 heißt es von den
zwei greisen Verleumdern Susannas, sie seien so albern, als waren sy kind pey dreyn
tagen. — sam ob wäre vereinzelt im R.

97. Abbrechend und zu Neuem überleitend. tagweis (nur hier im R.) scherzhaft wie sonst
oft gesand: so 568, 619, 1649, 3666, 4800, 7053, lied 3490, singen 243, 1342,
2434, 2872, 3068, 3490, 3494, 3740, 4418, 4455, 4951, 6147, 7054, 8548 u. 8638,
sängelt 2139 u. 3493.

98. truog sei den preis: dieselbe Phrase 4888, mit han 3935 u. 4905.

99. Der best. Artikel vor Eigennamen im Nom. 345, 789, 990, 1280, 1392, 1650,
3622, 6239, 6441, 6630, 7092, 7155, 56 u. 63, 8632, 9541 u. 88, im Gen. 1204,
9044, im Dat. 275, 858, 1214, 4070, 5965, 6171, 7873, 8529, 9262 u. 72, im Akk.
2632, 8967, 75 u. 85, 9278. Dazu vgl. Behaghel, Deutsche Syntax 1, 53 f.

100. selten ie vergas wie 2513 u. 5226: eine beliebte Wendung Neidharts: 59, 1,
75, 24 u. 89, 22, f. auch Mf. 3, 269b 5 (Neidh.-Hf. c, Nr. 107); sonst z. B. in GA.
Nr. 41, 220, Die böse Frau (E. Schroeder) 560, Dietr. Flucht 4964 u. bei H.v.Bühel,
Königstochter 838. — selten ie auch 639, ie selten 1407, selten mer 602.

101. schlechtleich auch 2200, 3524 u. 9172 (nirgends cht in der Hf.).

102. S. ZffdA. 50, 252. Die empfindsame Phrase 1295 nach dir so wil ich sterben
(ähnlich 1583, 1607, 1658 f., auch 1562 f.) wird hier spöttisch verzerrt. Sie ist Gemeingut: vgl. GA. 9, 116 f. ez wil verderben nâch iu der tugentlîchest man, Reinfr.
v. Braunschw. 6665 wie er wolt nâch ir sterben, Ammenhausen 13290 ff. der guote
jungeling der wil gar verderben nâch eim wîbe und muos sterben, Hugo v.
Montf. 35, 8 min hertz das wil nach diner lieb verderben, auch Neidh. 3, 13 nâch
sîner minne bin ich tôt. W. hat für das derbe Wort serten eine bemerkenswerte Vorliebe und bringt es in mannigfach schillernder Bedeutung an. S. die eingehende Darstellung im BWb. 2, 328: a) = stuprare in den Drohungen 5812, 6469, 73 u. 74,
ferner 6674 neben schenden; b) = „belästigen, quälen" 1324, 2321, 2757, 2864, 3462,

3680, 3720, 3914, 5981 f. („alles ist beim Teufel"), 6105, 8425, 8872; zum Namen
Siertdasland 3628, 4963 u. 95 vgl. 8425; c) = „hauen" 637, 7595, 8394 u. 9278;
d) = „locken" 9626. Dazu die Substantiva so mir ein surt 1413 (beteuernd) u. einn
sart 6198 („gar nicht"). Solche verfemte Wörter müssen in der derben Volkssprache
eben bei allen möglichen Gelegenheiten herhalten. Daß serten und sein Anhang in der
Sprache der Ostschweiz zur Zeit des Dichters geläufig war, beweisen die im WWb. aus
der Reimchronik des Appenzellerkrieges erbrachten Zeugnisse. Weitere alte Nachweise
von serten, auf die mich M. H. Jellinek aufmerksam machte, s. in Bursians Jahresber.
1909, 1, 177, Anm. 2 (Glossen in einer Terenzhs. von einer Hand des 11. Jhdt.s, die
Rob. Kauer abdruckt); H. Sperber verwies mich auf Eberhart Windeckes Denkwürdigkeiten (hrsg. v. W. Altmann), S. 81: (ich) lag dem konige an als oft und also vil,
ob das er zornig wart und sprach, er wolt mir min mütter serten: s. zu R. 8972.
Ferner S. 352 das sie den lichnam und daz blüt mins brütgoms ... serten. Das
seltene zerserten gab Schreiber (und Korrektor) zu tun: transitives zers. erscheint 7595
u. 8394, vgl. zersorten 9278; intransitives in des Teufels Netz 10946; auch 10932 ist
dort in zersert (:hert) zu ändern, womit intr. sw. V. zerserten erwiesen wäre. S. Banz,
Minnende Seele, S. 135, Anm. 2 und das Partizip ersert, das 2mal bei H. v. Bühel
vorkommt. S. Mhd. Wb. 2, 2, 320b 22 ff. — wolt = „daran war, drohte" wie außer den
schon genannten Stellen noch 484, 1520, 2715 u. 47, 3498, 6450 u. 7055.

105. Vgl. L. Tobler, Schweiz. Volkslied. 2, S. 77, 1 An einem donstag es beschach, S. 88, Str. 1 (ähnlich 5) An einem mändag es beschach. suntag: dagegen
sunnentag 977 u. 6951. — Zu dem 105—1281 geschilderten Stechen und Turnieren
der Lappenhauser vgl. meine Abhdlg. in der Festschrift für M. H. Jellinek.

107. Mit zwelf gsellen: nach der Darstellung 111—160 ist Triefnas vielmehr von
elf Genossen begleitet. Vgl. auch 216. So will Nib. (Bartsch) 59, 2 Sîfrit selbe
zwelfte in Gunthers Land, hat aber 64, 3, 161, 3 u. 197, 2 zwölf Recken mit. Über
einen ähnlichen Widerspruch im Beowulf s. M. H. Jellinek und C. Kraus, Euphorion 4,
695. Die Zwölfzahl der Stecher wählt W. im Hinblick auf die typische Zahl der Recken
in der heroischen Epik: so zieht z. B. auch Gunther im Waltharius mit zwölf Begleitern
gegen W. und Laurin K. II 935 heißt es Walbaran selpzwelfte überal zoch reich-
leichen auf daz wal. S. auch König Rother 128 ff.

109 ff. unverdrossen: wieder (s. zu 76 ff.) mit direkter Ironie wie unten auch
cheker 124, hohgeporner 132 u. aller best 161. Die bäuerlichen Reiter fühlen sich
auf ihren Eseln und Ackergäulen (175) nicht sonderlich wohl. — Seines Heroldsamtes
waltet der Dichter mit sorgsamer Systematik: elf von den Gesellen widmet er je vier
Verszeilen, dem zwölften sechs; je zwei gelten der Person, zwei dem Wappen bis auf den
elften, wo das Verhältnis 3 : 1 ist; der zwölfte wird auch dadurch ausgezeichnet, daß
wir zuerst das Wappen, dann erst den Namen erfahren, und zwar in je drei Zeilen.
Jeder der Vierzeiler wird durch die Nummer eröffnet; auf den Namen folgt ein kenn-

zeichnender Zusatz 112, 116, 120, 124, 128, 132 u. 136; dann erscheint der Name erst in der zweiten Zeile 140, 144, 148 u. 152. Mit dieser straffen Gliederung geht Hand in Hand ein sichtliches Streben, Eintönigkeit des Ausdrucks zu vermeiden: wie bei der Einführung des Namens (111, 115, 119, 123 usw.) so bei der Angabe des Wappens (113, 117, 121, 125 usw.).

111. unser Triefnas: diese vertrauliche Art der Einführung erlaubt sich der Verf. öfters im ersten Teil: s. 712, 798, 1310, 1412, 1646, 1923, 2031; späterhin nur noch 6636. S. J. Grimm, Über den Personenwechsel in der Rede, Kl. Schr. 3, 267 f.

112. held: ironisch (s. zu degen 63) wie 116, 444, 853, 1308, 6901, 9642. Zu giesfas vgl. ein schenchfas swär 5647. Der Vergleich (Singer zitiert dazu Goethes Faust I, 2308 altes Weinfaß) zielt auf Bertschis Beleibtheit. Vgl. 2612 f. u. 3732 ff.

113. Für die Bauernwappen, die ritterliche parodieren wie die Waffen und die Rüstungen, wählt der Dichter Bauerngeräte statt ritterlicher 113, 122, 125, 138, 146 oder Bauernspeisen 130, 142, 150, 154 oder harmlose Vorstellungen aus dem bäuerlichen Lebenskreise 118, 134. Ähnliche Wappenzerrbilder 7905 ff.; auch in Brants Narrenschiff, Kap. 76, 27 ff. und hat doch schilt und helm dar von brocht, das er sy ein edel man, ein hapich, hat farb wie ein reiger, und uff dem helm ein nest mit eiger, dar by ein han sitzt inn der muß, der will die eiger brüten uß.

114. der was er fro: formelhafter Zeilenschluß, ähnlich 270, 5636 u. 7935; s. auch 8538 u. 91.

115. vom (wie nach 336 u. 893 zu lesen ist) stadel: solche Zusätze hinter Personennamen sind im R. nicht selten; vgl. von dem gatter 5319, vom hag 5919 u. von dem kerssenpaum 8628, oder mit der gäss 127, mit dem überpain 140, mit dem kruog 1150, mit dem stil 2639, mit dem blöden reffzan 2648, mit dem phlegel 7161 u. 7245, in Spottnamen mit der nasen 425 u. unterm tach 8688.

116. waldmies: sonst nicht nachgewiesen. (Singer.)

119. Der dritte heißt Chnotz: s. 345, 894, 949 u. 74, 5751, 5961, 6033 u. 73, 6542, im Dat. oder Akk. Chnotzen 239, 1090 (: hotzen), 1135 u. 6534. chnozi im Schweizerischen (SJd. 3, 772) bezeichnet einen dicken, drolligen Burschen. In der Hs. scheint der Name nachträglich und irrtümlich an den des zweiten angeglichen, der nur 1015 als Cuontzo, sonst stets wie oben als Chuontz erscheint: s. 311, 336, 616, 893, 1006 u. 6231.

120. Eine Parodie beliebter höfischer Phrasen wie der, aller schanden bar, blôz, frî, vor schanden behuot usw., wie sie z. B. Ulrich von Lichtenstein im Frauendienst oft gebraucht oder Suchenwirt in kühnen Schnörkeln des „geblümten" Stils umschreibt.

122. chrieshaken: schweiz. chriesihogga (SJd. 2, 1090), das bayr. kerschnhagl (BWb. 1, 1070). chries(i) im R. nur hier in der Komposition, sonst kerssen (4308, 6119 u. 27, 8628). S. kirsen u. kriesen Zimmr. Chron. 1, 304, 12 f. Vgl. χριϱσι in der Toggenburg. Mundart (Wiget 111) u. die köstliche Erzählung Gotthelfs, in der kirsi und kriesi aufeinanderprallen (S. Singer, Schweizerdeutsch, S. 101).

123. Troll (s. ZfdA. 50, 253): ein auch im Fastnachtspiel beliebter Name (s. W. Arndt, Die Personennamen der deutsch. Schauspiele des Mittelalters, S. 69). Als Scheltwort der Bauern bei Heselloher (A. Hartmann) IV, 38 u. 151; s. Schönbach, Steir. Scheltgedicht (Vierteljahrsschr. f. Lit.-Gesch. 2, 332) zu 174 und paurendrollen in Kellers Fastnsp. 336, 1, der verheit paurntroll Sterz. Sp. 2, 64, ackertroll ebd. 1, 105.

124. chek wie 7398 (dort neben mächtig), vgl. chechleich 6627: zur Bedeutung s. Stalder 2, 93 u. SJd. 3, 121, 3. anchenzoll (sonst nicht nachgewiesen) wieder alemann. Ausdruck: s. Stalder 2, 478 u. SJd. 1, 341 f.; auch waldmies 116 bezeichnet etwas Lindes, Nachgiebiges.

125 f. Daz sein zaichen wie die sein nataur 2936; s. ferner 6736, 6870 u. 99 u. 7593 u. die Anm. zu 932. Der Zusatz in 126 parodiert vermutlich ähnliche Phrasen in Wappenbeschreibungen, die symbolisch die Widerstandskraft dargestellter Waffen betonten.

127. Haintzo mit der gäss (= gaiss) ebenso 268, 285 u. 642, später nur Haintzo oder Haintz: 685, 782 u. 98, 820, 7424.

128. S. die Anm. zu 59 f. und Ausg. S. 331; ähnlich 8629 ein edelman und fechper gar. Die rittermezigin sind bei Joh. Rothe die Lehenträger der ediln lute. J. Petersen, Das Rittertum in der Darstellung des J. R., S. 63.

131 f. den namen Twerg: 992 her Twerg in der Ansprache, sonst stets mit dem best. Artikel als Gattungsname, der auf die kleine Gestalt des Trägers zielt; vgl. 6558 ein chlainer wicht u. 6731 geradezu von einem twerg. — ein hohgeporner („von edler Geburt"): vgl. 6557, ebenso vom Zwerge Trintsch 8963; der Zusatz auf dem perg ist offenbar wieder ein Wortspiel. Doch gewinnt es den Anschein, daß der Dichter schon hier unter die Bauern eine halb dämonische Erscheinung mengt — man beachte die Kampfweise des Kobolds 6557 ff.! — wie sie sich dann in bunter Fülle zum Endkampf herandrängen. Trolls Worte an den Zwerg 993 gemahnen an die 8148 von Laurin gebrauchten.

133 f. wappenrok wie 8041; gemalet mit auch 2367 f. Das Wappen 134 (glas = Glasbehälter wie Wartburgkrieg, hrsg. v. K. Simrock, 160, 11 ff. u. 162, 10 ff. u. Kristan von Hamle, Bartsch, DLD.⁴ XXXII, 35 als der sitich in dem glas) parodiert wohl den Vogelbauer in Wappenbildern.

135. Zu nēmet der Hs. vgl. namp man 7989 u. nempt man 3621, gnempt 4447 (: behend), wo ich gnent herstellte; sonst steht nur genant im Reime (8, 119, 2524, 2727, 3465, 4482, 4873, 5313 u. 42, 6630, 7608, 7991, 8762 u. 8837), ebenso im Zeileninnern 296, genennet 2638, 4761 u. 7152; genennen (: herkennen) 5344, im Zeileninnern 3434, 3630, 3952 u. 7685; nenne (: derkenne) 3969, im Zeileninnern 4441 u. 8065; nennent (Part.) 2307. So ist auch hier nennet in den Text zu setzen.

136. Der Name und sein Zusatz gehn auf die Vorlage zurück: s. ZfdA. 50, 253; Eisengrein ist auch Bauernname im Groß. Neidhartspiel (s. bei Keller Nr. 53), in Passionsspielen der eines Grabwächters: W. Arndt, Personennamen d. deutsch. Schausp. d. Mittelalters, S. 42; im Hinblick auf das Tierepos kennzeichnet er die wölfische Wut seines Trägers: vgl. 891 der wüetend E.; tatsächlich entfesselt der laidig E. (6449) durch seine Minnebrunst u. sein hitziges Dreinfahren 6468 ff. den Ausbruch der Raufszenen nach der Hochzeit. Der Zusatz ein snauferman zielt eben auf dieses atemlose Ungestüm (s. ZfdA. a. a. O. und Ausg. S. 331), ist freilich sonst unbezeugt.

137 f. auf seinem drüssel: etwa auf dem Wappenrock (s. 133)? 138 verspottet den 5735 ff. erwähnten Bauernbrauch. Singer denkt an trüssel = „Morgenstern" (Stalder 1, 315, in der älteren Sprache unbezeugt) und zitiert H. de Vibraye, Trésor des proverbes français anciens et modernes, Paris 1934, p. 425, J'ai vu les armes d'un vilain: trois doigts dans une salière.

139 f. als ich es main: ganz ähnlich 9106. Burkhart (aus der Vorlage: s. ZfdA. 50, 253) führt seinen Grafentitel (s. darüber 7274 ff.) regelmäßig (235, 377 u. 94, 401, 5745, 6035, 6156, 7274, 9335 u. 45). Vgl. Übernamen ähnlicher Art bei Socin, Mht. Namenbuch 417: 1276 E. dictus Gravo u. 1283 Burchart geheizzen der Grave von Theningen. Der komische Zusatz mit dem überpain nur noch 890 u. 6035.

142. ruoben werden als echte Bauernkost nur im Anfang des Gedichts öfters erwähnt (1058, 1490 u. 1523). In der Liste 5024 ff. fehlen sie. Beim Hochzeitsmahl trägt man Kraut (5711 ff.) auf, keine Rüben, während diese mit Speck in Metz. Hochz. 173 ff. (Meier Betz 148 ff.) ihre Rolle spielen. Das Fastnachtspiel verhöhnt die Bauern gerne als Rübenfresser: s. Keller 61, 26 ff., 216, 10; zu 403, 19 ff. (Groß. Neidhartsp.) mein herr, der Saurkübl, er isset gern beschorn rüebl; wan er am dem tanz, so scheist er si gern also ganz vgl. Jerem. Gotthelf, Uli der Knecht (Vetter), S. 130 (die Leute des Aargaus) meinten, es gäbe nirgend etwas Gutes als in ihrem Argäu, wo … d Rüebe eim dr Buuch verderbe und verchälte, daß läng Stück nüt as Ischzäpfe von eim gingen; Bauernspottnamen sind (W. Arndt, Personennamen d. deutsch. Schausp. d. Mittelalters 76, 81 u. 95) Ruobengrebel, -herbst, -korp, -schlunt, Rübschnitz; s. ferner Ruebendunst im BWb. 2, 11 (aus H. Sachs), Renner 9813 ff. u. Froschmeuseler 1, 1, 10, 192 ind scheun ghört heu, in bauren ruben. Singer verweist auf einen rüeben graben lâzen = „ihn als Bauern (d. h. verächtlich) behandeln" Apollonius 342.

144. Pentza (nur 694 Pentz: vgl. Metz. Hochz. 333 u. 410, M. B. 123): s. Benz SJb. 4, 1408 f. und W. Wackernagel, Kl. Schr. 3, 147; -a mit Anlehnung an benzen BWb. 1, 252 ? Vgl. Trinka-vil, das stets folgt. Den Zunamen beleuchten 258 ff. u. bes. 5849 ff.

146. rinder in eim phluog: s. DWb. 7, 1775 c.

148. Jächel Vorname anderer Personen 5340 u. 6341 f.; über seine Verwendung im

Faſtnſp. ſ. Arndt, Perſonennamen 22. — Zur Deutung von Grabinsgaden ſ. ebb. 77. gaden ſteht im R. nur 7126, und zwar = „Brautgemach" (ſ. SJb. 2, 116). Im Faſtnachtſpiel ſind ähnliche Phraſen mit fleischgadem u. gadem gang und gäbe: ſ. die im DWb. unter fleischgaden u. gadem (8) u. bei Lexer 3, 396 aus Kellers Sammlung zit. Stellen, ferner 344, 23 so prich ich in (den Frauen) in ir flaischgaden, 783, 26, 1010, 4, 1161 (Roſenplüt) und den Titel von Nr. 88 des baurn flaischgaden vasnacht.

149 f. gpürt = „adelige Abſtammung" wie auch ſonſt; über die beſ. Bedeutung von hürd ſ. DWb. 4, 2, 1957 u. SJb. 2, 1604, 2 e.

151. einlften: einlfhundert 7997. — Die etwas gezwungene Wendung mit gwiss legte der Reim (: -spiss) nahe, wie aus 626 f., 7260 f. u. 9238 f. erhellt.

152. Rüefli (ſo regelmäßig, nur 6009 und 7260 Rüefel): Kurzform von Ruodolf. S. SJb. 6, 631. Vgl. Ruofli in Kellers Faſtnſp. 825, 31 u. bei N. Manuel, Vom Papſt u. ſeiner Prieſterſch. (Baechtold) 74, 1139 u. 75. — Lekdenspiss auch 325 u. 7260, ſonſt immer (an 15 Stellen) Lechspiss, in beiden Geſtalten verbreiteter Spottname: ſ. die Nachweiſe aus Berthold im Mhd. Wb. 2, 2, 514b und das Ged. von der „Grasmetze" (Hätzl. 2, 72) 285 ich förcht, man hiesz mich leckenspis.

153. des torffes maiger „Dorfvorſteher", ſ. DWb. 6, 1903, 2; SJb. 4, 12, 2. Im R. führt nur L. dieſen Titel, Strudel, der Vorſteher von Niſſingen, iſt purgermaiſter (6682 u. 91, 6920). In Metz. Hochz. wird nicht nur der Held (Bärschi), ſondern auch eine Reihe weiterer Perſonen maier (offenbar = „Bauer", auch ſonſt geläufig) genannt.

154. Sein wappen : wappen iſt im R. nur pluraliſch gebraucht; zu ſein vgl. 2402, 7498 u. 8707, zur Sache Froschmeuſeler (Goedeke) 3, 2, 2, 85 f. Ihr wapen war ein birkenmeier, ein schinken und neun oſtereier.

155. Des leſten: ſo erſetzt der Dichter auch ſonſt in Aufzählungen gern das letzte Zahlwort (1238, 3916, 4847, 7374 u. 7994). — ich enwaiss: ohne nicht, obgleich kein abhängiger Frageſatz folgt, wie 286, 2011 u. 2135, alſo nur in den Anfangspartieen. Dagegen waiss ich nit 8209 und immer ich waiss u. a. nicht (nit) mit abh. Frageſatz: 379, 720, 4066, 5237, 6934, 8885, auch 3641, 7902 uſw. S. zu 552.

157. mit eim fuchszagel: den er als Wappen im Schilde führt, wie 644 f. lehrt. Die große Heidelberger Liederhandſchr. bringt Nîtharts Wappen nicht; aber die Steinfigur des Grabdenkmals an der Wiener Stephanskirche (aus der Zeit gegen Ende des 14. Jhdt.s) hält in der Linken einen Schild, der einen aufrecht ſtehenden Fuchs im Wappen aufweiſt. S. Beitr. zur Kunde der St.-Stephanskirche in Wien I. Neidharts Grabmal. Mitteilungen der k. k. Zentral-Kommiſſion zur Erforschung und Erhaltung der Baudenkmale, 15. Jahrg., S. XVII. Daſſelbe Fuchswappen findet ſich, wie mir Eduard Hartl freundlichſt beſtätigte, im Wappenbuch (Cgm. 145 aus den 2 letzten Jahrzehnten des 15. Jhdt.s) des Konrad Grünenberg, Ritters und Bürgers zu

Konstanz, unter den auf dem letzten Blatte nachgetragenen (Überschrift Der Neythart der pauernveind vō Zeisslmaure der zu wien an s. Stefflturn begraben ligt. Germ. 13, 497). Gegen Ende des 15. Jhdt.s taucht auch die Namensform Neithart Fuchs auf. Aber schon die von R. M. Meyer (ZfdA. 31, 75 ff.) übersehene Ringstelle, auf die bereits in W. Wackernagels Gesch. d. deutsch. Lit.² (Ernst Martin) 1, 319, Anm. 30 hingewiesen worden war, lehrt, daß seine Konstruktionen zur Erklärung des Zunamens Fuchs verfehlt sind. Seemüller (Deutsche Poesie vom Ende des 13. bis in den Beginn des 16. Jhdt.s, S.-Abdr., S. 33) vermutet, daß den Beinamen der naheliegende Vergleich mit „Reinhart Fuchs" aufgedrängt habe. S. auch Fl. Hintner, Beitr. zur Kritik d. deutsch. Neidhartspiele des 14. u. 15. Jhdt.s 1, 6 f. Zur Verbindung wäre auf das große Neidhartsp. (bei Keller Nr. 53, S. 447, 20 f.) hinzuweisen: künd er die list, die der fux kan, er mag uns nimer entgan. „Fuchs" weist als altes Scheltwort W. Wackernagel, Kl. Schr. 1, 176, A. 34 aus Gregor. Turon. Hist. Franc. VIII, 6 nach. Vgl. ferner GA. Nr. 26 (Frauenlist), 385 ir sît ein kluoger vuhs (so sagt die Frau zu dem Verliebten), Renner 14945 f. manic kint ist ... in dem herzen ein kündic fuhs, Hätzl. 2, Nr. 12, 60 wer clūg ist, den haiszt man fuchs. Wander 1, 1260, 16 verzeichnet Er führt einen Fuchsschwanz im Wappen nach Mayer, Bayr. Sprichw. 1812, 1, 110. W.s Neidhartwappen trägt auch einen Fuchsschwanz, nicht einen ganzen Fuchs. Die Literatur über den Namen Neithart Fuchs f. bei Brill, Schule Neidharts, S. 146 f., dazu meine Rezension in AfdA. 33, 173.

158—60. der pauren hagel (vgl. Paurenveind im Meier Betz 129, Gebûrenhaz Helbl. 13, 145; hagel bildlich auch R. 5078): der Zuname der pauernveind taucht zuerst in Grünenbergs Wappenbuch auf (f. o.), kehrt in Fischarts Garg. wieder u. hält sich bis ins 18. Jhdt. — her Neithart: an 25 Stellen; mit dem best. Art. steht der Name 789 u. 858, ganz allein 824, 1134, 1208 u. 42, also an späteren Stellen. ritter heißt N. auch 696, 812 u. 1109. — chluog wie wohl auch 1728, 2362 u. 3911: „höfisch, schmuck", vgl. DWb. 5, 1271 u. Stalder 2, 111 u. klug. — Beteuerndes trun liebt W.: f. 385, 666, 874, 1874, 2011, 2099 usw., trawen 260 u. 430, truwen 1360 u. 2313, trauwen 6023, 6195, 7224 u. 8756.

161 f. chlainet wie 2857 u. 89, 7931, 5039 (: mainet). Vgl. Beheim, Buch v. d. Wienern (Karajan) 110, 32 f. klainet : mainet u. Kellers Fastnsp. 136, 9 kleinet (: umbsteinet, Partiz.) u. 132, 5 (M), 762, 25, 766, 4 neben den Nachweisen unserer Wbb.; nach 421 f. trägt es der Meier. — Die groteske Zusammenstellung 162 wie 130. Vgl. K. Euling, Hundert noch ungedruckte Priameln des 15. Jhdt.s (Göttinger Beitr. z. deutsch. Philologie II), Nr. XVIII (Wer sucht) in eim storchnest esel und pfert, der vindt gar selten, des er begert und Wunderhorn, Schnützelputz-Häusel, Str. 2 Es saßen zwei Ochsen im Storchennest.

163 f. gmaincleich mit derselben Synkope 183, 1189, 2849 u. 6799; ebenso bhentkleich 4509, pös-chleich 1191 u. 4594, emps-chleichs 3898, früm-cleich 9202 (ft.

früntleich der Hſ.), fleiss-chleich 9438 (vom Rhythmus gefordert), wercleich 6497, willkleich 4394, zwivaltkleich 4744, ferner iecleich (häufig) u. mäncleich 6664 u. 7786. S. Wackernell, H. v. Montfort CXCI. — zuht und er formelhafte Verbindung wie 2269 u. 3700, vgl. auch 1888 f. Sie iſt auch ſonſt häufig: vgl. z. B. Hätzl. 1, 36, 45; 57, 15; 65, 13; 105, 62; 122, 48; 2, 1, 195; 2, 53; 8, 45; 11, 75; 12, 28; 17, 118; 29, 49 uſw.

165 ff. Die ulkige Ausrüſtung der Lappenhauſer gemahnt durchaus an die beim Kübel-ſtechen gebräuchliche. S. darüber meine Abhdlg. in der Feſtſchr. f. M. H. Jellinek, S. 197 ff.; Helme aus Stroh oder Bienenkörbe als ſolche ſ. ebd. S. 199 f. — gstricht 165 (wie gstriket 945) = „geflochten". Zu 166 vgl. die Kampfepiſode 9185 u. A. Schultz, Höf. Leben² II, 115: „1241 im Mai erſtickten durch Hitze und Staub 100 Ritter bei einem Turnier in Neuß."

167 f. Der Schild des Gewappneten hängt an einem Riemen um den Hals: ſ. Wins-beke 17, 8 ff. — Zu 168 vgl. Metz. Hochz. 661 ain alti wann was sin schilt (= M. Betz 406): ſ. Zſſb︁A. 50, 253. — wanne „Getreideſchwinge" bei Lexer u. Fiſcher, Schwäb. Wb. ſ. v., auch in Wintelers Kerenzer Mundart, S. 202, XVII, Nr. 17. Der Reiter der Erlanger Turnierparodie (ſ. Feſtſchr. f. M. H. Jellinek, S. 200) hat eine Futterwanne als Schild. S. bei A. Schultz, Deutſches Leben im 14. u. 15. Jhdt. das Bild nach S. 162.

169 f. Die Zeilen 165 — 72 ſchildern die Schutzwaffen der Stecher, und zwar je zwei die Helme und die Schilde vorher und die Beinſchienen im folgenden. Das rätſelhafte geplayt der Hſ. würde alſo am eheſten gewät (mhd. gewæte = gewayt in der Hſ.) entſprechen, wobei zu bemerken iſt, daß w der Vorlage eine lb-ähnliche Form geboten haben konnte (ſ. M. H. Jellinek, Wiener Sitzungsber. 212, 2, S.-Abdr., S. 25), die mit pl wiedergegeben wurde. Vgl. galuan 8025. Aber die Stelle iſt ſchwerlich von 1075 zu trennen: das dort überlieferte beschlâyt, das Lexer 1, 218 irrig von einem ſonſt unbekannten ſw. V. beslagen herleitet, ſcheint mir vielmehr auf blæjen zu weiſen, Part. geblæjet (beachte daneben von str. u. h.!) < blait, wie wohl auch blâd (= dick) in der Wiener Mundart zu verſtehen iſt. Vgl. plägen 8834. geplait ließe ſich dann aus *geblæjede erklären. Urſprünglich vermutete ich geplätt (Plattenpanzer, ſonſt nicht nach-gewieſen), wozu 1075 ein entſpr. Verb gebildet wäre. Über die Polſterung der Kübel-ſtecher ſ. Feſtſchr. f. M. H. Jellinek, S. 197 f. und A. Schultz, Deutſch. Leben im 14. u. 15. Jhdt., S. 481 den Bericht über Waffenſpiele beim Nürnberger Reichstage 1491: Item es komen auch auf die pan 18 in stroen helm und stroen schilten . . . und sie heten grun, groß, weit ausgefült kitel, in einem 30 pfenbert heus gefült und einen anderen: zulest kamen 16 auf die pan, die waren mit grünen kitteln und mit heu ausgefült angetan und hetten stroen helm auf und stachen mit krucken mit einander.

174. saumernsätteln = saums., sonst unbezeugt; doch ähnliche Komposita mit söumer- bei Lexer.

175. veltros (wie veltphert) = „Stute" (Hinweis Singers).

176. S. Wander 2, 1039, 112 ein Jüden solt es wol verdriessen aus Waldis; die Redensart kehrt in verschiedenen Formen wieder: Renner 21972 und wêr wir juden, des wêre ze vil, in Kellers Fastnsp. 236, 6 verdruß ein Juden, der im in part schiß? 269, 23 ein jud mocht des haben verdrieß u. Fischart, Garg. (Alsleben), S. 323 ich schiß sie ehe voll Seutreck, so freß sie kein Jud.

177 f. S. F. Niedner, Das deutsche Turnier 78. Zu tächen s. Lexer 2, 1385 u. BWb. 1, 584.

179. Ofenchruken wie 588 (u. 592), chrukken gleichwertig 214 u. 595. Im Salbenschwank der Sterz. Hf. Z. 43 bewaffnen sich die Bauern mit stangen und mit ofenkrucken (K. Gusinde, Festschr. d. germanist. Vereins in Breslau 221), im Lied auf die Bauern von St. Pölten (Uhland Nr. 248) wehrt sich der Schulze mit einer Ofenkrücke. Name u. Werkzeug sind in Österreich heute noch bekannt; s. auch BWb. 1, 1362, SJb. 3, 806, 2, DWb. 7, 1161 u. Fischart, Garg. (Alsleben) 18 hogerige Ofenkrucken. ofner 590 = „Bäcker". SJb. 1, 113. Die Form des Bäckerwerkzeugs parodiert treffend die Turnierlanze mit ihrem Krönlein. S. F. Niedner 79.

180. vegen mit Ortsadverbien von stürmischer Bewegung auch 1121, 1290, 5366, 6203 u. 6307. S. DWb. 3, 1415, 14 u. SJb. 1, 686, 5.

181 f. Die Namensform Gunterfai (ohne t am Schlusse), die der R.-Text durchwegs festhält, wird auch 1348 u. 70, 6237, 58 u. 98, 6364 durch den Reim gestützt; s. Renner 16600 (: schrei), BWb. 1, 926 f. u. 1267 u. DWb. 5, 2745, 1. Dem Dativ -fai, der hier, 6298 u. 6364 im Reime erscheint (200 im Zeileninnern), steht -fain 1056, 1389 u. 1402 (im Zeileninnern) gegenüber. – Als pheiffer bezeichnet ihn der Dichter 582, 1056, 1302, 5455, 6301 u. 10, sonst als spilman: s. 201, 1311, 17 u. 45, 6191 usw.

182. beki vom Instrument des Pfeifers auch 1374, dagegen = „Waschbecken" 5600; sonst bek in beiden Bedeutungen (5595 als Dativ). Zur Form becki vgl. SJb. 4, 1113, auch Vetsch, Appenzell. Ma. 51, Wiget, Toggenburg. Ma. 82. In Kellers Erz. aus altdeutsch. Hff. 62, 13 peckin (: kindelin). S. auch peckin bei E. Weller, Dichtungen d. 16. Jhdt.s, S. 2. Nach Du Cange ist bacinus = Waschbecken, bacinum die Klosterglocke, die die Mönche ins Refektorium ruft (wie cymbalum). Das b. der Spielleute, für das wir nur spärliche Zeugnisse haben – s. auch H. v. Montfort 16, 50 beggen lut erhellen – muß als Schlaginstrument gedacht werden: s. A. Schultz, Höf. Leben² 1, 562; es wird in allen übrigen Stellen mit dem Verb erschal verbunden – s. 203, 1378 (1379 daz es erchnal!), 5383 u. 6199 – und 1375 sagt Bertschi zu dem mit dem neuen Becken daherstürmenden Spielmann nu plew und plew, 1394 meint Schollentritt, er hab ins pad geschlagen; s. auch 6209 G. der schluog und schluog usw., 6302

er schluog dar an. Deshalb vermute ich, daß hier blies (und 8679 bliesend drein neben schluogend dran) aus dem seltenen biess (bzw. biessend) entstellt wurde. S. zu 699.

184 (Beistrich nach herren ist zu tilgen) = 5956 u. 8107, wo mit der Formel Versammlungsansprachen eröffnet werden; vgl. auch 7167. Ständig kehrt sie im Eingang von Fastnachtspielen wieder, öfters auch im Anfang von Gedichten, wie z. B. in des Teufels Netz (Hœrend, hœrend, arm und rich, jung und alt gemainlich) und im Steir. Scheltgedicht (Vierteljahrschr. f. Lit.-Gesch. 2, 322: Nun hort all geleych, payd arm und reich). S. zu 327.

185 ff. Vgl. den Heroldsruf vor dem Stechen in Ulrichs v. Licht. Frauendienst 69, 18 ff. wâ nu, wâ nu, wâ ein ritter, der tjostirens ger? der sol komen: herâ her! (Gegen Lachmanns Interpunktion gehört dazu auch noch) . . . die (die Ritter) wellent êre, guot unt lîp hie wâgen durch di reinen wîp und im Partonopier 13514 ff. sîn krîe er dâ vil lûte schrei, ob iemen wolte stechen und einen schaft zebrechen durch die keiserinne dâ. — Zu 186 vgl. 506 und Vintler 8551. stechen : sper . . . brechen ist eine beliebte Reimformel: vgl. Laurin 1011 f., Friedr. v. Schwaben 2599, Heinr. v. Neust., Apollon. 10580 f., Suchenwirt 6, 87 f., Mhd. Minnereden (K. Matthaei) 10, 175 f., Altswert, Kittel 64, 5 f., H. Sachs, Fastnsp. (Goetze) 2, 203 f.

187. Durch . . . eren nur hier, sonst durch . . . er: 164, 701, 1889, 3278, 6326 u. 8858. eren im Reime ist an andern Stellen nur Dat. Plur.

190. rekken parodistisch wie 1043, 1239 u. 6225. Vgl. degen 63 u. held 112.

191 = 99, vgl. auch 1280, 4070, 9541 u. 88; her Triefnas, wie die Hs. hat, sagt der Dichter nirgends, herr Perchtolt nur Fritz 5203 in feierlicher Ansprache (beachte die volle Namensform!); dagegen erscheint das spöttische her nicht selten vor andern Bauernnamen, wo der Dichter das Wort hat: 136 (u. 465), 148, 152 (u. 626), 230 (1108 u. 6429), 955 (1086 u. 1118), 3197 (u. 6366), 5622, 5961, 6161, 6552, 6864, 7160 (u. 7402), 8160, 8265, 8613, 9227, 9469 (u. 9535).

192. Iwein 1337 u. 3091 bezeichnet daz er sîn selbes (gar) vergaz einen Zustand der Versunkenheit, der Betäubung; hier ist das Gegenteil gemeint. — selbers auch 1741, 5126 u. 8168. Zu den Zeugnissen im Mhd. Wb. 2, 2, 247 a 31 u. in Weinholds Mhd. Gr.² § 499, Alem. Gr. § 320 vgl. noch Kaufringer VIII, 427 mein selbers leib, XIV, 184 umb ir selbers er.

194. Und vor Konzessivsatz (s. C. v. Kraus, ZfdA. 44, 166 ff.) wie 225; sonst mit joch: 3471, 4434, 5551, 8525, 8604 u. 9503. Dieselbe Phrase 246. Ähnliche Beteuerungen im Munde des großsprecherischen Triefnas 571, 861, 867, 875, 1555, 2626, 28 u. 60.

195 f. Das Turnier wird 868 f. mit einer im Wortlaut anklingenden Kraftphrase Bertschis eingeleitet wie hier das Stechen. — halt nur noch 3920 u. 4967.

199. Wenn hier Bertschi begeisterte Zustimmung findet wie 871 ff. vor dem Turnier, so hat 335 ff. einer genug vom Stechen und Leckspiß wird 638 ff. mit seiner Aufforderung

ganz abgelehnt. — rede sin der Hs. rührt vom Schreiber her: nirgends im Zeileninnern des „Ringes" begegnet nachgestelltes Possessivpron. außer in dem Schreiberzusatz
1295. Die Zeile kehrt 9437 wieder, sehr ähnlich sind 6434 u. 8213, auch 6265. Außerdem vgl. 357 (u. 9008), 972 (u. 1024), 2250, 3525, 3616, 3756 (u. 9534), 6331,
6522, 6861 u. 8578.

201 f. Beide Zeilen sind im Wortlaut aus Metz. Hochz. 169 f. übernommen; der
Reim man : lonan bedeutet einen Fremdkörper im Reimorganismus des Gedichtes.
S. ZfdA. 50, 254, Anm. 1. — Zu 201 vgl. 6258 u. 6365, auch 1149. Dieselbe Zeile
begegnet im Fastnachtspiel: s. Gusinde, Neidh. mit d. Veilchen, S. 215; die Formel
pfeif auf, spilman auch in Kellers Fastnsp. 39, 7 u. 57,30, in den Sterz. Sp. Nr. 2,338
u. Nr. 26 (S. 242), im Neidh. Fuchs 3569; s. auch Herm. v. Sachsenheim, Mohrin 4997,
5034 u. 44 u. ä. Pheiff auf bedeutet übrigens, wie H. Hügli, Der deutsche Bauer im
Mittelalt., S. 134 mit Recht vermutet, soviel wie „Spiel auf!" Vgl. schlahen auf
5455 und pfeif auf, pauker in Kellers Fastnsp. 335, 31, 390, 3 u. 482, 26. Nur so
lassen sich 201 u. 203 (s. auch 389), 1375, 78, 94 u. 1390, 6190, 97, 6219 u. 6199,
6209, 6302 u. 6258, 6365, 69, 73, 86, 6425 vereinen. Daß der Pfeifer auch zur
Trommel greift, beweisen Stellen wie Lichtensteins Frauend. 165, 25 ein holrbläser
sluoc einen sumber. Handpauken oder Trommeln pflegten mit Pfeifen kombiniert zu
sein. S. Pauls Grundriß² 3, 576.

203. S. zu 53 u. zu 182.

205 f. Vgl. 548. Das große Neidhartspiel (bei Keller Nr. 53, S. 440, 23 ff.) be-
schreibt das Reitzeug der Bauern in der guten alten Zeit so: der sattl was ein ploeßes
holz, der afterraif was hänfein und der gurt peştein; die stegraif warn aus widen
gewunden, mit strangen an den sattel gepunden. Dagegen erzählt Lichtensteins
Frauendienst 269, 1 ff. des tages mit tjost mir daz geschach, daz man mir von dem
houbet stach ... drîstunt den helm mîn, den ich mit snüeren doch sîdîn ûf gebunden het vil wol, als man die helme binden sol.

207. under schluogend technischer Ausdruck (s. F. Niedner, Das deutsche Turnier,
S. 56) wie 419 u. 9231, s. auch 584.

210 f. S. 228, 38 u. 45. Ironische Wendung für den Sturz aus dem Sattel.

212. genäm (: chäm) ist zu lesen wie 5749 f.; genäm (: gezäm) 4554 f.: vgl. un-
genäm 8024 (: häm) und gnämeu 5513 im Zeileninnern. Irriges gemain für genæm
steht z. B. auch in Teufels Netz 6151 ob sin leben nit wær gemain (: kæm) gen ...
got. Vermutlich ist auch 6036 gnäm statt des gmäyn der Hs. (: überpain) herzustellen.

214. dorfgsellen wie 7739: sonst unbelegt. Vgl. torffmätzen 1033 u. 5311.

215. streben = „zappeln" wie 1440. A. Kellers Änderung strecken : recken (Vorrede zu L. Bechsteins Ausg., S. IX) ist überflüssig und sprachwidrig. Dagegen ist 5875
streken der Hs. durch streben zu ersetzen, weil der Reim (: unterwegen) ganz aus W.s
Technik herausfiele.

216. Ein und zehen wie drei und ein 4898. Die Sprache der mhd. Dichtung zerlegt Zahlen hie und da in zwei Summanden: Gudrun 186, 2 zwelf unde drî (f. Martin z. St.), Helbl. 1, 744 f. nû gebt sibeniu vil drât unde driu in den rât, ähnlich wie oben Lichtenst., Frauendienst 497, 7 zehen und ... drî.

217. Um die Palisaden des Dorfes fließt ein Bach (7251) — eine Brücke führt darüber ins Dorf hinein (9502) — vermutlich der 6527 erwähnte Mühlbach. Das Stechen findet auf dem Anger vor dem Dorfe statt. Ähnlich ist die Anlage von Nissingen zu denken (6664).

219 ff. Die Gestürzten werden nun Mann für Mann vorgenommen, in andrer Abfolge als 111 ff., doch Triefnas wieder an der Spitze, der Meier am Ende. trostleich wie 8670: die Minne gibt ihm Zuversicht (vgl. 1248 f.).

222. frawen vor Mätzen verstieße gegen W.s Brauch: f. frawn 566, 1283, juncfrawn 2646, fron 1450, ohne Endung fraw 3261, junchfra 5589, fro 6135, 6202, 6303, 8809 u. 20; meiner frawen sant Marien u. mein frawen sant Marien im Confiteor (S. 149 f.) ist natürlich anders zu beurteilen. S. zu 502 ff.

223. über dank nur hier; mit Attrib. seinen 1442, 5316 u. 6553, aller unser 965, aller gesellen 5850.

224. Eine Redensart, die ich in Uhlands Volksliedern Nr. 69 B wiederfinde: das jar ist mir zu lang.

226. müss der Hf. steht öfters für müss (f. z. B. 1187, 2625 u. 27) und Hauptsatz im Indikativ Präf. ist mit Bedingungssatz im Konj. Prät. sicher 5551 f. und 8525 f. verbunden. S. Wolfr.s Parz. 123, 1 f. u. Martin z. St. u. Mhd. Gr. von H. Paul u. E. Gierach § 360, Anm. 1. Da jedoch im ganzen Text kein zweifelloser Konj. Prät. müst begegnet — der Ind. lautet stets muost usw. — ist wohl manches müss der Hf. als Verderbnis aus gleichwertigem müs aufzufassen: so 388, 464, 1908 u. 8523; 1815 hat die Hf. mus; 6944 müssist, wo müesist geboten ist.

229 = 1316 u. 8327; vgl. bei Ammenhausen 6231 in disen selben sachen; ferner im R. den Zeilenschluß 8663, auch 4537 u. 4661, 5234 u. 7862; den Zeileneingang 6233.

231 f. Waffen, waffen auch 9014. Dieser Weheruf eines Erwachenden mit dem zweimaligen waffen im Reime: geschlaffen gemahnt an die typische Klage der Grabwächter in den Oster- und Passionsspielen: f. L. Wirth, Oster- u. Passionssp. bis zum 16. Jhdt., S. 107, B. Michels, Studien über d. ältest. deutsch. Fastnsp., S. 28, Anm. 1, K. Gusinde, Neidh. m. d. Veilch., S. 214 u. F. Hintner, Neidhartspiele IV, 22. Der Reim waffen : schlaffen liegt freilich auf der Hand: f. DWb. 13, 292 ff., ferner GA. Nr. 25 (Die Nachtigall), 243 f. wâfen, herre, wâfen! Wir haben ze lange gesläfen usw., Christus und die minnende Seele 1230 f. wäffen, iemer wäffen! Wa han ich das verschläffen usw. (f. Banz z. St.) u. Keller, Erz. aus altd. Hsf. 307, 27 Waffen! Ich han nach verslaffen.

233. Ganz ähnlich 2187. In Kellers Fastnsp. vgl. 768, 13 wenn sich einer in dem

leib clagt. S. SJb. 3, 636 wo chlagt er si(ch)? Fiſcher, Schwäb. Wb. 4, 439 der
klagt si(ch) in füsse(n). So auch in Wien in Wendungen wie „er klagt in der Seiten".
235 f. Desſelben Zeilenpaares bedient ſich der Dichter 7046 f., 8933 f. u. 9270 f.;
vgl. auch 8969.
237. Der tönende Titel ſteht in draſtiſchem Gegenſate zu 238, ebenſo 6683 u. 88 zu
89 u. 6700. — rat = „Gemeinderat" wie 6920, 7149, 7460, 7570, 7855 u. 9420.
239. messen mit Objekten wie stich (453 u. 1441 ff. wie hier), schlag (1114) u.
straich (1258) findet ſich nur in der Schilderung des Bauernſtechens u. -turnierens.
241. Ebenſo, die Zeile ausfüllend, ze den selben stunden 470 u. 2079, an d. s. st.
1042, in d. s. st. 6133; vgl. auch 9305 u. 8942.
243 f. Die alte Formel in 243 bezeichnet ſeine völlige Benommenheit wie eine andere
1255 (1256 = 244) die des geprügelten Troll. 533 bedeutet ſoviel wie „unter allen
Umſtänden": ſ. DWb. 10, 1, 1089 und Teufels Met 5443 sing, sag ... was er well,
Kellers Faſtnſp. 218, 11 was alle werlt tet singen oder sagen, Scheidts Grobianus
573 Was auch dein herr sag oder sing. 2672 f. iſt eine Redensart, die z. B. in
Teufels Met 1712 wiederkehrt: enruoch, was ieman sing oder sag! 19 = 840 zielt auf
Vertſchis entſprechende Betätigung im Minnedienſt; 6110 u. 12 auf das wüſte Stimmen-
gewirr der Hochzeitsgäſte: vgl. GA. Nr. 51 (Der Wiener Meerfahrt) 238 f. dô huob
sich singen unde sagen, daz diu loube mohte wagen von dem grôzen schalle. 8430
iſt singet, saget nur lebhafter Ausdruck für „berichtet"; ähnlich oft, z. B. Freibank 130,
14 ff. ez ist manc wîp unde man, daz niht guotes reden kan und kan von übeln
dingen wol sagen unde singen, Minnelehre (Fr. Pfeiffer) 2019 ff. der ie seite unde
sanc stæteclich die wârheit, Virginal 590, 12 swaz man noch singet oder saget, sî
ist ein reinez sælec wîp, GA. Nr. 58 (Rädlein), 355 wart, ob er iht von gelükke
mohte singen unde sagen, Ammenhauſen 251 semlicher leider ist genuog, die
weder tugende noch vuog gern hörent singen noch sagen, Met 5873 f. was si
hœrend singen oder sagen, das tuond si als us dem hus tragen, 6066 f. die von
got den lüten sagend und singend und bi ainander tribend œdri, 8067 gaistlich
ding singen und sagen, Brant, Narrenſch. 65, 66 was man von schanden sagt und
singt, Kellers Faſtnſp., S. 1135 mancher nymt sich singens und sagens (= „alles
Möglichen") an. — sein smertzen wie 1256 Akk. des Subſtantivs: mit allen 671 u.
1574, deinen 1594 u. 2547, senden 4067; alles sm. 1611 iſt Genitiv.
246 ff. Zum Ausdruck in 246 vgl. 194. — güsselt: ſ. Ausg. S. 331. Schweiz. guslen
(SJb. 2, 474 f.) ſteht in Bedeutung und Gebrauchsweiſe ferne. 6529 bietet in demſelben Zuſammenhange gie.
249. als gsellen: hier, 4204, 5730, 6073, 6341, 42 u. 53, 7586, 8623, vielleicht
auch 5431 = „Hauptkerl, schneidiger Burſche". S. Zarncke zu Narrenſchiff 16, 45,
DWb. 4, 1, 2, 4034d und Kloſter d. Minne (Lieberſ. 2, 124) 1410 ff. Wer den fert
in frömde lant und sucht luterlichen schimpf, dem stat aller sin gelimpf baz denn

ainem andern man, der nie me von haimen kam. Er ritt, war er wöll, so ist er
ain gesell und büit (?) im zucht und ere, H. v. Bühel, Königstochter v. Frankr. 4210
Da warn ir ein gesell, so helff mir gott! H. v. Montfort 28, 190 ff. er hat die welt
gewandelt vil, er was ein gsell uff diser erd usw.; dagegen = „Lump" im Schwabenkrieg von Joh. Lenz, S. 117 mitt trüwen vernamen das die knecht, wie ir houptman
was ein gsell an inen worden zur zit.

251 f. der gtwerg: sonst twerg, das mit Ausnahme von 8999 stets männl. ist: s. der t.
892, 957, 1144, 5741 u. 6557, den t. 1000 u. 6594, mangen t. 8703, ein t. ... er
8837 ff., ein chüener t. 8758, ein chlainer t. 8887, auf einen andern t. 8964, dem
twergen ... er 984 f. u. 1262 f. — Zu 252 f. ZfdA. 50, 267 f., Anm. 1.

254. man der Hs. wie 3749; vgl. ern 5528.

258. Dieses für wars (s. noch 673, 895, 2838, 4992 u. 8470) ist der Sprache W.s
eigen; für war nur 791 (314 neben ein red).

259 f. Im Ausdruck vgl. 2710, 2802 u. 4317. — wen = „außer" wie 3936 u. 4952;
sonst hat der Text dann in diesem Sinne; s. zu 336. — zuo diser vart = „diesmal".
Ähnliche Formeln mit vart liebt der Dichter als bequeme Zeilenschlüsse: an der v.
= „sofort" 394, 795, 923, 1935, 2166, 4881, 5202, 5269 u. 91, 6316, 6454 u. 89,
8219, an der selben v. = „hiebei" 610 u. 8701, ze der v. = „sogleich" 1796, 4064,
5420, 6159 u. 8647, ze der selben v. = „hiebei" 7724 u. 9298, an die v. = „hinzu"
755 u. 1914, bis an die selben v. zeitlich 6106, in einer vart = „auf einmal" 9367,
ein ander v. = „abermals" 3420, 5793 u. 7085 (vgl. andrer vart 4923), ze aller v.
= „immer" 2526 u. 8799.

261 f. Derselbe Reim 1522 f., 2071 f. u. 3347 f. Er begegnet auch sonst in Verbindung mit der Formel laug und äschen: z. B. Reinfr. v. Braunschw. 26525 f.,
Teufels Netz 2545 f., 6820 f. u. 12308 f.; vgl. auch Rosenblut, Von dem Müßiggänger
in Kellers Fastnsp., S. 1154 vil clerer wirt die sel gewaschen in sweiß laugen,
durich erbeyten aschen. — Über Lauge beim Baden s. Georg Zappert, Arch. f. Kunde
öst. Geschichtsquellen 21, 88 f., Helbl. 3, 64, Göttinger Beitr. z. deutsch. Philologie II,
Nr. XLVII, 4 mit eißkalter laugen gezwagen, Thomas Murners Badenfahrt IV,
Schnorr v. Carolsfeld, Zur Gesch. d. deutsch. Meistergesangs, S. 52, Nr. VIII, 1
die vntermaid kain lawgen het, mit wasser sie mir netzt, ebd. S. 53, 3 u. S. 56, 2.
Singer verweist auf Falk und Torp, Etymolog. Ordbog unter lud und lördag (alt-
nord. laugardagr, eigentlich vaskedag) und Alfred Martin, Deutsch. Badewesen in
vergang. Tagen, S. 74 ff. Zur Redensart des R.s vgl. bei J. Haupt, Über das md.
Arzneibuch des Meisters Bartholomaeus, S. 33 (481) aus dem 15. Jhdt. Iz wurt
manigew waschen an laug vnd an aschen.

264 ff. verprunnen scherzt wohl über die unfreiwillige Abkühlung; s. den Ausdruck
3498 u. 7055, vom Feuer der Leidenschaft 304, 1520 u. 6450, auch 1305 u. 1615. —
Zu derstunken vgl. 5761. — Die Läuse gehören zum grobianischen Inventar des

„Ringes": f. die derbe Szene 5435 ff., das Sprichwort 3769, den komischen Vergleich 6547, die Negationsumschreibung 3726 u. 8981 u. den Namen Leusaw 7889.

267. mit allem fleiss befferte ich nach 1887 mit Rückficht auf die Rhythmik der Zeile; mit fleiss auch 2744 u. 4337.

269. ein stro: vgl. 8047. Von diefen bekannten bildhaften Umschreibungen des Begriffes „nichts" verwendet W. ein ai 1371, 4415, 9387 u. 9580, ein huon 2094, 8997 u. 9512, einr hennen fuoss 2672, ein faulen schlehen 4412, einen zwek 7399; an weniger konkreten ein bissen 8859 (eigentlich 5552), ein stik 1301, ein wind 3121; an grobianifchen ein laus (f. o.), einn sart 6198, einn schaiss 643 u. 2136, ein fist 6935, ein furtz 3432.

270. des bin ich fro: ähnlich die zweite Zeilenhälfte 114 (f. z. St.).

272 f. Ähnlich 306 noch pist ein jud.

276 f. 263 aufgreifend und ablehnend.

282. ab gezogen wie 5445 u. 5830. Die bruoch muß öfters zu derbkomischen Szenen herhalten: 1354 ff. fucht fie der Pfeifer vergebens und ftürmt endlich ohne fie zum Ständchen, 5436 ff. hat die geile Alte die Bertfchis vor der ganzen Menge zu laufen, 5604 ff. benützt einer der Gäfte die offene als Handtuch, 5830 ziehen fie die frechen Aufwärter dem Bräutigam herunter, um feine nackte Kehrfeite zu bearbeiten, u. 6225 ff. entfällt fie einem Tänzer, fo daß er ftürzt.

286. Der Gen. deins gewinnes wie 2135. S. Rückert zum Wälfch. Gaft 2974. So erklärt fich auch der Gen. 1571 u. 7433.

287. cristan ift die ftehende Form der Hf. an weiteren 15 Stellen; die Form cristen, die der Reim hier und 4030 fordert, hat fie nur 2722.

289 ff. Den Scherz 271 ff. („getauft werden" = gründlich durchnäßt werden, f. DWb. 11, 190, 5 c) benützt der Dichter, um kirchenrechtliche Gelehrfamkeit (vgl. die Berufung 289 und den Ausdruck in 312) über die Taufe einfließen zu laffen. Die normale Waffertaufe erfordert einen Täufer, den Gebrauch der evangelifchen Worte Matth. 28, 19 und die recta intentio. 302 f. zielt auf das baptisma sanguinis, 304 f. auf das bapt. flaminis. S. Wetzer u. Welte, Kirchenlexikon 11², 1273 und Konr. v. Helmsdorf, Spiegel des menfchl. Heiles (Lindqvift) 737 ff. wissend, das diss touffes krafft mit dry dingen wirt behafft: das erst ist wasser und der segen, des man sol mitt worten pflegen, der ander touff mitt bluot beschicht ... der dritte touff ist in dem gaist.

289. In folchen Formeln mit sag, das einen bequemen Reim liefert, beruft fich W. auf maßgebende Ausfprüche oder anerkannte Wahrheiten: f. 674, 774, 2933 u. 92, 3868, auch 1731, 4266, 4464, 5158 u. 8510.

292. „Unter keiner Bedingung": vgl. von welher s. 4507, von manger s. 7356; umb s. 6775, nit ane s. 768, 1950 u. 9186, vgl. ane s. 7179.

293 f. Vgl. H. Denzinger, Enchiridion Symbolorum¹² 413: Innozenz III., 28. Aug.

1206: Respondemus, quod, cum inter baptizantem et baptizatum debeat esse discretio, ... memoratus Iudaeus est denuo ab alio baptizandus, ut ostendatur, quod alius est, qui baptizatur, et alius, qui baptizat. — C. 4, X h. t. III, 42. — zwüschen mit Dativ und Genitiv in stilistischem Wechsel ist auch sonst zu beobachten, und zwar so, daß ein Personalpron. die Gen.-Rolle spielt: Dietr. Flucht 2807 zwischen iu unde sîn, Walb. 428 zwischen ime unde mîn, Liedersaal 2, Nr. 138, 55 zwischen in und unser, O. v. Wolkenst. 76, 41 zw. mein unde dir, Rosenblut, Die Wochen (Kellers Fastnsp., S. 1192) zw. sein und uns, Sterz. Sp. 17, 507 zbischn dein vnd Adlhaitn. S. Wilmanns, DGr. 3, 2, § 333, 11.

295 ff. S. oben zu 289 ff. u. Kaufringer (Euling), 16, 209. — in der hailigen gschrift wie 674 u. 2536; ebenso gschrift allein (s. Mhd. Wb. 2, 2, 209 u. Wackernell zu H. v. Montfort 4, 90) 3391 u. 3402.

298. als = „alles" wie alz 606, 851, 1322 usw., 8836: hals. Derselbe Zeilenschluß 4018 u. 4448, ähnlich 3121. ein wicht = „nichts, nichtig" 4095, 4387 u. 9648, meist enwicht: 346, 497, 1146, 3982, 4212, 4716, 5614, 7423 u. 9620.

304 f. S. zu 264 ff. Das Bild gilt nicht nur weltlicher Liebe (vgl. 1 Kor. 7, 9 melius est enim nubere quam uri), wie z. B. bei H. v. Montf. 3, 14 ich wolt nach diner minn verbrinnen, Kaufringer 14, 205 das ich stätticlichen prinn ... nach ewer minn, Zarncke zu Narrenschiff 13, 36, sondern auch geistlicher, wie z. B. in Christus u. d. minnend. Seele (Banz) 1386 ich brinn nach dir nacht und tag (s. die Zitate aus der mystischen Literatur bei Banz, S. 58), brinnen in gotes minnen Barl. 40, 21 f., ähnlich 215, 29 f.

306. gelaub es mir: beliebte Reimformel im „Ring": 849, 1743, 2069 u. 88, 3300, 4196, 4466, 8066 u. 8888, f. auch 7575.

309. Ähnliche Ausrufe spottender Verwunderung (mit siha, durch) 517, 2834 u. 7425, (mit warta, durch) 2999; vgl. auch 2807 u. 9018. — Im Wunderhorn, „Einquartierung" (Reclam, S. 305) vgl. Ei, so schlag der Plunder drein!

311 f. uf sinem mist wie 6654. Hier bezeichnet m. derb das bäuerliche Anwesen wie DWb. 6, 2264, 5 u. 2265 c. — jurist wie 7777: die Stellen gehören zu den ältesten Nachweisen des Fremdworts.

315. brief und bote sind in der Urkundensprache (lat. per litteras et nuntios) formelhaft verbunden. S. auch Zimmrische Chronik 1, 288, 13; Königstochter von Frankreich (Büheler) 8144.

316. encher u. 368 enker (dagegen ewer 825, 1902 u. 11) sind m. W. die ältesten Zeugnisse für diesen bayr. Gen. Plur. des Personalpronomens, die unbekannt blieben, weil L. Bechsteins Text hier wie dort entstellt ist. S. Weinhold, Mhd. Gr.² § 474; BGr. § 358; Schmeller hat im BWb. 1, 110 ein Zeugnis aus 1484.

317 ff. Der jähe Stimmungswechsel kennzeichnet oft die alberne Haltlosigkeit der

Bauern: f. 371 ff., 565 ff., 658 ff., 1586 ff., 3415 ff. Zur handgreiflichen Reue 318 vgl. 680 ff.

318. giel gebraucht W. mit Ausnahme von 9028 nur von Bauern, und zwar 557, 1217 u. 9592 in einer stereotypen Zeile.

319. schimpz wie schimp 1017 gegenüber gew. schimph oder schimpf. Über diese vereinzelten Schreibungen f. Weinhold, Alem. Gr. § 151. — Unpersönliches reuwen mit Gen. der Sache ist im älteren Mhd. bezeugt: f. DWb. 8, 840 γ; vgl. auch SJb. 6, 1885. Anders 660 u. 65, 2558 f. u. im Credo, S. 140, 41.

320. Woi stets im Zeileneingang, vor wie auch 1953, 2579, 5611 u. 6586, vor was 2697, vor daz 1471. Unsere mhd. Wbb. verzeichnen nur 1 Zeugnis aus Neidhart 45, 23; weitere bietet Weinhold, BGr. § 261; f. auch Erlauer Spiele (Kummer) IV (112), 530. Vgl. âvoy.

321. Nu we wie 738, 1151 u. 85, 2719, 4065 u. 6290. — Die Herstellung der folgenden Beteuerungsformel verdanke ich S. Singer. Die zahlreichen Nachweise des volkstümlich umgeformten In nomine domini, amen!, die unsere Wbb. anführen, lassen sich unschwer vermehren: f. Wilmanns-Michels zu Walth. 31, 33 u. Gufinde, Neidh. m. d. Veilch. 151, ferner Frauenlob: Mf. 3, 364, 17, Ortnit V, 418, 4, Rosengarten (Holz) A I, 54, D V, 184, 3, D XII, 379, 1, F III, 11, H. v. Bühel, Königstochter 4910, O. v. Wolkenstein 81, 39, H. v. Sachsenheim, Spiegel 157, 25 u. 160, 29, Sterz. Sp. 17, 258 u. 19, 131, Keller, Erz. aus altd. Hff. 263, 10; f. auch anumberdumbundname Voc. 1482 bei Lexer.

324. schand und laster: formelhaft verbunden wie 1023 u. 3216.

327. Zu sprᶜh vgl. spräch 6224; zu spranch her für (f. 6201) mit schalle vgl. 5607 u. 9216 u. z. B. Renner 14800 dô liefen jene her vür mit schalle. Die inquit-Formel fehlt wie 485. L. Bechstein beginnt die direkte Rede mit 'Her für'; aber Hört, ir herren eröffnet sonst im R. die Rede: f. 184, 445, 1076, 5956 u. 8107, auch 1221, 2656, 5244, 5405 u. 6897.

330. Im Ausdruck vgl. 1819 u. 6896, zuo (ze) allem sp. 2954 u. 3649.

333. Herr Neidhart ist ortsfremd in Lappenhausen: unerkannt reitet er dort ein (155 ff.) und ebenso zieht er wieder ab (1253); gast nennt ihn der Dichter (an 14 Stellen, 411 der frömde man), ebenso sprechen ihn die Bauern an (an weiteren 6 Stellen, 353 her frömder gsell, 456 ir herverlauffner buob, 662 lieber herr von frömden landen, ähnlich 883).

334. Vgl. 343 f.: ein grober Verstoß gegen die geltenden Stechregeln. S. die Heidelberger Turniersatzungen (1481 aufgestellt) bei Würdinger, Bayr. Kriegsgeschichte II, 369: es soll niemand im Turnier mit einer Schwaiffung sich einschließen (= anschnallen) oder anders denn im freien Sattel und gewöhnlichen Streichledern sitzen. H. v. Sachsenheim erwähnt solche heimliche Kniffe Mohrin 4092 ff. hond ir ouch hie den nüwen bunt, damit sich manger tuot bewarn? Besunder ainr ... der haut

erdaucht vil nüwer fünd zuo stechen und vil haimlich bund, das doch nit zympt aim sticher guot, wie wol mans yetz zuo Swaben tuot, zuo Bayern und in Francken ouch und 4924 ff. da was mang ritter jung und alt, die doch gar wenig hetten bunt, als man hie pfligt zuo manger stund usw. M. Jähns, Roß u. Reiter II, 71 bemerkt: „Zuweilen, wenn auch nur ausnahmsweise, wurden die Reiter im Sattel festgegurtet, in späteren Zeiten sogar mit eisernen Haftstücken angeschroben."

336. Denn (Keller, Vorrede IX) = „außer" nach positiven Sätzen wie 2813, 3162, 3757 u. 9690; vgl. dann daz 3731. S. DWb. 2, 746, 8 und z. B. Renner 15381 f. liegen, triegen sint ein bote ze allen herren denne ze gote.

338. Die stabreimende Formel lung und leber gehört zu den Lieblingswendungen der Schule Neidharts: f. Gusinde, Neidh. m. d. Veilch. 149, Brüll 17, 106, 115, 116, 117, 118 u. 209, ferner Neidh. 175, 9, MSH. 3, Nr. 127, 8, Neidh. Fuchs 786 u. 3439 u. Meier Betz 347; sie ist aber auch sonst geläufig: f. DWb. 6, 461, 4 und Wolfdietr. D IV, 77, 4 u. VII, 47, 1, Renner 21674 (vgl. 9496 u. 10219), Secreta secretorum, altdeutsch, Fassung C (Toischer) 333 in b, Netz 10143, H. Sachs, Fastnsp. (Goetze) Nr. 75, 223, Fischart, Garg. (Alsleben), S. 13, 144 u. 303, Rollenhagen, Froschm. 3, 1, 3, 49, ebd. 3, 4, 105 u. 12, 49, Gryphius, Peter Squentz bei Kürschner, D. Nat.-Lit. 29, 218, 25, Christ. Weise, Tobias u. die Schwalbe (Reclam) IV, 1. — Im R. vgl. zend und zungen 1209.

340. Im Ausdruck vgl. 614 u. 1994, auch 2327. Das Festbinden in den Sätteln rächt sich, wie Chuontz vorausgeahnt, in der Szene 603 ff. (vgl. dort 615 ff. mit 341). Daß Chuontz, der schon 276 ff. seine üble Laune verriet, mit seinen ablehnenden Worten sich entfernte, erfahren wir erst 617.

342. Lies auf ir ros? (Singer.)

343. Mit widen (435 gleichwertig riemen) wie 206 mit jungem holtz gewunden. — do ist vielleicht zu streichen (Singer).

346. Vgl. Laurin 434 dîn rîten ist gein im enwiht.

348. Die Phrase (f. Ausg. S. 331), die m. W. unsere Wbb. nicht verzeichnen, begegnet auch Netz 494, in den Mhd. Minnereden I (Matthaei) 12, 307 und in Uhlands Volksliedern 5, 347, Str. 5; ähnlich Kloster der Minne (Lf. 2, 124) 1467 ff. der hat gar unrecht ... der sich dez nimet an, das er nit in hertzen mag han; vgl. Virg. 225, 12 f. ich hetze an dem muote wol, möht ich ez an den kreften hân und Zupitzas Anm. z. St. u. DHB. IV, 2, S. 270 (zu Wolfdietr. B 12, 1).

349. Drei fehlen: nämlich Troll (234), Chuontz (zu 340) u. Chnotz (239 ff.).

352. W. verwendet gerne nachdrucksvoll zweigliedrigen Ausdruck für einen Gedanken: er äntwürt ... und sprach 359 (f. Anm.), waz sei spricht und waz sei sait 375, daz tuot mir zorn und müet mich ser 458 (ähnlich 2826), daz er wainet und auch grain 558, sei rewt uns ser und ist uns laid 665 (ähnlich 1599), was ist ditz und was ist das 1319, sei rüeffet und ... schre 1448, waz sei tuo und was sei schaff

1485, schreibt und last die feder gen 2083, was man sing und was man sag 2673,
er stinkt so saur, er feist so bitter 2770, wie laut sie spacht, wie ser sei pracht 3164,
daz chümpt im recht und ist sein fuog 5015, ob iemant wär und wesen scholt 5415,
die schluogen fast und heuwen ser 7974, das der ... viel und muost geligen 8957,
das tet in we, das was ir schad 9133 u. das tet in we und macht in zorn 9559, vgl.
auch 4570 f.; denselben Zweck verfolgen zweigliedrige Formeln wie vast und ser 832 u. ö.
(f. Anm.), gnuog und vil 1084 u. ö. (f. Anm.), oft und ... dik 1300 u. ö. (f. Anm.),
gar und gäntzlich 1612 u. ä. (f. Anm.), also schier und auch gedrat 1643 u. ö.
(f. Anm.), also ser und unvermessen 2152, nakent ... und auch bloss 2291 (f. Anm.),
vil michel und auch gross 2371, mit eillen und mit lauffen 3557, also gefuog und
also leis 8791. Über positiven und negativen Ausdruck desselben Begriffs f. zu 1976.

353. Her ... gsell: f. zu 82 u. zu 408.

354 f. umb daz guot ... umb die er: Schlagworte des Ritterlebens (f. F. Niedner,
Das deutsche Turnier, S. 20 u. 22); auch sonst gern verbunden: f. 855, 8593—96 u.
9428 f.

356. halt dich her: vgl. 7013. Verbindung mit Reflexiv und Ortsangabe (wie unser
„sich rechts halten" u. ä.) f. DWb. 4, 2, 279, 5, b.

359. äntwürt ... und sprach ebenso 1664 f., 4983 f., 7132, 7724 f. u. 8431.

360 f. Ähnlich Keller, Faftnsp. 954, 24 das wir frid und gemach wollen han.

362. Dieselbe Phrase 1460. S. Singer wollte (gesprächsweise) den Text der Hf. festhalten (es sein wäre wie SJd. 1, 512 zu verstehn); wolt ist aber im R. nirgends als
2. Plur. Prät. erkennbar: an den in Betracht kommenden Stellen (313 u. 31, 457 u. 86,
1010, 3269, 7508 u. 8240) liegen Präsensformen vor. Vielleicht auch hier: = „Wenn
es euch beliebt". Zu woltit vgl. woltin 1816.

363. schimph: Ausdruck der Turniersprache (f. F. Niedner, Das deutsche Turnier,
S. 25 f.), ebenso 319, 1017 u. 53, 1195 u. 96, 1223.

365. hern hat der R. nur vor Eigennamen; 3089 ist es Schreiberzutat.

370 ff. Zu 370 vgl. 1795, 371 f. mit 990 f.

374 ff. Höra zuo wie 3485 u. 7295. — nunne = „Feigling" (auch 7897) ist m. W.
unbelegt. Singer denkt an „Eunuch". 2768 bezeichnet es einen Stubenhocker. Vgl.
H. Sachs, Faftnsp. (E. Goetze) Nr. 45, 7 f., wo die Frau sagt: Ich bin beschlossen
in meim Hauß gleich wie ein Nunn. — Zu 376 vgl. Sterz. Sp. 24, 257 f. er wirt
von der salb schlaffn vnd schnauden wie ain gfrorner (so ist zu lesen) haß vnder
ainer stauden. S. auch R. 1318, 6646 u. 8372.

377. Im Ausdruck vgl. 7234 u. 7968.

379. Bildlich im Sprichwort bei H. v. Bühel, Königstochter 3771 was sie hett
kocht, das solt sie essen. Wie hier aber H. Sachs, Faftnsp. (Goetze) Nr. 14, 222
O lieber freunt, las mich hie kochen (= „machen")! Vgl. Nr. 58, 40 und SJd. 3,
126, DWb. 5, 1557.

380. sochest im Ggf. zu vallen. Ich kann nur auf H. v. Montfort (Wackernell) 15, 130 da (bei der Auferstehung) ist nicht lenger sochen und 33, 56 in der erden sochen (von Toten) verweisen.

383. in dem magen: Verzerrung ähnlicher Wendungen mit in dem hertzen (s. z. B. 1575, 1984, 5251, 7458 u. 9677) wie auch 1948 u. 6292; vgl. 2822 schlunde für munde (427). In den Sterz. Sp. 4, 345 sagt der Arzt das thuet mir im meim pauche zorn. Ähnliches schon bei Neidhart: s. Haupt zu 44, 24.

386. Vgl. 1804 u. 8170. gott von himelreich wie 4469, 4565 u. 7005; ebenso z. B. im Schwabenkrieg des Joh. Lenz (Ausg. H. v. Dießbach), S. 47a.

387 f. 387 greift Triefnas wörtlich höhnend 538 auf, 388 wiederholt M. selbst nachdrücklich 464. Über mües s. zu 226.

389. pheiffet: sw. Prät. wie in Metz. Hochz. 171, s. ZfsdA. 50, 254, Anm. 1, Winteler, Kerenzer Mundart, S. 161 u. DWb. 7, 1645.

390. Das Aufsetzen und Festbinden der Helme erfolgt unmittelbar vor Beginn des Rennens (s. 205,469 u. 548): daher der Zuruf helm auf! S. Ottokars Öst. Reimchronik (J. Seemüller) 16155 ruofens wart dâ niht vermiten: 'helm ûf! helm ûf!' (Vor der Schlacht auf dem Marchfelde). Der Ruf helm ab! 619 dagegen verlangt die Einstellung des Kampfes: s. Wilh. v. Öst. (E. Regel) 14987 helm ab! ez ist genûc! und 14934 ff. hört uf! sin ist gnûc, ir mæren helde, ... helm ab ir bindet! — he Alarmruf 1449, Zuruf wie hier 8688 u. 9336. — wie laut man schre: ganz ähnlich 1133 u. 1533; vgl. auch 3164 u. 9354.

391. Im Ausdruck vgl. 507, 635 u. 1500 und die ähnliche Wendung ward ... lenger nicht gespart 5794 u. 7084. Beide Formeln sind Gemeingut der mhd. Epik: s. z. B. die halbe Birne 251 dô wart langer niht gebiten und Wolffs Anm. z. St.; betreffs der zweiten s. Mhd. Wb. 2, 2, 485a 17 ff. und Gusinde, Neidh. m. d. Veilch., S. 149. Bes. bei Boner und Jansen Enikel (Weltchronik) kehrt sie häufig wieder.

395. Vgl. Morgant 208, 28 f. Rengnold stach den heyd, das er dem phert uff dem ars glag.

396. Ähnlich 4069, 4418 u. 6897; vgl. auch 2248.

397 f. Der Bund um Hüfte und Sattel streift ihm die bruoch herab. Derbste Situationskomik ähnlicher Art 6404 ff. u. 6408 ff. — geselle = penis (s. bes. DWb. 4, 1, 2, 4034, 16), wobei das Possessiv wesentlich ist: s. z. B. Wolfdietr. B 87, 4 (in Lexers Nachtr.), Laßberg Lf. 3, 619, 2, Michel Behamer, Vom Aberglauben (Mone, Anz. f. Kunde d. deutsch. Vorzeit 4, 451) Str. 9, Fischart, Garg. (Alsleben), S. 145 errichit (erigit) socium, den dilichit vchsor (diligit uxor) und 155 mein gesellen. Ähnlich Keller, Erz. aus altd. Hff. 220, 32 der man gieng nacket und bloß, also daz man seinen genoß (= gesellen) sach hangen (über genoß ist von einer alten Hand zagel geschr.). Zu prellen vgl. bei Keller a. a. O. preller = penis, S. 409 (Überschrift) und 411, 13 ff., ferner Fastnsp. 785, 9, 12 u. 15.

399. Erst: „da ... erst": f. 274, 418, 1170, 6103 u. 6641 (mit huob sich wie hier), sonst erst do: 680, 1454, 1618 (mit huob sich), 6021 u. 6324, do ... erst 615 u. 6384, erst so 3123. — jamer, angst und not ebenso 9229 u. 9667, jamer und auch not 1261, jamer, not und ungemach 2938, angst und not 2720. S. Lenz, Schwaben-krieg 42b not, angst mitt schmertzen, mitt Jamer. S. noch Husarenbraut, Fl. Bl. aus dem 7jähr. Kriege (im Wunderhorn) Str. 4 Ach Jammer, Angst und Not! Hier wirkt der getragene Ausdruck natürlich komisch.

400. Die noch heute geläufige Redensart (f. DWb. 11, 545) scheint im mhd. Schrift-tum bisher nicht bezeugt zu sein. Über antike Parallelen f. Seiler, Deutsch. Lehn-sprichw. 1, 187. Zur Szene vgl. 1214 ff. Die überlaute Teilnahme der Zuschauer bringt der Dichter im folg. öfters zur Geltung: f. 423 ff., 439 ff., 472 ff., 495 ff., 512 ff., 583, 618 ff., 1031 ff. u. 1105 ff.

402. Sim eröffnet höhnisch verwunderte Fragen wie noch 456, 1153 u. 2865 mit fol-gendem gedehntem und vielsagendem so, das der Dichter der Alltagssprache ablauschte (vgl. auch 460, 537 u. 5621 und Buch der Rügen 1488 sô, mîn mülrössel, sô? Ir habt iuch genomen an, des iuwer vater nie began), ferner mit folg. was 2018, 3440 u. 8022 (f. Mhd. Wb. 2, 2, 458a 17 ff.). Sonst leitet es Ausrufe der Verwunderung ein: 761 u. 90, 1413, 1875, 2834, 7425 u. 7560. Das merkwürdige Wörtchen, das W. an-fangs mit Vorliebe gebraucht, später aber seltener, begegnet öfters auch bei O. v. Wolken-stein (die Rede eröffnend, in Ausrufen u. dgl.: 38, 4, 43, 13, 49, 18, 76, 1, 80, 6, 26 u. 35, 109, 75 u. 110, 3) und besonders in der Sprache des Fastnachtspiels (f. z. B. Sterz. Sp. 1, 21, 35, 47, 59 u. 333, 8, 166 u. 654 usw.), noch öfter in der Gestalt si (1, 73, 151, 243 u. 52, 395, 454, 66, 80 u. 84 usw.), so auch recht häufig im Reinh. Fuchs (590 u. 92, 686, 970, 81 u. 90, 1019, 20 u. 25 usw.). — ziegglin (f. Ausg. S. 331) wie deigl, deixl u. ä. im BWb. 1, 589, dyggeli bei Stalder 1, 325.

405 = 2181.

406 f. her fürher wie 4189; vgl. her ausher 5546, her abher 9520 und bei H. v. Sachsenheim herabher Mohrin 650 und Gold. Tempel 679 u. 921, herfürher M. 1668, hernaucher M. 419, herusser M. 4921, herzuoher M. 3520. S. die betr. Artikel DWb. 4, 2. — angesicht ist im R. fem. (1704, 2281, 2331, 2903 u. 7502): auffallend daher 2440. In Verbindung mit scharffen (der R. hat stets diese Form; f. 4229: bdarff) geht es wohl auf den Blick (vgl. 528): ähnlich mang ... scharpff gesicht 1960 und mit scharpffen blicken 2221 in der Mohrin H.s v. Sachsenh.; f. auch Ludw. 46, 32 im Mhd. Wb. 2, 2, 284b 2 ff. u. DWb. 8, 2186 u. 9a.

408. Ir gast: wie das derbere ir herverlauffner buob 456, vgl. auch 9336. Änderung in Her gast (vgl. 353 u. Anm. zu 82) wird kaum nötig sein; immerhin f. her freunt 3792 u. 6795, her maister mein 8913 und gar her risen (?) 8856. — ein wicht wie 1338 u. 6915, mit Attrib. 2778, 3258, 5941, 6558 u. 75, 7182.

409. Dieselbe Wendung mit muot 854, 961 u. 6900, mit sin 1016, 2409, 3702, 7722 u. 8172.

412 ff. Der schalkhafte Ritter sucht durch seine demütige Höflichkeit u. Friedfertigkeit (f. bef. 360 ff., 385 ff., 460 ff. u. 542 ff.) die Bauernlümmel noch mehr herauszufordern, ganz im Sinne des 7866 ff. ausgesprochenen Erfahrungssatzes. — gottes huld 786 (der Plur. hulden aber auch 997). — Zu 416 vgl. 1888 f. (u. Anm. zu 187 u. 542).

417. Süesser red wie 1344, 4662 u. 6783, vgl. auch 2255. Singer verweist dazu auf Freidank 64, 12 und Rabenschlacht 121, 5.

420. lieff hin an wie 432, 499 u. ö.; es ist kein Anlaß, hin (mit Bleisch, S. 59) durch in zu ersetzen. — sam ein phluog: der Vergleich hebt den Ausdruck lieff spottend auf (f. z. B. 864). Anders Konr. v. Haslau, Jüngling 558 sô sitzet maneger als ein pfluoc.

422. S. zu 161 f.

424. Im Ausdruck vgl. 881, 6798 f., 7559 u. 8097 f.

425 f. Abzugsruf für einen, der sich bloßgestellt hat: er hängt zweifellos mit dem bei Fischart, Garg. (Alsleben) 260 zitierten Titel eines Spieles zusammen: Burckhart mit der Nasen, komm, helff mir grasen! Ähnliche spottende Zurufe 8688 u. 8878.

427. aus dem mund wie 8226; vgl. auch 1741, 2578, 3856 u. 9585.

428. Redensart. S. Frauenlist, GA. Nr. 26, 547 f. ich næm' ein solhe stunt vür rôtes goldes tûsent pfunt, Goldemar 6, 11 dâ vür næm ich niht tûsent marc, ganz ähnlich Jüng. Sigenot 114, 11, Keller, Fastnp. 220, 23 da für möchtet ir geben tausent pfund, auch Wirg. 740, 7 ich enwolt niht nemen hundert marc. — S. 9586 zehen phunt.

433. Also an ungehöriger Stelle? S. Gr. Wolfdietr. 1507 oberhalb dem satelbogen er den grafen nam. Das Ziel des Speeres ist in der Regel die Schildmitte oder der Hals unterhalb des Kinns; f. F. Niedner, Das deutsche Turnier, S. 56 ff., Wackernagel, Kl. Schr. 1, 282, Anm. 2. — Übrigens ist zu beachten, daß in 433 auf den gast, 435 auf Lechspiss zielt.

435. die riemen: nicht die des Sattels selbst (F. Niedner, S. 60 f.), sondern die 343 erwähnten. — Goetze (Litbl.) liest im: DWb. 6, 216, 2 und BWb. 1, 1505 c.

437 f. in die erde wie 1137 u. 8883 (vgl. hie in der erd im Paternoster, S. 139, 4), dagegen zuo der erd 8918, ferner in den plan 698, 1054 u. 1177, dagegen auf den plan 108, 351, 7935, 8912 u. 9003. — spange = „Spannen"; vgl. spang 8315 (: hang) und Keller, Fastnp. 834, 21 bin wol gemageret um ein spang (: lang). Da W. ng : nn nicht selten bindet, ist das Reimzeugnis belanglos; spanne bietet der R. nirgends, spange begegnet auch sonst (f. Lexer 2, 1068 u. DWb. 10, 1, 1878, 6; Fischer 5, 1472 f.). Hinter Drey übersah der Kopist offenbar das Zeichen für -er. Zum

Gen. vgl. 9059. — der werde: ähnlich das mit Artikel nachgestellte Attribut 893 u. 4047. S. zu 482.

439 = 6713; secht, do huob sich auch 512, 652, 5288, 5731, 6384 u. 9544, vgl. 5664.

440 = 6715, ir gsacht usw. 6288 u. 6519 (s. auch 5734); zu pei ewern tagen vgl. 1400, 2415, 6728 u. 9572.

443. mund und nase: s. 683 u. 5657.

444. aus freiem muot: s. du freier held 853, ein degen frei 8168.

449. fuder: die ständige Form des R.s: s. 1179, 1334, 2155, 4796 u. 9150.

452. Ähnlich 825, 1145 u. 55 (dieselbe Phrase mit got 3611), mit walten 1747 u. 2776. S. Laurin 874 nu müeze sîn der tiuvel phlegen und 1312 sîn welle denn der tiuvel phlegen und L. Wolf, Palaestra 25, 127. S. zu 1471.

454. Wie 9235. S. Ausg. S. 331. Zu gâge(n) SJb. 2, 137 (unruhig, ziellos sich bewegen Gl.) fügen sich die beiden R.-Stellen nicht recht. Singer denkt an das erst später bezeugte gaggen = cacare SJb. 2, 166: doch stört die lautliche Differenz. Zu untersich vgl. 6174.

456. S. die blasphemiae accusatae der Luzerner Ratsprotokolle aus 1381—1420 (ZfdA. 30, 409): „Als besonders schwere Beleidigung gilt es, wenn einem vorgeworfen wird, er sei harverloufen"; vgl. ebb. 408 Velli Hofstetter sprach, derselbe Lienhart sie ... ein her verlüffner bübe; ferner der Sælden hort (H. Adrian) 2635 ain her verloufer böser wiht, Keller, Fastnsp. 42, 34 du verheiter, herkumer schalk und Fischart, Ehezuchtbüchlein (Hauffen) 275, 13 mit jedem hergeloffenen Weib.

458. S. zu 352.

460 ff. Beachte das höhnische Aufgreifen der Worte des Vorredners: 456 in 460, 457 in 462; zu 464 vgl. 388. Ähnlich 542 ff. u. 537 ff.

466. getumbelt nur hier im R.; im Mhd. ist das Verb. sonst nicht nachzuweisen; s. BWb. 1, 605 tummeln.

467. chübel in eigentlicher Bedeutung 3770, 6013, 15 u. 18. (= eimer 5997 u. 6000, vas 6007), melchkübel 7966. Hier scherzhaft für den Helm (s. 165 und gissübel 9602): vgl. bes. die DWb. 5, 2490 aus Felix Platter vermerkte Stelle, nach der die Reiter anstatt der helmen große kübel oder sester aufhatten. Über Berührungen der Ausdrücke „Korb" und „Kübel" s. ebb. 5, 2489, 3.

468. Der haher wie 7528; vgl. 9498 hahen (: gevahen). hanher der Hf. wie hanhen (Inf.) in Kellers Fastnsp., Nachlese 251, 32.

469 f. Vgl. GA. Nr. 64, 1099 f. in den selben stunden den helm sie ime verbunden.

472. Ebenso der Kampfruf 8610 (Hans v. Bühel, Königstochter von Frankr. 3745 Über ein ander was ir begere); vgl. auch 7057: an beiden Stellen die Schreibung

herr wie hier, nach der zweiten änderte ich so der Hſ. in jo. Im Ausdruck vgl. 6788 (auch 6584), dem Sinne nach die Zurufe 9007 u. 9354.

474. Dieſelbe Phraſe 7759 f.; ähnlich Joh. Lenz, Schwabenkrieg (v. Dießbach), S. 145 so was inen vber die fygend heiß. S. ferner 6948 u. vgl. Virginal 738, 1 dem helde wart ze strîte heiz (ähnlich 872, 3, 883, 2 u. 884, 12), 2012 (u. die Anm. z. St.) u. 8812 f.

475. S. 392.

478. schänzlich des DWb.s (1 Zeugnis; ſ. SJb. 8, 989 schänzelig) ſteht der Bedeutung nach ferne; die Vermutung Ausg. S. 331 geht auf S. Singer zurück.

482. der degen werde: ähnlich 789.

483. herr = „Herrgott" wie unser herr 2095 u. 2506, vgl. auch unsern herren Jesum Cristum im Credo, S. 139 u. 4137. S. Mhd. Wb. 1, 665 b 18 ff., R. Bechſtein zu Gottfrieds Triſt. 755 u. Burdach, Walther, S. 274.

487 f. schilling wie 2589 u. 2895. Nach dem 3. Buch des Sachſenſpiegels, Art. 51, § 1 beträgt das Wergeld für einen Eſel 5 Schillinge. Das Angebot des die böſe Lage Eiſengreins ausnützenden Müllners iſt offenbar unverſchämt niedrig; es beträgt 50% des Wertes, wenn man 1 Schilling als den 20. Teil eines Pfundes zugrunde legt. S. BWb. 2, 398, SJb. 8, 574 und DWb. 9, 151 e. Die Müller galten im Mittelalter als unehrlich. S. O. Ebermann, Blut- u. Wundſegen 117 f.

489. der wol getan: vgl. 2374 und attributiv 107, 1176 u. 2742, alles in Reimſtellung; ſpäterhin meidet der Text den Ausdruck.

492. nim (im Reime) vermutete schon A. Keller in der Vorrede zu L. Bechſteins Ausg., S. IX. Vgl. den parallelen Ausdruck 1385.

493 f. Über den Eſelsnamen Hagen ſ. F. Bech, Germ. 7, 492. — sangen = „Ährenbüſcheln": „ledig" gewordenes Vieh (z. B. Pferde ohne Halfter) fängt man noch heute durch Vorhalten ſolcher Lockmittel ein. zangen entſtand vielleicht durch Mißverſtändnis des Schreibers; doch vermerkt BWb. 2, 310 eine Form mit z-.

499. drichtz wie 5586: ſ. Ausg. S. 331. Zur Erklärung der Form dienen gegen ir enrihtes (: geſihtes) Bone, Zwei Bruchſtücke mhd. Gedichte (ZfdA. 47, 424) 4, 3, eine Miſchform von enrihte und rihtes (ſ. DWb. 8, 863), und entriht Helbl. 1, 649 La. oder die rihte.

500. Formelhafte Zeile: ſ. 5989 und auch 1037 u. 5540, ferner mit geſchehen 596, 1030 u. 41. S. zu 1999 f.

502 ff. Röschleich wird durch den Vergleich ebenſo verhöhnt wie unverdroſſen 109. — her Neithartz: immer ſo bei W. im Gen. vor Eigennamen: 886, (1047), 1180, 7236, 8691 u. 9033; im Dativ ſtets hern: 378, 6536, 8711, 8813 u. 79; im Aff. 8954 her (136 iſt unſicher), dagegen hern 600, 6576, 9032 u. 45 u. 9334. S. 8856 u. zu 222. Vereinzelt iſt 9345 graf Purcharten (Aff.).

509 f. Ganz ähnlich 1206 f.; über die Phraſe älleu viere strecken ſ. DWb. 12, 2,

255; sie begegnet auch in Kellers Fastnsp. 243, 33, bei H. Sachs, Werke (Keller) XIII, 244, 16 u. in Scheidts Grobianus, Glosse neben 951 ff.; vgl. Mf. 3, 270a 8 („Neidhart") daz er alliu viere uf kert. Älliu vieriu mit binden s., von den Zeugnissen der mhd. Wbb. abgesehen, im Jüng. Sigenot (Schoener) 105, 11 u. 106, 1 f., bei H. v. Neustadt, Gottes Zukunft (Singer) 7249, in Kellers Fastnsp. 184, 10, in Brants Narrensch. 67, 66; ûf allen vieren gân GA. Nr. 16, 770, stân Enenkels Weltbuch, GA., 2. Bd., S. 523, 389; loufen Winsbeke 75, 8; kriechen Salm. u. Mor. (Vogt) 626, 4, Wolkenstein 48, 10; mit allen vieren ligen Netz 863, legen Brants Narrensch. 110a 138, fallen Kellers Fastnsp. 879, 29. Vgl. auch alle kwatter bei Nik. Manuel, Ablaßkrämer (Baechtold) 120, 242 und mit allen fünfen (Fingern) in Kellers Fastnsp. 609, 22.

512. newe clag: s. 439.

517. Vgl. im Liederb. d. Hätzl. 1, 89, 41 durch ain judenvist; fist auch 1549 u. 6935, gefisten 288. S. zu 309.

520. Roethe verwies auf diese R.-Stelle zu H. v. Neustadt, Apollonius (Singer) 17730 ff. Da kam ain ungefuger gust (= tjust) den rossen auff di prust, das di heren zu hant mit den rossen vielen in den sandt. Da enmochten sich di werden knaben an den himel nit gehaben: beide Male handelt es sich um einen spottenden Trost des gestürzten Stechers: „In der Luft gibt es keinen Halt." Die Redensart ist verbreitet: S. Singer, Alte schweiz. Sprichwörter 131 verweist auf Ybers 2291 und Renaus de Montauban 241, 12 ff.; s. E. Thiele, Luthers Sprichwörtersammlung, S. 129, Nr. 115. Anders geartet ist H. Sachs, Fastnsp. (E. Goetze) Nr. 6, 176 f. ich kan und mag mich doch nicht an den Himel halten: s. Picander 2, 313 im DWb. 4, 2, 288 unten.

521 f. verwuost = „verletzt"; s. 6465 u. Fischer 2, 1420 sich die h. v. = „verstauchen". — 522 wie 4133, s. auch 815 u. 2962.

526. Über rüegen sich s. Ausg. S. 331 f. (8258: benüegen). Das synonyme sich rüeren 1171, 2191, 7114, 8055 u. 9577. Das Adj. rüeg 6400 (: gefüeg) u. 7831 (: müed).

527. Vgl. 6460. Zur Reimzeile, die der Abschreiber versehentlich wegließ (s. Laa. z. St.) vgl. 689 u. 2184, ferner Hätzl. 1, Nr. 105, 22 es ist mir wärlich vsz dem schimpff und ganz ähnlich Nr. 106, 26; O. v. Wolkenstein (Schatz) 20, 22 es ist mir ... auss dem schimpf.

529. gaifer: einer der ältesten Belege des Wortes, der unseren Wbb.n entging.

530. Im Ausdruck vgl. 6737, auch 735; jo, wie ebenso 6393.

531 f. Zu 531 vgl. 2197. — rässeu „scharf" wie 8725 von den Zähnen, 7440 vom Pfeffer.

533. S. zu 243 f.

536. Do im Zeileneingange und -schluße nur noch 5811, 6097 u. 9334; sonst stets des … do: 2163, 2259, 2377, 5277, 5427, 5727, 5944, 6410, 6771 usw.

537. húerrensún 957, 1463 u. 8483; vgl. húerrenwícht 8606 und húerrenschélch 9356. Der Rhythmus scheint húerrsun zu fordern; zu Lexers Zeugnissen für diese Form s. noch Kellers Fastnsp. 349, 3, 590, 31 und Nachlese 243, 29. S. 1153 und zu 402.

538. S. zu 387 f. — hab: sonst stets hast, auch vor du. Über has s. Weinhold, Mhd. Gr.² § 394, Bayr. Gr. § 319.

542. durch unsern got: ähnlich 709, 836, 1330, 2055 u. 2401, auch 3206.

544 f. rechter ergänzte ich, um der Zeile 4 Hebungen zu geben; denn laider ist 545 schwerlich zu streichen: s. 1301 u. 2169 (wie hier in Bemerkungen des Dichters). Auch befremdet re-re-reuwe in W.s Sprache (statt rü-rü-rüwe).

546. Ähnlich 1336 u. 6149 (tett der spot vil we).

551. Die Redensart, die sonst unbezeugt ist, hat die Gestalt von ansprechen (mit Akk. der Person u. Gen. der Sache).

552 f. stiess sich (strauchelte) … über ein ärws (5027 ärwess): die Konstruktion ähnlich 9557. — ich waiss nit wie = eine von W. bes. in der zweiten Hälfte der Dichtung gern in den Reim gestellte Formel: 5768, 6170, 6402, 6572, 6903, 8004, 8770, 8841, 8926 u. 9353; vgl. auch 5974, 7104 u. 8170.

555. = Als ob es von Durst erschöpft wäre ? Oder ist nit Schreibversehen für me' (1636 u. 5814)?

556. über und über wie 5652. S. DWb. 11, 2, 75 f.

558. S. ZfdA. 50, 255.

560. gunken: s. Ausg. S. 332. An gun'ten (= gunerten, parallel zu bösen) ist aus rhythmischen Gründen schwerlich zu denken und ir kaum zu entbehren. — Zu kotzen vgl. 6319. Über das Schimpfwort breken s. Lexer (breckin), BWb. 1, 346 (brack) und DWb. 2, 290 f. (bräckin), ferner Kellers Fastnsp. 865, 24 du alte precken (ebenso H. Sachs, Fastnsp. bei Goetze 18, nach 127, 132 u. 232, 42, 281, 62, 22 u. 136, 65, 37, 76, 125), Gustav Binz, Basler Schimpfwörter aus dem 15. Jhdt., Zff. d. Wortf. 8, 163 und Fischart, Ehezuchtbüchl. (Hauffen) 275, 14 Schandpreckin; s. auch Brandstetter, Proleg. z. ein. urkundl. Gesch. d. Luzerner Mundart, S. 86 geprecket (c. 1494) breckin = gescholten.

561. Solche Verwünschungen mit daz (Benecke zu Jwein 7928) sind im R. nicht selten: s. 813 f., 1155, 1471, 1747, 7513 u. 28, 8972; über ähnliche im Fastnsp. s. Michels, Studien, S. 227. Vgl. auch 1841 (= 4099) u. 1873.

562 f. Ähnlich 1882 f.

569. Vgl. die positive Wendung 1338.

572. Dieselbe Pose 6793; vgl. Joh. Lenz, Schwabenkrieg (H. v. Dießbach), S. 58 der küng gen hymel sach (beim Anhören einer schlimmen Nachricht).

573. Mir ist nit recht geschehen wie 6140: s. Mhd. Wb. 2, 2, 114a 45 ff.

576. esel als Schimpfwort wie 3444 u. 8562.

580 f. W. liebt dieses Reimpaar: f. 1588 f., 1768 f., 6666 f., 8960 f. u. 9318 f.

582. dönen ähnlich gebraucht 1707 u. 7927.

583. Halt ab! ist das Stichwort für das Losreiten der Gegner: f. Mohrin 4888 f. 'Halt ab, halt ab! und lauß her gon!' schray manger da mit luter stymm. Anders J. v. Würzburg, Wilh. v. Ost. 15587 halt ab und wichet von der ban! Vgl. Virginal 1003, 4 dô schrûwen die von den wâpen: 'Halt ûf, ir herren, ûf dem plân!' Ebenso 1046, 4 herre, heizent halten ûf! S. zu 390. — hönen (im R. nur hier) offenbar = „heulen": f. DWb. 4, 2, 1727, BWb. 1, 1120 und SJb. 2, 1370 (unter hüne[n]).

584 ff. under drukten = under schluogend: f. zu 207. — Zu 585 f. vgl. 8317 f.

590. ofner: f. zu 179.

591. fluochen und schelten formelhaft verbunden wie 2759 u. 8685; vgl. 1570.

593. laide mit unorgan. e wie 4298. Zu hab dir nit laide vgl. 1824 nim usw.; ebenso ist 1423 zu lesen (für minn der Hf.). S. auch 8432 und z. B. im Lieberb. d. Hätzl. 1, Nr. 12, 30 ach, nymm dir nit ze gach.

594. häw und stro formelhaft verbunden wie 170, 709, 1075, 5024, 5369, 9137 u. 9650.

•600 f. Dasselbe Reimpaar 1474 f.; zur Situation vgl. 507.

601. dem minner = Triefnas, f. 1018, 1248 u. 1525.

602. D. h. er wäre aus dem Sattel verschwunden; selten = nie: f. zu 100.

614. S. 340 u. Anm.

617. ze lesten wie 4158, 4390, 5189, 6280, 6377 u. 9214 (nie im Reim); ze lest 4026, 4305 u. 4607, an allen drei Stellen im Reime, ebenso ze leste 6623.

618 f. Zum Eintreten der Frauen für den minner Bertschi (f. 601) vgl. 70 ff., 570 f., 597 f. und im Turnier 1105 ff.; der drollige Ausbruch 560 ff. ist vergessen. — Über den Zuruf helm ab! f. zu 390.

621. Ähnlich 8090.

625. sich ... nieten (das Verb nur hier im R.) = „aufgeben".

626 ff. Die Situation gleicht der nach dem ersten Stechen 317 ff. (vgl. bes. 625 mit 319). Während die andern die Sache satt haben, besteht der Meier des Dorfes auf der Fortsetzung, um die Ehre zu wahren (vgl. 628 mit 332), und zwar auf Kosten des verhaßten Fremden (vgl. 629 mit 333), diesmal aber ohne den Beifall der Genossen (f. dagegen 335).

628. er bejagen wie 1013 u. 7396.

630. noch vier: er und die drei im folg. Genannten. Von den acht Gegnern (f. zu 349) hat der Ritter vier im Stechen erledigt (f. 405, 449, 524 f. u. 614). Da der Meier trotz seines bösen Sturzes wieder unter den Kampffähigen auftritt, ergäbe sich die Zahl fünf. Der Dichter hat den Twerg übersehen, der erst (wie alle andern auch) im Turnier wieder auftaucht.

631. Gegenüber der nur einmal aus Hans Sachs bezeugten Phrase steht die geläufige einem an gesigen 4592, 4738, 4918, 6844 u. 8166. Dennoch unterließ ich es, etwa in Schölt wir nit eim an gesigen zu ändern.

632 f. ässin oder ... sässin formelhafte Reimverbindung: vgl. 5925 f., auch 1489 f. u. 5929 f., ferner z. B. Renner 10929 f. dô ein prêlâte zeimâl saz und mit sînen gesten âz, ganz ähnlich 14567 f., Rollenhagen, Froschm. I, 2, X, 65 f. das ich aber nicht müßig seß und mein brot nicht mit sünden eß.

635. und nit peiten = „unverzüglich" unterbricht die Phrase reiten ... auf den schalk.

639. Din: die irrige Änderung in Des ergab sich durch die Erinnerung an 147, die derselbe Reim herbeiführte.

644 f. ein fuchs wild: vgl. Renner 17278 wilder denne ein v., ferner fuchswild bei Wander 1, 1261 und im DWb. — Des: f. zu 157.

652 ff. 653 ist Folgesatz zu jagen, 655 zu schreien. Im Ausdruck vgl. 5731 ff., zu 652 auch 5874, 655 ist ähnlich 6991 u. 9123. S. Leo Wolf, Der groteske und hyperbol. Stil des mhd. Volksepos, S. 70 f.

656 f. Ganz ähnlich Metz. Hochz. 591 ff. (f. ZfdA. 50, 254); vgl. im Ausdruck auch 5541 f.

667. Wie im Groß. Neidh.-Sp. (Keller, Fastnp.) 431, 6 f. den herren ken ich sicher wol, er ist des hailigen gaistes vol. S. Gusinde, Neidh. m. d. Veilch., S. 145, S. Singer, Neidhartstud., S. 41 und meinen Artikel in der Festschr. f. M. H. Jellinek, S. 202. In beiden Stellen sprechen Bauern mit Bezug auf Neidhart. Vgl. Act. Apost. 2, 4 et repleti sunt omnes spiritu sancto, ferner im Pfaffen Âmîs 1471 f. sô het er gesworen wol, er wær' des heilgen geistes vol und in Wernhers Marienleben 1265 f. sü ... erkandent wol, si wære des hailigen gaistes vol: der Wortlaut ist also typisch.

668. Vgl. im Ausdruck 6885.

669. Im Wortlaut ähnliche Zeilen 708 u. 5260.

671. Dieselbe Phrase 1593 f. u. 2546 f.

673 ff. Über den folg. Beichtschwank f. jetzt „Neidh. und das Bauernturnier in H. Wittenwilers Ring", S. 202 ff. (Festschr. f. M. H. Jellinek).

676. S. zu 4088 ff.

678. falschechait: sonst nicht nachgewiesen.

679. Ähnlich 3152, 3354 u. 7198.

680. Im Hinblick auf 660 u. 65; im Ausdruck vgl. 8778.

682. Also ser, daz im Zeileneingang auch 1622, 2284 u. 6644, also ser 434, 1279, 2152 u. 9364, so ser 1202, 1327, 1561, 8828 u. 9028.

683. aus schluog = „austrat"; vgl. 2189 („stieg empor"), 6158 u. 8091. S. auch

zu 8833 und Welſcher Gaſt 3974 swenn im zem houbet sleht der wîn (mit Rückerts
Anm.: l. Altd. W. 2, 58, 3. 259 der win der schleht mir in daz hirn).

689. S. zu 527.

691. Herrgot auch 3936, im Paternoſter, S. 138 und im Conſiteor, S. 149. sinn
und chraft, formelhaft verbunden, wie 3646. S. Kato (Zarncke) 34, 118 (in O).

694. Der Dichter rechnet zwar 866 die beiden Toten ab, läßt aber, die Eingangs-
epiſode vergeſſend, Pentza Trinkavil 5849 ff. beim Hochzeitsmahl, Jächel Grabinsgaden beim Tanze 6382 wieder mittun: ein Beitrag zu den Widerſprüchen in Kunſt-
dichtungen, wie ſie Kraus und Jellinek ZfdöſtGymn. 1893, 673 ff. und Euphorion 4,
691 ff. geſammelt haben.

695. Im Ausdruck vgl. 6731 f. — haiden ſw.: nur hier; ſ. dagegen haid (Dat.) 2924
u. 6828 (: laid), 9654 (Akk.).

699. zerpossen: zerprosten iſt unmöglich (ſ. 2240), zerprochen erklärt den Fehler
nicht. Der Schreiber verkannte hier das Partizip wie 182 das Prät.

700. Auf ruoft er: vgl. „aufſchreien" und Ausg. S. 337 zu 6798 f.

703. ane fuog wie 6210 u. 9177; vgl. aus der mass 714.

705. ze peichte sas: ſ. DWb. 10, 1, 1293 i.

706. crütz „Kreuzeszeichen" wie 2396.

709 f. Parodie der Stelle im Credo-Eingang (S. 139), auf die ſich 2264 ff. bezieht;
vgl. auch N. Manuel, Barbali (Baechtold), S. 139, 142 gott, der himmel und erd
hat gemacht. Zu 2267 vgl. Kellers Faſtnſp. (Nachleſe) 162, 31 ach höchster gott,
... der laub und gras erschaffen hatt und ganz ähnlich 164, 13.

716. sam er sprach nur hier.

717. gester: dagegen gestern 801 u. 7171.

721. getraw ich ... wol: dieſelbe Phraſe 1718, 1967, 5109, 7407 u. 9506, mit
swach 4724.

724. an gotes stat wie 7314: vgl. das Conſiteor, S. 149, 3. 4 f.

725. Wie erstleichen (ſ. Ausg. S. 332) = 'cum primum', vgl. etwa A. Heinr. 133 f.
dô ... von êrste u. ä.: vereinzelt im R. und auch ſonſt im Mhd. bisher unbezeugt. Aber
die naheliegende Änderung ernstleichen (A. Keller, Vorr. zu L. Bechsteins Ausg. S. IX)
iſt bedenklich: ein Konzeſſivſatz widerſtrebt dem Zuſammenhange. Abf. ernstleich 34;
Adv. ernstleichen erſcheint im R. ſo wenig wie erstleich(en). Für erstleichen ſ. einen
Nachweis im DWb.

732. Vgl. 2035.

738. S. 750.

743. Dagegen dieſelbe Phraſe mit gott geb 6218 (ſ. auch 1573) und ähnliche 826,
6240, 6321, 7343 u. 8212.

744. Vgl. 3477. — Lieber sun wie sun 790, dagegen böser man 761 wie 814.

745. Vgl. 1338. — böswicht wie 8475; dem bosen wicht 2778.

747. Der alberne Bauer versteht den Witz nicht (748). So gibt Wit. 4475 Rüdiger ein Geheimnis, das er vor Männern und Frauen zu wahren versprochen hat, einer Maid preis und meint scherzhaft, er habe sein Wort nicht gebrochen. S. L. Wolf, Der groteske u. hyperbol. Stil des mhd. Volksepos, S. 10, Anm. 1. — alters ainig: 1 Beleg in Lexers Nachtr.; f. auch Lied vom Hürn. Seyfr., Str. 20, 5 und alters ain 6887. Zur Form aůnig der Hf. vgl. Aýnich 1281 (vermutlich Schreibfehler für åy); dagegen åyniger 4790, einiger 3202.

751. banch maşk. wie 1939 u. 2164: so heute noch im Toggenburg (f. Wiget, S. 117) und in der Schweiz überhaupt (SJb. 4, 1380). S. ferner Weinhold, AlGr. § 274 und DWb. 1, 1106, Teufels Netz 8938, 9198 ff. (La. in C), 9504, N. Manuel, Von Papsts u. Chrisſi Gegensatz (Baechtold), S. 108, 145. Fem. iſt es aber 1648, 2602 u. 8.

753. dem bachen: f. 5969.

756. den stuol = banch 751.

759. chust . . . in den bauch: ähnlich 6985; f. auch ein kus in liebes munde Gottfr. Triſt. 12353 und vor liebe sî mich in daz ouge kuste Zusatzſtr. zu Neidh. (Haupt‐Wießner, S. 229).

763. Die Ausg. S. 332 gebotene Deutung von verstigen (6465 gleichwertig ver‐ wüestet) nach einer Vermutung S. Singers. Vgl. geheichen und geschnîjen im SJb. 2, 1107 u. BWb. 1, 1026 (aus 1684): das Wort gehey ist bei uns Teutschen so verhasset, daß sichs ein ehrlicher Mann schämbt außzusprechen . . . dahero es etliche verzwicken, wann sie es jemand also nachsagen: was geschneids mich? Die ſt. Formen des Partizips (gegenüber der geläufigen ſw., die 6153 durchſcheint) ſind auch ſonſt zu beobachten (SJb. 2, 1103 ff. u. DWb. 4, 1, 2, 2350c): ſie entſtammen viel‐ leicht einerſeits der verhüllenden Abſicht und ſuchen andrerſeits den Anſchluß an ſtîgen, das in die Bedeutungsſphäre von hîwen hinüberreicht: f. ſtîger bei Lexer und Steiger bei Hügel, Der Wiener Dialekt. Bemerkenswert iſt, daß der Dichter das ſo naheſtehende ſerten (vgl. etwa 5677 mit 5981!) unverhüllt gebraucht. — wes hast du iſt auch 763 zu erg., doch im Sinne von „warum".

765. Vgl. im Ausdruck 692.

767. bischolf auch 822.

769. gumppelphaff: f. Ausg. S. 332. Solche Bildungen mit gumpel‐ waren, wie Lexers Wb. zeigt, lebendig.

770. Ähnlich 1516 u. 1638.

771. S. Singer, Alte ſchweiz. Sprichw. Nr. 230 zitiert dazu: bœsen schimpf den hazzet got Eraclius 1461.

776. gaistechleich: fehlt in den mhd. Wbb.n.

777 ff. S. Interrogationes Wicleffitis et Hussitis proponendae (1418) bei Den‐ zinger, Enchiridion [12] 670 Item, utrum credat, quod christianus . . . habita copia sacerdotis idonei soli sacerdoti de necessitate salutis confiteri teneatur et non laico seu laicis usw. Der Pseudopfaffe behandelt daher beide Fälle als casus reservati höherer Instanzen.

784. aus not nur hier; vgl. von not 3739, 5810 u. 8898.

785. Ich kann die Phrase sonst nicht nachweisen.

787 f. Ähnlich 4065; so we mir wie so wol mir: f. zu 857.

792 ff. S. Christus u. die minnende Seele (R. Banz) 743 ff. Es ward nie kain sünder so groß, wölt er von den sünden lon und bicht und büß darüber beston, got wurd so milt und so güt, das er in behüte vor der helle glüt. S. Banz, S. 71, 129 u. 147 f. Im Bußlied Tannhäusers, Nr. 2 (bei Joh. Siebert, S. 210 ff.) Z. 17 ff. ez wart kein missetat so grosz ... enpfeht der sunder ruw, annemlich ist er dir. Vgl. auch Beheim, Buch von den Wienern (Karajan) 416, 25 ff. kain sünder auff erden macht nie so übel werden, reutz in, got der vergeitz im als. — herbarmhertzichait: f. 2499 u. 3997. — michel und ... brait: vgl. 2112, michel und ... gross 2371 (vgl. 3244 u. 5310), michel ... und lang 6205.

797. mit gantzen trüwen wie 1794 u. 4723, vgl. auch 1797.

798. Vgl. 712.

801. über land varn: f. Lexer 1, 1822 und DWb. 6, 95 h.

803. laid und ungemach wie 1141, 1573, 1651, 5612, 6605 u. 9153; zorn u. ungemach 1556, ungemüet und zorn 4378 f. (vgl. 4380), jamer, not u. ungemach 2938. Die Formel leit und ungemach ist ungemein verbreitet: f. Reimar, MFr. 166, 21, Neidh. 30, 9 u. 94, 35 (leit u. ungemüete 23, 9 u. 30, 12), Ulr. v. Winterstetten (J. Minor) Nr. XXIV im Kehrreim, Reinbot, Georg 812 (f. Kraus z. St.), R. v. Ems, Weltchr. (Ehrismann) 6213 u. 7600, Passional (Hahn) 316, 91, GA. 2, Nr. 28, 55, 3, Nr. 64, 54 u. Nr. 84, 318, Virginal 23, 13, 58, 13, 366, 4, 663, 12, 759, 11, 772, 13 u. 811, 13, Dietr. Flucht 2199, 5671 u. 7029, Rosengart. D XVI, 422, 4, Jüng. Sigenot (Schoener) 105, 1 u. 122, 1, H. v. Neustadt, Apollonius 9945, Lieders. 2, 135, 43, 148, 944, 173, 141 (vgl. 131, 50), 386, 43, Mhd. Minnereden I (Matthaei) Nr. 4, 151, Konr. v. Helmsdorf, Spiegel des menschl. Heiles 2253, Suchenwirt 30, 80, Teufels Netz 355, 1479, 1603, 1754, 2263, 4051 B usw., Christus u. d. minn. Seele 1654, O. v. Wolkenstein 74, 49 f. u. 89, 36, Hätzl. 2, 14, 419 u. 505, Mondsee-Wiener Liederhs. (Mayer u. Rietsch) Nr. 48, 27, Neidh. Fuchs 3575, Keller, Erz. aus altd. Hsf. 599, 14 u. 600, 11, Fastnsp. 928, 15 u. 940, 6, Nachlese 115, 15, Uhland, Volkslieder 4, 295, Str. 1 u. 6, L. Tobler, Schweiz. Volksl. 2, S. 69, Str. 15.

804. mich gehört zu beiden Verben, zwischen denen es steht.

805. also bloss wie 2420, 5962 u. 6585: vgl. a. nass 5617, a. gantz 5636, 5897 u. 8931, a. truken 5769, a. rüeg 7831, a. schlaffent 8013 und a. zprosten 9604.

812. ketzer (vgl. 7526) ein Schimpfwort schwerster Art (f. Zellweger, Gesch. des Appenzell. Volkes 1, 234), hier vielleicht sogar Vorwurf der Bestialität (f. BWb. 1,

1316 u. DWb. 5, 640, 2). Daher das Gebot einer so schweren Kirchenbuße wie der Wallfahrt nach Rom. In der gedichten beicht von Folz (Kellers Fastnsp., S. 1203) fährt der Beichtiger gegen den ihn freilich foppenden Sünder mit ähnlichen Worten los: du ketzrischer schalck, besser wer, der dir deinen balck mit gluenden zangen zuriß, dan das sich einer an dir peschiß! Darum heb dich neur hin gen Rom etc. (wie 817!).

813. der übel tod wie 561 u. 9072, der bitter wie 6716.

816. Redensart: vgl. Parz. 782, 13 ich ensprichez niht ûz eime troum, Helbl. 15, 316 daz sag ich niht ûz eime troum, ganz ähnlich Ammenhausen 10098, Kellers Fastnsp. 844, 1 ich reden werlich nit uß dem troum; im R. selbst 5676 u. 5968, auch 6207 u. 8627. S. ferner 3409. Gleichbedeutende Wendungen mit spott s. 3094, 5006 u. 8573.

818. = „So schnell wie möglich" wie 6027 und Erlauer Spiele (Kummer) 110, 481 ff. nach sechs und dreißik jarn so wil ich in ein chloster varn und wil da mein sünde püßen mit henden und mit füßen. Ähnlich mit hend- und füessen 1502 u. 2256: ebenso in Kellers Fastnsp. 284, 9, bei Folz: Der kargen spigel (ebd. 1239) mit hend- vnd füssen, H. v. Sachsenheim, Der Spiegel (II), S. 146, 21 von hend- und füessen (so ist zu lesen), Uhland, Volkslieder 5, 313 B, 6 an hend- und füßen; dagegen Wunderhorn, Von Hofleuten (1576), Str. 2 mit Händen und mit Füß (: süß). Die Ersparung der Endung wie z. B. Suchenwirt 7, 188 leib- und gutes, Mondsee-Wiener Liederhs. (Mayer u. Rietsch) Nr. 49, 15 frisch vnd hohen muet, Wintler 232 guet- und pöses, Lenz, Schwabenkrieg (H. v. Dießbach), S. 141 vs tutsch- vnd welschen landen (ähnlich S. 142). S. O. Behaghel, Deutsche Syntax I, § 106, 2, H. Paul, Mhd. Gr.[12] von E. Gierach § 235 Anm. u. § 324.

821. daz was sein ungewin wie 6639.

822. hintz zum: vgl. 1453 u. 79. Über dieses hintz s. BWb. 1, 1117 u. 1139. In Gustav Scherrers Kl. Toggenburg. Chroniken, S. 68 heißt es aber ze znacht.

823. Daz ward im ... schad: im Ausdruck vgl. 1211, 3371, 9133 u. 61; zu sekel s. 1356 u. 4430.

824. Die Beichte ist zu Ende: s. 706 f.

825. S. die Anm. zu 452.

827. in dem hertzen: „insgeheim, innerlich", s. etwa 1984, 5251, 7458 u. 8178.

829. S. Festschr. f. M. H. Jellinek, S. 206, Anm. Was ein pruoder ungeweicht (vgl. 2054, 4076 u. 8570) in dieser Szene besagt, ist mir nicht klar.

830 f. Die Beichtszene fand nach Neidharts Scheinflucht abseits vom Lappenhauser Plan statt (651 ff.); Triefnas bringt den Fremden zurück (862 ff.). — Im Ausdruck vgl. 5347 f.: geritten = „gefahren" (nur an diesen beiden Stellen des R.s) ist in der Schweiz (SJb. 6, 1664 ff.) und sonst, bes. in der alten Sprache (Mhd. Wb. 2, 1, 730a 15 ff. u. DWb. 8, 774, 3a), geläufig. schlitten (6421 in der üblichen Art) befremdet (in dem grüenen gras 704!): es bezeichnet ein primitives Fahrzeug. Zu

Alpbach (bei Brixlegg) in Tirol kommt der Hochzeitszug, wie ich einer Skizze in den „Wiener Neuesten Nachrichten" vom 15. April 1935 (S. 5) entnehme, auch im Sommer auf Schlitten gefahren.

832. vast und ser: vgl. 7048 u. 7974, ferner z. B. Mhd. Minnereden I (K. Matthaei) 1, 469, ser und vast z. B. Kaufringer 11, 57 u. 14, 403, Kellers Faßtnsp. (Nachlese) 213, 14.

834 f. Vgl. Christus u. die minn. Seele 49 ich hab unrecht geton, du solt es dür got mir varen lon und ähnlich 259 f., 263 f., 377 f. u. 801 f., Kellers Faßtnsp. 881, 21 hab ich ie wider dich gethan, vergib mirs. faren lan = „verzeihen", f. außer den Bsp.n der Wbb. H. v. Bühel, Königstochter 36, Christus u. die minn. Seele 254 u. 1275, Netz 6550, 7812 C, 7813 B, Kellers Faßtnsp. 415, 22 u. 476, 15. Dagegen 1139 = „aufgeben".

839 ff. S. 17 ff.: das Stechen ist erledigt, der turner (f. 869 u. 74) steht noch aus.

843 f. von hoher art wie 2085. — Zu chüen mit deinem leib vgl. 1669, 2840, 3084, 3653 u. 82.

853 ff. du frier held: ähnlich 8168. — Zu 855 f. Anm. zu 354 f.

857. Ähnlich 1383 u. auch 2038, 6999 u. 8588. S. Anm. zu 787.

859. auf sein lesteu vart beteuernd, wie DWb. 3, 1264, 3; f. ferner Mf.H. 3, 239b 10 (Salbenschwank, Nr. 76 in Hagens Hf.), Lf. 2, 173, 344 und Mhd. Minnereden I (K. Matthaei) 7, 155 u. 312, N. Manuel, Vom Papst u. f. Priesterschaft (Baechtold), S. 77, 1214 uf min jüngste fart.

860. näm zun eren wie in Kellers Faßtnsp. 877, 19 er muoß sy nun zuon eren (d. h. als Ehefrau) han, ähnlich 882, 1 f. S. auch 3573 u. z. B. GA. Nr. 21, 362 f. daz siu ... ze sînre êren (= Hochzeit) kæme. Der Hochzeitstag heißt heute noch der „Ehrentag" eines Mädchens.

862. S. Ausg. S. 332 und DWb. 4, 2, 2272. saus und jaus 5806 (vgl. Gejäus „lärmendes Treiben" SJb. 3, 71) gehört zusammen ähnlich unserm „Saus und Braus".

864. Der ironische Vergleich, der jausen aufhebt, ist sprichwörtlich: f. Kirchhofer, Wahrheit und Dichtung, S. 262 und Hügel, Wiener Dialektlexikon, S. 41 geschwind wie ein bleierner Vogel (= sehr langsam); in K. Scheidts Grobianus 424 f. lauff gschwind hurtig ab vnd zů gleich wie ein vöglin das heißt ků mit der Randglosse Wie ein pleyen vögelin; dazu Fischart, Garg. (Alsleben), S. 122 wann sie sich also wacker auff eim fuß herumb wurffen vnd dummelten wie ein bleiens Vögelin das heißt Ků. — Bleierne Vögel = „Tölpel" bei Christ. Weise, Komödie v. d. bösen Catherine (Kürschner, NL. 39, 194, 30), turdus blaifögeli im Voc. opt. (W. Wackernagel) XXXVII, 113. — W.s Vergleich parodiert Wendungen wie Nib. 1283, 3 sam vliegende vogele sach man si alle varn oder H. v. Bühel, Königstochter 1080 also kamme die mynneclich dorthere einem vogel glych.

866. S. unten 889 ff.: es fehlen Pentza Trinkavil und Jächel Grabinsgaden, die

sich erschlagen haben, und die beiden von N. weggeschickten Beichtkinder, Lechspiss und Haintzo.

870. Dem Schreiber lag durch der lieben M. (s. 5208) minn im Sinne.

871. der zag sin wie 6882: s. Paul-Gierach, Mhd. Gr. § 224, 5.

872. Nu hin, daz sei! wie 3083 u. 3475, s. auch 3594 u. 7285, ferner nu dar, daz sei! 2149, ähnlich 3003 u. 3137. Oft leitet dieses nu dar Annahmen, Folgerungen u. ä. ein: 1692, 1774, 2701, 3195, 3489, 3510 u. 69, 4446, 5203, 6822, 7246, 7422, 7522, 8217, 8650, 8856, 9005 u. 9192.

874 f. Der Sinn ist klar, der Wortlaut dunkel: kosten mit Gen. ist m. W. sonst unbekannt (s. DWb. 5, 1864e), zerchnosten: s. Ausg. S. 332. Der Zusammenhang deutet auf ein intrans. Verb.: trans. knüsten liegt sicher 3132 vor (vgl. das Prät. 9388) und ist im Schweiz. wohl bezeugt: s. Stalder 2, 118, SJb. 3, 765, DWb. 5, 1528 u. 15, 711. chosten = chredentzen 5876 (vgl. 5873), anders 2660.

876. an ... keren = „anfangen" wie 5020.

878 f. 878 ähnlich wie 4090. – pin ich nit nüw „kein Neuling": s. DWb. 7, 650, 7.

880. Die Phrase, die 2935 wiederkehrt, ist in unseren Wbb.n nicht verzeichnet, wohl aber refl. genügen mit Gen. (s. Mhd. Wb. 2, 1, 361a 2 ff.); die unpersönliche begegnet 2179, 2510, 3677 u. 7181; mit lassen 4944, 6574 u. 8257. Diese Wendung ist im späteren Mhd. recht geläufig: s. z. B. H. v. Montfort 28, 325 f. lass dich benuegen dinr eren und dins guots, ähnlich Christus u. die minn. Seele 455, 892, 1080 u. 89, 1145 u. 52, 1359, 2074 f., Metz 3045, 7207, 12955, 13241 u. 66, Kellers Fastnsp. 208, 8, 308, 3, 694, 19, 713, 8 u. 19, Brants Narrenschiff 83, 25 f. u. 37, N. Manuel, Vom Papst u. s. Priesterschaft (Baechtold) 41, 235 und Barbali 160, 743 u. 1730. S. DWb. 1, 1475 f.

881. schrewen auf: wie 7559, in den mhd. Wbb.n nur an 1 Stelle bezeugt. S. zu 700.

885 ff. S. F. Niedner, Das deutsche Turnier, S. 82: „Einen turnei gut und zu aller Zufriedenheit zu teilen war ein schweres Ding." Bei der Anzahl von 8 Mitstreitern ist der Ausdruck gar eben 887 und die Beteuerung 895 – 97 natürlich reiner Spott. S. meinen Artikel in der Festschr. f. M. H. Jellinek, S. 195.

891. der wüetend E. ähnlich 8870.

895. des sweren: dagegen das 3112, 7079 u. 7465.

896. turner ist die Form des Dichters, wie 911 (: sper), 1097 u. 1160 (: her) beweisen, und die der Hf.: s. 899, 925 u. 54, 1029, 40 u. 80, 1148 u. 99. Den mhd. Wbb.n ist sie entgangen (bei Lexer 2, 1584 ist eine der N.-Stellen irrig unter turner = „Türmer" geraten): s. aber Teufels Netz 7793, Peter von Staufenberg Hf. E 41, 95 u. 340 und Eberhart Windecke, Denkwürdigkeiten (W. Altmann), S. 349 oben; die Zimmerische Chronik hat turner an zahlreichen Stellen.

899 ff. Wenn Triefnas allein das ideale Ziel des Stechens und Turnierens, der Frauendienst (f. Niedner, S. 21 f.), vor Augen stand, betont der Ritter im Sinne des Dichters den praktischen Zweck, die Übung im Reiten und Waffengebrauch. S. 8291 ff. und Suchenwirt 30, 215 ff., Zimmr. Chron. 1, 48, 21 ff.; auch Joh. Rothe hält im Ritterspiegel das Turnier für die beste Vorübung zum Kriege: f. J. Petersen, S. 168 u. 172. Bemerkenswert ist im „Kloster der Minne" (Lf. 2, 124) 1390 ff. (f. A. Schultz, Höf. Leb.² II, 111, Anm. 5): der schimpf (d. h. das Turnier) ist dar umb erdacht (wie R. 900!) hie vor by alten zitten, daz man lere ritten jung ritter und knecht und das sy irem wappen recht könden tun, so ez in not beschäch und man dez sich versäch ze stürmen und stritten. Solt ainer als lange bitten, daz er sich nit wappent e, so tät im die ungewonhait we; er könd nit gebaren. Ez geschicht licht ze zechen jaren, daz man ettwan kom ainest vicht. Ob im ze vächtent dann beschicht, so wär er ain müder man, daz er sich nit gerüren kan. Daß aber die Streiter ihre Knochen im Frauendienste zerbrechen, lassen sich nach der Ansicht der Sprecherin 1420 ff. zwar die Frauen einreden, es ist jedoch nicht ernst zu nehmen.

908. In ernst (f. 1193) wird durch das folg. in stritten wohl nur verdeutlicht; schwerlich denkt W. an den turner ze ernste (Niedner, S. 24 f.).

909 ff. stechen ist also der Speerkampf zu Pferde, turner der Nahkampf mit dem Schwerte: dem entsprechen im R. das voraufgehende Rennen mit Ofenkrücken und das folgende Turnier mit Strohbengeln. stechen 909 ist Subj., reiten Obj.

911. hilf der mit Abfall des -t der Endung in der Schrift vor dentalem Anlaut wie 4971 hilf daz, 3217 merk die (der Zusammenhang fordert merkt), 4541 wil du, 5181 schol du, 5655 wol (urspr. wolt) den und 8727 wol die; zu 2212 nimp er, 7989 namp man und 8229 nemps vgl. Bachmann u. Singer, Deutsche Volksbücher XCVII. Dagegen habe ich wol in wolt geändert 1944 (vor sei), 2016 (vor beginnen), 6988 (vor er) und 7508 (vor ir).

913. rüeren = „treffen" wie 429 u. 467.

919 = 5462 u. 9428, vgl. auch 8655.

922. Vgl. Mhd. Minnereden I (K. Matthaei) 10, 498 ff. die maßenny nit treg dem essen nach sich scharrten mit partten wider partten zu ritterlicher wer. Über part f. Niedner, S. 82.

923. zäumern: zauu'm der Hf. ist aus zaum'n verlesen: f. 950 und Ausg. S. 332. Beide Stellen sind Lexer entgangen. Über das zöumen beim Turnier f. bef. Niedner, S. 43 u. 67 ff. Von eigens gewählten „Zäumern" der turnierenden Parteien lassen die mir bekannten Turnierschilderungen nichts verlauten. — varte (D. Sg. mit unorganischem -e) nur hier im R.

927. Über das Prügeln von Rittern beim Turnier f. Niedner, S. 69 und Suchenwirt 30, 232 ff.; nach dem Turnierbuch Ludwigs v. Eyb (Würdinger, Bayr. Kriegs-

geſch. II, 369) prügeln die Turnierer widerrechtlich an dem Kampfſpiel Teilnehmende
mit ihren Kolben, bis ſie ihre Pferde ausliefern; ſ. auch die bei M. Jähns, Roß und
Reiter, 2. Bd., S. 73 vermerkte Stelle aus Hans Sachs: Wer tadlich war zu dem
Turnier, den schlugen oft drei oder vier und täten ihn mit Kolben bläuen, daß
ihn sein Leid wol möcht gereuen, setzten darnach ihn auf die Schranken. Wär er
vom Rhein, Baiern oder Franken, er wurde zu Schanden in dem Turnier; und ſo
berichtet ein Ritter in Kellers Faſtnſp. Nr. 79 (S. 648, 21 ff.) ich wil euch sagen . . .
wie es uns auf dem hof dergangen ist . . . man hat uns all gebleut und geslagen . . .
man hat uns all gesetzt auf di schranken und musten all geben das ros (ſ. ferner
649, 21 u. 35, 650, 7 u. 27, 651, 4 ff. u. 652, 16 ff.).

932. geschellschaft der Hſ. (ges. 3877 u. 4571) macht den Eindruck eines Schreib-
fehlers; doch begegnet die Form gar nicht selten: ſ. die Nachweiſe bei Lexer und in Weinholds Bayr. Gr., S. 159, ferner Mhd. Minnereden I (K. Matthaei) Nr. 6 in der
Überschrift, Z. 165 u. 336, Kaufringer (Euling) 1, 38 u. 41 in Hſ. B, Banz, Chriſt.
u. d. minn. Seele, S. 23: Donaueſchinger Hſ. 106, Bl. 119a ff. Titel und Anfang,
Meiſter Altſwert, Vorrede, S. XXIII: Heidelberger Hſ. 358, Bl. 94b Überschrift,
Kellers Faſtnſp. 1036, 25 u. 30. Über gesellschaft im Turnier ſ. Niedner, S. 74.
der ir nur hier im R.: ſ. dagegen 6234, auch die Anm. zu 125.

933. umb und umbe: wie 2199, 2720, 5982, 6015, 7893 u. 9279, umb und umb
und umb 6307.

937 ff. dar . . zellen wie 1377. Über den Verluſt des Roſſes ſ. Niedner, S. 26.
Zu den Dingen, die vor der Abhaltung eines Turniers feſtgeſtellt werden, gehört die
Beſtimmung, wie hoch die Auslöſungsſumme anzuſetzen sei (ebd. S. 72). nit der bösen:
partitiver Genitiv wie der ruoben 1490, der botten 1766, der wurtzen 1977, 2027,
2151, 62 u. 63, wassers 3118, vgl. 5577, 5831 u. 6102, des speckes 5742, des
streites 8203, der Sweitzer 9177 u. des häwes 9645. − böse vom Geld ſ. DWb. 2,
251 f., W. Uhl zu Thomas Murners Gäuchmatt 3733, böspfenning Stalder 1, 207,
ferner den Münzvertrag zwiſchen Öſterreich, Zürich, Luzern, Bern uſw. aus 1387 (Eid-
genöſſ. Abſchiede 1, 320, Nr. 39): wand vil grosser gebresten von der müntze vnd
der bösen phenningen wegen in disen landen dohar bi guoter verluffener zite
gewesen sint, Kaufringer 4, 210 umb ainen bösen helbling sol im mein hauß
nicht zinßber sein und Häßl. 1, Nr. 28, 133 mit valscher myntz und bösem gelt
treibt iren wächsel ietz die welt. Typiſch iſt die Szene in Kellers Faſtnſp. Nr. 35,
S. 271, 19 ff., in der zwei Bauern um einen Haſen handeln und der Verkäufer mit
ängſtlicher Sorgfalt das Geld des Käufers bemängelt: vgl. die bei Wackernell, Die
älteſten Paſſionsſpiele in Tirol, S. 105 f. erörterte ganz ähnliche zwiſchen Kaiphas
und den milites und die Schacherſzene zwiſchen Judas und Moſche um die 30 Pfen-
nige im Heidelberger Paſſionsſpiel (G. Milchſack) 3131 ff., die zwiſchen Judas und
Kaiphas im Alsfelder Paſſionsſpiel 3212 ff.; ferner N. Manuel, Ablaßkrämer (Baech-

tolb), S. 115, 112 lůg, dass du mir kein bösen haller zellest! und Fischart, Ehezuchtbüchlein (Hauffen) 194, 2 das kein böser Heller vnter dem grossen Heuratgut sich
verberge.

940. Ähnlich 7199, vgl. auch 2624.

941—43. Bei L. Bechstein (wohl mit Rücksicht auf die Wortstellung) als indirekte
Rede gefaßt: aber der Konj. Präs. lautet im R. schüll (im Reim steht er nirgends).
mit we (s. Ausg. S. 332) und za we sind, wie mir meine Frau mitteilt, heute noch in
der Mundart von Muschau (bei Nikolsburg, Südmähren) lebendig.

943. schlagen der Hs. vereinzelt: sonst stets schlahen (6787: tahen). Neidhart spricht
927 u. 34 nur von schlahen und seine Antwort 945 bezieht sich auch nur darauf. Aber
schlahen und stechen sind im R. oft formelhaft gekoppelt: so 3131, 6617, 6790, 7298,
8743 f., 9218 u. 9495; ebenso z. B. in Kellers Fastnsp. 429, 33 f. u. 591, 2 und im
Schwabenkrieg des Joh. Lenz (H. v. Dießbach), S. 69.

945. Mit pengeln (pengellein 1180, pengeln, Verb, 1104) = kolben 1046 u. 66,
knüttel 1049: s. Schultz, Höf. Leben, S. 133 und F. Niedner, Das deutsche Turnier,
S. 69; nach den zu Heidelberg 1481 zusammengestellten Turniergesetzen „kurze Eisen-
stangen, an der Spitze daumbick, durften keine Nägel haben und hingen mit eiserner
Kette am Brustharnisch" (Max Jähns, Roß u. Reiter 2, 68 und Gesch. des Kriegswesens, S. 905): R.s Bengel 1049 ist also der ritterliche.

948 f. Die formelhafte Verbindung aus herwelt... und gezelt, die ein bequemes
Reimpaar liefert (s. G. A. Wolff, Die halbe Birne, Anm. zu 44), erscheint öfters
im R.: 4472 f., 6862 f., ähnlich 7230 f., mit Umkehrung der Verba 3535 f., aus
derwelt... gestelt 3507 f., vgl. auch 2735 f. Über dieses gezelt s. Zarncke zu Brants
Narrensch. 57, 44.

950. gmain = „unparteiisch" wie 3508 u. 5151.

951 ff. Vgl. H. v. Sachsenheim, Schleiertüchlein 241, 20 ff. der gardion sprach: „Wir
wollent uns beraten, als ye die wisen daten", und gingen an ein end. — Die folgenden Beratungen, die Züge derbster Komik in der Art des Fastnachtspiels aufweisen,
sind ganz ebenmäßig angelegt: den ersten Vorschlag macht jedesmal der „Zäumer", aber
der dritte erst bringt durch. Den Abschluß markiert ein fast wortgetreu wiederholtes
Reimpaar (972 f. = 1024 f.). In der ersten Gruppe vermeidet der Ritter in seiner
schlauen Weise jede Äußerung, in der zweiten kommt Troll nur durch seinen Einspruch
zur Geltung. Die Vorschläge treffen alle Mitstreiter mit Ausnahme der „Zäumer".

958. Vgl. 5055 u. 6611, ferner Kellers Fastnsp. 74, 19 und wisch ich stet den
ars ans hembt (die Bauernbraut spricht). — phait wie 6175 u. 7904: ein unschweize-
risches Wort, das W. im Anschluß an hembd (5614) als Neutr. gebraucht.

960. Dieselbe Phrase 2205, 2436, 3801, 6860 f. u. 7401.

962 f. Ähnlich 1391. S. DWb. 3, 1021 unter erstreichen.

964. In N. Manuels Ablaßkrämer (Baechtold), S. 114, 80 klagt Anni Suwrüssel,

daß sie in der Beichte mit drei Pfund in Bargeld bestraft wurde, um dass ich's nit verhalten kund, do mich der buchblast so hert anstiess, dass ich in der kilchen ein
fürzli liess. Vgl. das Schimpfwort kirchenfeister bei. DWb. 5, 800.

968. Ist nit wäger wie 2741.

969. schollen = „Schädel": sonst unbezeugt.

970. laicht: das Verb, das im R. nur hier begegnet (s. aber Laichdenman 2647 u. o.),
ist in der Bedeutung „zum besten haben" in der spätmhd. Literatur häufig (z. B. beim
Kaufringer Nr. 9—12 in Eulings Ausg.).

971. Der Spottname Bettsaicher BWb. 2, 212. Zu Saichindruog 3623 u. ö. vgl.
Sterz. Sp. I, 117 u. VIII, 278 du altz saichvaß! (ein altes Weib) und Gretel
Prunzinstall in Kellers Fastnsp. 401, 27.

975. Went = „wollt" nur hier im R.: s. Weinhold, Alem. Gr., S. 407.

979. GA. Nr. 56, 125 Mist' ich einem sînen stal.

982 f. har und ... part wie 611, 3657 u. 5290. — ze hart „recht hart": ebenso
610 u. 9332: vgl. ze pitter 2078, ze gail 2186, heiss ze vil 2441, ze teur 5514,
ze saur 7255, nicht ze verr 7533. S. auch die Phrase 7712. Wienerisches „mir ge-
schieht hart" = tut mir weh, kränkt mich.

984. dem Twergen wie 1262, dagegen den Twerg 1000 u. 6594 (: erd ASg.).
Der Gattungsname ist im R. überall stark dekliniert: DSg. twerg 6731 (: perg NSg.)
u. 8936, ASg. 8703 (: erd DSg.) u. 8964, NPl. 7890 u. 7911 (: perg DSg.),
8191, 8214 u. 8999, APl. 8917 (: erd DSg.), twerge, NPl. 8682 u. 8795, APl.
8751 (: erde DSg.). GenPl. twergen aber reiht sich sonstigen Bildungen dieser Art an.

986. Ähnlich 6743.

988. schüll wir fordert der Vers wie 7819; müess wir hat die Hs. richtig 324.

990 f. Ähnlich 371 f.

992 ff. Zu diesem hitzigen Eintreten Trolls für den Fremden bildet sein Benehmen
1109 f. einen seltsamen Widerspruch. Neidhart behandelt ihn auch darnach 1112 ff. —
her in zornig abweisender Rede (s. Helmbr. 1724 und frou tohter Neidh., S. 121;
DWb. 4, 2, 1133) wie 6462: die kalte Höflichkeit schlägt an beiden Stellen bald in
Zorneshitze (mit jähem Übergang vom Ihrzen zum Duzen) um.

993. Im Laurin D 47 ähnlich im diente manec tal und berc: vgl. 8148, wo von
Laurin die Rede ist. — perg und tal 1379 u. 9056.

996. Vgl. 9679; der Sing. dagegen 1577.

1001. Über die Redensart pöltz schiessen s. ZfdA. 61, 164.

1002 f. Vgl. die Beteuerung so müez ich werden erstochen GA. Nr. 6, 292.
Ähnliche 867 und negativ 569. Der dazugehörige negative Bedingungssatz folgt als
positiver Hauptsatz.

1004. Im Ausdruck vgl. Ortnit II, 162, 1 dô greif er in daz mezzer, Hadlaub
(Bartsch, Schweiz. Mf., S. 306) 15, 1 f. Ich was dâ ich sach in ir swert zwên dör-

per grîfen, Mf. H. 3, 188 a 4 Boppe der greif in sin swert, Senn, Toggenb. Archiv, S. 65 (Flawiller Offnung) Item welher frevenlich gegen dem andern vffwüst oder in sin messer grifft (f. auch J. Grimm, Weistümer 5, 136, § 11: Wengi 1475), H. Sachs, Faftnfp. (Goetze) Nr. 12, nach 55 greift ins messer u. ö. — Das Messer als Bauernwaffe auch 6548 (6546 aber ein braite swingen) und 9344, als Zwergenwaffe 8943 u. 93. S. Lambel zu Helmbr. 153 und Seemüller zu Helbl. 1, 321.

1005. Vgl. 6599 u. 7960; zu neuleich vgl. Neidh. 55, 38 in c nun (l. niuwe) geschliffen (von Schwertern) und Mf. H. 3, 268 a 3 ir swert warn niuwe-sliffen. Gufinde, Neidh. m. d. Veilch. 90 meint, auf neuleich liege ein ironischer Nachdruck.

1007. smutz (f. Ausg. S. 332) im R. nur hier; über smutzen f. zu 1567.

1010. triben disen tail: gebildet nach es tr. 457, 462 u. ö. Vgl. 9474 f.

1012. zuonanner = zuo ein ander, vereinzelt im R.

1017. schimp (f. zu 319): das Stechen und Turnieren.

1019. bezalen = „belohnen" (ironisch) wie 3771 u. 6155.

1021 f. S. Renner 12595 ff. Wizzet, swer sich underwindet, daz er eine katzen schindet, der schindet vil sanfter allen irn lîp denne daz houpt: sam tuont diu wîp; Brant, Narrensch. 110 a 178 ff. eyn geweschne hant ist vil besser vnd süferer dann eyn messer licht, das man erst vsz der scheyden zücht vnd man nit weiszt zů manchen stunden, ob man eyn kâtz mit hab geschunden; Gryphius, Peter Squentz (D. Nat. Lit. v. Kürschner, 29. Bd., 201, 35 f.) Sind wir nicht... zunfftmässige Leute? Würden wir nicht wegen des Katzenschindens unredlich werden? in der trunkenen Litanei bei Fisch., Garg., S. 126 Hab ich ein tode Sau geschunden, daß mir keiner kein bringt? katzenschinder ist seit dem Mittelalter volkstümlicher Spottname für den Kürschner. S. außer den Belegen der Wbb. Sterz. Sp. 15, 262 und Rochholz, Alem. Kinderlied, S. 38, Nr. 59.

1024 f. Fast wörtliche Wiederholung von 972 f.

1027. baidenthalb fordert der Vers: f. ausrenthalb 4972, inrentalb 7066, allenthalb (: salb DSg.) 7910 — ebenso in Kellers Faftnfp. (Nachlese) 37, 10 (: kalb DSg.) — dagegen allenthalben 1591 (: salben Inf.) und 5304 (: auf die Alben), ausrenthalben 1521 (f. Laa.).

1029. D. h. „die das Zeichen zum Beginn des Turniers geben sollte". S. zu 896.

1030. S. zu 500.

1031. We, was etc. wie 8781, we, wie etc. 1808, 3796, 5766, 6390, 7122, 7900, 8428, 8807 u. 9476. — hiet man gsehen = „videres" wie 5735 u. 8079, vgl. auch 1175 u. 79.

1033. torffmätzen: f. zu 214.

1034. Ähnlich 5410.

1036. S. 1225 und zur Sache F. Niedner, Das deutsche Turnier, S. 73 f.: „Der Turnierplatz ... wurde rings von einem Bretterzaun oder Verhau umschlossen ... Hinter den Turnierschranken erhebt sich das gestüele, wo die Sitze für die Zuschauer, Damen und alten Herren sowie für die Mitglieder des Turniergerichts sind." John Meier verweist ZfdPh. 25, 108 auf Dêmantîn Bertholds von Holle 613 ff. Bêâmunde gemachet was ein sô hôch palas von holze hôch unde rîch usw.

1038. prügi (f. Ausg. S. 332): Morgant der Riese (Bachmann) 130, 18 do gieng der keyser und die alten rytter ... uff die brüge und ôch die frowen und junckfrowen, das stächen besechen, Chronik des Konst. Konzils, S. 127 f. uff dem obern hoff was ain große brügi gemacht ... und giengen uffhin zwo groß brait stegen; uff der brugg was gemachot ein hoher stûl ... und brunnend uff der brügi so vil großer kertzen usw., Joh. Lenz, Schwabenkrieg (v. Dießbach), S. 165 (im Lied auf Hans Waldman) Ein höhy brugy was im bereyt (bei der Enthauptung); vnnd do er vff die brügy kam, Th. Platters Selbstbiogr. (Heinrich Boos), S. 40 do sagt einer uff der brigin überlut, S. 41 als mich aber min mûtter ersach, dan sy mich ouch uff der brigen gesâchen hatt ... und im Tagebuch F. Platters ebd. S. 144 die brüge (Bretterbühne: es ist von einer Aufführung der „Susanna" die Rede) war uf dem brunnen und war ein zinnener kasten, darin die Susanna sich weschet, doselbst am brunnen gemacht. 3 Nachweise von brüge aus J. Ruffs Adam u. Heva 1550 (5552, 6118 u. 6366) bei R. Heinzel, Abhdlg. z. altd. Drama, S. 30.

1039. Durch ... wegen ebenso 2691, 4182, 4617 u. 5177, wegen allein 3057: beides fehlt in unseren mhd. Wbb.n; doch f. das Gedicht von der kreuztragend. Minne (R. Banz) 57 durch dinen wegen, im Facetus g¹ (C. Schroeder) 374 durch ere wegen (so ist wann zu bessern) und Vintler 2138 durch die grossen forcht wegen. Es handelt sich um Vermengung der Bildungen durch ... willen und von ... wegen. S. H. Paul, Prinzipien d. Sprachgesch.⁴ § 116. umb ... wegen z. B. Sterz. Sp. 6, 344; f. DWb. 13, 3097 ff. Für bloßes wegen scheint die obige R.-Stelle der älteste südd. Nachweis zu sein.

1044. Zum Inhalt vgl. 2612 und auch Brants Narrensch. 16, 62. Z. 1043 bildet dazu ein ὕστερον πρότερον.

1050. übermachet: sonst nicht nachgewiesen.

1054 ff. S. 105 ff. u. 180 f. Das Einreiten in die Schranken erfolgte mit Musikbegleitung: f. Schultz, Höf. Leb., S. 137 f. — Nach irem alten siten wie 6024 (: vermitten); vgl. 6374; unsicher ist 7045. Akk. Sg. sitten erscheint 3138 (: derlitten) und 4988, dagegen DSg. sitt 8734 (: da mit) und GenPl. 7802 (: mit). ritten do : siten so macht den Eindruck, als hätte der Schreiber den zweisilbigen Reim durch den plumpen Zusatz do : so erweitert: ebenso 2045 f. maister do : laist er so, 5879 f. verswunden so : stunden do, 8511 f. laisten so : verhaissen do, 8849 f. unholden so : lindentolden do und 9064 f. aten so : taten do. 2353 f. viereu : ziereu mag es in der Tat so sein; aber vielleicht trieb in den zitierten Stellen der Dichter selbst dieses Spiel. Erweiterte Reime ähnlicher Art bildet er 1876 f. ... dem tichter do : den schraib er so, 2557 f. hertzen do : reuwen so, 2705 f. sprach aldo : gestalt also, 5427 f. lachent do : sprechent so und besonders 9294 f. drang er do : stang also, wie er denn überhaupt erweiterte Reime nicht selten liefert: f. 111 f. Triefnas : giesfas, 586 f. werleich : erleich, 1250 f. gesprungen und getantzet : gsungen und geswantzet, 1328 f. schluog er an : ruoft dem man, 1798 f. die höchste gab : die gröste gnad, 1864 f. verdrossen : verschlossen (umgekehrt 2031 f.), 2029 f. hin für, hin für : für die tür, 2505 f. unser bhalter : unser walter, 2611 f. also : aldo, 2633 f. Fesafögellin : Snellagödellin, 2635 f. Nagenfleken : Ofensteken, 3125 f. nerung : zerung, 3155 f. volpringen mag : sinnen trag, 3269 f. und hörrt : und dört, 3273 f. gejehen : geschehen, 3463 f. gärnel spinnen : härli swingen, 3585 f. daz dein : daz mein, 3832 f. und auch sän : und auch män, 4090 f. mit gantzer rew : mit rechter trew, 4392 f. singt, daz ist sein gsank : trinkt, daz ist sein gtrank, 4426 f. tugend schaft : tugenthaft, 4496 f. daz din : daz sin, 5065 f. mit dein hab : in dein grab, 5329 f. (Wasser)schepferin : Gnepferin, 5507 f. und zwo spindlen : und zwo windlen, 7159 f. Riffian : Pilian, 7929 f. risen her : isensper, 8539 f. streites macht : leibes craft, 8571 f. verhörren wolt : hörren scholt, 8787 f. und auch gaissen : und auch faissen, 9188 f. der hat die witz : der hat die hitz, 9413 f. der glags : der trats und 9698 f. aus dem stain beschert : auch ze wein bekert.

1059. des ersten: häufig im R.; f. 1466, 1744, 2068, 3718, 3846 u. 58, 4367, 4459, 5020, 5142, 5241, 5868, 7344 u. 90, 8276, 89 u. 99 u. 8319.

1061. Heia he: vgl. hi jo 2852, hi ju, hi jo 6392. — wie gsunt, wie jung: ähnlich 1133, vgl. auch 946 u. 6071.

1067. Ähnlich 5644. Der Dichter hat 1064 f. sein Publikum also aufs Eis geführt. Er parodiert Formeln wie 8598.

1074. Zu chäphern f. Ausg. S. 332 und bayr. hüttkapfer DWb. 5, 186.

1075. S. zu 169 f. An b(e)chlait (f. beschläiden 4000 für bchlaiden) ist hier nicht zu denken.

1076. Über ir herren, dfiessen f. Weinhold, Mhd. Gr.² § 517; über fiessen ZfdA. 50, 254 u. Anm. 3. W. gebraucht in der Regel sw. Formen, wie der Reim lehrt: f. 6618, 8039, 8653 u. 9361; nur 9113 erscheint der Plur. fiess. Öfters dient ihm der Ausdruck noch zu Vergleichen: 1404, 6533 (wie in Metz. Hochz. 582), 8039 u. 8653. S. auch 1243. Einen Überblick der erbrachten Nachweise f. DWb. 3, 1628, überdies z. B. Die halbe Birne 254 den vil tumben viez, Ammenhausen 854 ein vil müelich vies, 5286 ein vreidig vies und 9182 ein küener vies.

1077. Die portten = schrenkpäum 1081.

1078. hin dan wie 1138 (neben namen).

1081. Schrenkpäum: vgl. 1226 (zur Schreibung -päyn ebd. vgl. 9012).

1083. Derselbe Vergleich 1163; dort hat die Hf. Flandern, hier und 7611 Flander, überall: ander; von Flander : ander ebenso in Kummers Erlauer Spielen, S. 55, 575 u. 62, 766. S. auch Suchenwirt 29, 40.

1084. Des tämers: s. 1387 u. 9060. gnuog und vil wie 2405 u. 2854.

1089. von ars auff (vgl. von grund auf 1106) wie in Kellers Fastnsp. 346, 10 ff. wann ich des nachts bei ir schlaf und ich sie von ars auf . . . gestraf usw.

1091. hotzen: vgl. hützen Metz. Hochz. 484 und hützret R. 7048, DWb. 4, 2, 1847 und SJb. 2, 1838. In Kellers Erz. 479, 10 wird hohtzet der Hf. = hochzîtet sein (nicht das vorliegende Verb, wie BWb. 1, 1195 und Lexer 1, 1346 meinen).

1092. gib dich zgfangen: vgl. 8370, 9308 u. auch 8404.

1093. Vgl. 8950.

1094. flieher wie 6648.

1096 ff. In den beiden Gruppen, die sich jetzt bilden, haben sich die „Gezäumten" gegen den „Zäumer" und seine drei Genossen zu wehren. S. Neidharts Weisungen 928 ff. – viel = „warf sich". S. zu 2570.

1100 f. huob (s. auch 6626): DWb. 4, 2, 722, II, 1. – Zu 1101 vgl. 5662.

1102. untnan wie 8992; hintnan 1135, 1208, 4794, 4878, 4966, 8839, 8967 u. 9170; obnen 1216, vornen 8710.

1109 f. Mit dieser grobianischen Szene vgl. 1524, 2116, 6140 ff. u. 9623 f.

1113. Der Schreiber irrte von in auf das folg. ims ab, korrigierte darnach und trug das vermeintlich davor ausgelassene daz über der Zeile nach.

1114. Schrät: sonst begegnet mhd. schræjen nirgends im R.

1129. Ähnlich 2610 und in Kellers Fastnsp. 783,15 ich was doch nahet hungers tot.

1132. S. ZfdA. 50, 254 f.

1140 ff. Die nach dem Falle des Troll und des Chnotz noch übrigen zwei Genossen der geschlagenen Partei läßt W. in je vier Zeilen erledigen, verwechselt aber dabei Chuontz, der 893 nach dem Twerg genannt wird, mit dem vorher (891) genannten, Neidharts Partei zugehörigen Eisengrein. Der Ausdruck in 1140 f. ist literarisches Gemeingut: vgl. Salm. u. Mor. 452 Dô daz die juncfrouwe ersach, ez was ir leit und ungemach.

1149. Die Phrase ist eine Verzerrung von stehenden Wendungen wie 201 u. 5455. S. Ausg. S. 332: lüller ist also kein Tanz (so bei Lexer und im DWb.); vgl. Lullholz, Lüllzapf und ähnliche Spottnamen des Fastnachtspiels (W. Arndt, Personennamen d. deutsch. Schausp. d. Ma.s, S. 66) und Ludl = „Tabakspfeife" BWb. 1, 1445. Der Spielmann tritt bei der Einstellung des Turniers in Aktion wie bei der Eröffnung. Schultz, Höf. Leb. 142.

1150. Über Geri s. ZfdA. 50, 255.

1151. „Schade, daß es schon aus ist!" – nu we (s. zu 321) gebraucht W. sonst stets mit dem Starkton auf we und meist mit folg. Dativ.

1152. Der Pfarrer spielt im R. neben dem Meier, dem Arzt, dem Apotheker und dem Schreiber des Ortes eine bescheidene Rolle: f. 129, 1233 u. 5404 ff.

1153. S. zu 402. L. Bechsteins hürrsun verbietet der Zusammenhang.

1154. hodenschleg (irrig erklärt bei Lexer): der Pfarrer verhöhnt die Geilheit der Sprecherin; unter dem „Heiratsgut", das Sterz. Sp. VIII, 722 ff. im Ehevertrag festgesetzt wird, find seitens des Bräutigams von erst 72 gueter hodnschleg mit seinem glatz an dem töldrian; ebd. XV, 146 ff. fagt der Huffschmied zu Venus: wan ich mich zu euch leg, so gib ich euch guet hamerschlag vnd der vill auff eurn anpoß ufw. S. auch A. Keller, Altd. Ged. 1, Nr. 2, 16 ff. Das bleybt nicht ungerochen von zwayn stoltzen knaben, die da hyndan nacher draben, die schlahen auff zwayn paugken schal.

1160. nachturner: f. H. v. Bühel, Königstochter von Frankr. 7187 der nachthurnier ward auch guot.

1162. rumplen von ungestümer Bewegung auch 1373, 1506, 5752 u. 8360.

1165. nebel vom Staub des Kampfes auch 9058 u. 62. Vgl. Dietr. Flucht 8925 ff. und L. Wolf, Der grot. u. hyperb. Stil d. mhd. Volksep., S. 76.

1176. Fünf turnierer: nach der Entfernung von Troll und Chnotz beim Nachturnier. S. zu 866.

1179. Vgl. 1198. Die Redensart kennzeichnet ihren jämmerlichen Zustand: vgl. Neidh. 161, 13 f. die zerhouwent in sô gar, daz mann in einer blân danne treit, Neidh. Fuchs 204 das man in zesamen klauben müß, H. Sachs, Faftnsp. (Goetze) 75, 227 das mans in ain korb zam mûs klauben.

1180. Das Demin. pengellein verrät die Schadenfreude des Erzählers. S. zu 4204.

1181. strowin: f. 945 u. 1046 ff.

1182. Ditz: den Kniff mit dem eifernen, strohüberfponnenen Bengel. teken = „verbergen".

1185. schrein: f. 572 f., auch 1958 f., 2116 f., 2651 f. u. 5427 f.

1188 f. Der Ausdruck ift typisch: f. in Enenkels Weltbuch (SA. 2, 598, 137 f.) dô sie sie dâ sähen, gemainleich sie dâ jähen ufw. und Virg. 880, 10 die herren ... jähen alle sament gelîch, daz strît bî ir tagen wart gesehen nie mê sô menlîch. — Über pöschleich f. zu 163.

1193 ff. ernst und schimph find technische Ausdrücke des ritterlichen Kampflebens; f. F. Niedner, Das deutsche Turnier, S. 24 ff. und z. B. Reinfr. v. Braunschw. 17222 ze schimpf und ernestlîcher vart und 22951 ez sî mit ernest ald mit schimpf, Ammenhaufen 5977 ff. die riterschaft haben geüebet ... in ernste und in schimpfe, H. v. Montfort 33, 14 wer ich ... der best gewesen in schimpf und och in ernst, bef. aber Suchenwirt 7, 54 f. er hat in ritters orden den ernst und den schimpf getriben, ähnlich 9, 103, 15, 29 u. 211, 16, 23 u. 165, 31, 39.

1199. Für haben = heben bieten unfere Wbb. nur wenige Nachweise; f. aber z. B.

König vom Odenwalde (E. Schroeder) 2, 178 ritter unde knehte die haben ein gebrehte und Netz 3034 nun muost erst anhaben.

1201. Vgl. 6416. — possen auch 1312, 1432 u. 5834; f. ferner zu 182.

1205. rüssin wie 9233: im Mhd. sehr selten bezeugt; f. Pfarrer vom Kalenberg 1822, 79. 85 und die Aufschrift zu Holzschn. XXXIII; DWb. 8, 1264. Singer verweist auf Wilh. v. Österr. 8113, La. in H. Bertschis Reittier wird 579, 608 u. 1139 als merhe, 552 u. 605 als phert bezeichnet. 5373 u. 5685 hat er einen Esel, 8611 maiden genannt.

1206 f. Vgl. 509 f. An beiden Stellen schildert der Ausdruck kein Verenden, sondern einen Sturz auf den Rücken.

1208. Neidharts Streitroß behandelt im Pferdeturnier den Esel wie der Ritter die Bauern. Im Ausdruck vgl. Salm. und Mor. (Vogt) 660, 2 sîn esellîn ... begunde hinden und vorn ûf slagen, Ottokars Reimchronik 14783 ff. daz mûlrossel ... swenn ez den wolf von verren smert, ez boumt sich ûf unde rert und sleht ûf hinden unde vorn, Morgant (Bachmann) 41, 7 Ollyfiers pfert schluog hinden uf und 153, 17 es fieng an byssen und schlahen hinden und fornnen uf, auch Freib. 127, 18 f. swer dem hengest rüert die frete, sô sleht er ûf an der stete; dagegen Fischart, Garg. (Alsleben), S. 409 wie jhr an eim Esel secht ... springen vnd hindenauß schlagen; übertragen Sterz. Sp. 2, 33 ff. dy schnedn ackergeüll, dy ... nimer mugen hinten aus gnappen. S. Ausg. S. 334 zu 4794.

1209. Em „jenem": f. 1204. Dasselbe Pronomen 3722 u. 6146, derselbe Fehler der Hf. 1458 u. 9051, vielleicht auch 4653. SJd. 1, 265.

1212 f. Der Müller hatte also den jüngst (485 ff.) erstandenen Esel an Troll verliehen (1117 u. 1204); im ist reflexiv zu verstehen.

1214. Von dieser Jütz ist die 6202 ff. genannte zu unterscheiden: f. 2642.

1218. Vgl. ähnliche Phrasen 94, 613, 2014 u. 6573.

1219. Ähnlich der farkaftische Euphemismus beim Erstiden eines Freffers 5909 ff. — daz faren scholt ist Subj. zu fuor (näml. die sel).

1221. tohtern = „Mädchen" wie 5335, 8652 u. 59 (f. 8667).

1223. = „Der Spaß hat ein Ende", sprichwörtlich wie bei O. v. Wolkenstein 101, 36; f. ferner Handschin, Das Sprichwort bei H. Sachs, S. 115, E. Thiele, Luthers Sprichwörtersammlung, Nr. 335; Kirchhofer, Wahrheit und Dichtung, S. 257 dem Faß ist der Boden ausgegangen oder er stößt dem Faß den Boden aus; in anderem Sinn Brant, Narrenschiff 63, 10 dem sack dem ist der boden uß.

1224 ff. zerhauwen ... vil e dann gpauwen vielleicht im Anschluß an eine sprichwörtliche Redensart. Zum Partizip gpauwen f. SJd. 4, 1957. — -pâyn der Hf. ist entstellt aus -pâym (f. 9012), was in der Schreibweise der Meininger Hf. pæm (f. Weinhold, Bayr. Gr., S. 56) bedeuten kann. — vertragen = „verschleppt".

1228. Vgl. 6705 u. 9138.

1229. Die werlt = „die Leute": f. Mhd. Wb. 3, 579 a; Kinzel zu Lamprechts Alexander 1050.

1230 ff. Die abziehende Zuschauermenge teilt sich in drei Scharen: jeder widmet der Dichter vier Zeilen und jedes dieser strophenartigen Gebilde schließt mit den Worten (daz was) . . . ane schaden. Diese stereotype Wendung 1233, 37 u. 41 gemahnt an die vorletzte Strophe des Heßelloherschen Liedes Von yppigklichen dingen (Ausg. von August Hartmann Nr. IV), das eine Bauernrauferei schildert; ich gebe sie mit Zwierzinas Änderungen (Anz. f. d. A. 17, 218): Ain solich zank und hader verderbt die herrschaft nit, den ambtman und der pader; jr waitz der plüet damit. Sy mügen sein wol gniessen vil pas dann der ist wundt. Wie ein Nachklang dieses im 16. Jhdt. stark nachwirkenden Liedes (f. Hartmann, S. 65 f.) mutet es an, wenn in den von S. Singer im Schweiz. Archiv f. Volkskunde (6. Jahrg.) abgedruckten Reimen über das Käsmahl zu Wimmis A. 1741, Str. 11 der Amtmann sagt: Schlagt immer drauf, rauft weidlich zu! Ihr Kunden werd't die beste Kuh mir dafür müssen geben. So krieg ich euch, ihr schlauen Füchs, in meine große G'wunder Büchs, damit ihr lehrnet leben. Neidhart-Studien, S. 27 verweist S. Singer auf A. Möllers Stich von 1587 (Berlin), „weil dort neben Schmauserei, Tanz und Schlägerei . . . auch der Amtmann auftritt, der die Buße für die Prügelei einkassiert". Daß aber irgendwelche Fäden von W. zu Heßelloher führen, bezweifle ich. Vielleicht zehrten beide von einem älteren „Neidhart", der dies Motiv aufwies. Übrigens sind ähnliche Scherze weit verbreitet. So sagt der Teufel Netz 11826 ff. Ja, ich han vier man: so der lüt ie mer tuot sterben, so die selben ie richer werden. Der pfaff tuot singen, messner das wichwasser bringen und darzuo lüten . . . der henker unt der toten tuot begraben, die vier tuont die lüt lützel clagen. So ist es dem arzat och nit ungesund, da ainr siech wirt ald wund; f. ferner Scheidts Grobianus 2311 ff. So wirt manchem zerhackt die haut . . . das ist der scherer gült vnd renthen und H. Sachs, Fastnsp. (Goetze) 59, 304 ff. was wölt ir . . . alpaid an ainander lam schlagen? Der pader nembt von euch das gelt, darnach euch erst der ambtman strelt und 79, 42 ff. Dw waist, der ambtman nembt das wandel, wo dw anfingest ainen hader, der gleichen das arztgelt der pader.

1238. daz muoss ich jehen: dagegen 3078 des; daz neben verjehen 2653, des 5246.

1241. Dem wundartzet: offenbar demselben, der 1996 ff. auftaucht.

1242. genesen entstand durch Abirren des Auges auf 1244, was dann her Neythart zur Folge hatte. Die Abschrift des folgenden zwang zur Berichtigung, die nur flüchtig vorgenommen wurde, indem der Schreiber sich begnügte, i über genesen zu setzen; nit geniessen im Sinne des ane schaden in der Zeile vorher.

1243. des vil raine süessen der Hf. ergibt einen ganz vereinzelten ungenauen Reim und paßt nicht in den Zusammenhang. Neben fiess (f. zu 1076) erscheint zier 8039,

8653 u. 9113. raine, das erst durch süessen, mit dem es öfters gekoppelt wird, in den Text kam, scheint mir auf rässen (geschr. raissen) zu führen.

1250 ff. Über gesellige Unterhaltungen im Anschluß an Turniere s. Schulz, Höf. Leben, S. 145. — Er hiet gesprungen wie 1263, 6251 f. u. 6976 s. H. Paul, Abhdlg. der k. bayer. Af. d. Wiss. 1. Kl., XXII. Bd. (1. Abt.), 196.

1251. swantzen wie 1268, 5649, 6212 u. 6445. Der Reim: tantzen ist beliebt, wie schon die Beispiele der mhd. Wbb. lehren; s. auch BWb. 2, 640 f., DWb. 9, 2267 b, Gusinde, Reidh. mit d. Veilch., S. 154 und außerdem etwa Reidh. 12, 33 u. 36, LIV, 3 u. 5, Reith. Fuchs 1088 f., Kellers Fastnsp. 446, 6 f., 494, 9 f., 715, 11 f. u. 764, 20 f., Sterz. Sp. V, 345 f., VIII, 802 f., XI, 299 f. und noch in Gottfr. Kellers Leuten von Seldwyla 1, 97 So schwänzelte und tänzelte sie mit angestrengter Anmut herum.

1252. S. Ausg. 332. Schabenloch verletzt 6221 ff. die Pflichten seiner Rolle als Vortänzer gröblich. S. A. Schulz, Höf. Leben² 1, 545. Über den „Leitstab" s. Josef Mantuani, Die Musik in Wien, S. 235, Anm. 2, auch das Bild des Nasentanzes zu Gümpelsbrunn von Nik. Meldemann bei A. Schulz, Deutsch. Leben im 14. u. 15. Jhdt., nach S. 166.

1253. Der gast: Reidhart, der allein in Betracht gekommen wäre. Das st. Partizip getraben verzeichnet Weinhold, Bayr. Gr., S. 322 aus Ayrers Dramen 2942, 5 die gleich hernach kommen getraben (: haben 3. Pl.). Reflexiv gebraucht W. das Verb auch 767, 1088, 1395, 2601, 3415, 5131 u. 9652. Vgl. Altswert, Der Tugenden Schatz 102, 29 den schatz mag nieman behaben, er welle sich denn von unmuot traben.

1254 ff. Nun behandelt der Dichter der Reihe nach die im Nachturnier von Reidhart zerprügelten Mitstreiter, Bertschi ausgenommen, der schon 1248 ff. erwähnt wurde; versehentlich nennt er auch Troll (s. 1176), während Chnotz richtig beiseite bleibt. Auf jeden entfallen in strophenartiger Gliederung je vier Zeilen (1250—53, 54—57, 58—61, 62—65, 66—69 u. 76—79), nur bei Eisengrein folgen noch sechs weitere. Dem irrealen Vordersatz steht ein mit do eröffneter Wirklichkeitssatz 1252, 1264 u. 1278 gegenüber. Die Schlußzeile 1257 kehrt 1265 genau, 1269 u. 79 mit leichter Änderung wieder. Vgl. 1030, 37 u. 41 u. zu 1230 ff.

1255 f. S. zu 243 f.

1267. die andern gsellen sein wie 1691, 8279, 8402 u. 8434, mit sam verbunden 1507, 2596, 6421, 8948 u. 9671. S. jetzt C. v. Kraus, Beitr. 54, 321 f.

1268. behagen mit Gen. (ohne nit) 4359: eine in unseren Wbb.n nicht verzeichnete Gebrauchsweise.

1272 ff. Eine ähnliche Aufzählung der Bauernarbeiten 3832 f., wobei dem perren hier hakken entspricht. Vgl. H. Sachs, Fastnsp. (E. Goetze) 15, 109 f. ackern, seen, schneiden, dreschen, hayen und meen, reuten und 9, 82 f. ackern, schneyden und mehen, dreschen, holtzhacken. tröschen und … erren (f. auch 3832 u. 3169) 4531; sneiden und män ist eine geläufige Verbindung: Mhd. Wb. 2, 2, 437b 46 ff. (sn. mit der Sichel, m. mit der Sense: f. DWb. 9, 1253, 1 und Hagelstange, Süddeutsch. Bauernleben im Mittelalter 157); f. auch Ged. d. Königs vom Odenwalde (E. Schroeder) 5, 78 saten, die man sauwet, die snit man unde mauwet.

1274 f. Nämlich Triefnas: f. 1015 ff. S. Singer vermutete gesprächsweise bâht (f. Stalder 1, 123) für kat; W. ist der Ausdruck sonst fremd, kat steht auch 5550, 5576 u. 6936 und der Reim kat : gepraht (3. Sg. Prät.) ist W.s sonstigem Gebrauche ganz gemäß, eine Änderung somit nicht geboten. Vgl. Helbl. 5, 94 sô sie ertrinken in dem kôt, doch wohl als Verwünschung aufzufassen (gegen Seemüllers Anm. z. St.): f. 1, 365 f. u. 13, 162.

1277. Im Ausdruck vgl. 3065.

1278. S. zu 348.

1281. Über Avnich der Hf. f. zu 747. — daz ist das wie 1553, 5392 u. 6972 bekräftigender Abschluß einer Behauptung, immer im Reime. Anders 2434 u. 3201. Ähnlich waz ist das? 1319, 2680, 2697, 6335 u. 47.

1282. S. zu 1765; enlassen vermute ich für er lassen der Hf. nach Stellen wie 3727, 7740 u. 9511. An es (f. Nib., Lachmann 1971, 3) ist kaum zu denken, noch weniger an et oder er (Komparativ), die der Sprache des Ringes fremd sind, oder an ab erlassen.

1284. Formelhafte Verbindung: vgl. 1633, Konrad v. Würzb., Pantaleon 453 und Kellers Fastnsp. 408, 33.

1288 f. Offenbar Zeichen brünstiger Verliebtheit. Vielleicht parodiert W. Stellen wie Lukrez, De rerum natura IV, 1177 ff. At lacrimans exclusus amator … foribus miser oscula figit.

1291. Im Ausdruck vgl. 1415 u. 3546, auch 6969 u. 7970.

1292. Sprichwörtliche Redensart wie 2193; f. Keller, Erz. aus altd. Hff. 449, 1, Keller, Fastnsp. 1051, 5 und Hätzl. 2, 55, 7; Christus u. die minnende Seele 1002, 1083 u. 1310 (f. Banz, S. 145). Die Verbindung weil und zeit (oder umgekehrt) ist aber auch sonst sehr verbreitet: Heinr. v. Melk, Priesterleben 261, Suchenwirt 11, 91 u. 173, Teufels Netz 537 u. 2749, O. v. Wolkenstein 72, 1 u. 95, 43, Mich. Beheim bei Priebsch, Deutsche Hff. in England 1, S. 295, Buch von den Wienern (Karajan) 370, 16, Folz, Lere von den paden, bei Keller, Fastnsp. 1250 u. 1260, Köbels Tischzucht bei M. Geyer, Altdeutsche Tischz., 143, Euling, Wolfenbüttl. Hf. 2. 4. Aug. 2º Nr. 427, 2, Morgant 47, 5, Sterz. Sp. 5, 112, 12, 90 u. 167, 25, 828 u. 997, Liederbuch d. Hätzl. 1, 64, 5, 2, 32, 13 u. 75, 215, Zarncke, Narrenschiff, Kommentar, S. 455 (Flieg. Bl. des 16. Jhdt.s Str. 1), Straßb. Liederbuch 1592 (Alem. 1, 38), Scheidt, Grobianus 4268, H. Sachs (Keller) XIX, 125, 43, Fischart, Garg. (Alsleben), S. 138, Uhland, Volkslieder 1, 13, Str. 1, 71, Str. 1, 3, 153, Str. 1. „Zeit und Weile" ist bis heute geläufig: f. DWb. 14, 1, 803 und Der arme Mann im Tockenburg

(Reclam), S. 150, Anzengruber, Dorfgänge 1, 224, 237 u. 287, Rosegger, Dorf-
sünden⁴ 117, Keller an Marie Melos (Leben 3, 494), F. v. Saar, Herm. u. Doroth.
(Werke 4, S. 34).

1294 f. S. zu 102 und zu 199.

1296. Zum Prät. schiegt f. auch Tobler, Appenzell. Sprachschatz, S. 386, BWb. 2,
368 f. und DWb. 9, 10; es wäre nach meiner Auffassung (f. Ausg. S. 332) in eine
Reihe mit schlaich 1287, chroch 1302 und chriemelt 1417 zu stellen. — zum laden:
des Fensters; f. 1381.

1300. oft und ... dik wie 1700; dik und ofte 1767 u. 2219; oft und vil 4861:
beliebte Paarungen; so oft und dick z. B. O. v. Wolkenstein 13, 20, Kaufringer 3,
23, 7, 21, 12, 5 u. 223, Keller, Erz. aus altd. Hff. 559, 2 u. ö., Brant, Narrensch. 52,
11, Keller, Fastnsp. 786, 2, dick und oft Ammenhausen 2949, Suchenwirt 8, 83,
oft und vil Kaufringer 6, 48, 9, 260.

1301. helfen mit Akk. auch 4120, 4971 u. 8605, sonst stets mit Dativ: ich zähle
29 Stellen. — nicht ein stik: f. Pfeiffer zu Heinzelein von Konstanz, Ritter und
Pfaffe 54, BWb. 2, 727 und Fischer, Schwäb. Wb. 5, 1750; ferner niht einen stik
sehen GA. Nr. 15, 344, H. Sachs, Fastnsp. (Goetze) Nr. 69, 292, in neuerer Zeit
(keinen Stich sehen) z. B. beim armen Mann im Tockenburg (Reclam), S. 21 und
Gottfr. Keller an Mutter und Schwester (Leben 1, 386).

1305. Ich arbait = „quäle mich" wie gewöhnlich reflexiv.

1306. snarchelt wie 6325 = „schnarchen" (SJd. 9, 1316); anders 2763: vgl. 2017,
SJd. 9, 1315, 2 (brummen, schelten), DWb. 9, 1177 f. und Morgant (Bachmann)
41, 6 u. 305, 9.

1307. Traum eines Säufers! S. 1309, 1333, 6191 ff. und Konr. v. Megenberg,
Buch der Natur 53, 6 ff. wem vil träumt von regen und daz er daz mer sehe und
fliezendeu wazzer, der hât vil wäzzeriger fäuhtin in seim leib.

1309. Vgl. 3160.

1310. Ungpitig ist Lexer entgangen; doch weist er ungebitecheit nach. S. DWb. 11,
3, 626.

1314. chlocht wie 1335 u. 7443; f. SJd. 3, 641 f.; klopfen ist dem R. fremd.

1315. biderman wie 569, 2039 u. 2134; vgl. 3385 u. 1472.

1318. wüst: Prät. zu wischen wie bei Ammenhausen (f. Vetter, Anm. 720 u. Einl.
p. LXIV), ferner Bachmann u. Singer, D. Volksb. LXXXIII, Mhd. Gr. von
H. Paul, 12. Aufl. von E. Gierach § 71, Anm. 5. In transitiv. Formen hat die Ringhf.
-scht-: f. 958, 1353, 5789 u. 6611, auch 5899. Eine Reihe von Nachweisen für
wüschen „sich schnell bewegen" (bes. mit ûf) gibt A. Leitzmann, ZfdPh. 32, 557 zu
Kisteners Jakobsbrüdern 508, wozu die der Wbb. kommen; auf wischt u. ä. finde ich
auch in Kellers Erz. aus altd. Hff. 114, 21, 117, 1, 118, 2, 473, 15, bei H. Folz im
Lied gen. der pös rauch (Keller, Fastnsp. 1280) Str. IV u. (1281) VI, Flawiller

Offnung 1472 im Toggenburg. Archiv Senns, S. 65; vgl. ferner in Kellers Erz. aus altd. Hss., S. 229, 2 pald wüscht im auß seim mund ain fluch und in Fischarts Garg. (Alsleben) 371 wischt hinüber wie ein Tartarpferd vbers Mur.

1319. Was ist ditz? wie 1456. S. zu 352 u. zu 1281 und vgl. Vintler 350 ich bedacht ditz und das.

1323. teuscherin sonst im Mhd. unbezeugt; f. zu geteusch 4960. Stalder 1, 332 verzeichnet tûssler „einer, der hinterlistig eine Sache angreift", so daß man an teusslerin < tûsslerin denken könnte; in Ir steckt vielleicht Irr („verrückt"): s. zu Neidh. 85, 16.

1324. Vgl. Hätzl. 1, 35, 52 in (den Ehemann) sirt das weib.

1327. Parodistischer Zug? Vgl. im Frauendienst z. B. 307, 9 ff. zehant als er die rede gesprach, daz bluot mir ûz dem munde brach, für wâr, und ûz der nasen mîn. Dies gemahnt wieder an die Szenen in der „Klage", wo die Erregung Blutbrechen hervorruft.

1328. daz mit Rücksicht auf ein dem Verb 1327 zu entnehmendes bluot: vgl. GA. Nr. 55, 273 f. daz volk allez slâfen gienk, der si schiere undervienk. S. Benecke (u. Henrici) zu Iwein 458, Haupt zu Erek 7814 und zu Neidh. 86, 19, W. Grimm zu Rosengarten 1653 f. u. 1695 f., Zupitza zum Eckenlied 22, 9 f., zur Virginal 125, 9, Zarncke zu Brants Narrenschiff 26, 25, Martin zu Wolframs Parz. 142, 16, Vogt zu MFr. 129, 23, Mhd. Wb. 1, 137b 16 ff., H. Paul, Prinzipien der Sprachgeschichte⁴ § 117, Mhd. Gr. § 397. Dieselbe Erscheinung wurde in den klassischen Sprachen beobachtet; s. Ameis-Hentze, Krit. u. ereget. Anhang zu Homers Odyssee χ 256 f.; Sallust, Catilina c. 17 confisum, si coniuratio valuisset, facile apud illos (scil. coniuratos) principem se fore und 18 Sed antea item coniuravere pauci contra rem publicam, in quis Catilina fuit. De qua (scil. coniuratione) quam verissume potero dicam (f. die Anm. bei Jacobs-Wirz); Caesar, De bello Gallico 1, 40 servili tumultu, quos tamen aliquid usus ac disciplina … sublevarent (f. die Anm. z. St. bei Fr. Kraner-W. Dittenberger).

1334. merhensun bekanntes Schimpfwort (f. bes. DWb. 6, 1468, 4) und vgl. hüerren-, kotzen-, mutzen-, zohensun. Grimm RA.⁴ II, S. 205 f.

1337. dützen: f. G. Ehrismann, Ztschr. f. deutsche Wortforsch. 5, 219 f. Zur Haltung Bertschis vgl. Helbl. 8, 435 ff. ez sint her bî mînen tagen ze tôde mêr dann drî erslagen, die ir genôze hiezen dû usw.; Teufels Netz 8147 ff. Es wirt aber ietz kainr ze ritter mer denn … daz im mengklich sprech 'Gnæd her!' … Ettlich, das man si nit tu tüwen; Vintler 9583 ff. es ist chain snöder hochfart nicht als die mit armuet ist umfangen: … sei dunkt halt niemant darzue guet, der si mit eren dutzen müg.

1338. Vgl. GA. Nr. 18, 583 f. und wirt er ab gestochen niht, sô sî wir alle gar enwiht.

1342. Ähnlich z. B. Kato-Parodie (Zarncke, S. 147) 97 ff. ficht mit im … biz er nach deinem willen sing ain lied, daz du gar geren hörst! Vgl. Fecunda ratis 445 cuius enim panem manduco, carmina canto und Wernher v. Elmendorf 138 da mit beginnent si dich twingen, so mustu all ir liet singen; Stricker, Kl. Ged. (Hahn) 12, 24 ff. nu dunket mich vil billich ... daz ouch ich singe ir aller liet und Handschin, Sprichw. bei H. Sachs, S. 84.

1350. Die Szene erinnert an Wolframs Parz. 143, 1 ff., wo die Aussicht auf ein Geschenk den widerborstigen Fischer süß flöten macht.

1356 f. sekel Geldbeutel (= täschen 1368): vgl. bruchseckel im Groß. Wolfdietr. (A. Holtzmann) 802, 3, seckel bî der niderwât Keller, Erz. aus altd. Hss. 679, 10. Über diese Mode, den Beutel zu tragen, ereifert sich Konr. v. Ammenhausen 17774 ff. er zôch hervür ... sînen sekel bî der niderwât, als nu ein veiger sit ûsgât, der etswenne unhoflich wäre gewesen ... wil einer über sîn sekel gân, der hanget im bî dem beine ... sô er sizet oder stât bî vrouwen, sô muos er von in gân oder schameliche stân, swenn er über sînen sekel wil; vgl. Keller a. a. O. 17 ff. Wan er sol ein pfenning han und er bei schœnen frauwen stat, so mueß er auffheben die wat, als ob er sich des waßers wolle lœsen. — ze st., wie die Hf. urspr. hatte, auch 1174 u. 4196, ze den st. (Korrektur) wie 2448, 3512, 7107, 7782 u. 9392.

1360. wert so lanch: vgl. 6117; Adv. lanch auch 1164 u. 5681.

1362. Von rehtem zorn wie 5454 u. 6737.

1364 f. so geswind wie 8626. In den Erlauer Spielen (Kummer) Nr. 3, S. 53, 516 ff. sagt Rubein zum Arzte, der ihn vergebens ruft: pait, herr, pait, ich pin noch nicht werait; mir ist laid und zorn, ich han mein taschen verlorn.

1367. daz niderwat (= pruoch), stets als Femin. belegt; s. aber DWb. 7, 812. wat ist im R. fem.: vgl. 4837, 5790 u. 9323. Das Neutr. erklärt sich unter der Einwirkung von nidergewant oder -kleit. niderkleit ist auch die bei Herrand von Wildon III, 269 gebotene Lesart.

1369. pier: vgl. 1636 u. 5814. Beim Hochzeitsmahle trinkt man Most (= Apfelwein nach 5682, aber nach 5994 f. auch Birnenmost und Schlehenwasser), dann saure Milch, zuletzt Wasser. Wenn Bleisch S. 51 meint, daß Bier, Met und Wein dabei nicht gefehlt haben dürften, verkennt er die Absicht des Dichters: bei dem wüsten Bauernfraß fehlten eben bessere Getränke. — mit sampter: dagegen 5812, 6470 u. 9333 mit sampt der und stets mit sampt dem.

1370. In der Vorlage stand vielleicht frô⁵. Vgl. 2587. Der Ausdruck ist eine geläufige Redensart: s. DWb. 4, 1, 1, 223 und Hätzl. 2, Nr. 8, 323 wer was fröer dann ich? Zimmr. Chron. 1, 288, 14 wer was trauriger usw. Und so noch in Goethes Wilhelm Meister, Lehrjahre 1. Buch, 11. Kap. Wer war froher als er usw.

1374. Das alte beki war beim Einzug zum Stechen daraufgegangen. S. 182.

1376. Die Konstruktion wie 6780: diese Stellen sind W. Kurrelmeyer, The historical development of the types of the first person plural imperative in German

(Straßburg 1890) in der Gruppe alemannischer Nachweise entgangen, wo sie fast die erste Stelle verdienen. Schweizerische Belege dieser Umschreibung des Adhortativs der 1. Plur. scheinen nach seinen Sammlungen noch im 15. Jhdt. überaus selten zu sein. S. aber in der Appenzell. Chronik 163 lauss uns ainen fund erdencken, 177 länd uns nen der wil, 178 land uns rät darum hän, Joh. Lenz, Schwabenkrieg (H. v. Dießbach), S. 65 lieben fründ, land uns nit gahen. Sonach bedürfen K.s Aufstellungen wohl einer Nachprüfung.

1377. Offenbar eine Redensart im Sinne von „ich belohne dich reichlich": vgl. Hätzl. LXXVI, 93 Sy mag und sol nit verlieren, wann triu zel ich ir mit vieren. S. ferner 937, Konrads von Haslau Jüngling 509 f. er gît dem lîtgebn dicke viere ze dem wîne oder ze dem biere, Helbl. 13, 118 frou, tragt im vieriu, Mondsee-Wiener Liederhandschr., hrsgg. von Mayer und Rietsch, S. 514, Anhang, Nr. 1, 67 f. trag her pey vieren dy kütten vnd dy pyren..., Beheim, Buch von den Wienern (Karajan) 412, 21 für ainen pfenning geb ich im vir.

1379. Vgl. 5835 und Virginal 732, 4 dâ von berc unde tal erschal.

1381. Drastisches Zeichen der Verachtung, das in der Schilderung von „Ständchen" im Fastnachtspiel öfters wiederkehrt. So erzählt in Kellers Nr. 43, S. 331, 6 f. ein Bauer: die weil ich also auf si laus, reckt si den ars zuom venster rauß. Aber es kommt noch ärger: do wolt ich ganz wen, es wer der kopf (auch Bertschi hält 1383 ff. Mätzlis Kehrseite für das Gesicht) und hielt mich hin zuo ... und meinet si kussen an den munt und draf ir eben den hinteren spunt. Do plies si mir ain staub under die augen, das mir kaum klegkt ein kübel voll laugen, pis ich des gschmachs ain wenig ward frei. Ähnlich 64, 4 ff. Ich gieng für meins puln venster singen, do was er (= der Nachbar) vor pei ir dinnen. Ich wolt meinn puln mit freuden wecken, do hieß ers den ars inß venster recken. Do wolt ich wenn, es wer ir roter munt, und küst sie eben unten für den spunt; da faist sie mir unter die augen. Schon im Sinne einer Redensart Sig. Kaspar 132, 6 es wil mich keyne... und wen ich eyne darumb pit... so kert sie mir das hinder tail; Kellers Fastnsp. 824, 20 ff. Und wenn du hast also daß glück, so luog, goum dich vor sinem dück, daß dir nit gschech, als me ist gschen. Es lat dich sust ins arsloch gsen (= „kehrt dir den Rücken"). In Valentin Schumanns Nachtbüchlein (1559), hrsg. von Joh. Bolte, vgl. Nr. 2, S. 13 Der pfaff... zoch das geseßlin ab und wuscht mit blossem arß zum fenster zu. Der gůt schmid mainet, es were die fraw, und kußt den pfaffen auff den arß. S. dazu S. 385, ferner DWb. 1, 565. Literatur über die Verbreitung des derben Motivs s. bei L. Fränkel, ADB. 43, 615. Es ist „ein Erbstück der internationalen Liebeshumoresken und zudem altvolkstümlichen Ursprungs". Vierteljahrschr. f. Literaturgesch. 5, 462 f.; s. auch Zarncke zu Brants Narrenschiff 64, 42.

1383. S. zu 857.

1385. Halt her: nämlich ben Munb (zum Küſſen); bas Motiv gebt nicht bis zum Äußerſten.

1390. schlaist: ſ. Ausg. S. 334 (zu 3445) unb oben zu 763.

1391. S. zu 962 f.

1392. Schollentrit: aus Metz. Hochz. 15 (ſ. ZſfbA. 50, 255, Anm. 2). In Kellers Faſtnſp. 480, 12 f. ſagt ber Krämer zum Bauern: was wilt du deines knechts, des trollen? Laß in zutreten selbs die schrollen; vgl. Nachleſe 217, 8 von Hochhaym ir schollentrit (= „Bauern") unb Fiſchart, Garg. (Alsleben), S. 311 u. ö. genant Forgier Schollentritt.

1394. Das Signal, baß bas Warmbab (1401) bereit ſei, wurbe auch mit Meſſing-becken ober Kupferpfannen, bie ein burch bie Gaſſen ſchreitenber Bote ſchlug, gegeben. S. Zappert im Archiv f. Kunbe öſterreich. Geſchichtsquellen 21, 74 unb Anm. 187 unb Alfr. Martin, Deutſch. Babeweſen in vergang. Tagen, S. 144 f. Dagegen bläſt ber Baber Helbl. 3, 8 ff. (ſ. Zappert, S. 73); vgl. Murners Babenfahrt II, 56 got hat vns selb ins bad geblasen unb bas Bilb bazu.

1395. S. zu 1253.

1400 f. S. J. v. Arx, Geſch. bes Kantons St. Gallen 2, 632: „Die lauen Bäber wurben von Geſunben unb Kranken häufig gebraucht. In jebem Dorfe unb Dörfchen ſtanb ein Babhaus, bas mehr als bas Wirtshaus beſucht wurbe." S. Zarncke zu Brants Narrenſchiff, Proteſtation 4 f. unb Zappert 122 ff.

1405. S. zu 7582.

1408. seltzner: vgl. 2167 u. 3514.

1410. Im Ausbruck vgl. 1425, 2623 u. 7928.

1411. Vgl. Chriſtus unb bie minnenbe Seele 1561 Er wond, er hett es wol ge-schaffet unb Metz 184, 1408, 2115 u. 7316 (Banz, S. 132), offenbar eine Rebensart.

1412. närrel: ſonſt nicht bezeugt; zu närrli 3513 ſ. DWb. 7, 391.

1413. Vgl. bie Beteuerung sum mer ein sort! im Alsfelder Paſſ. 6939.

1414. akergen: vgl. ackerganc in ben Wbb.n, ferner Roſengarten A IV (Holz) 165, 2 sie sâhen manegen bûren neben in ze acker gân, Ammenhauſen 10507 f. dem wäre wäger vil, das er die wîle ze aker gienge (unb Vetters Anm. 342), Teufels Metz 1547, 9703, 10775 u. 11473, Hätzl. (Muskatblut) 1, Nr. 130, 3, M. Manuel, Vom Papſt u. ſein. Prieſterſch. (Baechtold), S. 53, 563 u. 769, Zimmr. Chron. 1, 344, 27 f., auch Keller, Faſtnſp. 255, 29 so sol er sich seins weingens maßen.

1416 f. Ähnlich 1286 f.; der andern nacht wie 6982 der selben nacht. S. zu 4369.

1418 ff. Die folgenbe lärmenbe Szene ber Liebenben im Kuhſtall erinnert an ähn-liche in Kellers Faſtnachtſpielen: z. B. 274, 6 ff. Ich kam zu einer peurin, die malk... Ich wolt sie kutzeln unter den uchsen: do weiset sie mich zu der pfefferpuchsen. Das geschach nahet bei der kue: die schmitzt mit baiden füßen zuo, schmitzet uns den kubel an den kopf, das darinn nit beleib kein milchtropf... Ich meint, es gieng ein wolken dernider. Wir teten uns baide im stall umb walken und in dem kudreck uns betalken, sam het man uns auß einer leimgrub gezogen, do in ein winkel wir uns schmogen. Ganʒ ähnlich 334, 30 ff. Ferner 386, 17 ff. Ein teil suchen ein ander im haus oder richten ir sach im kuestal auß, die weil die maid im melken sitzen. Da werden die kue zu der gelten smitzen, das sie zu den wenden walgen und sich in kuedrecken betalgen...; Folʒ, Die gedicht beicht (Keller, Faſtnſp., S. 1204) Do ir (b. h. der Kuh) die meit ir süd solt bringen, gunt ich mit ir so lang vm ringen, piß wir die süd verschuten gar; die Liebesſʒene eines jungen Geſellen mit einer Bauernmagd im Stall, die der Spruch des Hans Folʒ in der ʒffbA. 8, 510—17 bietet, iſt ſehr ähnlich dem Grasmeʒenſchwank im Liederbuch der Häʒlerin.

1423. Liebes lieb wie 2271 u. 7019; nim... laid: ſ. ʒu 593.

1424 f. ghab dich wol wie 7071; vgl. Meʒ. Hochʒ. 285 f.

1427. vernam = „verſtand": dieſelbe Lage wie 2129; ſie iſt ſonſt eben leicht ʒugäng- lich. Vgl. 2091 ff. u. 2149 ff.

1428. und auch grain wie 558; ſ. ʒffbA.50, 255 u. Anm. 3 u. daʒu Meʒ 9085—102 in BC mit grinen und mit granen, Minn. Seele 59 ich mache dich grennen und grainen, 80 und vienge denn an ze grinen und grainen.

1429. Naina uſw. hier wohl abwehrend, nicht beteuernd wie etwa Roſengarten (Holʒ) D XV, 402.

1430. er was nicht faul: ähnlich 8939 u. 9644.

1435. stertzen: im Sinne des ſonſt üblichen ûfsterzen.

1444 f. Sehr ähnlich im Bau 8757 f.

1447. entliben wie 5809; entleiben 3917. S. DWb. 3, 571. Vgl. 1431.

1450 f. Über fron ſ. ʒu 220. — gnad = „Ruhe".

1453. Über wappet ſ. DWb. 13, 1974, 7 u. ʒu 1909. — hintz zmitter nacht: ſo lange brauchten ſie; die Kuhſtallſʒene ſpielte um die Zeit des Melkens; daher erst do 1454.

1454. Im Ausdruck vgl. 1373 u. 2277.

1455. aus gezogen „geʒückt": vgl. 6546, 8635, 8765, 8930 u. 9344.

1457. durch poks switz: vgl. pox schwitz! in Kellers Faſtnſp. 285, 31, botz schweiß in Ruefs Adam 477 (DWb. 2, 279), sammer botz schweiß! bei H. Sachs (BWb. 1, 204); durch bocks tod! Meʒ. Hochʒ. 208. Eine Reihe von Flüchen mit bocks in den 'blasphemiae accusatae' der Luʒerner Ratsprotokolle 1381—1420 (ʒffbA. 30, 401). Die reichen Nachweiſe unſerer Wbb. (beſ. BWb. 1, 203 f., 2, 416 u. DWb. 2, 279 f. u. 281) ließen ſich aus Kellers Faſtnſp.n leicht vermehren.

1458. In enem stal: ſ. ʒu 1209; überal ſcheint nur Reimfloskel ʒu ſein wie 5720.

1462. Wendung der Urkundenſprache: ſ. ʒ. B. in Eberhart Windeckes Denkwürdig-

keiten (W. Altmanns Ausg.), S. 79 (Brief Herzog Friedrichs von Österreich) ob erden
und under erden; Fischer 2, 775 es sig ob erd oder under erd (14. Jhdt.).
1464. gebunden sîn mit Gen. wie 7804; anders 4052, 4830, 7781 u. 8531.
1467 f. Zu nach hin der Hs. vgl. 1508; aber nach hin hat der R. sonst nirgends
(hin nach an einer Reihe von Stellen), auch wäre die Betonung nach hín gegen W.s
sonstigen Brauch (nách hin), endlich stört der plumpe rührende Reim. Daher las schon
Bleisch S. 59 nach in. — all über al gehört zusammen: „allüberall".
1471. Ein beliebter Fluch: s. BWb. 1, 203 unter Bock, DWb. 8, 2139 f., Wander 4,
1109, Nr. 1148, ferner Laurin D 544, Wolfdietr. D VII, 34, Rosengarten D 177
(bei Leo Wolf, S. 127), Teufels Netz 9318 u. 10437, Uhland, Volkslieder 4, 288,
Str. 10, Sterz. Sp. 22, 164 und H. Sachs, Werke (Keller) 9, 539, 18. S. zu 561.
1472 f. Die beschwörende Herausforderung des Vordersatzes ist typisch: Laurin 563 f.
wurde du ie ein biderbe man usw., ebenso Rabenschlacht 932, 4, Wolfdietr. A, 353, 4
helt, ob du ie biderbe wurdest, nu bît unser hie unz morgen vruo, Rosengarten
A XVI, 366 (Holz) Wurdet ir ie ein biderbe man usw., Renner 8070 f. Wurdet ir ie
ein bider man, sô gerechet iuch an mir! — mach es schlecht = „bring die Sache in
Ordnung!" S. Mhd. Wb. 2, 2, 394a 7 ff.
1474 f. S. zu 600 f. — pumbeln irrig eingereiht DWb. 2, 515 (u. Lexer): s. Ausg.
S. 333.
1483. meins ist gegen Bleisch, S. 59, der deins vorschlägt, festzuhalten. Mask. puol
von der Geliebten auch 1684 u. 1791. S. DWb. 2, 499, 2, Gusinde, Neidh. m. d.
Veilch., S. 14 u. 152, ferner O. v. Wolfenstein (Schatz) 76, 1 f., Kaufringer (Euling)
4, 251, 7, 22, 109, 175 u. 352, 12, 215 u. 225, 13, 17, Keller, Erz. aus altd. Hss. 151,
16, Fastnsp. 401, 14, Sterz. Sp. 9, 355.
1486 f. Ein mit leichten Änderungen mehrmals im R. wiederkehrendes Zeilenpaar:
3595 f., 7122 f. u. 8807 f. (auch 9535 f.). Des in den zuerst angeführten Stellen legt
es auch hier für daz nahe; doch 9535 steht was.
1492. ein loch: die Öffnung für Licht und Rauch. S. Weinhold, Die deutsch.
Frauen³ II, 80.
1498. Häl nach Stalder 2, 14, 2 „Stange, Kette von Eisen im Schornstein, woran
man einen Kessel, Topf übers Feuer hängt". S. SJb. 2, 1133, Alem. 3, 287, Weinhold, Die deutsch. Frauen³ II, 67. Metz. Hochz. 394 erscheint hell (: strell), im M. Betz
234 häheln (ASg.). S. E. Weller, Dichtungen des 16. Jhdt.s, S. 2 häl (: sträl).
Unter den entsprechenden Geschenken an das Brautpaar des R.s 5506 ff. fehlt das Gerät.
1499. zuo seim ungewin wie 7721, 8928, 8977 u. 9386 als Zeilenende.
1500. Vgl. 7188 und auch 210 f., 507 u. 5885.
1501 f. Redensart: vgl. Salomon et Marcolfus: qui non habet caballum, vadat
cum pedibus, Uhland, Volkslieder 4, 213, Str. 11 hab ich denn nit zu reiten, zu
füßen müß ich gan und H. Sachs, Fastnsp. (Goetze) 9, 256 f. Welcher kein Roß

am paren hat, derselbig sol zu Fusen lauffen. 1502 f. sehr ähnlich lautet 6027 f.
S. zu 818. Singer verweist auf Jos. Morawski, Proverbes français antérieurs etc.
Nr. 2000 Qui n'a cheval si aut a pié und Fecunda ratis I, 599 uector dum desit
equinus, ire pedes, si sic placeat, dignare, uiator.

1505. zur stegen: f. dagegen 7516. Sailer, Chronik von Wyl, S. 230 bemerkt:
„Die damaligen Häuser Wyls hatten gewöhnlich zwei Stockwerke. Eine plumpe Haus-
türe ... führte ins Haus und zur Stiege nach dem ersten Stockwerke. Der untere Teil
diente als Behälter häuslicher Gerätschaften und Bedürfnisse ... Die ziemlich dunkle
Stiege führte zur Kemleten, einem offenen Raume, den die Familie zur Sommerszeit
als Eßraum und Aufenthalt benützte ... Auf gleichem Raume befand sich auch Stube
und Küche."

1506. Vgl. Rosenblut, Der varnde schuler (Keller, Fastnsp., S. 1175) do rumpelt
er (der Pfaffe) die stigen ab, ähnlich „der Edelmann mit dem Hasgeier" (Gießener Hs.)
BWb. 1, 914 (unter gumpen), Keller, Erz. aus altd. Hss. 286, 29 f. und Euling,
Wolfenbüttl. Hs. 2. 4. Aug. 2° Nr. 363, 11.

1511. sich ... geschieben: vgl. 2708, BWb. 2, 356 u. DWb. 8, 2392, 3. Der Ausdruck scheint besonders Schweizer Denkmälern geläufig zu sein: f. Appenzellerkrieg, S. 23
(457), 50 (980), 95 (1905) u. 146 (2929), Teufels Netz 1005, 1287, 3684, 5670,
7511, 7635, 10455 u. 725, Joh. Lenz, Schwabenkrieg, S. 7, 27, 47, 49, 54 u. 96.

1512. der schad = „die Verletzung". S. Teufels Netz 10151 (von Ärzten) man
fint och mengen bœsen man, der ain schaden bœsren kan, das er dest lenger damit
umb gang und DWb. 8, 1974, 4.

1513. im stadel: nach 1418 u. 58 spielte die Szene im Kuhstall; somit liegt entweder
Schreibfehler für stall oder ein Versehen des Dichters vor.

1514. Ähnlich 2555 u. 6458.

1519. Im Ausdruck ähnlich 6267 f.

1520 f. R. Banz, Christus u. d. minnende Seele, S. 149 ff. erblickt in der R.-Stelle
eine Parodie von 215 f. Sy (= die minnende Seele) ... wirt enzünt als ain glüt und
wirt brinnen von ussnen und von innen von rechter götlicher minnen. Jedenfalls
macht W. einen derben Situationswitz: der feurige Liebhaber (f. zu 264) ist in die
Herdglut gefallen. Der Ausdruck in m. S. dagegen ist formelhaft: f. Teufels Netz 387
er ist valsch usnan und innen.

1522. Vgl. Der sælden hort (H. Adrian) 4152 f. von den buoben er (der verlorne
Sohn) ... wart ... dur die gluot gezogen und 4202 f. och schaffent si, daz er
gezogen wirt dur die gluot. S. Singer will freilich AfdA. 53, 130 an beiden Stellen sluot lesen.

1523. ruobwasser: das heiße Wasser im Kessel (1498), in dem die Rüben (1490)
gekocht worden waren.

1524. Drei ist eine Lieblingszahl W.s: f. 581 (Anm. zu St.), 759, 1361, 1538, 2912, 5851 f. u. 95, 6545 u. 95, 9402 u. o.

1526. Ähnlich Erlauer Sp. (Kummer), S. 16, 30 Ez ist ein wunder, daz ich genas.

1527. So hart und: f. DWb. 11, 3, 423d und zu 1858 u. 1951.

1528 f. Dem artzet: d. i. Fritz; f. gsunt 1525. Im Ausdruck vgl. Orendel 1488 f. er gab dem heiden einen slag, daz er vor im ûf der erden lag und Bergers Anm. z. St. über diese Formel und ihre Spielarten. S. auch zu Wolfdietr. B 372, 3 f.

1533. Ganz ähnlich der Alarmruf 6610.

1536. Im Ausdruck vgl. 954, Brant, Narrenschiff 94, 15 es gat alleyn nit über die küg und Mhd. Wb. 1, 465a 30 ff.

1537 f. Diese rohe Art, Frauen zu behandeln, begegnet nicht nur in der Heidin, GA. Nr. 18, 1682 ff. er (der König) nam die vrouwen (seine Gattin) ... bî dem gelwen hâr unt zôch sie hin unde dar, in der wîbe list GA. Nr. 38, 46 f. in dem hûse her und dar zôch er sie bî dem hâre nider, in Der Frauen Trost GA. Nr. 72, 108 f. mit den zöpfen er si (der Ritter seine Gattin) nam und warf si vür die vüeze, im Apollonius (S. Singer) 15335 ff. er vieng sy ... pey irem gelben hare. Er warff sy zu der erden nider, bei Folz (Keller, Fastnsp. 1245) Schnell bey dem hor nam er sie do, warff sie vom panck rab auff dye erd und (1246) Der paur ... fast ir beid tzöpf vnd warff sie nider, bei H.Sachs, Fastnsp. (Goetze) Nr. 54, 153 ff., sondern schon in der Gudrun 960, 2 ff. und in Wolframs Parz. 151, 21 ff., Wh. 147, 18 ff. — Das wider 1538 (u. 6595) vermutet Zwierzina AfdA. 17, 215 auch bei Heselloher (Hartmanns Ausg.) 1, 78 für das überlieferte vntter.

1540 f. bin ergänzt Bleisch S. 59; gestochen (von der Kuh 1475) und geschlagen (von Bertschi 1528) entsprechen in umgekehrter Ordnung in daz maul und in den magen.

1546. Vgl. zu der Redensart etwa 2770 f.

1547. Offenbar im Sinne: „Dir geht es zu gut"; vgl. das Sprichwort 2103 f.

1549. ein fist: 2776 dieselbe Phrase mit der tiefel.

1551. Im Ausdruck vgl. 1851 u. 2258.

1552. ie bas und bas wie 2514 u. 6492. Ähnlich Hätzl. 1, Nr. 70, 1 f. In meinem hertzen liebst du mir ye mer vnd bas von tag ze tag.

1559. Mit Anlehnung an die zweite Hälfte des Bibelspruches Prov. 9, 17 aquae furtivae dulciores sunt et panis absconditus suavior, dessen erste Freib. 136, 9 verstolniu wazzer süezer sint dan offen wîn wiedergibt. S. Bezzenberger z. St., Schulze, Bibl. Sprichw., S. 45 f. und S. Singer, Alte schweiz. Sprichw., Nr. 41.

1560 ff. Mätzlein ist Obj., Triefnas Subj., 1562 f. ne-Konstr. ohne Negation: „daß ihm war, als ob" usw. Ganz ähnlicher Satzbau begegnet 2332 f. u. 2354 ff.;

vgl. Staufenberg 227 f. in d: das in dasz nit beduchte, si wer ausz dem himel komen.

1564 ff. Die freche Szene, in der Mätzli sich mit ihrer mutze auseinandersetzt, hat nach L. Fränkels Beobachtung ADB. 43, 615 ihre Parallele in der Geschichte von der Jungfrau u. dem weißen Rosendorn, GA. Nr. 53, doch entwickelt sich dort ein regelrechtes Zwiegespräch wie sonst zwischen lîp und sêle, ja es kommt zu einer Trennung auf kurze Zeit.

1566. ir ... mutzen: außer den Zitaten Ausg. S. 333 f. mauz BWb. 1, 1702 und katz ebb. 1313. Eine Wiener Ansichtskarte stellte eine bekannte Brettelsängerin dar rittlings auf einem Stuhle sitzend und ein Kätzchen zwischen den Beinen haltend mit dem Texte: „Willst du meine Miez?" Dagegen denkt Hildebrand im DWb. an Entlehnung aus it. mozza. Mir begegnete der Ausdruck in einem Priamel der St. Gall. Hf. 919, p. 172 die ruch mutz under dem tûch, in dem 4zeil. Priamel bei K. Euling (Das Priamel bis Hans Rosenplüt), S. 337 Schöner frawen plick, herte tütlein und erß dick, heiß mautzen (in andrer Fassung fut) und mündlen rot: die bringen manchen guten gesellen in not, in den blasphemiae der Luzerner Ratsprotokolle Zf. 30, 400 küss mir die mutzen im zünglin, in Salomon u. Markolf (Bobertag) 242 f. wie mecht ein ding lustiger sein dann brawne mutz bei weißem pein? Vgl. auch her Götz Mauzenpart in Kellers Fastnp. 306, 22.

1567. smutzen = „schlagen" (1578) — bei Lexer mißverstanden: M. mißhandelt ihre m. auf jede erdenkliche Weise. S. smutz 1007.

1568. den rauhen fleken: typischer Ausdruck, den unsere Wbb. nicht festlegen. Vgl. im Gedicht von der pauren chirchweihe (Wiener Nat. Bibl. Hf. 2885) Z. 106 rawm des rawhen flekes (Zf. 50, 237, Anm.); ein Knecht Luzifers in Kellers Fastnp. 492, 29 heißt Rauchfleck; er sagt 493, 2 samer mein raucher fleck, es wirt in noch laide. Ähnlich Wolfdietr. D VI, 100, 3 in Hf. a er sach an irme lîbe ein brûnez vleckelîn, in c ein hübschen flecken brûn, Kellers Fastnp. 725, 7 f. da bat sie mich, das ich ir solt krauen unden iren schwarzen flek (s. auch Sterz. Sp. 8, 748), 151, 36 ff. das macht ein fleck kaum einer hant preit; derselbig fleck mit seinen trollen (BWb. 1, 661) macht, das wir thun, was weiber wollen; 152, 5 f. sagt die Närrin: so hab ich ein stolzen fleck: dafur so stek mir deinen zwek! Vgl. auch ire rawe taschen bei Rosenplut (Kellers Fastnp., S. 1176), ir rauchs taschel BWb. 1, 627 und reuch bei Wolkenstein (Schatz 3, 19 u. 12, 37).

1570. trewen „drohen": 7183 treuwen (: leuwen) u. 7924 trôw (: löw), 9621 trôwen.

1571. des jamers: der Gen. ist im Sinne der Anm. zu 286 zu verstehn.

1572. Zu futzen vgl. Futzenpart 7158 u. 7264 (Männername!) und Fützenswille 6964.

1576 f. Sehr ähnlich im Ausdruck 9678 f.

1579. das maul im Sinne der 1566, 68 u. 72 gebrauchten Benennungen, sonst nicht bezeugt; noch im Bilde 1602 u. 6413. Der Bedeutungswandel wie bei fotze: f. BWb. 1, 782. In Kellers Faſtnſp. 256, 27 klagt eine Ehefrau: er acht nit, das man sicht mein torin, die schwarz umbs maul ist als ein morin. S. auch die Stelle aus Logau DWb. 6, 1795, 10.

1584 f. Ganz ähnlich Joh. v. Freiberg, Rädlein, GA. Nr. 58, 285 ff. die frouwen hânt langez hâr und kurz gemüete, daz ist wâr: alsô sprach her Frîdanc, ferner Reiger, GA. Nr. 31, 9 ff. (bei W. Grimm, Freidank, 1. Ausg., S. 393 zitiert) ich hôrt ie sagen, daz ist wâr, vrouwen die haben langez hâr, dâ bî einen kurzen sin und Renner 309 f. kurzen muot und langez hâr habent die meide sunderbar (f. Keller, Faſtnſp. 1375 den Anfang der Erzählung die spähen maid Egm. 714, Bl. 28). Die Form kurzen muot oder kurz gemüete — langez hâr weisen auch die von W. Grimm angeführten Stellen Winsbeckin 19, 1 f., die Heidin (GA. Nr. 18) 992 f. und Titurel 5055 auf, ferner z. B. noch Wolfdietr. D VIII, 37, 1 f. (Jänicke) und Hätzl. 2, Nr. 7, 115, Tit. (Hahn) 4992, 4 (vgl. 4993) und der Teichner (Karajan, Denkſchr. d. Wiener Ak. d. Wiſſ., phil.-hiſt. Kl. 6, 172, Anm. 311) A 91 b. Am weiteſten zurück liegt wohl die von J. Grimm (Gött. Gel. Anz. 1832, S. 717) aus Cosmas von Prag (script. rer. Boh. 1, 12) erwähnte Stelle: certum est longos esse crines omnibus, sed breves sensus mulieribus. Über die Herkunft des frauenfeindlichen Spruches f. J. Stosch, ZffdPh. 28, 429 f., über seine Verbreitung Heyne im DWb. 4, 2, 9. Weitere altdeutsche Belege bieten Zingerle, Sprichw., S. 35 und S. Singer, Alte schweiz. Sprichw. Nr. 118. S. auch Bebel, Prov. Germ. (Suringar) Nr. 200. Mit Beziehung auf den Spruch prägt Herm. v. Sachsenheim in der Mohrin 4496 u. 4508 lüt mit langem haur (= „Frauen", f. Martin zur erſten St.) und Vintler 9564 das selb seind sinn mit langem har.

1586 f. Im Wortlaut entsprechen die Reimpaare 3417 f. u. 9316 f., im Ausdruck vgl. auch 2200 und die Anm. z. St.

1591. Die urſpr. Laa. allentalben hier, ausrentalb 4972 und inrentalb 7066 deuten wohl auf Schwund des h in der Ausſprache.

1593 ff. Den jähen Stimmungsumschwung in der albernen Dirne kennzeichnet starker Parallelismus des Ausdrucks: vgl. 1593—95 mit 1573—75, 1606 f. mit 1582 f.; zu 1593—95 vgl. auch die Brieformel 2546, 47, 50.

1598. S. Metz. Hochz. 352 uff minen aid; ebenso Mondsee-Wiener Liederhf. (Mayer u. Rietsch) Nr. 39, 30; anders 5211. S. zu 859.

1599. Faſt wörtlich gleichlautend 665.

1608. gedacht = „gemünzt": DWb. 2, 933 b.

1610. Ieso schier wie 1111 u. 6738; ieso drat 7571, 7838 u. 8505.

1612. Gar und gäntzleich wie Reinfr. v. Braunschw. 17923 und Kaufringer 3, 307, genzlich unde gar Minnelehre (Pfeiffer) 49, Konr. v. Würzb., Engelh. (P. Gereke)

2178, Mhd. Minnereden (K. Matthaei) 15, 108, Sterz. Sp. 4, 40 u. 240. Die heute
noch übliche Formel gantz und gar (DWb. 4, 1, 1, 1303 c) verwendet W. 2493, 6064,
6837, 7418 u. 30, 8193 u. 8980. Die spärlichen Nachweise Lexers 1, 737 ließen sich
unschwer vermehren: f. z. B. Kaufr. 12, 71, 15, 96, 16, 755, 17, 66 u. 103, Sterz. Sp.
4, 25, 7, 180, 341 u. 446, 11, 56 usw., gar u. ganz Kaufr. 3, 704, genzlich gar
ebd. 8, 459 u. 16, 418. — Die Minne hilft M. über alle Schmerzen hinweg wie
Vertschi 1248 f.

1615. Der minne feur: f. 1518.

1617. Der Vergleich gehört dem Minnesang an: f. Scharpfenberk, Mf. 1, 350b er
tet mir nie sô leide, ern wær mir lieber denne golt; Wunderhorn, Ringlein u. Fähn-
lein (Reclam, S. 152) Ich hab dich hold vor allem Gold.

1618. mätzigschäft (f. Ausg. S. 333), weder bei Lexer noch im DWb. vermerkt,
auch Sterz. Sp. 15, 584 f. (Venus zu ihrem Freier) her auff von deinem klafft!
Du kanst gar vill mäczngschafft; Murner, Gäuchmatt (W. Uhl) XLVII, 342 f. Do
richt man solche sachen vß von metzengschefften in dem huß.

1619. Chlüngeln-chlangeln: eine Zwillingsbildung, wie fie bef. die Volksfprache liebt.
S. O. Weife, Zff. deutsche Wortforschg. 2, 8 — 24 und Zff. d. deutsch. Unterricht 19, 525 f.
Über die vorliegende Bildung f. DWb. 5, 1178, 5. Der Sinn der ganzen Stelle ist
wohl: „Jetzt kam erst von beiden Seiten — bisher war nur Vertschi tätig gewesen —
Leben in die Geschichte."

1621. Dieses reiten erscheint im R. auch 2322, 4769, 5058 u. 8847, refl. 4205.
Über r. mit abstraktem Subjekt f. E. Thiele, Luthers Sprichwörtersammlung, S. 417 f.
und z. B. Straßburg. Liederbuch v. 1592 (Alem. 1, 15), VIII, Str. 1 wer weyss, wie
lang das mich der unfall reyt. Verbreitet ist die Verbindung mit vâlant u. ä.
(f. Thomafin, WG. 4252), bef. in Verwünfchungen wie das dich der teufel reydt!
Kellers Faftnfp. (Nachlefe) 249, 16, Sterz. Sp. 1, 97 u. 8, 236 (f. E. Thiele Nr. 484),
der henckter Sterz. Sp. 8, 327 und oft bei H. Sachs. Auch Helbl. 1, 1063 mich hât
der pfluoc hiut geriten ist fo zu verstehn und nicht mit Seemüller an Part. von rîden
zu denken.

1622 f. Vgl. 2153 f. und Wendungen wie 1259, 1940 u. 8772, ferner in Fifcharts
Garg. (Alsleben), S. 405 der Mönch versatzt ihm mit dem Kreutzstock so ein
unsaubers ... auffs Acromibein, daß er ... nichts umb fich selbst wußt, ob er
ein Knäblin oder Meidlin wer.

1625. Vgl. 3346. Ganz ähnlich im Gedicht von Chriftus u. d. minnenden Seele 1256
ich wond, ich hett es von natur: do machet es sin minnefur.

1626 f. Vielleicht nach einer fprichwörtlichen Redensart, wie die rote Farbenlinie
verrät (f. 1559 u. 1584 f.).

1632. Als Kranke: f. 1648, 1939, 2602 u. 8, 3102 und Kellers Faftnfp. 471, 16;

Gryphius, Peter Squentz (Kürschner, Deutsche Nat.-Lit., Bd. 29, 25 f.) Piramus: Ach, aber ach! ich bin so kranck! Thisbe: So legt euch nider auff die Banck! **1636.** Vgl. 5814.

1643 = 7605; vgl. auch 1997.

1645. Henritze (stets so, Dativ 2592 Henreitzen): vielleicht mit Rücksicht auf seine Gelehrsamkeit (s. 3505). Vgl. den Kehrreim Hainrice Kûnrade der schreiber im korb in Uhlands Volksliedern 4, 288 und Sterz. Sp. 25, 451 f. Ey, herr, er haisst nit Hainrice, er haist Martl oder Martine. Ein Claus Heinrice erscheint als Bote der Unterwaldner Eidgen. Absch. 1, 88 (aus 1395), 98 (aus 1400), u. 165 (aus 1416). Zur Bildungsweise vgl. Eustächi 3410. Zu Nabelreiber vgl. in dem von Baechtold Germ. 21, 205 ff. abgedruckten Gedichte, V. 93 ff. Das hûrubel kumpt ... von zungen stossen und nabelriben und O. v. Wolkenstein 75, 36 f. reib mich, knäbli, umb das näbli!

1646. Um tächenschreiber bemüht sich auch (s. Ausg. S. 333) Birlinger, Alemannia 1, 288. G. Scherrer, Kl. Toggenburg. Chroniken, S. 115 umschreibt es mit „Kunstschreiber" und bezeichnet es S. 116 als altschweizerisch.

1649. Ach und we: nach den mhd. Wbb.n formelhafte Verbindung.

1652. an gehören bezeichnet hier und 8176 geradezu die Verwandtschaft, was die Wbb. nicht besonders hervorheben: der Schreiber ist Bertschis Oheim (1840), Füliʒan Strudels Neffe (8173). Vgl. unser „die Angehörigen". Anders 1079, 8263 u. 75, 9348.

1655. arnen bessert schon Bleisch S. 59.

1656. Nain du ebenso 2313, 8265 u. 8444. S. zu 2249.

1657 ff. S. 100 f.

1665 = 7209, vgl. auch 2588. Ähnlich z. B. Apollonius (Singer) 2672 wie dem ding wäre, 16108 er want, der rede wer also (vgl. 20300) und sonst. S. zu Ortnit 359, 4 im D.HB. IV, 2, S. 250.

1667 ff. Die nun folgende Minnelehre des Schreibers, die nach 17 zu erwarten war, fügt sich gar nicht in den Rahmen der Erzählung, wie der Dichter selbst 1840 ff. verrät. reht hofieren: das Thema; vgl. 1680, 85 u. 89.

1668. Im Ausdruck vgl. 3213 f.

1671. allen frawen gmain wie 2289; vgl. auch 7273 u. 8115.

1676 f. Vgl. Qui petit alta nimis, retrolapsus ponitur imis MSD. XXVII, 2, 188 (Züricher Hs. des 12. Jhdt.s; s. auch E. Schulze, Die bibl. Sprichw. i. d. deutsch. Sprache, S. 57), Voigt zu Fecunda ratis 198 (mit reichen Nachweisen aus der Antike, den Kirchenvätern usw.) und zu 428, S. Singer, Alte schweiz. Sprichw. Nr. 133 und GA. Nr. 26, 89 f. ich hôrte sagen, daz der viel, der ze hôch stîgen wil, Bartsch, Meisterlieder der Kolmarer Hs. CXXVII, 15 swer hôch stîgt unde dan gelît, der mûz wol vallen sêre, Brant, Narrensch., Kap. 92, 85 ff. hochfart ... stigt stätes uff, ie baß und baß und fellt zů letst zů boden doch zů Lucifer inns hellenloch,

H. Sachs, Werke III, 155, 3 wer hoch steigt, der hat hoch zu fallen. — im refl.
Dat. wie 1810, 2794, 2817 u. 95, 3215, 3592, 4226, 34 u. 50, 4426, 4884, 6003
u. 17, 6395 u. 8553.

1680 ff. Vgl. Andreas Capellanus, De amore (E. Trojel), S. 234 amor …
verus tanto duorum corda dilectionis iungit affectu, quod aliorum non possunt
desiderare amplexus und 310 Regel III: Nemo duplici potest amore ligari. S. Seiler, Deutsch. Lehnsprichw. 1, 194. Im Gedanken, nicht im Wortlaut Ähnliches bei
Zingerle, Sprichw., S. 93. — liebeschaft wie 1793 u. 3486 = „Liebe", 3599
= „Freundschaft".

1685. chan wie 2491, S. 129, Z. 10, 3643, 5407 u. 7013 = „Ehefrau, Gattin",
dagegen 5179 = „Ehemann": s. DWb. 5, 1690, 3 b. W. gebraucht das Wort durchaus mit â.

1686. Auch Albrechts von Eyb Ehebüchlein (M. Herrmann) 48, 19 ff. empfiehlt
Jungfrauen, nicht Witwen, zur Ehe mit Berufung auf Apuleius: wann sie ist in der
lieb neu vnd waich, ist zuhalten vnd zupiegen in allen dingen nach des mannes
willen (vgl. R. 2981 f.).

1687 = 5034 (wilt du).

1690 f. Vgl. Fecunda ratis 357 uritur hinc vivus defuncti in laude mariti. man
ist Subj., die ersten Obj., dieses im Sinne von Goethes Faust 1, 2992 f. Ach Gott!
wie doch mein erster war, find' ich nicht leicht auf dieser Welt den andern!
S. z. B. auch E. Weller, Dichtungen des 16. Jhdt.s, Nr. 4 (S. 28) Den vorigen
man sy (die Witwe) freuntlich klagt, vil gütes sy im nach hyn sagt. — prüeder
spöttisch für die Nachfolger in Liebe und Ehe? BWb. 1, 371 verzeichnet ein schon 1276
vorkommendes bräutger (bräu'ker). Sollte dies hier vorliegen?

1692 f. Ganz ähnlich 2661 f.

1699. nach meinem sin: s. 5683, 6002, 6426 u. 7093.

1702. Im Bau vgl. 1753.

1704 f. Ähnliche Sprüche in der antiken Lit. bei Seiler, Deutsch. Lehnsprichw. 2, S. 11.

1708 f. Vgl. im Wortlaut 19 f. u. 840 f., auch 3919 f.

1710. Ähnlich 7785.

1712. geleichsnen: vgl. gleichsner 5109, aber gleisnen 4523.

1717. zementragerin als Dat. (: ze gewin) 2599; sonst im Mhd. unbezeugt. Doch
s. die blasphemiae accusatae der Luzerner Ratsprotokolle 1381—1420, ZfdA. 30,
406: „Die Kupplerin heißt gewöhnlich zusammendeckerin und zusammentragerin
… Peters wip von Hochdorf spricht zů Annen Bürgis wip: 'Ir kinde sie ein kupp-
lerli vnd zesamenttragerli.'" Vgl. den Ausdruck 3543, ferner zeman schiben Netz
10325 u. 12237, zemen bringen 10430. — A. Birlinger berichtet (Volkstümliches aus
Schwaben II, 378) über Hochzeitssitten zu Tuttlingen: „Die Bewerbung um die Braut
geschah regelmäßig durch sogen. Kuppelweiber, die diesem Geschäftszweige gewerbs-

mäßig oblagen. War ihr Geschäft von Erfolg gekrönt, so fehlte ihnen der sogen. Kuppel-
batzen niemals, dessen Größe sich nach den Vermögensverhältnissen richtete." S. auch
zu 2565.

1720. der rainen wie 1744 u. 1834 in der Minnelehre.

1722 ff. Ähnlich streicht z. B. in des Teufels Netz 10391 ff. die alte Kupplerin
gegenüber der Jungen, die sie zu Falle bringen will, den Verführer heraus, in dessen
Sold sie steht. — Got grüess dich: vgl. 2582, in der Einleitung von Briefen 1860
u. 2085.

1725. ze diser frist wie 1842, 3781, 3930, 5892 u. 7360; in diser fr. 2173, ze
der fr. 2998 u. 7296. S. zu 4041.

1732. Zur Bildung diemuotchait s. 31, 3683 u. 4753.

1735. pei mir = per me: oft bei W. (s. 4483 u. 99, 4519, 39 u. 82, 4600, 16, 32,
48, 64, 80 u. 96, 4712 u. 28, 6921). Über dieses bî s. Mhd. Wb. 1, 113a 41 ff.,
BWb. 1, 224, SJb. 4, 905, 7c und DWb. 1, 1351, 9. Auffallend häufig ist es in
Ulrichs Frauendienst (18, 5, 32, 3, 54, 25, 112, 32, 116, 18, 122, 5, 125, 9 usw.);
s. ferner Stricker (Hahn) 3, 49, Eraclius 3637, Minnelehre (Pfeiffer) 1317, 1563
u. 74, Dietr. Flucht 4038, Kaufringer 7, 321, Keller, Fastnsp. (Nachlese) 197, 20.
Auch Orendel 1007 ist bî einem engel (D) keineswegs „unpassend", wie A. E. Berger
glaubt.

1738. günnist: s. Keller, Vorrede X u. 1816 u. 4968. Vgl. Boncompagno, Rota
Veneris (Baethgen), S. 16 magnitudinem ... et curialitatem vestram suppliciter
exoro ... quod me instruere dignemini, quo tempore vobis mei cordis secreta
valeam aperire.

1741. seines dem folg. selbers angeglichen: s. Weinhold, Mhd. Gr.² § 475, vielleicht
erst vom Schreiber. S. zu 192.

1742 f. Im Ausdruck vgl. 1895.

1745. behagt bessert schon Bleisch, S. 59.

1747. der übel gaist wie 7513: ebenso GA. Nr. 78, 16 u. Nr. 84, 284.

1748. heubscherin wie 2596 (von der alten Kupplerin).

1749. an dem sin „in deiner Sinnesart": vgl. in dem sin 6851, 7563 u. 7880
(„in der Absicht"), 9042 („innerlich").

1752. Oder usw.- setzt den Bedingungssatz von 1744 fort; andrer red wäre partitiv
zu verstehn wie z. B. 1766 unten. Anders lautet die Phrase 3281.

1757. Der Ausdruck hofelied (s. Ausg. S. 333) ist selten bezeugt: s. Uhland, Volkslieder, 5. Buch, Nr. 298 (das Moringerlied), Str. 28 und das Zitat in der Zimmerischen
Chronik (Barack) 1, 289, 30, Keller, Fastnsp., S. 1409 (aus Cgm. 439) und BWb. 1,
609 unter Tenor (aus Cgm. 379). Von „parodistischer Behandlung" (Bleisch, S. 21)
ist in dem Minneliede so wenig zu merken wie in der ganzen Minnelehre. Der Bau ist
künstlich: das Reimpaar des Eingangs kehrt zweimal wieder, wobei das zweitemal

Z. 1 u. 2 wörtlich wiederholt und von einem neuen Reimpaar (wan : abelan) umschlossen sind. S. Singer, Die mittelalt. Lit. d. deutsch. Schweiz, S. 128 erblickt in
dem Liedchen das erste Rondeau der deutschen Literatur. S. jetzt Jacques Handschin,
Festschrift Karl Nef zum 60. Geburtstag 1933, SAbdr., S. 14 f., Anm. 21.

1759 u. 64. han verguot wie 3480 u. 3887, für übel han (haben) 2976 u. 3181.
Diese verguot, verübel halten, han, nemen sind stehende Wendungen in den von
Keller herausgegebenen Fastnachtspielen sowie in O. Zingerles Sterzinger Spielen.

1760. morn (Adv.) wie 9684: beide Stellen sprichwörtlicher Natur. Das Subst.
morgen erscheint im Reime 2204, 3128, 4766 u. 7087. S. DWb. 6, 2588, 3 und
Heusler, Alem. Konf. i. d. Ma. von Baselstadt, S. 68: mǭrn = „cras", Subst.
mǫχkə. morne (: zorne) Flore 4727 und in einer Plusstr. von C Neidh., S. 121,
morn (: überfrorn) Heinz. v. Konst., Ritter u. Pfaffe 58. Die Kurzform ist aber
nicht nur alemann. (E. Sommer, Flore p. XXXIII): f. Beitr. 47, 91 f.

1762. Typisch: f. Suchenwirt 26, 57 so daz ich harr auf liben wan, O. v. Wolkenstein 31, 18 und harr auff gueten wan, ganz ähnlich Hätzl. 2, Nr. 58 (Der Minne
Regel), 109.

1765. Gleichlautend Meister Altswert, Der Kittel 12, 18, ähnlich Frauenlist, GA.
Nr. 26, 368, Uhland, Volkslieder Nr. 331 (Schlußzeile wie im R.) u. 345, Str. 7;
Phrasen mit abelan auch Busant, GA. Nr. 16, 1071 f., H. v. Montfort 10, 9 u. 27,
11, 3, 17, 46, 28, 222 u. 476, Ammenhausen 125, Netz 6537, O. v. Wolkenstein 73, 3,
Sterz. Sp. 7, 182 u. 255, 14, 435. Im R. vgl. auch 1282 u. 6254.

1770. du ergänzt schon Bleisch, S. 59. gewert drängt sich auf nach Stellen wie 1837
u. bes. 2544; W. gebraucht es auch 2252, 2317 u. 85, 7017. Aber für die La. der Hf.
spricht der sonstige Gebrauch von êren in diesem Sinne: f. Lanz. 1766 geêre mich, des
ich dich bite, Konr. v. Helmsdorf, Spiegel des menschl. Heiles 363 gar bald er des
geeret ward von got: vgl. 3549, 3552 u. 3597, Boner, Edelstein (Pfeiffer) LX, 25 ff.
wie vil er doch mit vlîze bat ... des êret in (den Bauch) noch vuoz noch hant
u. XCV, 42 der bette nicht entêre mich! H. v. Bühel, Königstochter 4687 es muoß
ein grosse sach sein, das ich üch ungeeret ließ; êren = „beschenken" (DWb. 3, 58, 7)
auch Enenkels Weltbuch, Ga. 2. Bd., 3, 596, 58.

1771 ff. Im Gedanken vgl. Mhd. Minnereden I (K. Matthaei) 14, 122 ff. so gloub
ich, das kainer frowen müt, ir hertz noch sin so hert müge sin, sy precht ainer
in der mynne pin. Zum Bau von 1771 vgl. 4626 und die Anm. zu 13.

1777. Über adj. neid in prädikativem Gebrauch f. DWb. 7, 554, 7, zu 6827 und
Ausg. S. 339 zu 9625.

1780. Ähnlich 3530 u. 5298, noch voller 1879; f. auch 3532. „Glück und Heil" ist
eine feste Verbindung in solchen Segenswünschen (bef. an Neuvermählte): vgl. den
schweiz. Spruch (Kirchhofer, Wahrh. u. Dicht., S. 199) „Glück und Heil und übers
Jahr ein Wiegenseil!" Spärliche Nachweise DWb. 4, 2, 818a. Mit got geb wie hier

begegnet die Formel z. B. im Cod. Pal. Vind. Suppl. 3344, 102 b a, Str. 8, Lieders. 2,
124, 421, H. v. Sachsenh., Gold. Temp. 1229, in Kellers Fastnsp. 163, 13, 399, 16,
411, 29, 878, 20, 883, 20 f., 890, 20, vgl. auch 114, 6, Uhland, Volkslieder 2, 79 B,
Str. 7, 3, 184, Str. 8, 4, 239, Str. 5, L. Tobler, Schweiz. Volkslieder 2, Nr. II, 19,
got bescher usw. ebb. 2, 123 A, Str. 15, mit wünschen Lichtenstein, Frauendienst 51,
27, Laurin K II, 995, O. v. Wolkenstein 3, 1, Mhd. Minnereden I (Matthaei),
Nr. 12, 663, H. v. Sachsenh., Mohrin 5603, Sterz. Sp. 11, 908, 15, 359, Hätzl. 1,
Nr. 36, 67 f., 2, Nr. 6, 257, Nr. 37, 28 f., Nr. 39, 2 ff., Nr. 40, 4 f., Nr. 72, 30,
Uhland, Volkslieder I, 14 C, Str. 2, II, 116, Str. 11, III, 136, Str. 9, 165, Str. 9,
IV, 233, Str. 7, H. Sachs, Fastnsp. (Goetze) 5, 479, in anderen Wunschsätzen Kellers
Fastnsp. 884, 7, 885, 14, 890, 8, Nachlese 77, 5, 80, 8, 82, 32, Sterz. Sp. 1, 547 f.,
8, 718 f., H. Sachs, Fastnsp. (Goetze) 9, 13. Aber auch außerhalb solcher Segenswünsche
bleibt die Formel glück und heil lebendig bis auf unsere Zeit.

1782. sprechen bessert schon Keller, Vorrede X: die Vorlage hatte vielleicht
sp^echen = sp(re)chen. S. Schatz, Ahd. Gr. § 446. Ein zweifelhaftes Zeugnis für
spiechen „schmeicheln" im SJd. 10, 43.

1783. Höchster hord wie 2533 (vgl. 1826; anders 1970) ist ein Ausdruck der
Liebeslyrik (f. Ernst Meyer, Die gereimten Liebesbriefe des deutsch. Mittelalters,
S. 101): Liebesbriefe der Dresd. Hf. M 68, Nr. II, 1 usw., Straßburg. Liederbuch aus
1592 (Alem. 1, 15) Nr. IX, Str. 2 u. 7, Hugo v. Montf. (Wackernell) 1, 90, 34, 30,
36, 3 u. 28, O. v. Wolkenst. (Schatz) 7, 49, 14, 17, 16, 13, 38, 19, 69, 18, vgl. auch
10, 28, 13, 1, 71, 17 u. 29, 73, 6, 76, 10, Mondsee-Wiener Liederhf. (Mayer u. Rietsch)
Nr. 17, 1 (öfter mein liebster hort u. ä.), Uhland, Volkslieder 2, 122, Str. 24, 3,
187, Str. 2, Mhd. Minnereden I (K. Matthaei) Nr. 12, 640, 14, 185, vgl. auch 4,
23 u. 107, 8, 41 und das Liederbuch der Hätzl. mit einer Menge von Stellen wie 1,
Nr. 9, 33, Nr. 11, 159, Nr. 18, 48 u. 71, Nr. 23, 75, Nr. 49, 12, Nr. 66, 24,
Nr. 72, 17 usw. Mein höchster hort als Anrede an die geliebte Frau oder den geliebten
Mann begegnet aber auch in der epischen und dramatischen Dichtung: f. Mhd. Wb. 1,
717 b 15 ff. u. DWb. 4, 2, 1835, 2, ferner etwa Vintler 4978, Ackermann, Kap. 9,
Kellers Fastnsp. 129, 13, Sterz. Sp. 15, 710 u. 751, 17, 210 u. 638 usw. – Zu
maigen zier vgl. 1884.

1784. mich gehört zu begnad — vgl. 2271 (u. 1890, wo das gnaden der Hf. nicht
ausreicht) — und zum folg. zferhörren. S. zu 804. – der gnaden vol: anklingend
an das Ave Maria.

1787. daz ist der sin wie 8320 („so ist es in der Ordnung") und

1789. daz ist der sitt wie 5026, 5398 u. 9440 (vgl. auch 8670 u. 9033), beide
Formeln stets im Reime.

1791. mein paradeis (vgl. 1886): wohl aus der Marienlyrik. S. Anselm Salzer,

Sinnbild. u. Beiworte Mariens, S. 6 f. (Eine ähnlich überschwengliche Werberede im Gr. Neidh.-Spiel: Keller 406, 9 ff.

1808. wie guot, wie guot: f. 946.

1809 f. Singer verweist auf Wolframs Parz. 148, 26 f. got was an einer süezen zuht, do'r Parzivâlen worhte.

1812 f. S. den md. Liebesbrief ZfdPh. 6, 443, 27 ff. du bist wedir czu groß noch czu kleyne ... du bist czu rechter maß gemessen, du bist wedir czu korcz nach czu lang, Hätzl. 2, Nr. 57, 158 die rechten maß an kürtz, an leng, Staufenberg 133 ff. er were in rehter maze, ze kleine noch ze groze, weder ze kurz noch ze lanc, Kellers Fastnsp. 265, 29 f. ein weibes pild nit gar zu groß, mit leng und kurz in rechter moß, Stretlinger Chronik (J. Baechtold), S. 3 von sinem wesen sines libes was er in rechter lenge, nit ze kurz und ouch nit ze lang. Subst. genge bezeugt Lexer nur aus Mart. 199, 57 (in vollekomener genge vnd in der selbin lenge).

1814 f. Zum Bau f. Beitr. 26, 492 ff. Der Vergleich mit dem Rubin ist Gemeingut der mhd. Dichtung: f. Schultz, Höf. Leb.² 1, 215, Anm. 1, A. Köhn, Das weibl. Schönheitsideal in der ritterl. Dichtung, S. 100, Anm. 4 und z. B. Hero, GA. Nr. 15, 60 ff. reht als ein liehter rubîn stuont ir rôsevarwer munt, als er mit viure wær' erzunt, Hätzl. 1, Nr. 28 (Jörg Schilher), 74 u. Nr. 59, 3 ir mündlin rot als ain rubein, H. v. Montfort 5, 40 f. ir mündli ... in rechter rubins röti flukht, Meister Altswert, Der Spiegel 122, 19 ir mündlin bran als ein rubin und Keller, Fastnsp. 409, 16 got grüß euren rubeinroten mund. S. auch DWb. 8, 1338, 2.

1815 f. Vgl. GA. Nr. 20, 46 wie sælik, dem si ir küssen bôt!

1820. der listen vol: vgl. 1968. — Zum Gedanken im folg. vgl. Ovid, Ars amatoria 1, 483 ff. Forsitan et primo veniet tibi littera tristis quaeque roget, ne se sollicitare velis; quod rogat illa timet, quod non rogat, optat, ut instes. Boncompagno, Rota Veneris (Baethgen), S. 14: Preterea sciendum est, quod unaqueque mulier ... negat in primis, quod facere peroptat, unde ... intelligas ipsam concedere velle, licet hoc deneget verbis; ferner Freidank 100, 24 f. und Mhd. Minnereden I (Matthaei) Nr. 14, 165 ff. wann kaine als bald gern verjehen tût, ob halt ir lieplich mût und ir hertz zů ainem ist genaigt. S. Seiler, Deutsch. Lehnsprichw. 1, 270 f. Vgl. auch Jwein 1867 ff. doch tete sî, sam diu wîp tuont: sî widerredent durch ir muot, daz sî doch ofte dunket guot. Nachtrag Singers: fraw sol versagen, man sol pitten ZfdPh. 31, 536, Z. 6 (von Panzer mißverstanden); ius est, ut faveat mulier formosa petenti, sed si voce negat, vox est contraria menti bei J. Werner, Latein. Sprichw. d. Ma.s, S. 44, 153.

1825. leisleich: im R. vereinzelt, sonst unbezeugt. Singer vermerkt: Die Lilie (D. Texte d. Ma.s, Bd. XV, Paul Wüst) 38, 15 u. Brun von Schonebeck (Bibl. d. Stuttg. lit. Ver.s, Bd. CXCVIII, Arwed Fischer) 602 (lislichen).

1827 ff. Vgl. Rota Veneris a. a. O.: Vestrarum litterarum significatum animam pariter et corpus letificavit.

1831. Im Ausdruck vgl. 6896.

1832. es ist zeit wie 7101, 8848, 9007 u. 9158 (des ist zeit 8652), stets im Reime; es was nicht zeit 5882, 6245, vgl. auch 3571, 6187 u. 8685.

1836 f. Das Zeilenpaar ist dichterisches Gemeingut: f. L. Wirth, Ofter- u. Paffions-spiele, S. 83 f. Die typische Form z. B. Heidin, GA. Nr. 18, 461 f. sô wirt er an mir gewert alles, des sîn herze gert: ähnlich GA. Nr. 35, 621 f., Konr. v. Helmsdorf, Spiegel des menschlichen Heiles 3303 f., 3601 f. und 4663 f. (f. auch 3615 f.), Boner LXXXVIII, 15 f. u. 21 f., Hätzl. 2, 2, 49 f. u. 5, 193 f., Mondsee-Wiener Liederhf. (Mayer u. Rietsch) Nr. 86, 4 f., Beheim, Buch v. d. Wienern (Karajan) 148, 12 f., Kummer, Erlauer Spiele, S. 109, 426 f. und Rosenblüts Klopfan in Uhlands Volkslieder-Abhdlg., S. 205.

1838. Volksübliche Redensart, die 7045 durch eine ähnliche beziehungsvoll auf-gegriffen wird: Bertschi folgt dem Rate des Schreibers (7043) wie Mätzli dem des Arztes (7049). Wendungen ähnlicher Art f. in Wolframs Parz. 203, 9 f., bei Neidh. 18, 3 (f. meine Anm. z. St.) und in Ulrichs Trist. 515, 6 f.

1841. Gleichlautend 4099, ohne vil 2456 u. 8260, mit ir 7505; hier und 8260 beschwörend, zur Abwehr wie etwa Laurin 1270 (f. J. Grimm, ZffdA. 2, 1 f. und Mar-tin zu Kudrun 1225), an den anderen Stellen = „auf daß" usw.

1850. vindent einen fund wie 1896 f.: eine im Mhd. beliebte Fügung. Einige Belege bieten die Wbb. (f. auch DWb. 4, 1, 1, 529, 2 a u. 531 c); f. ferner Marner (Strauch) XIV, 286, Ulr. v. Türheim, Tristan 521, 20, Ammenhausen 1101, 1396, 1754, 3320, 7543 u. 7655, H. v. Bühel, Königstochter 2890 u. 2977, Christ. u. d. minn. Seele 668 u. 1135, Netz 8600.

1853. daz sei geschehen wiederholt 2067, 2654 u. 3506. Dieselbe Zeile wie hier Apollonius (Singer) 2691.

1855. sag auf: noch deutlicher im Sinne von recitare 3816 (vgl. tichter 1876); unsere Wbb. verzeichnen diese Bedeutung nicht. Im Wortlaut vgl. 3053.

1858. Nach dem, und … wie 5313, 5654, 7363 u. 7574. S. Mhd. Gr. von H. Paul, 12. Aufl. von E. Gierach, § 344, Anm. 4.

1859. W. liebt diese zeilenfüllende inquit-Formel: f. 2037, 2723, 3786, 3817, 6998, 7771 u. 8106, vgl. 2081, 2314 u. 6933; mit sait f. 2687, 5928 u. 6911, mit sanch 1293. Auf zwei (u. mehr) Zeilen verteilt steht sie 712 f., 783 f., 3836 f., 7166 f., 7402 ff. u. 9450 f., mit saget 798 f., ohne und 1125 f., 2732 ff., 6005 f. u. 6813 f.; vgl. auch 955 f. u. 6328 f. und die Anm. zu 359. Sie ist auch sonst geläufig: f. z. B. H. v. Bühel, Königstochter 191 der küng huob an und sprach u. ä.

1860 ff. Zu den vier Liebesbriefen im R., die in der neueren Literatur über die deut-schen Liebesbriefgedichte des Mittelalters unbeachtet blieben, f. G. Ehrismann in der

3ff. deutſch. Wortforſchg. 5, 203 f. Das Gegenſtück zu Bertſchis Diktat, das ſeinem un-
geſchlachten Weſen entſpricht (1858), bildet das noch derbere Mäßlis 2085 ff. In beiden
folgt auf das Got grüess dich! des Eingangs eine Liebesbeteuerung (1861 ff. u.
2086 ff.), auf dieſe aber kurz und bündig die Werbung, bzw. die Zuſage. Hiebei mutet
2091 ff. wie eine Antwort auf 1863 an. Ein Segenswunſch ſchließt 1873 wie 2095 f.
die Epiſtel ab. Beide Bauernbriefe werden erſetzt durch ziervolle Ergüſſe höheren Stils
aus der Feder der Dorfintelligenzen. H. v. Montfort (Wackernell) rät der Geliebten
III, 69 ff. du la dir nieman tichten, schrib us dins hertzen grund slechte wort mit
trüwen richten, die tuond mich sicher gsund, du fragist denn den schriber glich,
das er dir gebi rât. — Zum Eingang ſ. A. Ritter, Altſchwäb. Liebesbriefe, S. 103,
ferner H. v. Montf. III, 1 ff., den Liebesbrief Sterz. Sp. 7, 127 f. und den Minne-
gruß im Gr. Neidhartſp. bei Keller 409, 10 ff. — lindentolde als Koſewort (anders
8850) nur hier bezeugt; von den tolden der Linde ſpricht öfters der Natureingang-
Neidhartſcher Lieder. S. ZſfdA. 61, 153 (zu 38, 12).

1862 f. Ähnlich Wunderhorn, Abſchiedszeichen (Reclam, S. 262) Bei ihr, da wär'
ich gerne ... sie ist mein Morgensterne. Der Vergleich kommt aus der Marienlite-
ratur: ſ. A. Salzer, Sinnbilder und Beiworte Mariens, S. 23 u. 401. Zu 1862 vgl.
Keller, Erz. aus altd. Hſſ. 125, 16 du bist mein morgenstern, ähnlich Wunderhorn,
Ein hohes Lied (Reclam, S. 719), Schlußſtr. und Epiſtel (S. 328), Mhd. Minnereden I (K. Matthaei), 6, 273. S. auch den md. Liebesbrief ZſfdPh. 6, 444, 49,
Erlauer Sp. (Kummer) IV, 512, Sterz. Sp. 17, 162, die Bſpp. der mhd. Wbb.,
DWb. 6, 2582, 2 b und Anna Köhn, Das weibl. Schönheitsideal in der ritterl. Dich-
tung, S. 22, A. 4.

1872. Im Ausdruck vgl. die Stellen Mhd. Wb. 2, 2, 18a, 52 ff.

1875. Faſt ganz gleichlautend 3818. — lieber iſt Komparativ, nirgends im R. als
Anredeform verwendet.

1878 ff. G. Ehrismann a. a. O. 204 meint, der Eingang (salutatio) und der Schluß
(conclusio) ſei einem Liebesbrieffteller entnommen, die Mitte (narratio) in ſchablonen-
haftem Bureaukratenſtil abgefaßt und paragraphenmäßig diſponiert. Zum Eingang vgl.
etwa Minnelehre (Pfeiffer) 1061 ff. got ... gebe iu, vrouwe hêre, mit fröuden
sælde und êre und 1403 ff. got gebe dir fröude ân arbeit, got gebe dir liebe ân
herzeleit! heil und nâch dem wunsche ein leben geruoch dir got ân ende geben,
zum Schluß 1904 ff. etwa aus dem Liebesbrief in den Mhd. Minnereden I (K. Matthaei), Nr. 12, 630 ff. und wyß, ee ich dich welt begeben, das ich an dir welt
wencken ... e wölt ich nünstund sterben, an lib und gût verderben wölt ich ee
uff ainen tag und 649 ff. wann sölt ich oder müst ich din enbern, so wyß, das ich
uff diser erd ainen tag ungern welt leben.

1882. sendecleichen (im R. vereinzelt) iſt bei Lexer nur einmal belegt, sendec unbezeugt (doch ſ. sendecheit bei Lexer). Über sendiglich bei H. Sachs ſ. DWb. ſ. v.

1884. maigenplüet nennt auch H. v. Montfort die Geliebte 35, 27. S. Anna Köhn, a. a. O. S. 26, Anm. 1.

1885. Zum Gebrauch von tugend und güet in der Anrede an die Geliebte vgl. ewer tugend 3929, euwer wirdü 4853 und ire huld 7763.

1886. meins hertzen paradeis: ebenso Minnelehre (Pfeiffer) 1783, Lieders. 2, 122, 147, in der Liebesepistel Bragur 1, 283, in der bei Fr. K. Frh. v. Erlach, Die Volkslieder der Deutschen 3, 40 ff. und Weimarer Jahrb. 2 (1855), S. 240.

1890. zbegnaden: s. zu 1784.

1892 ff. Jeder der drei erflehten Gaben widmet der Dichter vier Zeilen.

1898 f. Im Ausdruck vgl. 7000 f.

1899. sunder taugen wie 4722 „besonders geheim". Dieses sunder erscheint im R. öfters vor wol (2528, 3751, 3855, 4244 u. 84, 4501, 4833, 6075 u. 8300), ferner vor fro (5223) und chluog (7696). Vgl. sunderleichen wol 4840 u. 7927.

1902 f. R. Banz vergleicht Christus und die minnende Seele 1698 f. Min lieb (= Christus) wil han ain raines hertz allain und mit nieman han gemain: also eine dem Sinne nach weit abweichende Stelle.

1906 ff. Der Schluß des eigentlichen Briefes ist durch Dreireim ausgezeichnet (beachte auch 1904 u. 5, da W. d : b bindet): solche erlaubt sich der Dichter sonst nur im dritten Teil seines Werkes: nämlich 7128−30, 7205−07, dann dreimal im Städtekatalog: 7612−14, 7615−17 u. 7622−24 und endlich 8949−51, 9368−70 u. 9629−31.

1909 ff. Eine sehr künstlich gebaute Segensformel mit fallendem Rhythmus, Binnenreim in Z. 1 u. 3 und mit Anklängen von Wort zu Wort zwischen den Reimzeilen: Euch (Ewer) geseg (phleg) in steg und weg (in leb und sweb) Jesus (Venus) in seinr güeti (in irm gmüeti)! — geseg 3. Sing. des Konj. Präs. (f. Ausg. S. 333) − dagegen segen 8139 und Part. gesegnet im Ave Maria, S. 139 (zweimal) − wie Inf. gesegen Heidin, GA. Nr. 18, 1242 (: wegen DPlur.) und Zarncke zu Brants Narrensch., Vorrede 97 und Kap. 16, Z. 112 in N (: pflegen); ebenso ist zu lesen Heselloher (A. Hartmann) 1, 76, wie die Reime lehren. S. auch DWb. 10, 1, 118 u. die Anmerkungen zu 1453, 2157 und Ausg. S. 338 zu 8797. − Parallel zu der verbreiteten Formel in steg und weg = „überall" (f. bes. DWb. 10, 2, 1381, 5) bildet der Dichter in leb und sweb = „bei jeder Gelegenheit" im Hinblick auf verbale Verbindungen dieser Art: f. Wunderhorn, Husarenbraut (Reclam, S. 128) Ein Bräutlein, ... das lebet und schwebet ins weite Feld, Die schlechte Liebste (S. 259) den lebenden, schwebenden Luftgarten und Maria, Gnadenmutter zu Freiberg (S. 416) Alles was lebet, alles was schwebet. − Der Reim güeti : gmüeti (vgl. 3954 f.) auch bei H. v. Montf. 24, 138 u. 40 (Wackernell z. St.). − Das die Segensformel am Briefende umrahmende Reimpaar Da mit : Und anders nit bedeutet wohl nur einen Schreiberschnörkel für das Auge des Lesers.

1119 ff. Die Geleitworte des Schreibers, die die Eingeschlossene auf die kommende Liebesbotschaft vorbereiten, entpuppen sich als alte Floskeln poetischer Liebesbriefe: s. Uhland, Volkslied., Anm. 3, 374: Vil lieber prief, nu var mit hail! Du gewinnest aller sälden tail ... Dich siecht mein frau selber an ... si pewt nach dir ir weize hend (: send) usw., ein Liebesbrief aus dem 14. Jhdt. auf einem Pergamentstreifen (Abhdlg. S. 211), Nun fahr' du hin, mein Briefelein, wohl zu dem Allerliebsten mein ... eil' dich geschwind und bis behend! Dich empfangen schöne, weiße Händ' usw. in einer handschr. schlesisch. Liedersammlung mit der Jahreszahl 1603 (Fr. K. Frh. v. Erlach, Die Volkslieder der Deutschen 3, 40 ff.) und Weimarer Jahrbuch 2 (1855), S. 242 Nun, Briefelein, eile dich geschwind und sei behende, laß dich empfangen schneeweiße Hände usw. und ganz ähnlich S. 356 im Buhlenbrief der Ars amandi Pauls von der Aelst 1602. Aristoteles begleitet das Abgehen des Boten mit seinem Liebesbriefchen durch die Worte Var hin, prieff, vil palde ... piß ain pott pehende, volpring, darumb ich dich sende Sterz. Sp. VII, 41 ff. und brieff, nun far hin pehende vnd antburt dich in ir schnebeisse hende 91 f. Ähnlich schon U. v. Lichtenst., Frauendienst 44, 17 ff. dîns gelückes walde got, vil kleinez puoch, getriuwer bot, daz du sæliclîch gevarst und 50, 12 ff. zehant als du kumst aldar und daz ir wîze hande clâr dich beginnet wenden usw. Gemeingut ist bes. die Formel var hin, brief u. ä.: s. Laßberg, Liedersaal Nr. 22 (1. Bd., S. 109), Mattseer Liebesbriefe (ZfdA. 36, 360) Nr. II, 13 ff., vgl. (ebd. 358) Nr. I, 1 ff., Kuppitschs Hf. Bl. 52a (s. Uhland a. a. O.), den Anfang des md. Liebesbriefs ZfdPh. 6, 443 ff., des niederrhein. aus dem 15. Jhdt. in den Beitr. z. Kunde Preußens V, 182 ff., Brief Nr. III der Dresd. Hf. M 68, Z. 29 ff. und Nr. V, 30 ff., Liebesbr. aus 1463 im Morgenbl. 1819, S. 239 und Weimar. Jahrbuch 2 (1855), S. 238 (aus einer Pap.-Hf. Anf. d. 16. Jhdt.s) und 242, ferner S. 356 in dem ob. zit. Buhlenbrief. S. Ritter, Altschwäb. Liebesbriefe, S. 92, 103 u. 117 f. und Ernst Meyer, Die gereimten Liebesbriefe des deutsch. Mittelalters, S. 49, 66 f. u. 70.

1920. armen: sw. NPl. auch 3669, APl. 6391. Anders zu beurteilen ist der GPl. 1927.

1925. es: mit Rücksicht auf 1923; s. 1926, 28 u. 29. Der Schreiber wurde durch 1913 u. 21 beirrt. Umgekehrt steht nach 1931 der brief irrig 1933 in der Hf. es. Auf eine gewisse Zerstreutheit des Schreibers in diesem Teile deutet auch ym 1936.

1926 ff. Ironisch wird der Wortlaut der Geleitformel 1920 ff. (hende, armen süess und enphaend) aufgegriffen. Das Reimpaar armen : erwarmen erweist als typisch Gusinde, Neidh. m. d. Veilch., S. 84 (zum Gr. Neidh.-Sp. 405, 19 f.).

1932. sein gsell da pei: der Stein (1917).

1937 f. Vgl. Orendel (A. E. Berger) 1327 f. daz er dô muost fallen mit helfant und mit allem und Keller, Erz. aus altd. Hff. 20, 9 Adam ... ist zu uns (den Teufeln) gevallen mit weib und mit alle.

1941. daz streken: der Ohnmachtsanfall. Vgl. die Phrafen 561 u. 7528.

1948. in dem kropf: f. zu 383.

1951. Hie mit und wie 7929, vgl. da mit und 3048 u. 6199. S. zu 1858.

1952. Im Zorn: f. 6018.

1955. „Sich zu Tode grämen": f. GA. Nr. 55, 870 vor zorne er sich selber az und Brant, Narrenfch. 6, 60 ff. dann wirt des vatters leidt gemert vnd frist sich selbst, das er on nutz erzogen hat ein wintterbutz, H. Sachs, Faftnfp. (Goetze) Nr. 58, 318 das ich... mich nit haimlich darumb fres. S. Zarncke z. St., Lexer 3, 108 u. DWb. 4, 1, 1, 137, 11.

1956 f. gschrift = lesen und... schriben 1961, ebenfo 5103. S. ZffdA. 64, 158 u. z. B. GA. Nr. 6, 149 wem ist diu schrift bekant = „wer lefen und fchreiben fann". Mäßlis bewegliche Klage, nicht lefen und fchreiben gelernt zu haben — auch Bertfchi fann beides nicht (f. 1643 ff. u. 2616) — bedeutet eine Mahnung an den Lefer in demfelben Sinne wie z. B. Renner 16048 ff. schuolbuoch der nu nieman gert, wârn hie vor liep unde wert bî mînen zîten in sehzic jâren, dô die l'ute einveltic wâren und Staufenberg 26 ff. swer sich in siner jugent versumet, daz er nüt enlert, ach got, wie schämelich verzert der mensche sine kintheit ufw. Vgl. auch Ritterfpiegel 2581 ff. Tulius... retit, man sulle gerne di kindir in der jogunt di buchir lazin lerne... daz werdit en sere nutze, wi wenig sin etsliche achtin, di sich mit tummen redin schutzin und kunnen den nutz nicht betrachtin und 2611 ff. waz man nicht lernit in der jogunt, ez komit darnach wol zu den stundin, wanne man ez gerne kunde, daz man sin danne muez enperin. Zum Ausbruch 1969 ff. vgl. den Preis der kunst der geschrifft in Albr.s v. Eyb Ehebüchlein (M. Herrmann) 69, 6 ff. und Boners Edelftein IV, 38 ff. wer kunst und wîsheit haben sol, sicher, der muoz erbeit hân... gewunnen kunst ist nicht ein troum.

1958. rüwenchleichen ift riuweclîchen, zu fcheiden von rüewechleichen 4348 u. 8012 (vgl. 6078 u. 8134).

1959. We mir heut den tag wie 6290; f. 2719. Zur Verbindung von heute mit tag f. Mhd. Wb. 3, 4b, 41 ff. und DWb. 4, 2, 1295 u. 97.

1962. jamere der Hf. ift nicht in iemer zu ändern: f. 2816 jamers we.

1968. Sprichwörtlich: wie Rollenhagen, Frofchm. 2, 2, 7, 110; vgl. Konr. v. Helms-dorf, Spiegel des menfchl. Heils 3318 die welt ist bosshait vol, Appenzeller Chron. 1511 f. die welt ist vast betrogen und het vil böser list und Brant, Narrenfch. 33, 78 die welt steckt voll beschyß vnd list. Vgl. ferner den Satz diu welt ist vol mit den Genitiven bôsheit Buch der Rügen 159 f., schalkeit Boner LII, 94, swacher funde Suchenwirt 23, 116, aller untriuwen Renner 24162, vntrew H. Sachs, Faftnfp. (Goetze) Nr. 61, 26, valschait Häßl. 1, Nr. 106, 85, falsch vnd vntruw Brant, Narrenfch. 33, 64, falsch vnd liegens 101, 34 ebd., falscher zungen Keller, Faftnfp. 882, 29.

1969. werdes: = werndes?

1971. Zur Anrede blüendeu frucht f. Gufinde, Neidh. m. b. Veilch., S. 86 (zu Keller, Faftnfp. 409, 8).

1973—76. Der Gegensatz gsait ... sneiden (= „ernten") nach sprichwörtl. Redens-arten wie im Spec. eccles. und in Grieshabers Pred. Mhd. Wb. 2, 2, 438a, 4 ff., ferner Konr. v. Helmsdorf, Spiegel des menschl. Heils 3649 Ich schnid, da ich nie gesat, Hätzl. 1, Nr. 103, 16 f. Was ich gesäet hab durch gewyn, das will ain ander schneiden; f. auch Rosenblüt, Die Wochen (Keller, Faftnfp., S. 1194) so seh (säen) wir gelück und schneiden seld und treschen heil auß auff erden feld. Nachträge Singers: Hätzl. 2, Nr. 43, 36 er schneidt, was er gesäet hatt, Martina Hugos v. Langenftein (A. v. Keller) 11, 1 da man snidit vnde mæiet, swaz man alhie ge-seiet (ähnl. 66 c 65 u. 214 d 95) und Seufe (Bihlmeyer) 421, 19.

1975. ietzo: 1151, 1979 u. 6750 ietz.

1976. Eindringliche Wiedergabe desselben Begriffs positiv und negativ liebt W.: Wendungen mit ane (wie hier) f. 2066, 2729 f., 4672 f., 4876, 6306 u. 8600 f., mit nicht 2378, 4683, 4807, 5055, 6453 u. 6769, mit noch 5056, ohne Negation 5073 f. S. zu 2391 f.

1977—80. S. Kato: doctrina est fructus dulcis radicis amarae und Seiler, Dtsch. Lehnsprichw. 1, 99 f. Zu 1979 f. vgl. im Ausdruck 4328 f.

1985. ez anlegen (vgl. ez ankeren 876) = „es anftellen" fehlt in den mhd. Wbb.n; f. DWb. 1, 399.

1987. an gevär „aufrichtig" (f. 1967 ff.) wie 7757 u. 9695 (nicht a. g. 2418 „nicht ohne böse Abficht, zufällig"), dagegen „zufällig" 5802. S. Ausg. S. 338 zu 8984. an alle geverde ift ftehende Formel der Urkundensprache.

1991. gatter im R. ft. Mask. (f. 3203 u. 5319), schweiz. Neutr. (f. SJb. 2, 503): das Gittertor des Speichers.

1992. toben: im R. nur hier; vgl. tobig 6913 und zu 2916.

1999 f. S. 3796 und zu 500. Mätzlis Plan wird in feinem Gedankengange auf-gerollt, die Ausführung in éinem Reimpaar (in der Form des Ausrufs) feftgeftellt. W. liebt diefe Technik der Erzählung, bemerkenswerte Vorgänge nicht epifch darzuftellen, fondern vorerft planmäßig durch die maßgebenden Perfonen in Form der Rede entwickeln zu laffen, den Vollzug aber mit einem einzigen formelhaften Reimpaar (f. zu 1486 f.) knapp abzutun; er will eben, wie ich ZfdA. 64, 148 f. fchon betonte, belehren, nicht er-zählen. S. 1482—85 u. 1486 f., 3555—92 u. 3595 f., 3787—95 u. 3796 f., befonders aber in den Schlußteilen 7111—21 u. 7122 f., 8803—06 u. 8807 f., 9428—36 u. 9441—45 (wo die Darftellung in launiger Weife aus befonderen Gründen abgelehnt wird), 9470—9532 u. 9535 f.: nach der Darlegung des Kriegsplanes der Niffinger wird in faft verblüffender Weife eine ganze Flucht bedeutungsvoller Ereigniffe des Ent-fcheidungskampfes kurzweg hinter die Szene gefchoben. Auch 8107—44 läßt W. in den

Vorschriften für das Verhalten des Heeres am Abend, in der Nacht und am Morgen seine Leser in die Zukunft blicken, erspart sich aber dann die einschlägigen Schilderungen. S. auch 7043 u. 49.

2001 ff. Die Szene erinnert an ähnliche des Fastnachtspiels: s. z. B. Sterz. Sp. 4, 173 ff.

2005 f. umbe daz, daz ... dester bas wie 4294 f., ähnlich 7350 f.; vgl. auch 2268 f. (und die Anm. z. St.), 6281 f., 6890 f. u. 8121 f. Das Zeilenpaar ist ganz ähnlich Lamprechts Alex. (Straßb.) 4012 f. daz teter alliz umbe daz, daz man wiste deste baz ...

2008. Dieselbe Phrase 3294 u. 6196, vgl. ferner 4730, 7638, 7818 u. 73 u. 8462.

2009. mit gantzem war: sonst nicht belegt.

2012. die tuon mir ... haiss: Jansen Enikel, Fürstenbuch (Strauch) 1949 er tet den priestern vil heiz. Zeugnisse für diese Phrase s. bes. bei F. Bech zu Jwein 7050 und bei Haupt zu Erek 4498. Vgl. 2124 und zu 474.

2014. Ähnlich Pass. 390, 25 diu sêle ouch im entgienc. S. zu 1218. Gewöhnlich diu sêle gât ûz: s. Salman und Morolf (Vogt) 777, Warnung 80, 94, 1620, 3094 u. 3314, Heidin, GA. Nr. 18, 629, Daz bloch, ebd. Nr. 32, 147, Stricker, Kl. Ged. (Hahn) 12, 690 u. 696, Renner 16964 u. 18594, Apollonius (Singer) 13826, Brant, Narrensch. 94, 10. Der Teichner erwähnt (Karajan, S. 124) A 150b: etelich meister tuont uns kunt, datz der nasen und datz dem mund sol diu sêle ir strâzen gân; er lehnt das ab: dâ von hât diu sêl kein tor, si gêt mit versparter tür in den menschen und hervür; H. Sachs, Fastnsp. (Goetze) Nr. 74, 131.

2015 f. Vgl. das Reimpaar 3591 f. und Gusinde, Neidh. m. d. Veilch., S. 147 (zum Gr. Neidh.-Sp. 464, 1 ff.). Der Arzt Chrippenchra (s. auch 2097 u. 2211) spielt nur in der Episode mit Mätzli eine Rolle. Die Gesundheitslehre 4198 ff. trägt der Apotheker Straub (4218 artzt genannt) vor.

2020. Die Synonyma steigern dersteken vorher.

2021. die chunst, d. h. seine ärztlichen Kenntnisse: s. 2026 u. 4212. Ebenso geschäftstüchtig hütet der Apotheker 4204 ff. seine Wissenschaft. — Im Ausdruck vgl. H. Sachs, Fastnsp. (Goetze) Nr. 72, 295 f. Mich dünckt ... ich wöll die künst im wol ablern und Wunderhorn, Maria auf der Reise, Schlußstr.: Mensch, unser Frauen die Kunst ablern (: gern)! Das Kompos. fehlt in den mhd. Wbb.n; zu den jüngeren Belegen des DWb.s vgl. Goethe, Egmont IV (Jub.-Ausg. 11, 309, 7 ff.) Dem edlen Pferde, das du reiten willst, mußt du seine Gedanken ablernen. Der Inf. lern : gern auch in Kellers Fastnsp. 431, 21 f.; s. Zwierzina, ZfdA. 44, 291.

2033. fraget (s. 2003 f.) paßt hier nur dem Sinne, nicht der Form nach.

2038. S. zu 857. Über das Ihrzen von Respektspersonen im R. s. Ehrismann, Zs. deutsche Wortforschg. 5, 203.

2041. Wie = „daß" wie 6741, 7143 (parallel mit daz 7141), 7755 u. 7948. iemant = „niemand" im abh. Satze wie 7203.

2042. sendes klagen: ähnlich 4067 u. 6717.

2045 f. S. zu 1054 ff. Der Sinn ist wohl: „Der Meister war überzeugt, was er täte (nicht, was sie sagte), werde er so vollführen (b. h. daß es verborgen bleibe)." Zu was sicher vgl. Heidin, GA. Nr. 18, 210 ff. sust sô wil ich sicher sîn, daz ez ûz mîn selbes munt nimmer wirt getân kunt, Wirg. 10, 9 des süllen wir wol sicher sîn, wir müezen durch sî lîden arbeit und 877, 11 des sulnt ir von mir sicher sîn, ich slahe iuch nider ûf daz lant. S. Fr. Vogt zu Salm. u. Mor., Einl. p. CXXXVIII. — laisten vom Halten eines Versprechens wie 4629, 5214, 8504, 11, 21 u. 23. — maister : laist er auch Hätzl. 2, Nr. 3, 181 f.

2055. durch den reichen got wie 1330 u. 2401 (vgl. 836).

2058. Wunsch wie 707.

2060. Sonst stets dar inn betont: f. 59, 166, 2057, 2280 u. 88, 2344 u. 2738 (späterhin meidet W. die Verbindung); lies also drinne (vgl. 5659)? Oder waz dar inn er vand?

2072. esseich wie 2194, essich 5522.

2074 ff. Gegen alle Schmerzen der offenen Wunde beim Gebrauche der ätzenden Mittel ist Mätzli durch die Liebe gefeit, ähnlich wie Bertschi 1248 ff. Vgl. H. Sachs, Fastnsp. (Goetze) 1, 223 Lieb machet sues die pittern gallen. — 2075—78 ist sprichwörtlich (roter Farbenstrich!) nach der Hl. Schrift: f. H. Sachs, Fastnsp. 5, 247 ff. von Huren sagt Salomon (Prov. 5, 3. 4), ir lefftz sey Hönig süß vnd gut, wird endtlich bitter wie Wermut vnd Straßburg. Liederb. 1592 (Alem. 1, 48) Merkt auf, ihr jungfrawen alle, ... lasst euch die liebe nicht gvallen: dann sie gar bitter ist. Ihr anfang ist wol süesse, das endt aber wol betracht! Wann man sich schyden müesse, als dann kompt jammer vnd klag; vgl. auch Albr. v. Eyb, Ehebüchlein (M. Herrmann) 11, 28 ff. Es sagt Plautus, das die lieb sey süß vnd saure, mit honig vnd mit gallen gemischt. In dem anfang vnd versuchen ist sie süße vnd in dem verdrissen vnd setigkeit sawr. Kürzer Gute Frau 1350 si (die Minne) einec ist betalle honec unde galle und Hero und Leander, GA. Nr. 15, 1 ff. Ach, min, dîn süezer anvank gît mangen bittern ûzgank usw. Über Honig und Galle als typische Gegensätze in Redensarten f. Zingerle, Sprichw. 71 f., W. Grimm zu Freid. 31, 1 und Bezzenberger zu Freid. 30, 25, Schönbach, Über Hartm. v. Aue, S. 136 f., DWb. 4, 1, 1, 1183, Galle 1b, Seiler, Deutsch. Lehnsprichw. 2, 75 f. usw.

2085 ff. Der Eingang sehr ähnlich dem des Liebesbriefs Sterz. Sp. 7, 127 ff. Got grueß dich, frau von hocher art, den mir khain frau nie lieber wardt, das sprich ich sicherleichn.

2086. lieber ist kaum gleichwertig hölder 1617, sondern Adv., werden mit Dativ wie etwa 6031 zu verstehen.

2094. S. zu 269. In Zingerles Sammlung (Bibl. Verstärkung der Negation im Mhd.: Wiener Sitzungsber. 1862, Bd. 39, 414) fehlt dieses huon; s. aber Haupt zu Helmbr. 1851, Lexer 1, 1391, Nachtr. 252 u. Ulr. v. b. Türl., Wh. 149, 31 u. 283, 29. **2095 f.** Vgl. im Liebesbrief Liederf. 1, 109 hie mit pfleg unser iemer me der wernde got an alles we. **2100.** Eine formelhafte Zeile: s. Reinhart 77, Laurin A 919, Rosengarten D XIX, 553, 4, Rittertreue, GA. Nr. 6, 494, Crescentia, ebd. Nr. 7, 870, Königin von Frankreich, ebd. Nr. 8, 88, Heidin, ebd. Nr. 18, 435, Der Ritter unterm Zuber, ebd. Nr. 41, 162, Reinfr. v. Braunschw. 8734, Apollonius (Singer) 16637, O. v. Wolkenst. 20, 33, Meister Altswert, Der Kittel 16, 11, Hätzl. 1, Nr. 105, 33, Keller, Erz. aus altd. Hsf. 533, 23 f. und Faftnsp. 517, 11, Kummer, Erlauer Sp., S. 53, 527 f., H. Sachs, Faftnsp. (Goetze) Nr. 42, 396 f. mich triegn denn all mein gesicht, so steht Heintz Düppel im Creutzgang, Lamprechts Alex. (Vor.) 911 mîn wân ne triege mich. **2101 ff.** Zarncke zu Narrensch. 13, 1 vermutet als Grundlage eine entsprechende Bibelstelle (beachte gschrift: zu 295 ff.); bisher wurde keine solche gefunden. S. Zingerle, Sprichw. 194, Singer, Alte schweiz. Sprichw. Nr. 68 und R. Koebner, Die Eheauffassung des ausgehenden deutsch. Mittelalters, Arch. f. Kulturgesch. 9, 298 f. Über ars als Sitz sinnlicher Lust s. 1547 und Zarncke a. a. O., W. Uhl zu Murner, Gäuchmatt 4821. Die Auslegung des Spruches ergibt sich aus 2105 f. u. 2110 ff. in umgekehrter Anordnung. – So vil, und wie 1527 So hart, und. **2106.** Singer a. a. O. Nr. 292 varium et mutabile semper est femina, Ekkehard IV., Casus S. Galli, cap. 120. Konrad v. Megenberg sagt im Buch der Natur, S. 52, 16 ff. wann in allen tiern daz maist tail habent diu weib ainen verworfenen muot von nâtûr, si habent auch mêr hinderlist wan die manne usw. **2107 f.** S. 2837 ff. Der Text der Hf. ist offenbar entstellt: S. Singer vermutete gesprächsweise treffend in vinden (aus vende) und roch die bekannten Schachfigurennamen; ist ein v. usw. scheint mir darnach eine sonst freilich unbezeugte Redensart des Sinnes „ist ein unausrottbares Übel". überwinden steht als entsprechender Ausdruck des Schachspiels bei Ammenhausen 18871. Da der Reim -ende : -inden im R. nicht seinesgleichen hat, ist aus dem Gesagten das Echte nicht herstellbar. Zu beachten ist, daß im hort der saelden (H. Adrian) – aus Baselland um 1300 – Reime begegnen wie ellende : dich underwende (Imperativ) 2244 f., underwende dich ir untz an din ende 7298 f. und so wolt der ellenden sich nieman underwenden 10379 f. – Berthold v. Regensburg meint im Gegensatz zu der hier ausgesponnenen Ansicht wir vinden ofte, daz die frouwen kiuscher sint danne die man (Pfeiffer 1, 324, 13). **2109 ff.** Ähnlich Ammenhausen 14262 ff. das untrüwe ist sô rehte breit und wârheit und trüwe sô smal, das sölten klagen überal alle, die wîse wæren, auch 11443 f. es hat gewert nu menge zît (vgl. es ist nicht new!), das wârheit smal ist und lüge wît. – we^rlten der Hf. (Plural?) ist vermutlich Fehler für weiben (2784 u. 3341),

da es sich um einen Ausfall gegen diese handelt. W.s Sprache eignet übrigens die
Form welt, wie der Reim 23, 1726, 2414, 2537, 3488, 4100, 7835 u. 9289 lehrt;
werlt steht nur im Anfang (1229 u. 1968) und ist hier wie 2497 durch Korrektur hergestellt.

2113 f. Formelhaft abbrechend wie 3501 f.; vgl. Apollonius (Singer) 13182 ff. Ich
enkan sein nicht auf meynen ait halbes geschreiben; da von will ich es lassen
peleyben und die zu 3483 f. zitierte Stelle aus Ammenhausen.

2115 f. artzet : fartzet: Schirokauer stellt Beitr. 47, 82 fest, daß arzât im Reim
bis ins 15. Jhdt. unangetastet bleibt.

2118. stumph: st. Dekl. (hier im Reime!) auch 2170, sw. aber 2136. Als Männername 7159.

2120. Im Ausdruck vgl. 3576 und Keller, Fastnsp. (Nachlese) 203, 27 unser ding
das soll noch werden guot; ferner dein d. 2706, sein d. 3259, mein d. 3526, ditz d.
1164, 2200, 2752, 3706, 8777 u. 9451, daz d. 3805, 5504, 6704 u. 59, 6997, 7325,
7533 u. 7812, ein d. 2665 u. 71, 2951, 4506 u. 7074, chain d. 1800, 2683, 2796
u. 3937. S. auch zu 1665.

2121. meinen willen tuon wie 2620, wird von M. (2135) nicht verstanden. S. aber
2093.

2123. herwen: von Personen auch 9293.

2124. Ebenso Wolfdietr. D 2018, 3 mit slegen machte er switzen vil der ritterschaft, Dresd. Hs. von Sibots Frauenzucht (GA. 1, 490) so machestu in vil dick
switzen (s. Jänicke zu Staufenberg 242) und noch im „Faust": Ihr habt mich weidlich
schwitzen machen (Weim. Ausg. 66, 1326).

2126. Die brief: den Bertschis und den Mätzlis, den er eben nach ihrem Diktat
geschrieben. Doch hat der Plur. brieve öfters auch Singular-Bedeutung. S. zu Ortnit
499, 1 (DHB. IV, 2, S. 259).

2128. Die heute noch lebendige Phrase (in den Wbb.n keine Nachweise) ist M. zu
hoch: daher ihre ablehnende Haltung.

2134. 2039 aufgreifend.

2135 f. willens: s. DWb. 14, 2, 138. — bkenn: vgl. 1169 u. 1351, später gemieden.

2138. macht es... wett (ähnlich 2842 u. 6753): die Phrase fehlt in den mhd.
Wbb.n; s. Netz 7747.

2139 f. Seine girrenden Worte begleitet er mit einer entsprechenden Demonstration,
die eine Antwort auf 2136 bedeutet. — Da, da, nüssli, da stellt schon Kummer (im Glos-
sar) zu Da, da, nüssel, mein herr slecht mein fraun an den drüssel in den Erlauer
Spielen und in Kellers Fastnsp. 511, 7 wird dasselbe Zeilenpaar eröffnet mit Heia,
hurta, nüssel (= in der Neidharthf. c Nr. XLIV, Mf. H. 3, 223 b 8). Eine Erklärung
des seltsamen Ausrufs vermag ich nicht zu geben. A. Goetze aber verweist im Litbl. f.
germ. u. rom. Phil. 1932, Sp. 297 zu nüssli = vulva auf H. Fischer, Schwäb.

Wb. 4, 2090 — f. auch SJb. 4, 827, 5 und DWb. 7, 1014, Singer, Neidhartſtudien, S. 15 — zu hägili = penis (ſ. Ausg. S. 333) auf SJb. 2, 1081, 4, m. E. mit Recht. — Zu 2141 f. vgl. 2136, bzw. 2119, zu 2143 f. vgl. 2135, bzw. 2121. — Sta, sta, ... sta: ſolche a-Formen des Zeitworts zeigt der Reim nur im Anfang des Gedichts: ſ. 190 u. 97, 369 u. 490.

2141 ff. Die folgende Verführungsſzene iſt durchſetzt mit parodiſtiſchen Anſpielungen auf den Beruf des Arztes: der Dichter ſpricht wie der Arzt ſelber (2141 u. 46) und Mätzli (2162) von wurtzen (2151 u. 63), die M. genießen muß (2146 u. 51); ſ. auch des smakes 2165 und der pfeffer 2167. M. ſelbſt redet von artzen 2157 und salben 2173 und erklärt ich pin ... ungenesen 2175, worauf er es ſatt hat, ſie gesunt zu machen 2178. Solche Bilder ſind auch ſonſt üblich (ſ. z. B. Netz 7754 ff. und büzt ir den herzritten uſw.), liegen aber in dieſem Falle beſonders nahe und ſtammen vielleicht aus ähnlichen Szenen des Faſtnachtſpiels; ſo rühmt ſich in Kellers Sammlung 751, 17 ff. ein Arzt: Welche frau ... begert, das sie da gern schwanger wer, der kan ich helfen ... Ich han ain wurz: wenn sie die neußt, davon ain kint in ir entspreußt. Die wurz ist ainer spanne lank. Viel reicher ausgeführt Sterz. Sp. 24, 649—74. Und ein Verführer verantwortet ſich bei Keller 24, 220, 22 ff. ſo: Sie klagt, ir tet gar we ein zan: ob ich ir mocht ein erznei geben? Ich dacht: ir ist ein pruchwurz eben. Die schlah ich ir pald in den munt, so wirt sie auf der fart gesunt. Hat sie dann seit geliden daran, so hat es ir doch sanft getan. — Über den Arzt als Verführer in der Literatur der Folgezeit ſ. Fränkel ADB. 43, 615.

2142. S. 2159 f.

2149. S. Neidh. XLV, 5 'nû her', sprach sî zehant.

2151 ff. S. zu 1622 f. und Keller, Erz. aus altd. Hſſ. 403, 10 ff. biß an ... die stund, daß ir der zwetzler wart kunt. Deß selben mals sie nit enpfant, ob sie fuß het oder hant, auch ebd. 3, 4 Welher die fraw an sach, ... wie gar der seiner sinne vergas und west nicht selber, wo er sas. — Vierreime wie hier ſind im R. nicht ſelten: ſ. 2499—502, 2511—14, 2551—54, 4108—11, 4442—45, 4530—33, 5639—42, 6121—24, 6672—75, 6712—15 u. 42—45, 7661—64, 8013—16, ferner 6079—86 gar : dar, vor : tor 2mal hintereinander, ähnlich 6848—55. S. Haupt zu Erek² 562 ff.

2155. fuder ziehen wie 4796.

2156 ff. Die maßlose Geilheit der Dirne und das mürriſche Verhalten ihres Lieb-habers, dem die Sache endlich zu toll wird, erinnern an ähnliche Szenen des Faſtnacht-ſpiels: ſ. Sterz. Sp. 1, 471 ff. Sy sprach: 'Steig her auf, du muest rueben graben!' Ich grueb ain guete lange weill. Do sprach sy stet: 'Eill, eill, eill, vnd ee das komen ander knaben, dy auch woltn rueben graben!' Do grueb ich an allen haß. Do sprach sy stacz: 'Pas, pas, pas!' Ich sprach: 'Pas hin, pas her! Ich mag auf mein aid nit mer.' Dieselbe Stelle bei Keller, Faſtnſp. (Nachlese) 261, 15 ff., ähnlich

Sterz. Sp. 8, 659 ff. S. auch Keller 652, 7 ff. und wais es wol ... das ir pei der alten mairin lagt, do sie sprach: 'Mer, lieber sun! Ich gib dir ain fuder ruben zu lon!'

2157. Artzet: f. DWb. 1, 576 und zu 1909.

2158. Ich derlaid es wie 7129. Unsere Wbb. kennen die verbreitete Wendung nicht; sie begegnet Mf. H. 3, 216a Str. 6 u. 9, Keller, Fastnsp. 245, 2, 246, 11, 400, 15 u. 746, 21 ff. (lies mags nit erleiden), Sterz. Sp. 18, 425.

2159 f. Mätzli macht es wie die junge Ehefrau Sterz. Sp. 2, 211 ff. es ist wol dar zuo kummen, das ich den esl pey den orn hab genommen. — viel wie 6477; f. DWb. 3, 1280a und z. B. Wilwolt von Schaumburg (A. v. Keller), S. 21 so in die Burgundischen in die spiess fielen, GA. Nr. 9, 431 ir vallent im in daz hår und Fischart, Ehezuchtbüchl. (Hauffen) 325, 30 Ich wolt jr inn die har sein gefallen. — an den stekken: f. Martin-Lienhart 2, 581a und Rosenblüt, Der varnde schuler bei Keller, Fastnsp. 1175, 37 er trug an im ein langen stecken, daran sach ich zwu schleudern hangen usw. — Zu sekken (hergestellt von Keller, Vorrede X) vgl. Keller, Fastnsp. 226, 9 so erhept er (der zagel) sich von sein secken und 243, 9 piß im erlam sein klotz und keil und im entschlaf auf seinen secken.

2164. Ähnlich Keller, Fastnsp. 400, 20 die mich minnen uberlank in dem stro und auf der pank; vgl. auch 250, 32 mein vater machet mich auf einer penk und Erz. aus altd. Hff. 478, 25 ff. Die erst sprach: 'Es ist umb mich also getan, das ich mein meitum verlorn han.' Die ander sprach: 'Geschae es auff hew oder auff stro?'

2167. Der pfeffer (= Pfefferbrühe) usw.: wohl eine Redensart. Singer denkt an Konr. v. Megenberg, Buch der Natur (Pfeiffer) 374, 2 ff., wonach der reht pfeffer, reichlich genossen, keusch, der lang pfeffer und der weiz aber unkeusch macht.

2174. Zum dritten mal (f. 1900): im Hinblick auf den Spruch: Omne trinum perfectum. S. Wander 1, 605, 45, bei H. Sachs z. B. in der Form aller guten ding solln drey sein (X, 7, 3). Auch in der Sperber-Novelle GA. Nr. 22 besteht die Heldin nachdrücklich darauf, daß ihr der Ritter die dritten minne gebe; f. ferner GA. Nr. 57, 244 f.

2176. Wet der tiefel (f. Ausg. S. 333): sonst mit folgendem Fragesatz: was ist das? 2680, wer ist der usw. 8871, Rosengarten (Holz) D III, 122, 4 wot der übel tiuvel, waz sol der münech in ditze lant? (S. Laa.), Morgant der Riese (Bachmann) 197, 33 Wetten tüffel! Waz thuot Machmet, der er mich läßt ab minem pfert fallen? (S. Nachträge, S. 423), Fischart, Garg. (Alsleben), S. 355 Wet den Teuffel, ... was wollen wir darnach thun? und S. 405 Wat den Teuffel mit ähnlicher Frage. Somit wird auch mag ditz wesen? vorzuziehen sein. Weitere Nachweise bei K. v. Bahder, Einl. zum Lalebuch, S. XVII, worauf mich M. H. Jellinek ebenso aufmerksam machte wie auf P. Puntscharts Artikel in der Festschrift zu Ehren Emils von Ottenthal, S. 170 ff., der wettu Hildebrandslied 30 als Inftr. von wetti = „Pfand" deutet. Späterhin wurde dieses wett, wie v. Bahder Anm. 1 sagt, wohl schon als Interjektion gefaßt. Anders geartet ist weder tiefel 7903 (s. Ausg. S. 338); wette gott, das Niklaus Manuel z. B. oft gebraucht, = „wollte Gott".

2177. der maister vom Arzt wie 2045, 2253 u. 2560.

2178. der Semper (s. Ausg. S. 333): S. Singer verweist mich brieflich auf Karl Meisen, Nikolauskult und Nikolausbrauch im Abendlande (Forschungen zur Volkskunde, hrsg. von G. Schreiber, Düsseldorf 1931, 9—12), S. 423. Es bezeichnet den Träger einer Teufelsmaske, der gleichzeitig als Knecht und Packträger des hl. Nikolaus auftritt, hier soviel wie das vorhergehende tiefel.

2179. ge zum se: spottender Zuruf an einen Maßlosen? Vgl. 3118 und Wahtelmære (H. F. Maßmann) 43 ff. wen da beginnet dursten, den vazzet man an einen stranc unde ritet in sunder sinen danc hin nider in den wilden se: do trinket er, daz in nimmer me after des gedursten mac. Oder an einen Brünstigen? S. Keller, Fastnsp. 693, 19 das er . . . in der liep so hitzig print, das in das mer nit möcht gekuln.

2182 f. Der (wahrscheinlich sprichwörtliche) Vergleich enthält ein Bild völligen geschlechtlichen Unvermögens: s. Brehms Tierleben unter Rehbock.

2184. S. zu 527.

2187 ff. Konr. v. Megenberg verzeichnet im Buch der Natur, S. 38, 19 ff. nach Avicenna fünfzehn Merkmale der Schwangerschaft; vgl. zu 2187 f. daz sehst, daz diu fraw ainen klainen smerzen zwischen dem nabeln und dem püschlein hât, zu 2190 daz neund zaichen ist, daz diu fraw træg wirt und swær an irm leib, zu 2189 daz ainleft ist, daz etleich frawen köppelnt und daz köppeln ezzicht in der keln und zu 2194 ff. daz vierzehend ist, daz diu frawe . . . pœs gelust hât. Eine ähnliche Schilderung der physischen Schwangerschaftserscheinungen liefert Fischart im Garg. (Alsleben), S. 114.

2191. Vgl. 9577.

2195. Amphern: über die Form (Plur.? oder Sing. mit -n aus den obl. Kasus?) lehren die Wbb. nichts. — mandelrîs (bei Lexer 1, 2025 irrig eingereiht): eine köstliche Speise des Mittelalters. S. A. Schultz, Höf. Leb. 1², 400 und noch Murners Badenfahrt (E. Martin) XIII, 7 f. fruntlich wort sindt der geuch spiß, die er an nem für mandelryß und XXV, 52 Gottes gegenwürt würt sein sein speis: für die es er kein mandelreis; XLVII, 108 gib jm gersten, iß du mandelryß! S. auch LI, 18 usw., H. Sachs, Fastnsp. (Goetze) 15, 285 f. Ich is nur eitel ringe speis: die schmeckt mir wol vür mandelreis. Zur Herstellung s. Das Buch von guter Speise (Bibl. des lit. Vereins in Stuttg. IX, 75) Der wölle machen ein rismus, der nem . . . gestozzen mandelmilich und menge ez mit rismele und siedez wol usw., Megenberg, Buch d. Natur 419, 17 f. wenn man daz reis seudet mit mandelmilch, sô fuoret ez paz wan sunst, auch Boner XLVIII, 108 f. Zu den Nachweisen der Wbb. s. Keller, Fastnsp. 784, 34 f., Sterz. Sp. 10, 483, wonach 5, 67 f. (der mangl und der

reyss) zu bessern wäre, Brants Narrensch. 16, 63 und Zarnckes Anm. zu 71, 12 und
Reimchronik über Herzog Ulr. v. Württemberg (Bibl. des lit. Ver.s in Stuttg. LXXIV),
S. 61.

2198. prüstel ist vielleicht noch als Gen. gefühlt.

2199. Vielleicht ist derswartzet umb und umb zu lesen.

2200. S. 8466 und die Anmerkungen zu 1586 und zu 6016.

2201. versint: Prät. (s. 4992); zu Lexers Belegen s. DHB. IV, 2 zu Wolfdietr.
D VIII, 116, 4 und z. B. noch Keller, Erz. aus altd. Hss. 417, 1 In der abentewr
sie lag, bis er sie gemint und sie sich versint.

2204. Die Zeitverhältnisse sind hier mit verblüffender Sorglosigkeit behandelt. Der
Leser gewinnt fast den Eindruck, daß die mit aller Schärfe geschilderten Schwanger-
schaftsanzeichen bei M. schon bis zum dritten Tage ihres Aufenthalts beim Arzte ersicht-
lich werden Denkt der Dichter aber an einen späteren Besuch zum Zwecke der Beobachtung ihres Zustandes, was nirgends deutlich zum Ausdrucke kommt, so ergibt sich in
der Handlung eine Lücke, da zwischen M.s Brief (2085 ff.) und dem des Arztes (2261 ff.),
der an seiner Stelle wirklich in Bertschis Hände kommt, Monate liegen müßten. S. zu
7484. Auch H. Sachs verfährt (im Fastnsp.) mit der Zeit recht gewaltsam. S. Eugen
Geiger, H. Sachs, S. 9.

2206. Im Ausdruck vgl. 3575, 3886, 4801 u. 7381; ähnlich 3800 u. 7523. deim
wie 426, 2540 u. 5173.

2207. S. die feierlichen Fragen 5240, 49 u. 62.

2208 = 5272, vielleicht mit parodistischer Absicht.

2212. Vgl. 5257 u. 73.

2213 f. Ähnlich im Ausdruck 331 f.

2215 ff. Das Motiv der künstlichen Wiederherstellung verlorner Jungfernschaft begegnet in Schwank und Fastnachtspiel. In Kellers Erz. aus altd. Hss., S. 480, 16 ff.
vertraut eine Alte drei gefallenen Bauerndirnen ein Salbenrezept grotesskomischer Art
an, das ihnen zu ihrem Magdtum verhelfen soll. S. W. Wackernagel, Joh. Fischart,
S. 63, Anm. 136. W.s Rezept ist ernsthaft gehalten, hat aber denselben Zweck: einen
Narren zu äffen, der selb mues schanden decker sein (34). Vgl. Schanddeckel in
Christian Weises Komödie von der bösen Catherine (Kürschner, Nationallit. 39. Bd.)
150, 30 ff. und DWb. 8, 2127, 1. Ferner Altd. Wälder II, 55, Von einem fahrenden
Schüler 188 (Gothaer Hs., 14. Jhdt.) Welche den magtum hat verlorn, der mach
ich eine salben, davon si allenthalben ganz wirt als mein schuhelin (da gent wol
zehen locher in). — Im Fastnachtspiel (s. V. Michels, Studien über die ältesten
deutsch. Fastnsp., S. 33) vgl. Keller 680, 19 ff. (= Sterz. Sp. 21, 51 ff.) Welche
junkfrau iren maigtum hat verlorn, die nem die salben in ain horn und
streich sie zwischen ir pain, so wirt si wider keusch und rain und 495, 28 ff. Si
rueften gester ainem jünkling ain maid, die für ain junkfrau gieng; nun ist ir

heut der pauch geswollen. Der will ich wol raten, wil si mir folgen, wie si das vertreib und dannacht maid im har belaibt. Sterz. Sp. 4, 293 ff. (faſt wörtlich gleichlautend 24, 198 ff.) erklärt der Knecht des Arztes: wenn ainer junckfraen zu weit wiert vnd psorgt sich des vor ainem mann, so er sy nimpt fur junckfra an, die pestreich damit irn nabl — so wagstz ir zu als ein ofngabl — vnd hab die pain nur zue weit: so ist sy den ain raine meit. S. ferner ebd. 24, 584 ff. wenn ain maidl ... het irn magtumb verlarn ... di salb sich mit der wurtz zwischn irer pain uſw. und Kummer, Erlauer Sp., S. 56, 619 ff. so ist das ein zisperchorn: weliche maid hat irn magtum verlorn, di sol neun slinten uſw. Auch in der Komödie „Baucis" begegnet das Motiv: ſ. W. Creizenach, Geſch. d. neueren Dramas I, 31 und Neue Jahrbüch. f. Philol. u. Pädag. 97 (1868), 711 ff. (H. Hagen, Eine antike Komödie in diſtich. Nachbildung, in der 307 ff. die Kupplerin durch groteske Mittel ex meretrice facit puellam.)

2215. S. 3623 und ZſſdA. 50, 256, A. 2, auch J. Koberne, Die Familiennamen von Burkheim, S. 60 und H. Edelmann, Zur örtl. und zeitl. Beſt. von W.s Ring (S.-Abbr.), S. 6.

2217. zipern: nach Singer die Schlehe (prunus insititia), die ſchweiz. noch zippartli, zipperli heißt. S. Durheim, Schweiz. Pflanzenidiot., S. 214; auch BWb. 2, 1142.

2220. pei dem pain verdeutlicht das unbeſt. dar ein; im Ausdruck vgl. Vintler, Blumen der Tugend 7834 ff. so sein etleich als unbesint, wenn man in frömde hüener pringt, so sprechen si: 'Peleib hie haim als die fut pei meinem pain!' Ammenhauſen 17783 der (der Säckel) hanget im bî dem beine; Enenkel, Weltbuch, GA. 2, 503, 392 er graif an der brust ze tal gein dem bain überal an daz werde vrauwenspil; Pfarrer vom Kalenberg 960 Die kletzel sein wol pey dem pain; im Bericht vom Nürnberger Reichstage 1491 (A. Schultz, Deutſch. Leb. im 14. u. 15. Jhdt., S. 481) da wurd er zwischen die pain gerant oben pei dem pain unter dem gemecht.

2224. appenteker: ſ. 4213; appentegg Metz 10015, appenteker 10020 in C, 10056 in BC, Chronik des Konſtanzer Konzils (M. R. Buck), S. 32, 63, 182 u. 88 u. 215; Klingenberger Chronik (A. Henne), S. 193, 16 apentegger; Kauffmann, Geſch. d. ſchwäb. Mundart, S. 162 f., Heusler, Konſonantismus der Ma. v. Baſelſtadt, S. 109.

2225 f. S. Megenberg, Buch der Natur 397, 6 ff. Centaurea haizt erdgall ... ze latein fel terre, daz spricht erdgall: daz kraut ... zeuht die gepurt auz der muoter (22); 34 heißt es, die Wurzel habe die Kraft, daz si zesamen leimt. Befremdlich iſt der Ausdruck paum: W. denkt offenbar an Galläpfel. Geißgalle iſt ein Gift (ſ. gall of goat in Shakeſpeares Macbeth 4, 1), das der Apotheker auch kennt. S. widers galle bei Fr. Pfeiffer, 2 deutſche Arzneibücher, S. 37, 25, auch Gaißgift

BWb. 1, 946, eigen galle bei J. Haupt, Über das mhd. Arzneibuch des Meisters Bartholomaeus, S. 42 (490), mit geizîner gallin S. 89 (537) und zegen galle S. 90 (538).

2228. in einr geleich (fem. Subst.): d. h. von allen drei Bestandteilen gleich viel.

2229 f. gewisse: der Reim (: vische) ist ähnlich geartet wie 3019 f. u. 7014 f.

2233. zuolegen = „vermählen" hat in der Regel ein Dativ-Objekt neben sich: f. z. B. außer den Belegstellen der Wbb. Apollonius (Singer) 18296 f. do man dem hochgelobten degen Tarsiam sollte zulegen, Kellers Fastnsp. (Nachlese) 7, 15 (= Sterz. Sp. 19, 160) da man mir mein weyb legt zu, Eberhart Windecke, Denkwürdigkeiten (W. Altmann), S. 109 zu welicher zit der konig sin dochter dem herzogen züleigen wolt und Wilwolt v. Schaumburg (A. v. Keller), S. 65 das Haubold... her Götzen... sein dochter zulegen solt; oft im Wilh. v. Österreich.

2234. Ähnlich Facetus (K. Schroeder) g¹ 297 daz ich dir sag... daz tu und Suchenwirt 31, 52 Waz wir dir ratten, frunt, daz tuo.

2235 = 8586.

2238. maituom (= hymen) als Femin. sehr selten. — scholdet schrieb ich hier wie scholtet 1181 nach Fällen wie muosset 1234, 5011 u. 7308, chondet 6931.

2239. Scherzhafte Redensart, die Phrasen parodiert wie H. v. Sachsenheim, Spiegel 187, 4 ff. und bitten... das ir in lassen komen zu gnad als einen fromen in siner herren land. Ähnlich Keller, Fastnsp. 346, 24 ff. u. 732, 17 ff. Wenn ich ir (der Alten) des nachtz ze hof wil kumen, so sagt sie mir, es sei ein heilige nacht.

2243. An dem guot: die Erklärung gibt 7134 ff.

2246. Vgl. 6989—93, 7022—29 u. 7046—49: die letzten. Stelle wiederholt den Ausdruck zappeln und verweist auf die Lehren des Arztes.

2248. Dieselbe eindringliche Frage 5203 u. 6470.

2249. Ja do nach 3813; ja du (f. 3279 u. 9025, über nain du f. zu 1656) ist kaum möglich: Mätzli ihrzt den Arzt durchwegs.

2255. Dieselbe Wortstellung 3665, 4327, 5053 u. 8017. S. Paul (Gierach), Mhd. Gr. § 189, Anm. 1, Behaghel, Eneide CIX ff. und Nib. 425, 4 zwelfe der küenen helde und snel, Biterolf 3451 die stolzen helde unde junc, 3585 tiefe wunden unde wît, H. v. Montfort V, 29 ein scharpfe gesicht und guetlich, 59 ein swartze varw und gel, Aristotilis heimlichkeit 201 o rechter keiser unde rich, Toischer, Die altd. Bearbeitungen d. pseudoaristotel. Secr. secr. C, 3 sein grosse tat und wunderleich, Keller, Fastnsp. 661, 30 den zarten frauen und frumen. So noch Widmann, Der Heilige und die Tiere, S. 78 auf gesunden Beinen... und schnellen.

2259. die federn: dagegen 1854 u. 2083 ASg. die feder.

2261 ff. Die salutatio des Eingangs ist hier, dem Umfang des Briefes entsprechend, reicher gehalten als 1878 ff. oder gar 1860 ff. u. 2085 ff. In der von Pfeiffer hg. Minnelehre vgl. 1061 ff., 1401 ff. u. 2079 ff. — Zu Got, der obrest vgl. die Anm. zu 1 und z. B. Ammenhausen 15636 der obrost got; 2262 ist Gemeingut: f. die

Schlußzeile des Gedichts in der Heidelberg. Papierhf. (15. Jhdt.) n. 355, Bl. 161 gott vatter, suon und heiliger geist (Vorrede A. Kellers zu Meister Altswert, S. XXII) u. L. Tobler, Schweiz. Volksl. 2, S. 97, Str. 1.

2263 ff. Nach 1 Moses 1, 26, 28 u. 29. Ähnlich Renner 23620 ff. — zuo in 2267 ergänzt schon Keller, Vorrede X; laub und gras wie Renner 22559 u. Ö. v. Wolkenst. 117, 45. S. auch 5772 u. 9663 u. zu 709 f.

2268 = 6815 u. 7172, ähnl. 3274; nichti auch 3252.

2270. Im Ausdruck vgl. 4143.

2273. Vgl. die Beichtformel S. 149, Z. 11 f. u. 4005. Die sieben Sakramente (hailikait) sind eben diese sieben Gaben (2272); etwas anderes sind die sogen. sieben Gaben des hl. Geistes: s. S. 149, Z. 13 f., Christ. und die minnende Seele 727 f. die siben gaben deß hailigen gaist und die siben hailikait, Teufels Netz 13618 ff., Hätzl. 2, Nr. 63 (Mönch von Salzburg), 3 ff. u. a. Streng genommen, kann freilich ein und dieselbe Person nicht mit allen sieben Sakramenten beglückt werden. — Zum Fehlen der Endung nach attributivem Zahlwort s. Rückerts Anm. zum W. Gast 4539 (Lf. 1, Nr. 52, 37 ist aber wohl an den s. h. zu lesen) und z. B. Trist. 4706 zwô volle sælecheit.

2275—86. Mit dieser verklärenden Schilderung vgl. die derbe Wirklichkeit 1923—40.

2283 ff. Die folg. Minneallegorie berührt sich mit der in Pfeiffers Minnelehre 156 ff. eingeschalteten in der Form des Traumes und in manchen Einzelheiten. Vgl. schon den Eingang 157 dô kom ein süezer slâf. — Der Gegensatz von Frau Venus und Maria findet sich in Uhlands Volksliedern, 5. Buch, Nr. 297 A, Str. 14. S. auch Keller, Fastnsp., Nachlese, Nr. 124, wo die Werlt auf Frau Venus weist, Tanhauser aber zu Maria betet.

2286 f. Im Ausdruck vgl. 4347, 9274 u. 9669.

2288. Während Frau Venus von der Erzählerin sofort erkannt wird (s. die Aufschrift ihrer Krone 2296), enthüllt den Namen der geheimnisvollen hehren Frauengestalt des zweiten Gesichts erst der Beichtvater (2470 ff.).

2291. Minnelehre 215 ist Cupido nackt, nicht Frau Minne selbst (689 ff.), dagegen ist in dem Gedichte Das nackend pilde Elblins von Eselberg, das in der Stuttgart. Hf. hinter dem Meier Betz steht (Graff, Diutiska 2, S. 91 ff.), die Minne auf der Kappe einer der Frauen auch plos und nackent und mit einer Krone auf dem Haupte dargestellt. Die spärlichen Zeugnisse unserer Wbb. für die formelhafte und bis heute lebendige Verbindung nakent und bloss, die verstärkend éinen Begriff umschreibt, könnte ich mit vielen weiteren aus dem 13. und allen folg. Jahrhunderten vermehren, die ich gelegentlich vermerkte.

2292. S. Minnelehre 610 ff. wol gên zweinzic jâren alt dûht mich ... daz diu Minne möhte sîn. — Einr ... gnoss: s. 3552 u. 3670; Zarncke zu Brants Narrenschiff 49, 24.

2293. S. Minnelehre 613 ff.

2294 ff. Auch Minnelehre 260 nennt die Inschrift auf Cupidos Krone den Namen des Trägers: cunctipotentis amoris filius. Im Ausdruck vgl. 256 (krône:) dâ stêt geschriben schône.

2295 f. Wie 2341, 45 u. 49 spricht die Krone von sich in erster Person: vgl. die Inschrift auf Rolands Helm, Rolandslied 3295 ff. Im Hinblick darauf vermute ich, daß in stim ein vielleicht schon vom Dichter mißverstandenes stemma steckt (vgl. gemma — mhd. gimme), dessen Femin. sich leicht aus der Gleichwertigkeit mit krône erklären ließe. Zur Herstellung von 2296 vgl. 2410 f. u. Suchenw. 28, 320 u. 37 Vraw Venus, edlew mynn, H. v. Sachsenh., Mohrin 474, 614, 834, 3130, 3870 u. 5874 frow Venus Minn (f. auch 136 u. 3738) und Uhland, Volkslieder, 5. Buch, Nr. 297 A, Str. 1 mit Venus, der edlen Minne.

2297 f. Vgl. 2425 f. und Minnelehre 628 f. der Minne hâr was schône trûtschelloht gevlohten. — Zu leis = „locker, lose" zitiert Singer DWb. 6, 714 (Fastnsp. 221, 28).

2299. Minnelehre 210 f. daz selbe kint (nämlich Cupido) den liehten tac nie gesach, wan ez was blint bietet die geläufige Vorstellung τυφλὸς δ' Ἔρως (f. Seiler, Deutsch. Lehnsprichw. 1, 194): ebenso z. B. Brants Narrensch. 13, 13 f., Abraham a S. Clara, Judas der Ertz-Schelm (Bobertag) 231, 37 f., Wunderhorn, Streit zwischen dem blinden Cupido und einem Waldbruder, Hans in allen Gassen, Cupido die Fledermaus. Die Vorstellung, daß Venus selbst blind ist, begegnete mir im mhd. Schrifttum nirgends sonst. S. K. Weinhold, Glücksrad und Lebensrad (Phil.-hist. Abhdlg. der Preuß. Ak. d. Wiss. 1892, S. 16 und Tafel I. Er verweist u. a. auf die Disticha Catonis IV, 3 Noli fortunam quae non est dicere cẹcam. Eine blinde Fortuna (oder eine mit verbundenen Augen) weisen in Deutschland erst Gemälde der Renaissance auf. S. S. 17 ebd. In J. Regnarts Liedern 1578 vgl. Venus, du und dein Kind seid alle beide blind (Birlinger, Alem. 1, 28, Anm. 2). Nachträge Singers: diu blintheit der minne Gottfr.s Trist. 17741 und man spricht, die minne sei blinde Der Minne-Falkner 1, 1.

2301 f. Auch Minnelehre 893 ff. ist die Minne mit Bogen, Köcher und Pfeilen bewaffnet. S. Haupt zu Neidh. 10, 8, Bartsch, Albr. v. Halberstadt, Einl. LI f. u. LXIX f., Banz, Christus u. d. minn. Seele, S. 86, DWb. 7, 1657 γ. Vgl. ferner H. v. Sachsenh., Schleiertüchl. 208, 6 Fraw Venus mit irm bogen hat mich geschossen wunt, Kellers Fastnsp. 258, 24 wen verwundt eures (der Venus) pogen geschutz und 262, 31 eur stral verwunt manch starkes herz, Straßburg. Lieberb. 1592 (Alem. 1, 8 f.) die göttin ... wezt ihren pfeyl, in schneller eyl thet sie mich hart verwunden; auch bei H. Sachs, Fastnsp. (Goetze) 2, 24 u. 32 ist Frau Venus mit scharfen Pfeilen versehen. Über Frau Minne als Schützin in der Malerei und Bildhauerei des 13. und 14. Jhdt.s f. K. Weinhold, Lamprecht von

Regensburg, S. 533. — sam ich es vand: vgl. 2430, 3399 u. 5280; f. auch 7462. 2303 f. Auch Minnelehre 601 ff. sitzt Frau Minne in einem goldenen Wagen. Das Taubengespann fehlt bei W. — was gesessen = „hatte sich gesetzt" (vgl. 6428; anders 7912), daher mit Zielangabe. S. dagegen 2443. 2305 f. Minnelehre 170 ff. ich sach enmitten durch den plân ... ein rôten sê von bluote gân. 2315. pei dem pan wie 5417, hier = „strenge". 2318. Formelhaft: f. Gusinde, Neidh. m. d. Veilch., S. 159 (z. Gr. Neidh.-Sp. 415, 11). 2323. Nach dem speculum naturale des Vinzenz von Beauvais (N. v. Liliencron, Über d. Inhalt d. allgem. Bildung i. d. Zeit d. Scholastik, S. 14) ist jedem Menschen ein guter und ein böser Engel beigegeben. S. Seiler, Deutsch. Lehnsprichw. 2, 30, A. Bielschowsky, Vierteljahrschr. f. Lit.-Gesch. 4, 222, L. Fränkel, ADV. 43, 615. 2332 f. Betreffs des Satzbaus f. zu 1560 ff. — der sunnen glantz: f. A. Salzer, Sinnbild. u. Beiworte Mariens, S. 23, 18, 391, 25 u. 392, 18. 2334. krantz (f. 2351 u. 2473): die aus drei parallelen Reifen bestehende Krone, deren Abschluß oben ein Stern bildet. Als Personifikation der Kirche wurde Maria häufig mit der dreifachen Krone des Papstes dargestellt. S. M. Liefmann, Kunst und Heilige, S. 193. 2339 ff. Das Material der drei Kronreifen hat sinnbildlichen Wert. 2340. Vgl. oben 2294. 2342. Die zweite Zeile der Inschrift ist jedesmal nur mattes Füllsel. 2351 f. was verwunden (f. dagegen 2298 u. 2426) ist Prädikat, sauber auf gepunden (vgl. 2481, f. dagegen 2297 u. 2425) Attribut zu härel: Maria trägt ein sorgsames gebende, Venus lockere Zöpfe. Der Ratserlaß von Speier um 1356 bei Herm. Weiß, Kostümkunde 3, 1, 202 befiehlt noch den Frauen, die Zöpfe aufgebunden zu tragen, während Mädchen sie hängen lassen durften. 2353 f. Die seltsame und mir sonst völlig unbekannte Vorstellung einer Madonna mit vier Augen, die nach 2497 in die vier Weltrichtungen schauen, so daß 2373 nur eines davon auf die Erzählerin blickt, beruht vermutlich auf plastischen Darstellungen entsprechender Art, d. h. janusartigen Doppelreliefs von Maria mit dem Christuskinde, die vorne und rückwärts denselben Anblick boten und auf Säulen ruhten. Nachweisen kann ich solche nicht. S. The devil in legend and literature von Max. Rudwin (1931), S. 40 das Bild der Dreifaltigkeit von einem Glasfenster in der Kirche von Notre Dame in Châlons (16. Jhdt.): ein Gesicht ist nach vorne gekehrt, eines nach rechts, eines nach links (5 Augen, 3 Münder, 3 Nasen) und die Trinität des Bösen nach einer franz. Hf. des 15. Jhdt.s in der Pariser Nat.-Bibl. — ziereu: y ist in der Hf. von v (f. die Laa.) nur durch den unteren Fortsatz verschieden. — vier : zier erscheint 5331 f. u. 7252 f.; die Wiederaufnahme der Stelle 2485 zeigt nur viere

: schiere und das so des erweiterten Reimes in 2354 klingt nach so und also höchst ungeschickt, während 6497 u. 9055 so im Sinne von sâ steht. S. zu 1054 ff.

2355 f. S. zu 1560 ff. Das beteuernde jo findet sich, im Haupt- oder Nebensatz eingeschaltet, bes. in der ersten Hälfte des R.s öfters: s. 902, 1037, 2613, 2707, 3122, 5164, 6200 u. 9355. S. DWb. 4, 2, 2326 unter jo und 2194, 3.

2359 f. tant wie dante Lf. 1, 141, 520. — weiter besserte schon Keller, Vorrede X.

2366. sam mir was: vgl. z. B. Meister Altswert, Der Kittel 39, 12 Mir was uf der selben stunt, daz er glich was mins liebes munt.

2372. In sälder wuot (?): Gegenstück in sender fluot 2306. Über wüeten = „fröhlich sein" s. Mondsee-Wiener Liederhs. (Mayer u. Rietsch), Anm. zu 25, 32, bes. Häßl. 1, 42, 7 mein hertz in fräden wüte.

2375. naigt: s. Lexers Nachweis aus Altsw. 223, 30; das st. Verb ist sonst dem R. fremd, das sw. Reflex. steht 1778 (mit Dat.) und 2309 (mit gen), 697 (ohne solche Zusätze) und trans. n. 5673.

2376. Vgl. 6478.

2382. Zu streket der Hs. vgl. die Laa. 5875 u. 6525. Lies streitet? S. 6836.

2383. dein lieber man = „dein Geliebter": s. 2316.

2386. truwen Interjektion; das Subst. widerstrebt der Umgebung; vgl. etwa 2424: dann läßt sich der Wunsch des Herzens zugleich mit den sittlichen Forderungen befriedigen.

2391 f. Formelhaftes Reimpaar: vgl. 4484 f., auch 3103 f. u. 7080 f.

2393 f. parallel 2323 f.

2401 f. Vgl. 5079.

2406 = 9097. Formelhafte Wendung wie auch 6415, 9070 u. 9400. Ähnliche auch sonst zur Beschwichtigung der Ungeduld des Publikums: s. 5532, 7357 u. 7688, ferner 69 (Anm. z. St.), 2109 ff., 3483 f. u. 5449. Ähnlich Metz. Hochz. 370 die red ich üch kürzen wil und 673 das ichs mit kurzen worten sag. Es sind allgemein gebrauchte Behelfe der erzählenden Dichtung: s. z. B. Wolframs Parz. 481, 16, Helmbr. 389, Schlegel, GA. Nr. 49, 163, Ammenhausen 14312, 14434 f., 14466, 14870, 15606, auch Neidh. 47, 30.

2407. schauwen: mit Rücksicht auf die Inschrift der Glaskrone. Singer faßt Daz 2408 als Konjunktion und denkt an Konstruktionswechsel im folgenden.

2410. falsch wie 2381 u. 2459; betrogen = „betrügerisch", s. 4526 und Zarncke zu Brants Narrensch. 51, 10.

2412. verdampnet hat „in Verdammnis gebracht hat". Die Wbb. bringen diese Bedeutung nicht.

2418. nicht ... an gevär: s. zu 1987.

2419 f. Minnelehre 416—66 wird Cupidos Nacktheit ähnlich gedeutet.

2421 ff. Die glesin chron und ihre sinnbildliche Bedeutung geht natürlich zurück auf

die Redensart vom gläsernen Glück: Publilius Syrus 189 Fortuna vitrea est: tum,
cum splendet, frangitur. Vgl. Gottfr. v. Straßburg (Fr. Ranke), S. 246, 9 ff.
Das Gegenstück bildet die dreifache Krone Marias aus Gold, Silber und Eisen.
S. bef. 2341.

2424. Der Wortlaut wie Confiteor, S. 150, Z. 24 f.

2425 ff. Vgl. 2297 f. (2426 = 2298) und zu 2351 f. Die kettenartig geflochtenen
Zöpfe versinnlichen die Fesseln wollüstiger Liebe.

2429 ff. Vgl. Minnelehre 390 ff. dû sihst wol, daz sîne gir leit ein sûberlîcher
man an eine frouwen ungetân und 400 ff. sô sihest ouch sicherlîche dicke, daz ein
schœnez wîp minnet eines mannes lîp, der ist als ungeschaffen usw. S. zu Wolfdietr. B 12, 2 (D.H.B. IV, 2, S. 270). W.s Ausfall zielt nur auf Mißgriffe der
Frauen, sofern mensch (Neutr.) „Mädchen", part „Mann" bedeutet. Für dieses bart
liefert der R. selbst mehrere Zeugnisse (f. Ausg. S. 333, zu 2432) — vgl. auch Schelt-
worte wie lasterbart und Vintler 7931 ir alten pärting, H. Sachs, Fastnsp. (Goetze)
Nr. 8, 82 du alter Bertling — für jenes aber scheinbar nur 4959. Sonst ist neutr. mensche unser „Mensch" 3220, 3723, 3990 u. 98, 4053, also in lauter Stellen der ersten
Hälfte; dagegen steht das Mask. 32, 796, 2269, 3333, 3837 u. 94, 4233, 47, 80 u.
86, 4469 u. 79, 4991, 7011, 8337, 9387, S. 139, Z. 30 im Credo, S. 149, Z. 1 im
Confiteor. Versteht man mensch = „Mensch", so ergibt sich für part die Bedeutung
„Partner" (f. 922), wobei das Mask. einige Schwierigkeiten bereitet.

2433. ring = „haftig" (gswind 2300): nur hier im R.

2437 ff. Minnelehre 315 — 72 bereiten sper und vakel Cupidos solchen endlose
Pein, die der Liebe widerstreben wollen. An die Inschrift auf dem Bogen der Venus
897 f. amor vincit per me omnes fines terræ erinnert aber der Wortlaut R. 2438.
— 2437 fast wörtlich = 2301.

2440. îrer (wie 9183): f. zu 406 f.

2441. Daz pheil: f. Reinmar v. Zweter (G. Roethe) 151, 6 La. in D; von pfeillern 8702, dagegen mit pfeillen (: eillen) 6614, die pfeil (Api.) 8709.

2442. schürphen (f. 6588 u. 8753), brennen: parallel scharff und heiss in der
Zeile vorher.

2443 ff. Der mit Gold und Silber beschlagene Wagen der Venus findet eine ähnliche sinnbildliche Deutung wie die mit Edelsteinen besetzte goldene Säule Cupidos
Minnelehre 467 ff.; f. bef. 470 ff. die minner ... suln alle wesen rîche und suln
ouch stæteclîche ir seckel vol pfenninge sîn.

2447 ff. Minnelehre 569 — 89 rührt der blutige See von den Mordtaten her, die
Liebe und Eifersucht hervorrufen.

2453 f. Der Reim wie bei O. v. Wolkenstein (Schatz) 83, 21 f.; zwar im R. nur
noch 1679.

2457. einem: näher läge enem oder seinem (vgl. 2411).

2459. Ganz ähnlich 2381.

2460. an allen spot wie 837, 2088, 3984 u. 4457, an alles spotten 9631, ane spot 1805 u. 2056, ane spotten 4034 u. 7748.

2465. vergelten mit Aff. 2065 u. 6487.

2469. züchticleich wie hier neben äntwurt 359 u. 4984 f.; auch sonst immer neben Werben der Rede: 1789, 2137, 3070, 3271, 3597 u. 7754.

2470. säldenreich wie 3272 u. 3598; vgl. sälden vol 2527, bar 4021.

2472. trost der cristenhait: f. A. Salzer, Sinnbilder und Beiworte Mariens, S. 403 u. 591.

2474. anders war einzuschalten nach 2427. Der Fall liegt anders als in den zu 1560 ff. erörterten Stellen (beachte dann im folg.!).

2481. Das Prät. hiet befremdet in der präsent. Darstellung; doch f. 2511 f.

2487 ff. Die vier Ratschläge Mariens — mir sonst unbekannt: über die „zwölf Räte" Christi f. Banz, Christus u. die minn. Seele, S. 122 f. — enthalten vier je zwei Zeilen füllende Zitate aus den Evangelien: f. Matth. 5, 39 (Luk. 6, 29) — Paul. 1. Kor. 7, 9 — Matth. 19, 21 (Mark. 10, 21) — Matth. 5, 44 (Luk. 6, 27 f.).

2489. Die Herstellung (nach einer mündlichen Mitteilung Singers) entsprechend si quis im Evangelium. — ans wang: dagegen die wangen sein 8827 (ASg. od. Pl.).

2491. zuo der chan (f. zu 1685): der störende Zusatz d (Wortbild der-chand) stellte (irrigen) Reim: zehant her.

2497. S. zu 2353 f.; im Ausdruck vgl. Renner 18667 ff. ... gotes wort ... süln erschellen in diu vier ort der werlde, ganz ähnlich Gottes Zukunft 5520 f.

2499 ff. Über den weiten, bunten Mantel Mariens als Sinnbild ihrer Barmherzigkeit f. Stephan Beißel, Gesch. d. Verehrung Marias in Deutschland während des Mittelalters, S. 352 ff., über deutsche Schutzmantelbilder im 14. Jhdt. 354.

2506. walter, von Gott gesagt, bezeugen unsre Wbb. bei Joh. v. Ringgenberg, Schweiz. Mf. XXIX, 42 (got, der aller dinge ist ein waltære) und Walther von Rheinau 66, 31 u. 199, 36 (: behalter wie hier). Doch z. B. Konr. v. Helmsdorf, Spiegel des menschl. Heiles 2133 f. Jhesum Crist, der unser herr und vatter ist.

2514. Zum Satzbau f. H. Paul, Mhd. Gr. § 346 und Minnelehre 300 ff. u. 746 ff.

2516 ff. Nach Joh. 19, 34, 2519 (vgl. 4144 f.) aber nach Luk. 22, 44. S. Renner 20247 ff. dirre brunne bediutet den ewigen brunnen, von dem uns allen ist gerunnen alliu diu gnâde, wir nu haben.

2519. zähern: sw. Plur. ist in den mhd. Wbb.n nur an 1 Stelle bezeugt.

2520. in guot „in guter Absicht": f. Mhd. Wb. 1, 590a 9 ff.

2523. Vgl. 2451.

2527 ff. Während der Beichtvater den gefährlichen Rat der Frau Venus (2315—22) ausdrücklich verwirft und sein Beichtkind davor warnt (2455—60), läßt er Mariens Worte (2378—88) für sich sprechen. Auf den für den Empfänger des Briefes daraus erfließenden Bescheid kommt der Schluß in getragenen Wendungen zurück, die der stumpfe Triefnas freilich nicht erfaßt (2619 ff.). — Der Aufbau der ganzen Minneallegorie ist ungemein sorgfältig durchgeführt: auf die Vision der Frau Venus (2288 bis 326) und der Mutter Gottes (2328—96) folgt deren Deutung durch den Beichtvater (2407—54 u. 2470—526) Zug um Zug mit wenig Änderungen in der Anordnung: vgl. 2280—90 u. 2407—12, 2291 u. 2417—20, 2292 u. 2413—16, 2293—96 u. 2421—24, 2297. 98 u. 2425—28, 2299 u. 2429—32, 2300 u. 2433—36, 2301. 2 u. 2437—42, 2303. 4 u. 2443—46, 2305. 6 u. 2447—50, 2323. 24 u. 2451—54, ferner 2329—33 u. 2470—72, 2334—36 u. 2473—76, 2337. 38 u. 2477—80, 2351. 52 u. 2481—84, 2353—56 u. 2485—88, 2357—60 u. 2499—502, 2361—64 u. 2503—6, 2365 u. 2507. 8, 2366 u. 2511—14, 2367. 68 u. 2509. 10, 2369—72 u. 2515—22, 2393. 94 u. 2523—26. Die Auslegung der einzelnen Züge erfordert also regelmäßig vier Zeilen. Die beiden Visionen sind durchaus als Gegenstücke gedacht. Die Mitte des Bildes nimmt eine hehre Frauengestalt ein: hier Frau Venus, die Göttin sündiger, zügelloser, dort die Gottesmutter Maria, die Hüterin reiner, ehelicher Liebe, V. nackt, M. in einem bunten, weiten Mantel, V. mit einer gläsernen Krone, M. mit einer dreifachen aus Eisen, Silber und Gold, V. mit lockeren Zöpfen, M. mit sauber und züchtig aufgebundenem Haar, V. blind, M. vieräugig, V. mit Bogen und glühenden Pfeilen versehen, M. mit dem Jesuskind auf den Armen, V. auf einem mit Gold und Silber ausgestatteten Wagen, dem ein Blutbach nachströmt, M. auf dem Altar einer mit Gemälden verzierten Kirche, die ein See von Honig und Milch umgibt, V. mit einem schwarzen Geist zur Linken, M. mit einem weißen zur Rechten. Der Schilderung folgt jedesmal die Anrufung, die Begrüßung und der entsprechende Rat. Merkwürdig, daß sich W. die so naheliegende Parallele zwischen dem Jesuskinde und Kupido entgehen ließ, obgleich dieser in der von Pfeiffer hrsgg. Minnelehre, mit der die Allegorie des R.s so manche Züge teilt, eine entscheidende Rolle spielt.

2531. Im Ausdruck vgl. 8497.

2537 ff. Nach Matth. 16, 26, Mark. 8, 36, Luk. 9, 25. Ebenso Brant, Narrenschiff 24, 23 ff. Was hülff eyn menschen, das er gewynn die ganz welt, und verdurb er drynn? Was hülff dich, das der lib käm hoch, vnd för die sel jns hellen loch? H. Sachs, Werke (Keller) III, 180, 25 f. Was hülff, der die gantz welt erwürb, spricht Christus, und des seel verdürb? Singer vermutet schaden für haben: das bibl. detrimentum patiatur spricht dafür.

2542. trumbels, wozu Lexer nur auf Egm. 714, f. 34 (Im Wirtshaus) treibt er (der Pfaffe) seins trumels vil mit wurfel und karten spil (f. BWb. 1, 665) verweisen kann, bezeichnet offenbar das lärmende Ständchen Bertschis 1378 ff. und seine plumpen Annäherungsversuche, welche die ganze Nachbarschaft in Aufruhr versetzten.

2545. Im Ausdruck vgl. 4403.

2546 f. S. zu 1593 ff. Die Zeilen sehen aus wie eine Antwort auf 1880—83.
2545. 46 bieten eine beliebte Schlußwendung in Gedichten etc.: s. Meier Betz 416 f.
also hat das gefächt ain end. Got uns allen kumer wend! GA. Nr. 8 (Die Königin
von Frankreich) und nimt alsô hie ende. Got unser ungemach wende! Rosenblüt,
Gedicht von den Ärzten (Keller, Fastnsp. 1098) Hye hat das puch ein ende. Got uns
alles unser trubsal wende! Eberhart Windecke, Denkwürdigkeiten (W. Altmann),
S. 449 Nü hatte das Keiser-Sigesmundusbüch .. ein ende. Der almechtige got
alles böses und übels von uns wende! S. Keller, Fastnsp. (Nachlese), S. 303 und
DWb. 10, 1, 1087.

2547 ff. Der Schluß des Briefes ist wieder (s. zu 1906 ff. u. 1909 ff.) metrisch ver-
schnörkelt: auf die Reimstellung a b b a folgt vermutlich ein Vierreim.

2551 ff. Die zierliche und verheißungsvolle Umschreibung von Ort und Datum ist
der Gattung dieser Briefgedichte eigen. Vgl. etwa Wunderhorn, 1. Epistel (Ich habe
mein Herz in deines hinein geschlossen): Geschrieben im Jahr, da die Liebe Feuer
war. S. Ritter, Altschwäb. Liebesbriefe, S. 118.

2553 f. Der Sinn ist wohl: „Auf gut Glück abgesandt." Vgl. Wendungen wie Sterz.
Sp. 11, 755 dar umb will ich es seczn auf gluckes rad. stad entstand durch mecha-
nische Angleichung an rad, sticken = figere ist nachgewiesen. glükrad wie 9317.
S. Lexer, Nachtr. 189.

2557 f. hertzen : smertzen erscheint 347 f., 409 f., 670 f., 826 f., 1574 f. u. 94 f.,
1610 f., 2547. 50, 6506 f. u. 9393 f., also besonders im Anfang, treuwen : reuwen
660 f. u. 796 f. Aber do und so sind für den Inhalt nicht bedeutungslos.

2565. Wohl eine aus der verrufenen Gilde der Badeweiber. S. über diese Netz
10256 ff., Zappert, Arch. f. Kunde öst. Geschichtsquellen 21, 81 f. u. 133 f., E. Martin,
Einl. zu Murners Badenfahrt, S. XXI und Alfr. Martin, Deutsch. Badewesen in
verg. Tagen, S. 86. Das Treiben alter Kupplerinnen schildert z. B. GA. Nr. 9, Netz
10296 ff. (s. 2183 ff. u. 4182 ff.) und Kellers Fastnsp. Nr. 37 u. 57.

2566. mit schloern: s. BWb. 2, 521 und Lexer 2, 985.

2567 f. mägetein wie 4756 u. 5387. Behaghel, Deutsche Syntax 1, S. 355 denkt
an ein auf Plur. bezogenes sein.

2569. Vgl. 7438.

2570. viel = „warf sich" wie 6295 (s. zu 2159 f.): die Stelle beleuchtet den Namen
Vallinsstro 5336. Vgl. A. Keller, Altdeutsche Ged. 1, Nr. 2, 50 so fellt sie selber
an den rugg und Erlauer Sp. (Kummer), S. 110, 477 ff. mächst du sein enpeiten,
ja fiell ich (Maria) auf di seiten, und han ich dan das gelükch, ja fall ich ab der
seiten auf den rük; ferner Virg. 1085, 7 sî vielen (stiegen eilends) von den rossen,
ähnlich GA. Nr. 78, 169; ebb. Nr. 62, 85 der münch ... balde in den zuber viel
(sprang): s. auch Nr. 78, 248, Nr. 79, 70, Nr. 86, 192 u. Nr. 89, 322. S. Zss. deutsche
Wortforschg. 8, 31.

2580. sam ein spreuwersak: d. h. so leicht.

2582 f. Vgl. 1722 f. und Keller, Faſtnſp. 395, 30 f. das ir mit sälden müeßet sein! Got grüß euch, lieben junkfrauen mein!

2586 f. Ähnlich Uhland, Volksl. Nr. 3, Str. 9 Junkfraw, ich solt euch grüßen von der scheitel biß auf die füße; Weimar. Jahrb. 2 (1855), S. 240 Verkündige ihr einen freundlichen Gruß vom Haupte an bis auf den Fuß (aus einem poet. Liebesbrief); im Buch der Rügen 332 bedeutet von dem houbt unz an den vuoz „gründlich". S. auch Roſt, Kirchherr zu Sarnen, Schw. Mſ. XXXII, 9, 18 ff. würde mir dâ bî ein kus, herzeclîchez sorgen ich verlus von dem houpt unz ûf den fuoz.

2595. riffianin: der Eigenname Riffian 7159, 7207 u. 24. S. Schade, Sat. 3, 247. In des Teufels Netz 12616 ff. iſt den rivion und huoran ein eigener Abſchnitt gewidmet. Zur Bedeutung ſ. Renner 21837 ff. ein volk heizet man trüller ruffiân, daz übels mêre denne der tiufel kan uſw. Dieſelbe Eilfertigkeit beweiſt die Kupplerin Netz 10417 e, wie bald si dahin rent uſw. S. oben 2580.

2602. S. zu 3750. Vgl. Hans v. Bühel, Königstochter von Frankr. 40 f. Hie vor so kerte sie sich vmme mit weinen gegen der wende.

2603. Schre: dagegen Und schre 6116, Er schre 1334, 2834, 6318 u. 9648.

2604. Eine Redensart: ſ. Wirg. 187, 12 f. so gewaltec wart kein keiser nie, ûf den sî vorhte wolten hân, Lſ. 2, 129, 31 so wart nie kaiser min genoz, O. v. Wolkenſt. 34, 8 so ward nie kaiser mein geleich und 122, 16 f. der ander wänt, er sei so reich, das im der kaiser nicht geleich.

2610. S. zu 1129.

2612. S. 1044; noch ärger Keller, Faſtnſp. 576, 23 f. und darf alle tag in meinem pauch vier kelber und ain rint und Singer, German.-roman. Ma., S. 193, 85 ff.

2621. Im Ausdruck vgl. 2854 u. 8713, vast u. d. m. 5295, wol u. d. m. 3803 u. 6659, und dannocht vil 1818, und dannocht bas 5204; Ammenhauſen 1671 tûsent tievel und dennoch mê.

2622. S. beſ. 2384 ff. u. 2543 f. Hiemit iſt das Thema des zweiten Teils an-geſchlagen, der 6457 ähnlich mit dem des dritten ſchließt.

2626 u. 28. S. zu 194. Zu 2628 vgl. Netz 2267 solt darumb ain ganz land ver-derben, 9986 und hett es üch gestanden ain halb land, 10014 so land land und lüt darüber gan, Mhd. Minnereden I (K. Matthaei) Nr. 11, 158 ff. . . . und giltz ain land, Mohrin 3480 die achten nit, gult es ain land, Folz, Von einem griech. Arzt (bei Keller, Faſtnſp., S. 1201) der nem, das er het gelt, vnd sünst ein ganczes lant verdürb, Liederſ. 2, 119, 58 sölt ich sin komen umb ain lant, Keller, Faſtnſp. 668, 19 Ich geb da für ain ganzes lant und 670, 36 er geb da für wol zehen lant, Froſchmeuſeler 1, 2, 10, 123 ich het drauf verwett ein land, Wunderhorn, Wettſtreit des Kuckucks mit der Nachtigall, Schlußſtr. und kostet's gleich ein ganzes Land.

S. auch Otto zum Turne II, Bartsch, Schw. Mf. XXXI, 2, 10 f. ez möhte ein lant
verderben, unt tæte ir ungnâde an im diu fîne, als si an mir begât.

2629. Die Ehe ist Sache der ganzen Sippe: vgl. A. Heinr. 1456 ff. und H. Bächtold, Verlobung und Hochzeit I, 14 f.

2630 ff. Über des Dichters Vorliebe für solche Namenlisten s. ZfdA. 50, 257,
Anm. 1. Wie er hier Bertschis Sippe mit ihren komischen Namen vorführt, elf Männer und sieben Weiber, die im Familienrate nacheinander das Wort ergreifen, so 3619 ff.
die Mätzlis, 5315 ff. die auswärtigen Hochzeitsgäste, 6690 ff. die Nissinger und 7153 ff.
die Lappenhauser Ratsherrn. Eine ähnliche Namenmasse ballt der Städtekatalog
7608—84 zusammen; kürzere Ortsnamengruppen s. 5300 ff. u. 6959 ff. Kolonnen
von Personennamen sprudeln schon Neidharts Lieder hervor: s. Brill, Die Schule N.s,
S. 20, Anm. 4, A. Duwe, Bayr.-österreich. Volksleben in N.s Liedern 8 f. und R. M.
Meyer, Reihenfolge der Lieder N.s v. R., S. 70 f. Seine Nachahmer übertreiben
diesen Zug: s. Liliencron, S. 98, Gusinde, Neidh. m. d. Veilch., S. 5 und Anm. 2,
Brill, S. 20, 30, 71, 80 u. 132. Das Stärkste leistet in diesen Namenschwällen das
Fastnachtspiel: s. Brill, S. 217 (nachzutragen wäre Keller 259, 6 ff. u. 336, 7 ff.);
ebd. marschieren auch Kolonnen von Schimpfnamen ähnlicher Art auf (s. 254, 9 ff. u.
255, 3 ff.). — Farindkuo — in der Regel dreisilbig (6 Stellen), weshalb 2668 die
der Hf., das auch rhythmisch stört, zu bessern war — steht offenbar im Sinne des
Spottwortes kuhgeheyer (DWb. 4, 1, 2, 2343, 2b). S. W. Arndt, Personennamen
b. deutsch. Schausp. des Ma.s, S. 77 und zu 812; ferner 6988 und far leis Grasmetze
250, nu vart mit sinnen Heidin, GA. 18, 1789 und var gar sinklîche 1795, ich kan
wol varn den neuen sin Keller, Fastnsp. 400, 4. — Der Name Engelmar, der bei
Neidhart und seinen Nachfolgern eine solche Rolle spielt (Brill, S. 134 f.) und noch
die Neidhartspiele beherrscht (Arndt, S. 48), mag aus dieser Überlieferung stammen;
die Rolle unseres E. F. ist aber eine ganz andere. Er ergreift als Bertschis nächster
Oheim (2669) zuerst das Wort, gibt im Namen der Sippe 3529 f. die Zustimmung
zur Ehe und eröffnet den Reigen der das Brautpaar beschenkenden Gäste 5475.

2631. Gumpost: das Appellativ — W.s Wortschatz fremd — bezeichnet ein beliebtes
Bauerngericht, das mit den Rüben (s. zu 142) wetteifert. S. Haupt zu Neidh. 68, 32,
Keinz zu Helmbr.² 867, Helbl. 1, 949 ff., A. Schultz, Höf. Leb.² 1, 382, Anm. 4,
M. Heyne, Deutsch. Nahrungswesen, S. 327. Neidh. Fuchs 3741 droht ein Bauer
zwei andern, sie würden zerhauen, das in für die fiesse fölt der kompost auß dem
magen. S. auch H. Edelmann, Z. örtl. u. zeitl. Best. v. W.s R., S.-Abdr., S. 6.

2632. Der Name Rüerenmost (s. 75 und Rürenprei Keller, Fastnsp. 254, 29 als
Scheltwort) deutet, wie es scheint, einen Verstoß gegen die Tischzucht an. S. 5647 ff.

2633 f. Niggeln (aber Niggels 9421) aus Nikolaus: s. Arndt, S. 22 und O. v.
Wolkenst. Nr. 38, Priamel Nr. LIII, Z. 1 ff. (Götting. Beitr. z. deutsch. Philol. II),
Jänseln (s. 6047) wie Jans, Jensel im Fastnsp.: Arndt a. a. O. — Fesafögili (2721

u. 6482) und Snellagödili (2751, vgl. 6501) sind offenbar imperativische Bildungen mit Deminutiven als Objekten.

2635. Zu Hafenschlek f. ZffbA. 50, 257; Nagenflek (f. 2833) ist wohl obſz. Natur (f. zu 1568; anders Arndt, S. 77); die Bildung wie Nagenranft im Faſtnſp. (Arndt, S. 76) — bei H. Sachs f. Faſtnſp. (Goetze) 7, 111, vgl. 434 — und Nagmichimars ebd. (Arndt, S. 79).

2636. Zu Schlinddenspek vgl. Namen des Faſtnſp.s wie Schlickenprein (Arndt, S. 75), Schlickenmost (Arndt, S. 95), Schlickwein (Arndt, S. 46), ferner Schlickdasbier in Uhlands Volksl.n 1, 576 und im Helmbrecht schon Slickenwider 1186 u. 1541, Lemberslint 1185 u. o., Slintezgeu 1237 u. ö. — Ofenstek nach dem gleichnamigen Geräte; f. zu 179.

2637. Über den alten Colman (aus Metz. Hochz. 312) f. ZffbA. 50, 257.

2638. Eben wegen seines ehrwürdigen Alters: f. 3029—36.

2639. mit dem stil: auf seinen Schreiberberuf zielend (stilus = Schreibstift).

2640. Ähnlich 3624 (auch am Ende einer Namenliste): eine beliebte Wendung der Urkundensprache, die z. B. öfters im Urkundenbuch der Abtei St. Gallen wiederkehrt: so V, Nr. 2520 nach einer Namenreihe und andrer erbrer lüten genůg (Wil 1412). — erbrer wie 8081 und z. B. bei Ammenhausen 17712 êrbrer lüte vil.

2641. Zum Satzbau vgl. 1311 u. 6706, anders 6695; ruofen m. Akk. ist W.s Sprache fremd. Darnach ist die 2647 eine Entgleisung in die akkusativische Liste oben nach 2629.

2642. Im folg. (6202 u. ö.) nur fro Jütz genannt wie die folgende fro Els (5573 u. ö.). Über Scheissindpluomen f. Arndt, S. 73, Anm. 1.

2643. Völlipruoch (f. 5510) wieder aus Metz. Hochz. (81 u. 395): f. ZffbA. 50, 257.

2644. Erenfluoch irrig 6337 f. Name einer fro Gredel; der Dichter meint die Niſſingerin Gredul Ungemäss (5327), die er auch 6450 u. 7174 im Sinne hat.

2645. Snattereina (f. 2841 u. 5515) und Töreleina (f. 2865) sind durchsichtige Scherzbildungen nach den Frauennamen auf -îna.

2646. Feina (Kurzform zu Josefina? f. Adolf Socin, Mhd. Namenbuch, S. 90 Fina de Rupe); auch 2967 u. 5859 mit junchfraw betitelt. Der folgende Zusatz enthält keinen Frauennamen; denn nach Feina ergreift 3027 ff. sogleich die alte Laichdenman das Wort. Zu meiner Besserung vgl. bei Lexer (u. seine Adj.) die Stelle aus dem f. Tit. gein prîse niht der seine und im R. 8959.

2647. Der volle Name 3028. S. zu 970.

2652. begen mit Objektsgen. ist nur einmal bezeugt: f. Lexer, Nachtr., S. 48.

2656 ff. Vgl. Dietr. Fl. 826 ff. ir herren, wizzet daz, iuwern rât ich gerne haben sol. Ich wolde dar zuo kêren, daz ich ein wîp næme, swâ ez mir rehte kæme. Nû mac ez âne iuch niht ergân. Nû wil ich iuwern rât hân, ob ez iu wol gevalle. — Zur Anrede lieben freunt vgl. 3633.

2665. bitten wird im R. mit Gen. verbunden (f. des 725, 1595, 2550 u. 6869, wes 7868) wie fonft allgemein; mit Aff. verzeichnet DWb. 2, 52, 1 nur nhd. Belege: daz muß alfo wohl Konjunktion fein (dink = „Anlaß"?), wenn nicht des zu lefen ift.

2666. îr sait mîr ... mit = „ihr fteht mir zur Seite"; f. Mhd. Wb. 2, 1, 192.

2667. rat und ... hilf: vgl. 7186 und auch 3587 f. u.3648 f. Die formelhafte Verbindung der beiden Ausdrücke, die heute infolge ihres ftändigen Gebrauches in Hebammenanzeigen einen geradezu komifchen Beigefchmack erhalten hat, ift nicht nur der mhd. Urkundenfprache geläufig (f. ze ratenne und ze helfenne Eidgenöff. Abfch. 1, 242, Nr. 2 im Anfang und Nr. 3, S. 243 ufw.), fondern auch in der Literaturfprache ungemein verbreitet: f. Mhd. Wb. bef. 2, 1, 564a und Gottfr., Trift. 14078, Thomafin, WG. 1278, 6606 f., 7814, Lichtenft., Frauend. 402, 19, Wigal. 8789, Konr. v. Würzb., Troj.-Kr. 40228, Reinfr. v. Braunfchw. 14128 u. 504, Herzog Ernft D 249, Wirg. 204, 11, 281, 11, 538, 9, 742, 11, Renner 2002, 8845, 13500, 14513, 17122, 18118, 22812, 23658, 24253 ufw. ufw. DWb. 8, 159, 176 u. 178 η.

2668 ff. Hiermit ift die Debatte des Sippenrates über die Ehefrage eröffnet. Anfangs will fie bei der fpröden Zurückhaltung der erften Redner noch nicht recht ins Rollen kommen und gerade in diefen Einleitungsfzenen offenbart der Dichter vorzügliches Gefchick und köftliche Beobachtung. Farindkuo lehnt 2670 ff. — die 2630 ff. gebotene Reihenfolge wird ftrenge feftgehalten — einen Rat angefichts der voreiligen entfchiedenen Stellungnahme feines Neffen in der erft zu erörternden Frage verdroffen ab, feine Hilfe aber fagt er zu. Gumpost weicht 2688 ff. einem Rate in fo heikler Sache mit einem Gemeinplatze aus. Rüerenmost ftellt 2706 ff. Bertfchi vor ein troftlofes Dilemma, ohne felbft zu entfcheiden. Erft Fefafögili fpricht fich 2724 ff. klar und entfchloffen gegen die Ehe aus. Damit ift aber das Stichwort für die Weiber gefallen, die lebhaft für die Ehe eintreten, worauf immer wieder einer der Männer gegen fie ausfällt: f. Scheissindpluomen 2734 ff., Snellagödili 2752 ff., Follipruoch 2784 ff., Havenschlek 2806 ff., Erenfluoch 2823 ff., Nagenflek 2834 ff., Snattereina 2842 ff., Schlinddenspek 2852 ff., Töreleina 2865 ff., Ofenstek 2938 ff. und junchfraw Fina 2968 ff., die auch einen Zwifchenruf des Vorredners fchlagfertig erledigt. Nach diefen fechs männlichen contra- und fechs weiblichen pro-Rednern proteftiert die alte Laichdenman 3029 ff. gegen die Ordnung der Debatte, was den gereizten Ausbruch des zunächft betroffenen Engelmar 3038 ff. und nahezu Tätlichkeiten hervorruft. Den Abfchluß bildet das große Redeturnier der Generalredner contra und pro, d. h. des alten Colman 3071 ff. und der alten Laichdenman 3165 ff., und der entfcheidende Spruch des Dorffchreibers in Profa.

2670. geraten (rat 2677) und hilf (2674): den Ausbruck in 2667 aufgreifend.

2671. Ähnlich Neidharthf. c 121, 6 ez ist ein dink, daz wesen muoz.

2672 f. S. zu 243 und zu 269. Ähnlich Frauenlob, Sprüche 163, 11 einer hennen vuoz gibe ich niht umb iuwern kriec.

2680. Betreffs Wetter zieggel! f. zu 402 — auch Sterz. Sp. 17, 200 Sy, Rumpold, das dich der zieckl (= tiefel) angee! — und zu 2176.

2681 f. Sprichwörtlich. S. Seiler, Deutsch. Lehnsprichw. 2, 4 und S. Singer, Alte schweiz. Sprichw. Nr. 5. H. Bebel, Prov. Germ. (Suringar) Nr. 281. Wer kan gefallen jederman? in Scheidts Grobianus 4582; f. ferner Ammenhausen 406 f. nieman mag menglich gevallen wol und Burkhart von Hohenvels, Mf. H. 1, 207, Nr. XIII, Str. 2 nieman in allen mag eben wol gevallen. — ieder man (f. Laa.) ist bei W. nur Nom.: f. 1222, 1397, 2809 usw.; iedem man begegnet 4652 u. 92, 6761, 7795 u. 8416, ieden man S. 140 im Credo, Z. 36. Erstarrtes iederman (f. DWb. 4, 2, 2292) für Dativ steht Kaufringer 2, 15 u. 20 u. 8, 54, Neidh. Fuchs 1815, Keller, Fastnp. 543, 3, Brant, Narrenschiff 41, 23 (f. d. Anm.) und Rosenblüt bei Keller, Fastnp., S. 1116 u. 17, für Akk. Keller ebd. 573, 14. — Auch der Ausdruck in 2682 ist formelhaft: f. Hätzl. 2, Nr. 12, 4 ff. chain man lebt so frey in aller welt . . . der es ietzunt also schaff, das es nyemant miszvall, er schimpff, ernst oder schall; Mhd. Minnereden (K. Matthaei) I, 1, 1465 f. (und ganz ähnlich 4, 5 f. u. 10, 1267 f.) sinem lieb zů gefallen in ernst, schimpff und schallen, 11, 324 mit schimpffen, schal und schertzen, 1, 1402 in schimpff und in schal, Netz 2208 schimpfen und schallen, schallen, schimpfen bei O. v. Wolkenstein: f. J. V. Zingerle, Wr. Sitzungsber. 64, 647, Mondsee-Wiener Liederhf. (Mayer und Rietsch) Nr. 44, 15 schymphen, scherczen, schallen, 36, 32 schymphen, schallen.

2683 f. S. Singer, Alte schweiz. Sprichw. Nr. 204.

2688 ff. Nach dem Facetus: f. bei C. Schroeder O 134 coniugium, monachale iugum, crux: inspiciantur haec in mente tua, priusquam suscipiantur. S. auch Heinr. Bebel, Prov. Germ. (Suringar) Nr. 94: Nulli consulendum est . . . ducere uxorem, transmarinam facere peregrinationem et sequi militiam: quoniam eorum eventus dubius est et incertus. — zuo einem münch ze werden: über den Satzbau f. zu 7015 f.

2697. Doy der Hf. ist sonst nicht nachweisbar; f. zu 320.

2700. Den Wortlaut in 2689 f. aufgreifend.

2702. Im Ausdruck ähnlich Hätzl. 2, Nr. 29, 157 f. durch senen chomt mir kalter schwaisz: ir gebt mir frost vnd macht mir haisz und Nr. 54, 164 gibt sy kalt oder hitz?

2706 ff. Nach einer im Mittelalter und auch in früher Neuzeit vielgebrauchten Sokrates-Anekdote: f. Valerius Maximus, lib. VII, cap. 2, ext. 1 u. Gualteri Burlaei liber de vita et moribus philosophorum, Ausg. von Herm. Knust, S. 122, der in Anm. 123 zahlreiche Nachweise verzeichnet: (Socrates) Interrogatus a quodam iuvene, an uxorem ducere an a matrimonio abstinere deberet, ait: „In utroque horum acturus es penitenciam. Si non duxeris, solus eris, filiis carens, generis tui interitus, bona tua alienus heres accipiet; si autem duxeris, erit tibi sollicitudo perpetua, contextus querelarum, dotis exprobracio, affinium grave supplicium, garrula socrus, alieni matrimonii gravis suspicio, incertus liberorum eventus." S. Vintler 2662 ff. und Zingerle z. St., Albr. v. Eyb, Ehebüchlein (M. Herrmann) 5, 2 ff.

2706. Vgl. im Ausdruck 7325.

2708. S. zu 1511.

2718. Vor laid: f. 3194. — von im selber cham: f. dagegen 220, 9067 f. u. 9672.

2719. Über dieselbe Phrase mit tag statt des rätselhaften tod f. zu 1959.

2720. Ähnlich Keller, Fastnsp. (Nachl.) 232, 22 angst und not hat mich umbgeben und 239, 28 fast wörtlich ebenso.

2724 ff. Das Bild geht von 2708 aus: wer sich für die Ehe entscheidet, wagt sich durch einen Bach mit lauter bösen Furten; besser bleibt er somit auf dem Ufer, wo er stand, d. h. unbeweibt. Das vielbekannte Wortspiel böser...besser (f. Freidank 110, 24, Helmbr. 518 usw.) auch 2737. 39.

2729 u. 45. also: d. h. wie zuvor, also = unbeweibt.

2735 ff. Anklingend an 1. Theff. 5, 21 omnia autem probate, quod bonum est, tenete! Vgl. Schulze, Nr. 275 und Joh. v. Würzb., Wilh. v. Oft. 5660 ff. wizzet, daz er hat reht getan, der uz zwain sachen daz böste kan geswachen und daz best im uz erweln. — Die Betonung her zéllen (f. zu 937) hat im R. nichts Auffallendes.

2737. daz besser und 39 daz böser: Komparative im Sinne des Dilemmas 2727 f.? Oder im Sinne von Superlativen (f. 2736 alleu stuk)? S. 6931 und E. Martin zu Wolframs Parz. 5, 10 u. 121, 3, Frauentreue, GA. Nr. 13, 60 vil wol daz geschehen mak, daz ir si sehet alle; swelch iu dô baz (am besten) gevalle, die zeiget mir! In der österr. Mundart noch am bessern = „am besten", di Schöner = „die Schönste".

2740. unser narr (f. dagegen 2735) = „für uns ein Narr". Vgl. A. Heinr. 415.

2744. so sei beste mag: vgl. 2970, 3192 u. 8280.

2747 ff. Während die Sprecherin 2741 ff. den zweiten Teil von Rüerenmofts Alternative unterstützte, bekämpft sie nun den ersten. — würkent (f. 4611 u. 7801): mit Bezug auf arbait 2711.

2754. Weit verbreitete und bis heute lebendige Redensart des Mittelalters. Zeugnisse für dieses kindes spil bei Zingerle, Das deutsche Kinderspiel im Mittelalter, S. 1 f., und bei Martin zu Kudrun 858, 2, für ez ist niht ein kindes spil bei Zingerle a. a. O., S. 2, Anm. 1. Sie ließen sich leicht vermehren: f. z. B. her Kuonrât, der schenke von Landegge, Schweiz. Mf. XXI, 6, 14 und der von Bûwenburc ebd. XXIII, 1, 18, Lichtenst., Frauend. 303, 20, Heidin, GA. 18, 391, Wolfdietr. D VIII, 60, 2, Rosengarten D VIII, 309, 3 (vgl. XVIII, 516, 2), Mohrin H.s v. Sachsenh. 322 (vgl. 1228), Keller, Fastnsp. (Nachlese) 107, 2 f. (vgl. 265, 18), H. Sachs, Werke (Keller) IX, 272, 7. 3177 bedeutet kindelspil „kindisches Tun".

2755 ff. Mit dieser Warnung vor der Gefahr der Ehe mit einem bösen Weibe, die

von den Worten der Vorrednerin 2741 ff. ausgeht, ist der Reigen der Schmähreden
gegen Frauen und Ehe im bäuerlichen Sippenrate eröffnet. Die Argumente dieser ehe-
feindlichen Ergüsse stammen zum Teil aus Theophrasts liber de nuptiis, wie er im
Auszug bei Hieronymus, Adversus Jovinianum libri duo, Migne, Patrolog. Lat.
tom. 23, 276 ff. erhalten ist. S. Richard Koebner, Die Eheauffassung des ausgehenden
deutsch. Mittelalters, S. 59 ff. Kritische Ausg. von Felix Bock, Leipzig, Studien zur
klass. Philologie, Bd. 19, S. 60—64. Nachweise in der latein. Literatur des Mittelalters bei Burdach, Ausg. des Ackermann aus Böhmen, Kap. 20, S. 294. Auch
Innozenz III. schreibt im Traktat De contemptu mundi (Migne, Patr. Lat. 217,
Kap. XVIII De miseria continentis et coniugati p. 710) Hieron. abv. Jov. aus.
Erörterungen über die Ehe, bzw. über die Fehler und Tugenden der Frauen bildeten, wie
bekannt, dann ein Lieblingsthema der italien. und der deutsch. Renaissanceliteratur.
S. Ph. Strauch, ZfdA. 29, 433 f. Wenn Burdach a. a. O. S. · 295 f. gegenüber
M. Herrmann betont, nicht Albrecht von Eyb, sondern der Dichter des „Ackermann"
habe der humanistischen Eheliteratur in deutscher Sprache die Bahn gebrochen, so dürfen
wir nicht übersehen, daß etwa gleichzeitig der R.-Dichter als Verteidiger der Ehe auf-
trat, wie der Ausgang seiner Debatte lehrt. — Zum Weheruf über die Opfer böser
Weiber s. Ecclesiastes VII, 27 et inveni amariorem morte mulierem usw., Hätzl. 2,
Nr. 52, 25 ff. Wer mit übeln weiben sein zeit sol vertreiben, dem wär wäger,
er wär tott, ee das er käm in söliche not, Keller, Fastnsp. 494, 17 ff. und auch
Renner 447 ff.

2758. Vgl. 3130 und Mhd. Minnereden I (K. Matthaei), 1, 326 offenbar und
taugen, ebd. 265 offenbar und haimlich, 1573 haimlich und ... offenbar, 1562
offenbar und stillen, Ammenhausen 12960 stille und offenbar.

2760. verruochen (s. 2779 ff.) nach einer gesprächsweisen Vermutung S. Singers.

2768. nunn: s. zu 374; kümpt ... aus: s. DWb. 1, 895, 4.

2769. stubenritter: sonst unbezeugt; vgl. klöster- und küeweritter. Ähnlich Mone,
Anz. f. Kunde d. deutsch. Mittelalters 3, 22, 2, 26 ff. Wil ainer ... da haim beliben,
schaffen seins huß ding, den haist man ein verlegen hüßling. Singer verweist auf
Mf. H. 3, 217b 5 muoter, waz saget ir von stubenrîten (rîte = rîter Lexer 2, 463,
: an die zigenlîten), Scheltwort für einen Bauern.

2770. stinkt ... saur wie 6326; zu feist ... bitter das im BWb. 2, 772 bezeugte
stubenstenker und unser stinkfaul.

2773—78. S. Theophrast (bei Hieronymus abv. Jov.): Si totam ei domum regen-
dam commiseris, serviendum est; sin aliquid tuo arbitrio reservaveris, fidem sibi
haberi non putabit et in odium vertetur ac iurgia et, nisi cito consulueris, parabit
venena. — mit sampt (= totam): hier im Ggs. zu ein tail 2775, sonst präpositional
verwendet. 2778 geben die i-Laute und die Spiranten in stift ... gift ... wicht die
fauchende Redeweise des geifernden Weibes wieder.

2779. Eines der ältesten Zeugnisse für die Redensart (f. Wander 2, 784, 45), das im DWb. 4, 2, 1817, 6 übersehen wurde. S. Herm. Dunger, Germ. 29, 59 ff., ferner Albertinus, Gusmann von Alfarache, S. 299 deßgleichen setzen die Eheweiber ihren Männern Bockshörner auff. Abraham a S. Clara spielt in Judas der Ertzschelm (Bobertag) mannigfach mit der Redensart: f. 180, 1 ff. u. 246, 19. Dagegen wachsen im Fastnachtspiel von der Krone (Keller Nr. 80) dem Ehemann, der seine Frau betrügt, Hörner. S. Holland, S. 1518.

2780 ff. Vgl. GA. Nr. 54, 61 f. dô tet er als ein man, der sîn laster (den Ehebruch der Gattin) decken kan und Renner 12944 ff. er muoste tuon, als noch vil dicke manic man tuon muoz durch sîn êre: ê denne daz laster (wie oben) sich gemêre, sô muoz er etswenne über sehen ein dinc, als ez nie sî geschehen. Bei Theophrast heißt es: Quoscumque illa dilexerit, ii ingratis amandi. Die 2782 gebrauchte Redensart (f. Ausg. S. 333 und Kirchhofer, Wahrheit und Dichtung, S. 302, Karl Simrock, Deutsche Sprichw. Nr. 11792a) bedeutet also: „Du mußt freundliche Mienen zum bösen Spiel machen." S. auch Rollenhagen, Froschm. 3, 1, 9, 185 ff., wo der Wolf sagt: Ich tat aber, wie ich sonst pflag, wenn ich beim hund gefangen lag, und stellt mich nicht zur gegenwer. Der im R. unmögliche Reim verswîgen : ligen entstand durch die sich dem Kopisten aufdrängende Phrase gevangen ligen (f. z. B. 8516).

2784. Mich zimpt = „mich dünkt": f. Haupt zu Neidh. 201, 10 und meine Anm. zu 103, 10 in der zweiten Ausgabe, Heselloher (Hartm.) 4, 114 wie wol mich zäm (f. dagegen Zwierzina, AfdA. 17, 218) und Keller, Fastnsp. (Nachlese) 253, 5 f. der nam dir deinen maytumb dort in dem pett, als mich wol zam, wo an Änderung in sich nicht zu denken ist. — der weiben fluoch: f. 5078 und Erenfluoch 2644 u. ö.

2785 ff. Nicht alle Weiber sind böse; es gilt nur, die Richtige zu finden. Diese aber ist ein Segen für den Mann.

2788 ff. Ein bekanntes Sprichwort: f. Zimmerische Chronik (Barack) 3, 548, 9 ff. Wer . . . zu verheiraten hab, der sehe wol für sich . . . und heirate nit ferr von seiner heimat . . . vermeg unser vorfaren spruchwort: nahe heirat und ferre herrendienst seien die bösten (= besten); im Leb. d. hl. Elisabeth (Mencke, Scr. r. Germ. II, § XII) nahe gefreunt vnd fern geheret, fast ebenso in der 1565 bei Chr. Egenolffs Erben in Frankfurt a. M. gedr. Sammlung „Sprichwörter, Schöne, weise Klugreden", Bl. 19a; f. ferner Kirchhofer, Wahrh. u. Dicht., S. 198 Wer nicht will seyn betrogen, der kauff des Nachbars Rind und freye dessen Kind! (SJb. 4, 1518) und Heirate über den Mist, so weißt du, wer sie ist! (SJb. 4, 538), S. Singer, Alte schweiz. Sprichw. Nr. 293 und H. Bächtold, Die Gebräuche bei Verlobung u. Hochz. I, 6, Anm. 4.

2793. S. 2527 f., 3171, 4264, 6871 u. 7386, auch 4436 u. 8507.

2796. Ähnlich Boner XCVI, 55 f. nie ûf erden bezzer wart denn ein wîp von

guoter art. Der eigenartig gebaute Relativsatz W.s weist auf den latein. Sprachgebrauch hin: vermutlich stammen auch die Lobreden auf Frau und Ehe aus lateinischen
Vorlagen.

2797 ff. Erwiderung auf 2762—72 in umgekehrter Anordnung.

2798. sei wart dir aus: zur Phrase s. DWb. 1, 1009 f., 5. Bei Lexer 1 Beleg.

2807. wunder: s. 5930 und auch 1439.

2809. weiben: Jnf. wie 3023 u. 4197, zuo wie 3804?

2811—18. Zu dieser zweiten Schmährede (Koebner, S. 60), die von den Ent-
täuschungen der Ehe handelt, vgl. wieder Theophrast: Adde, quod nulla est uxoris
electio, sed qualiscumque obvenerit, talis est habenda. Si iracunda, si fatua,
si deformis, si superba, si foetida, quodcumque vitii est, post nuptias discimus.
Equus, asinus, bos, canis et vilissima quaeque mancipia, vestes et lebetes, sedile
ligneum, calix et urceolus fictilis probantur prius et sic emuntur, sola uxor non
ostenditur, ne ante displiceat, quam ducatur. S. auch Fischart, Ehezuchtbüchl.
(Hauffen) 196, 33 ff.

2813. die faigen frawen: ähnlich 7996.

2815. Aigenchleichen im R. vereinzelt und sonst unbezeugt; aigenleich 878, 2227,
3948 u. 4090, aigenleichen 622, 1967 u. 2290.

2818. Vgl. Keller, Fastnsp. 231, 22 solt ich ein frauen nemen, die hett der tadel
mer dann zehen.

2822. S. zu 383.

2824. Formel der Rechtssprache: s. Landrecht des Schwabenspiegels (Wackernagel)
wider got unde wider reht CX, 27, CXXXI, 3 u. CCXCIX, 11 f., Ulr. v. Richen-
tal, Chronik des Konstanzer Konzils (Buck), S. 53 mit gott und mit dem rechten
(= R. 6819 u. 8449!) u. 121 durch gott und des rechten willen, Klingenberger
Chronik (A. Henne), S. 23 mit got vnd recht, Senn, Toggenburg. Archiv, S. 39
(Urkunde aus 1448) u. ö. sy getruwtind wol got vnd dem rechten; ebenso in der
Dichtung: wider got u. wider recht Suchenwirt 32, 26, Wintler 3380, Uhland,
Volkslb. 3, 165, Str. 9 und w. g., on alles r. 166, Str. 2, mit got u. mit dem
rechten 176, Str. 8, ähnlich Facetus r (C. Schroeder), S. 205, Str. 34, Netz 11415,
durch got u. durch daz rehte Wolfr. Wh. 16, 28 und ähnlich GA. Nr. 60, 168.
Heute noch von Gottes und Rechts wegen (bei Joh. Scherr, Michel, Reclam 2, 7).
Beheim, Buch v. d. Wienern (Karajan) gebraucht die Formel wider got, er und reht
40, 25, 266, 31, 273, 24, 332, 10 u. 365, 11.

2829 ff. gesehen (= gelesen 2827) verrät, daß im folgenden ein Zitat vorliegt.
A. Goetze (Litbl. 1932, Sp. 297) verweist auf den Rechtsgrundsatz quilibet praesumi-
tur bonus, „durch die Schlußworte leuchtet die Formel sine malo dolo."

2834. S. zu 309. zwek vermutlich im Sinne von „Dreck": unsere mhd. Wbb. und
BWb. bieten mehrfache Zeugnisse. Anders 7399.

2835 f. Spottende Redensart, die ausgeht von der andern er kan wol sîniu sibeniu GA. Nr. 49, 784; vgl. Siebenkünstler. Dazu bildet man die Variante sie hat die sieben schön Scheidts Grobianus (G. Milchsack), S. 66, am Rande. S. Hauffen, K. Scheidt, S. 62, Anm. 4. Die spöttische Übertreibung gebraucht Peter Probst, Faſtnſp. Nr. 6, 12 Der sybm freyen kunst er wol acht kan. Lier, Stud. z. Geſch. des Nürnb. Faſtnachtſpiels verweiſt dazu S. 151, Anm. 4 auf Kellers Faſtnſp. 365, 12 u. 679, 14; ſ. auch Sterz. Sp. 21, 20. Darnach die Umbildung der Variante bei Folz in Kellers Faſtnſp. 72, 6 sie (eine häßliche Dirne) hat der siben schon wol dreizehen: ſ. Ph. Strauch im AnzfdA. 18, 377 u. DWb. 9, 1494, 4.

2837—40. Diese dritte Schmährede iſt ohne Parallele bei Theophraſt. Koebner meint im Archiv f. Kulturgeſch. 9, 299, W. habe die Paraphraſe von Theophraſts Schmähſchrift in einer Faſſung vor ſich gehabt, der ein geiſtlicher Bearbeiter den biſſigen Ausfall gegen die Frauen beigefügt hatte. So heißt es bei Andreas Capellanus, De amore (E. Trojel), S. 353 luxuriosa est … omnis femina mundi. Jedenfalls iſt Nagenflecks Zitat (ſ. zu 2101 ff.) eine ſchlagende Antwort auf die Frage der Vorrednerin 2827 f.

2841. verredt wie 3761 u. 7388 „ſtellte in Abrede". In der Tat aber beleuchtet ſie die Frage von einer neuen Seite: das Sittengeſetz, neben dem eigenſüchtige Wünſche verſtummen müſſen, verlangt die Ehe.

2842 f. S. zu 2138. — daz sag ich dir Zeilenſchluß wie 305, 2087 u. 7032.

2844 ff. Vermutlich eine ſprichwörtliche Lebensregel (beachte das nota!). Im Ausdruck vgl. Kellers Faſtnſp. 404, 7 ich leb nach meins herzen gier. hertzen gir iſt im R. nicht ſelten: ſ. 3614 (mit); 3648 u. 6373 (nach), 1734 u. 4391 (von), 2070 (zuo), außerdem 1845, 6340 u. 52.

2847 ff. Beschaidenhait im Ggſ. zu hertzen gir. Ähnlich bei Thomaſin, W. G. 7575 ff. (Hinweis Singers). — Das folgende beruht vielleicht wieder auf einer entſprechenden Redensart; vgl. Heinr. von dem Türlein, Krone 19458 daz er der hunde geselle durch die unzuht (Motzucht!) wære und Wolframs Parz. 528, 27 ff.

2852—64. Zur vierten Schmährede, welche die Sorgen des Haushalts hervorkehrt, wie ſchon Jwein 2807 ff. und Hadlaub Nr. 7 in den Schweiz. Minneſängern von K. Bartſch (ſpäterhin ſ. den Spruch bei Emil Weller, Dichtungen des 16. Jhdt.s, 1874, Nr. 1), vgl. Theophraſt: Multa sunt, quae matronarum usibus necessaria sunt: pretiosae vestes, aurum, gemmae, sumptus, ancillae, supellex varia, lecticae et esseda deaurata. — Hi jo! hier Ausruf des Staunens. S. zu 1061. — Müe und zerung wie 7806. — Zum Ausdruck in 2854 ſ. zu 1084 u. 2621.

2855 ff. Vgl. H. Folz, Vom Hausrat (Zarncke zu Narrenſch. 66, 28) Welch arm man sich zu der ee wöll lencken, sol sich allweg vor wol bedencken, was man als haben musz im hausz uſw. und das Gedicht vom husgeschirr Hätzl. 1, Nr. 35.

2856. pettgewant wie 5029 u. 7115, vedergwand 2879.

2857. Frawenclainet wie 2889: ſonſt unbezeugt.

2858. für ander vier: vgl. 3831 u. 5096. Die Vierzahl liebt der Dichter überhaupt: ſ. 3775, 5267, 5536, 5987, 6151, 8447, 8748, 9434 u. 9639. S. Benecke zu Iw. 821, Zupitza zu Wirg. 574, 10 und Lexer ſ. v.

2859. S. bei Weller Da müſt ich . . . in dem hauß han win unnd brot unnd darzu flaiſch unnd fiſch (: tiſch).

2863. Die Beſſerung von S. Singer. Inhaltlich vgl. Hätzl. 1, Nr. 35, 6 wer arm in den orden (der Ehe) chomt, der wirt wol yrre.

2865. ſprach: ergänzt ſchon Bleiſch S. 59.

2866. gemacht us ſtro: offenbar Redensart, die, wie das folg. lehrt, einen albernen Menſchen bezeichnet. Vgl. unſer „Strohkopf" u. ä.

2870—2932. Ihre Polemik erledigt die Ausführungen des Vorredners Punkt für Punkt, faſt durchwegs in derſelben Reihenfolge, und zwar meiſt, wie W. es auch ſonſt liebt (ſ. zu 2527 ff.), in je zwei Reimpaaren: 1. Ausſtattung (2856—58), und zwar Geld (2870—76), Bettzeug (77—80), Kleider (81—88), Schmuck (89—92) und Haus-geräte (93—96); 2. Lebensmittel (2859), und zwar Wein (2897—900), Fleiſch (1—4) Fiſche (5—8) und Brot (29—32): bedeutungsvoll, als das allein Nötige, an den Schluß geſtellt; 3. Wohnung (2861), und zwar Haus und Hof (2909—14); 4. Wirtſchaft (2861 f.), und zwar Geſinde (2915—20), Vieh (21—24) und Grundbeſitz (25—28).

2870 f. Starkes Zeugma: vgl. aber den bildlichen Ausdruck 5021 ff.

2873 ff. Zu 2874 ſ. S. Singer, Zu Wolframs Parz. (S.-Abdr. aus der Feſtgabe für R. Heinzel), S. 51, Anm. 1, zu 2875 1. Moſ. Kap. 5, 5, auch Lucidarius (Heid-lauf) 7, 29 f. Do ſprach der junger: 'Wie lange lebete Adam?' Der meiſter ſprach: 'Nünhundert jar unde drizic jar.'

2878 ff. Von den Ungarn heißt es in den „Zwölf Zungen der Chriſtenheit" (Cgm. 521, f. 149b: ſ. BWb. 1, 109 u. zu 7274 ff.): Sy . . . habent auch gute roß und ſtarck ochſen und lutzel vederbat. Er trinckt im ain pett von gutem wein und macht den aus ſeiner frawen ein ungriſchen pflug. — vedergwand =pettgewant 2856, gefider 3102 u. 5365. S. Zarncke zu Narrenſch. 26, 90.

2882. Spangenland (wie z. B. auch Partonop. 13180 u. 16673: ſ. Matthias, Die geogr. Nomenklatur Italiens, S. 33): dagegen in Spangen 7615 wie Preuſſen-land 2899 neben Prèuſſen 7683. Singer dachte (geſprächsweiſe) an ſpaniſche Zigeuner. Solche finde ich in Fiſcharts Garg. (Alsleben), S. 83 erwähnt.

2887. wie ſchon ſei ſpint: konzeſſiv zu faſſen.

2889 ff. S. Sprüche Salomos 31, 10, ähnlich z. B. H. Sachs, Faſtnſp. (Goetze) Nr. 12, 377 f. ein ſolich redlich pider weib die iſt, wie Salomon peſchreib, peſſer den edelgſtain vnd golt und Fiſchart, Ehezuchtbüchl. (Hauffen) 148, 22 ff. So mus derwegen diſes ein Frau ziren vnd ehren . . . Solches kan aber nicht das gold, ein Smaragd, das Edelgeſtain . . . thun, ſonder vil mehr alles diß, was ſie erbarer, züchtiger, geschickter vnd eingezogener mag machen. Zu meiner Besserung Zieren scholt s. volo bei Paulus, 1. Tim. 2, 8 f.

2894. So tuo (3. Sg. Konj. wie oben 2869 f. und unten 2897 f.): näml. „wenn er es haben will".

2896. Küchingrät: der einzige literar. Nachweis fehlt bei Lexer, Nachtr.

2897 ff. S. Leichner, Karajans Anm. 210 Wie hânt den die alten getân, der maneger hundert jâr genas und west niht, waz ein wîn was? Singer verweist auf Nikolaus von Jeroschin (Fr. Pfeiffer), S. 20, 170 ff. ir (der Preußen) tranc . . . in aldin zîtin was ouch drilch (dreifach): wazzir, mete, kobilmilch (Stutenmilch).

2902. carnium quadrupedium omnino ab omnibus abstineatur Benediktinerregel cap. 39, ähnlich wohl auch im Predigerorden (Singer).

2905. retst (= redest) umb wie 7857; vgl. sprechen umb 3315.

2906. S. Lambel zu Helmbr.[2] 448. Fische gelten auch dort als „Herrenspeise" (s. 462, 783 u. 1606) und ebenso R. 3378; merkwürdigerweise werden 5871 ff. solche bei der Bauernhochzeit aufgetragen. Echte Bauernnahrungsmittel s. 5025 ff. Über „Wildbret und Fische" als typisch vornehme Gerichte s. A. Schultz, Höf. Leb.[2] 1, 439 und Hügli, Der deutsche Bauer im Ma., S. 81, 129 (Anm. 96) u. 143 (Anm. 120), Helbl. 2, 4 u. 8, 880 ff., ferner Apollonius (Singer) 11406 ff. man pflag ir wol mit reycher kost: rueben und kumpost trug man nicht ze tisch; wilprett und edel fisch was mit gewurtz den heren wol perayt, Neidh. Fuchs 265 f. darnach kam ich gen Wien ans fürsten tisch: man gab mir wilpret vnde fisch, Meisterlieder der Kolm. Hs. (Bartsch) LXXXVIII, 27 dem rîchen schict man wiltbrât unde vische, Kaufringer I, 144 (s. Euling, S. 233) u. XII, 220 (= XIV, 458), Uhland, Volks-lieder 3, 166 (aus 1450), Str. 14 Es ist nit: 'Sebolt, richt den tisch und trag herzů wildprât und visch . . .!' Der marggraf . . . verpeut in alle kostlich speis und er-laubt in mûs und gersten, Brants Narrensch. 17, 14 f. die richen ladt man zů dem tisch vnd bringt jnn wiltpret, vogel, visch (und Zarnckes Anm.). In G. Kellers „Grünem Heinrich" 1, 305 noch: Nach der Spitze der Tafel zu, wo der Oheim und die allfälligen Gäste saßen . . . dort waren die Ergebnisse der Jagd oder des Fischfanges . . . aufgestellt.

2907. Wein und Pfeffer: die Hauptbestandteile der Pfefferbrühe (s. Mhd. Wb. 2, 1, 486b 34 ff.), in der man „Pfefferfische" zubereitete. Vgl. Hadlaub (Bartsch, Schweiz. Minnes. XXVII, 7, 16 f.) jan haben wir . . . daz fleisch noch vische, pfeffer noch den wîn und Neidh. Fuchs (Bobertag) 3383 f. frisch visch . . . aus einem pfeffer heiß.

2909. daz ist ein er: ähnlich 6128, mit Possessiv 6647 u. 79, mit Gen. 6993.

2910 ff. S. Wilwolt v. Schaumburg (A. v. Keller), S. 90 Der fuesknecht einer . . . gewan (bei der Plünderung von Dina in Brabant) in ains Lumbarten haus XVI C barer gülden. „Der Name eines Lombarden ward in allen Ländern mit dem eines Banquiers oder Geldwechslers gleichbedeutend", meint J. J. Amiet, Jahrb. f. Schweiz.

Gesch. 1, 204, der ebb. 1, 177–255 u. 2, 141–328 über Wesen und Treiben dieser „Lombarden" in den Schweizer Städten während des Mittelalters ausführlich handelt. Vgl. Fischarts Ausfall im Garg. (Alsleben), S. 300: der hat die Kauffmännische Beutelzauser vnnd Geltmauser die Genuesische, Florentzische vnd Venedisch Buchhaltung gelehret.

2916. tobigs: f. zu 1992 und Lexer unter töubic, BWb. 1, 579 und DWb. 11, 179.

2917 f. Vgl. Wer seine Sach will haben recht, muß selber seyn Magd und Knecht bei Kirchhofer, Wahrh. u. Dicht., S. 204.

2919 f. eim andern: im Ggf. zu im selber. Der derbe Ausdruck in 2920 bezeichnet wie 5818 die Dienstbarkeit. Ähnlich Sterz. Sp. 25, 269 wir habn dier wol als lang ins maul gehient (= zugehört). Zur Form gienen, die auch im Reim des Helbl. erscheint, f. BWb. 1, 918 und SJd. 2, 330.

2921 ff. Ähnlich sagt Rosenplüts Priamel (Euling, S. 561) Ein pauer, dem got solch kunst wolt fügen, das . . . im kein frucht auf dem felt verdürb und nimmer im kein vih abstürb und im kein wolf nit wonet pei und vor allen reubern wer sicher und frei . . . der möcht im alter wol etwas für sich sparn.

2923. Über schalm (Viehseuche) f. BWb. 2, 412 f. und SJd. 8, 694, b, α.

2933 ff. Sprichwörtlich: f. A. Otto, Sprichw. d. Römer 376 (Cicero, De finibus bon. et mal. 2, 28, 91 quod parvo esset natura contenta, darnach die Randglosse in Scheidts Grobianus, S. 133 bei Milchfack). Ähnlich Thomasin, W. Gast 2729 f. der man bedarf niht ze vil, swer nâch sîner durft leben wil; f. auch Wintler 7308 ff. Wer do nach der natur lebt, der mag nimmer arm gesein; wann die natur die ist so vein, das si sich leicht genüegen lat mit Berufung auf Boetius und ganz ähnlich Albr. v. Eyb, Ehebüchlein (M. Herrmann) 36, 28 ff. nach Epikur. Ferner stehen andere Zitate in Singers Alt. schweiz. Sprichw. Nr. 91.

2937. da wider besserte ich nach 3159 u. 5416.

2938 ff. Die fünfte Schmährede des Inhalts, jedes Eheweib sei beschwerlich, schöpft wieder aus Theophrasts liber de nuptiis: zu 2953–66 vgl. Pauperem alere difficile est, divitem ferre tormentum, zu 2941–49 Sit pulchra aut deformis uxor, utrimque urgetur incommodo, qui eam ducit; pulchra enim cito adamatur, foeda cito concupiscit, zu 2944–46 Difficile custoditur, quod plures amant, zu 2950 bis 2952 molestum est possidere, quod nemo habere dignetur, zu 2946 Nihil tutum est, in quod totius populi vota suspirant. Das erste Dilemma — „schön und jung, alt und häßlich" — ist symmetrisch gegliedert (vgl. 2941 u. 47, 2943 u. 49, 2944 u. 50, 2945 u. 51, 2946 u. 52), das zweite loser angeordnet: a) 2953–56 eine Frau mit zahlreichen Verwandten, und zwar α) armen 2957, β) reichen 2958, b) ohne Verwandtschaft und arm 2961–66.

2943. S. Mhd. Wb. 1, 707b unter hœne.

2944 ff. Der Gedanke begegnet nicht bloß bei Theophrast (f. oben), sondern ist Gemeingut: f. Seiler, Deutsch. Lehnsprichw. 1, 140 Publilius Syrus 18 Maximo malo custodit unus, quod multis placet (vgl. 173), deutsch z. B. Sprichwörter, Schöne, Weise Klugreden, Frankf. a. M. 1565, Bl. 314a Deß ist böß zu hüten, das jederman gefellt und ähnlich H. Sachs, Werke (Keller) II, 171, 33 f., Fischart, Ehezuchtbüchl. (Hauffen) 201, 13 f. u. 229, 20 ff. Genauer Ackermann, Kap. 20 Was schone ist, das ist mit tegelicher beisorge swere zu halten, wann sein alle leute begeren, was scheußlich ist, das ist leidenlich zu halten, wann es missfellet allen leuten. S. Bernt u. Burdach z. St.; auch Suringar, H. Bebels Proverb. Germ. Nr. 242. — nach meinr versicht wie 3100, 3383 u. 6796, ferner nach irm versehen 2835, nach ... zuoversicht 2532, 3226 u. 5937.

2947. Vgl. H. Sachs, Fastnsp. (Goetze) 19, 208 vngschaffen vnd alt. Vgl. 63, 109.

2949. Du pist versaumpt wie 5892.

2955. richt ein schand: f. den Namen 3628 u. ö.; anders 2125.

2956. pring dich ... vom land „mache dich ... daheim unmöglich"; f. DWb. 6, 94 c.

2960. Bei Theophrast vocanda domina in anderem Zusammenhang.

2962. hast ... gevarn: f. H. Paul, Umschreibung des Perf. im Deutschen mit haben und sein (S.-Abdr.), S. 183.

2963. man — schlecht „hält es dir vor", ähnlich 3441. Vgl. Renner 11173 ff. manic man ist ein bœsewiht: würfe man in daz under ougen niht, sô wênt er sîn ein frumer man u. ä. Belege der mhd. Wbb.; f. auch DWb. 1, 792. Dagegen ist 5963 wörtlich zu nehmen.

2968. Redensart: f. Scheidts Grobianus 3393 vnd sagt ein jeder seinen thant. In der gleichen Bedeutung „Geschwätz" steht tant noch 5443 u. 7526. Gerne gebraucht H. v. Sachsenh. den Ausdruck, und zwar in derselben Phrase. S. Martin zu Mohrin 851.

2969 f. Ganz ähnlich 3191 f.

2972 ff. Zuerst erwidert die Sprecherin auf das erste Dilemma des Vorredners 2941—52: zu 41—46 vgl. 72—76 („schön") u. 77—82 („jung und ungeschickt"), zu 47—52 vgl. 83—88 (alt") und 89—98 („häßlich"). Einen Einwurf des Vorredners (2999—3006) wehrt sie zungenfertig ab (3007—20) und erledigt in aller Kürze (3021—26) das zweite Dilemma (2953—66).

2972 ff. der maister von nataur: f. Renner 9590 und Ammenhausen 15080. Megenberg nennt z. B. Avicenna und Albertus so 112, 36; natürlich meister Murner, Badenfahrt XXV, 33, H. Sachs, Fastnsp. (Goetze) Nr. 85 vor 139, 179 u. 389. Inhaltlich steht nahe Juvenals mens sana in corpore sano 10, 355. Fischart meint hingegen im Ehezuchtbüchlein (Hauffen) 201, 9 f. waist nicht, das die schön lieblich gestalt mit frommkeyt einen krieg stäts halt? (nach Ovids Heroid. XVI, 290 lis est cum forma magna pudicitiae. Singer.)

2975 f. Im Ausdruck vgl. Steir. Scheltgedicht 193 ff. (Schönbach, Vierteljahrschr.

f. Lit.-Gesch. 2, 333) dar vmb kain weysser ... man mir daz ver übel haben khan. S. auch 3181.

2981. piegen und smiegen verbindet auch Suchenwirt 12, 110 (f. ferner DWb. f. v.); ähnlich sich smiegen und buken Netz 1872 und ich las mich pucken und piegen Keller, Faftnsp. 400, 12. biegen bildl. von Jugenderziehung (f. 3330 und zu 1686) nach sprichwörtlichen Wendungen. S. Seiler, Deutsch. Lehnsprichw. 2, 87.

2989 f. scheint: betont gegenüber ist. Der unerwartete Schluß wird im folg. durch Einsatz eines Mittelgliedes (2994—97) logisch erhärtet. In 93 wird der Vorder-, in 98 der Nachsatz aufgenommen.

2991 f. Über das Verhältnis von Logik und Recht f. H .v. Montfort 31, 41 ff.

2993 ff. Ähnlich meint Lichtenst. im Frauenbuch 605, 17 ff. ich gihe, ob ein unflætic wîp mit kleidern schône hât ir lîp, daz si ist deste baz getân und dâ von lieben muoz ir man; dagegen H. v. Trimberg im Renner 12699 ff. schœne wât ziert ofte manic wîp, diu inlachens hât unwerden lîp. Waz sol ein gemâlter spiegel, der minner hât glastes denne ein ziegel? Ungenêmer lîp in schœnem gevêze ist bœser wirt in schœnem gesêze.

2995. bstreichen: f. 5231 f., auf machen wie 5233 = „aufputzen".

2999. Warta, warta wie z. B. bei Boner XX, 34 u. LII, 69 und in Kummers Erlauer Sp., S. 110, 469 f. S. auch zu 309.

3000. sophistrei: vielleicht der älteste Nachweis des Wortes, der in den mhd. Wbb.n wie im DWb. unvermerkt blieb.

3006. Vgl. Weimarer Hf. 42 Q, Bl. 14 (Keller, Faftnsp. 1454) ein weib als ein scheit. Keller, Faftnsp. 144, 31 (f. DWb. 8, 2473, 3) bezeichnet der Vergleich die starre Trägheit, hier die Ungeschlachtheit.

3009. geraten = „entbehren" wie 4300 u. 6471.

3013 f. Vgl. Seiler, Deutsch. Lehnsprichw. 1, 209 λύχνου ἀρθέντος γυνὴ πᾶσα ἡ αὐτή und Fischarts Übersetzung der Plutarch-Stelle im Ehezuchtbüchl. (Hauffen) 176, 15 ff., auch Garg. (Alsleben), S. 414 bei Nacht seind alle Khü schwartz. — leder = „Haut" auch Hefelloher (Hartmann) 3, 21 u. 25.

3015 ff. Der Vergleich erinnert — freilich nur entfernt — an Horaz, Sermones 2, 2, 27 ff., wo von Pfau und Henne die Rede ist, die gekocht gleichwertiges Fleisch zeigen. Im Ausdruck vgl. Paff. 99, 37 bei Lexer 2, 1172.

3022 ff. S. 1674 f. und Keller, Faftnsp. 517, 21 ff. kein pesser heirat wirt nit erdacht, dann wo sich gleich und gleich zusamm macht usw. Die Lehre in 3025 f. stützt sich vielleicht auf das Bibelwort Ecclesiastic. 13, 19. 20 (f. Schulze, Bibl. Sprichw., S. 108 f., aber auch Seiler, Deutsch. Lehnsprichw. 2, 57). Vgl. Berthold v. Regensburg in der Predigt über die Ehe (Pfeiffer) 1, Nr. XXI (S. 320, 20 ff.), H. Sachs, Faftnsp. (Goetze) Nr. 76, 33 f. Gleich mit seim gleich sich frewen thüet, wie vns sagt das alt sprichwort clüeg vnd 95 Man spricht: gleich vnd gleich gsell sich gern vnd Fischart, Ehezuchtbüchl. (H. Kurz) 59.

3027 ff. In dem nun einsetzenden Rededuell der beiden Ältesten (s. alten 2637 u. 47) klammert sich Colman, in der allgemeinen Disputation besiegt, schließlich an den besonderen Fall 3426 ff., wird aber auch hier von seiner Gegnerin rasch abgeführt.

3027 = 4188; vgl. 5935.

3029. jungen: s. lieben in den zu 82 f. zit. Stellen.

3030. S. Carm. Bur. 139, 2 Neque bubus aratrum praeficiam und Kirchhofer, Wahrh. u. Dichtung, S. 292 er spannt die Ochsen hinter den Pflug, 294 den Wagen vor das Roß. Der aus der Antike (s. Seiler, Deutsch. Lehnsprichw. 1, 267) stammende Spruch, den Wander 4, 1733, 163, 69 u. 70 behandelt, verbreitete sich im deutsch. Schrifttum in der Form, die er im Freidank 127, 10 f. (s. W. Grimm, 1. Ausg., S. 375) gewonnen hatte: s. z. B. die unechte Reimarstr. MFr.[3] (Fr. Vogt), S. 430, Rosengarten (Holz) D XVI, 414, 3 f. und Der sælden hort 2491 ff. Späterhin ist der Ausdruck dem W.s ähnlich: s. Sprichwörter, Schöne, Weise Klugreden (Frankf. a. M. 1565), Bl. 278b, H. Sachs, Werke (Keller) XXIII, 360, 1 f. und Fischart, Garg. (Alsleben), S. 198.

3035. rauschen wie 1436 u. 9337; vgl. Reuschindhell 5340 u. 5887.

3039. sprichst: 2. Sg., sei = die red.

3041—43. Anklingend an Metz. Hochz. 666 ff.: s. ZfdA. 50, 257.

3045—47. Vielleicht sprichwörtliche Lebensregel. Zur Wendung in 3046 s. Schulze, Bibl. Sprichw., S. 86, Zingerle, Sprichw., S. 85 und Singer, Alte schweiz. Sprichw. Nr. 159; ferner Lohengrin (Rückert) 3291 ff. herre, unt solt ich iu die slihte machen krump, daz wær den witzen mîn vil baz gemæze, dan daz ich krump beslihten sol, Enenkels Weltbuch, GA. 2, 568, 54 u. 573, 46, Suchenwirt 22, 77, Reinfr. v. Braunschw. 14330, s. auch 17680 f. (nach Gottfr.s Trist. 9876 f.), Renner 8683, Metz 7477, Keller, Fastnsp. 77, 36 f., Nachl. S. 306 und umgekehrt Renner 8674 sô macht er krump, daz ê was sleht, ähnlich Metz 3560 u. Wolfenbüttl. Hs. 2. 4. Aug. 2° (Euling) 218. In Anzengrubers „Meineidbauer" 1, 6 singt Vroni noch: Aus grad macht's ös krump.

3049 ff. Offenbar sprichwörtlich; hinsichtlich des Falles in dem strit s. die taktische Maßregel 8385 f.

3057. Lüsens = Losens, s. DWb. 6, 1189, 7, Leyer unter lusenen. — wegen: s. zu 1039.

3058—62. S. Wander 3, 1126, 45 u. 1127, 79; ähnlich Renner 22189 ff. wir haben zwei ören und einen munt von natür, daz uns sî kunt, daz wir vil mêre gehœren süln denne ûz maln mit mundes müln; vgl. auch 3623 ff. ebd.

3067. S. Wander 3, 489, 31 u. 490, 54, Seiler, Deutsch. Lehnsprichw. 2, 95, Zingerle, Sprichw., S. 99, Suringar zu H. Bebels Proverb. Germ. Nr. 292, Singer,

Alte schweiz. Sprichw. Nr. 182. Im Wortlaut entsprechen genau Minneburst, GA.
Nr. 57, 260, Der sælden hort (Adrian) 1509 f., Renner 4739, 5457, 9549 u. 20689,
Reinfr. v. Braunschw. 15326, Ammenhausen 7891 u. 17200, Häßl. 2, Nr. 69, 97,
Keller, Erz. aus altd. Hss. 668, 7, Sprichwörter, Schöne, Weise Klugreden (Frank-
furt a. M. 1565) Bl. 29b und noch Goethe, Reineke Fuchs 2, 98; f. auch Botenlauben
bei Bartsch, DLD.⁴, 26, 50; nur im Inhalt Thomasin, WG. 722 ff. u. 9931 ff.,
Neidh. 48, 22 (ganz ähnl. Häßl. 1, Nr. 19, 30), Facetus g¹ 111 bei C. Schroeder,
Ammenhausen 15488 f., Konr. v. Megenberg, Buch d. Nat., S. 306, 6, Hugo v. Montf.
XIV, 38, Vintler 10094, H. Sachs (Keller) III, 262, 28, 263, 1, V, 343, 19
u. 345, 14.

3068. Gleichwertig 766.

3069. der grawe man (f. Metz. Hochz. 312 der grawe maier Kolman) mit Rücksicht auf sein hohes Alter (f. 3211 f.); gra = „alt" 3570 u. 7163.

3071 ff. Vgl. 9187 ff. mit dem Gegensatz Alter part ... Nüwer palg (die Einleitung 9187 entspricht 3071) und oben 3031 f.; ein im Wortlaut ähnliches Sprichwort
kenne ich nicht. S. Singer, Alte schweiz. Sprichw. Nr. 10. Er verweist auf Voigts
Anm. zu Fecunda ratis 1, 689 (barbatus et pro sapiente dicitur).

3075. sam gwissen ist: vgl. 8435.

3080. geschait ... von grunt wie unser „grundgescheit". Das im R. vereinzelte und
den mhd. Denkmälern der Blütezeit noch fremde Adj. liebt der Kaufringer.

3082 ff. Der offenbar neu geprägte (sonst unbelegte) Ausdruck kindelred (f. 9625)
schillert in mehreren Färbungen: er trägt eine gezierte Bescheidenheit des selbstbewußten
Sprechers zur Schau, deutet scherzhaft an, daß nach Alter, Jugend und Frauen auch das
Kind zu Worte kommen müsse, und gibt zugleich das Leitmotiv der folg. Schmähreden
gegen Weib und Ehe: nach der Einleitung „Frauendienst stört Gottesdienst" lehnt der
Sprecher die Ehe vom Standpunkte der Kinderfrage als durchaus unvorteilhaft für
den Mann entschieden ab, wieder in den Spuren von Theophrasts liber de nuptiis:
zu 3083 – 86 vgl. si pulchra esset, si bene morata, si honestis parentibus ...
sic sapientem inire aliquando matrimonium ... haec autem raro in nuptiis con-
currunt universa; non est igitur uxor ducenda sapienti, zu 3089 – 96 primum
enim impediri studia philosophiae, nec posse quemquam libris et uxori pariter
inservire, zu 3101 – 05 quae si languerit, coaegrotandum est cum ea et numquam
ab eius lectulo recedendum. Aut si bona fuerit et suavis uxor (quae tamen rara
avis est), cum parturiente gemimus, cum periclitante torquemur, zu 3113 ff. vgl.
im allgem. porro liberorum causa uxorem ducere, vel ne nomen nostrum intereat,
vel ut habeamus senectutis praesidia et ut certis utamur heredibus, stolidissimum
est und zu 3139 – 51 aut quae senectutis auxilia sunt, nutrire domi illum, qui aut
prior te forte moriatur aut perversissimis moribus sit, aut certe, cum ad maturam
aetatem pervenerit, tarde ei videaris mori?

3084. From und erber wie 3708 u. 30, vgl. 3568 u. 7247. — von leib: f. zu 844.

3086. sam ich es han gelesen: vgl. 3884.

3088. die warhait: hier die Hl. Schrift. S. R. Heinzel zu Heinr. v. Melk, Erinnerung 255 u. Lambel zu Herrant v. Wildon, Der verkêrte wirt 2. Im Ausdruck vgl. 3257, 3995 u. 4637.

3089. Der Nachtrag hern, der gegen den sonstigen Sprachgebrauch des R.s verstößt (f. zu 365) — im Zitat der Stelle 3398 steht auch nur zwaien — rührt vom Schreiber her, der die nach Matth. 6, 24 und Luk. 16, 13 (nemo ... potest duobus dominis servire) übliche Form des Spruches herstellte. S. Schulze, Bibl. Sprichw., S. 134, Zingerle, Sprichw. S. 66 f. und auch Seiler, Deutsch. Lehnsprichw. 2, 195, Wander 2, 562, 634. Zu den zahlreichen dort gesammelten Nachweisen füge ich Mhd. Minnereden I (K. Matthaei) 1, 1547, Toischer, Die altd. Bearbeitungen der pseudoaristotel. secr. secr., Fassung D 6 ff., Wolfenbüttl. Hf. 2. 4. Aug. 2° (Euling) Nr. 800, Osw. v. Wolkenst. 121, 15 ff., Brant, Narrensch. Kap. 18 und zu 41, 23, Straßburg. Lieberb. aus 1592 (Alem. 1, 40) Nr. XXX, 1, H. Sachs, Werke (Keller) I, 288, 14 u. 291, 8, XXII, 61, 15. Wie im R. heißt es bei Burkh. v. Hohenfels, Mf. 1, 206, 13, 2 zwein ein man niht dienen kan: nieman in allen mag eben wol gevallen.

3091 ff. Außer der oben (zu 3082 ff.) zit. Stelle vgl. bei Hieronymus adv. Jov. Cicero ... rogatus ab Hirtio, ut post repudium Terentiae sororem eius duceret, omnino facere supersedit dicens: non posse se et uxori et philosophiae pariter operam dare. Zu schallen vgl. unten saitenspil, zu andacht — psalter.

3098. behalten wie 3408 u. 12 in demselben Zusammenhange. S. die Umschreibung 3393 u. DWb. 1, 1322, 3.

3101 ff. Es ist offenbar vom Unwohlsein während des Monatsflusses die Rede. Der Mangel eines Zusammenhanges mit dem Vorhergehenden und die Art, wie bef. 3381 f. die Gegenrednerin erwidert, läßt auf eine Lücke von zwei oder mehr Zeilen schließen, die durch ein Versehen des Schreibers entstand.

3105 ff. Die Unannehmlichkeiten von Schwangerschaft, Geburt und Kinderpflege für den Ehemann schildert eingehend Folz im Ged. „Von allem Hausrat" Keller, Fastnsp. S. 1219 ff. — Und voll (= „vollends") wie 3828, 4196, 4359, 4599 u. 7751, in den mhd. Wbb.n nicht erwähnt.

3107. genesen wie 3572 von der Wöchnerin.

3112. Der Schwur bei St. Gallus wurde von G. Scherrer, Kl. Toggenburg. Chron., S. 114 (f. auch Baechtold, Gesch. d. deutsch. Lit. i. d. Schweiz, S. 188) für die Bestimmung der Heimat W.s ins Treffen geführt. A. Goetze (Litbl. 1932, Sp. 297) betont, daß der hl. Gallus Patron der Landschaft ist. S. jedoch ZfdA. 64, 160.

3113 ff. Vgl. das Ehebüchl. Albrechts v. Eyb (M. Herrmann) 19, 2 ff. (nach Petrarca). Windelwäschen wie in dem Priamel Nr. V, 1 Götting. Beitr. z. deutsch. Philol. II und in Klopfan Nr. 24, 20 des H. Folz (Weimar. Jahrbuch 2, 118).

3116 ff. ammen und chamerweib bezeichnen hier denselben Beruf: vgl. des Teichners Gedicht Von ammen und von kamerweiben Hf. C (Karajan), Bl. 202b und Priebsch, Deutsche Hff. in England II, S. 215, Nr. 262. Der Vorwurf 3117 ff. und die Entgegnung 3341 ff. beweisen, daß es sich um „Ammen" in unserem Sinne handelt. Dabei befremdet das Attrib. alter 3341. Netz 12225 f. die alten kamerwib mit iren alten kranken lib meint alte Dienstmägde; vgl. R. 2985.

3117 f. S. Singer vermutete (gesprächsweise) gtrunkend... vund als Konj. Prät.; mit Hinblick auf 3119 änderte ich lieber in gtrinkend. Inhaltlich vgl. Lübben, Mb. Tischzucht (Germ. 21, 426) 9 f. du enscalt nicht likesan drinken als ein amme; ferner Netz 12272 ff. (von den Ammen) Darzuo muos man si füllen... tag und nacht wend si voll wesen.

3124. Reflex. betragen („sich ernähren") f. 2748, 4207 u. 5188; f. auch 4407.

3127 ff. Zur Anordnung vgl. Ecclesiasticus 7, 25 f. filii tibi sunt: erudi illos... filiae tibi sunt: serva corpora illarum. — bsorgen mit persönl. Aff. und vor ganz wie das parallele bhüeten (3133): sonst in diesem Gebrauch nur mit Reflexiv, wie z. B. in der auch weiterhin ähnlichen Stelle der Fastnsp. Kellers 593, 18 ff. wie wir uns schollen besorgen den abent und den morgen vor dem bösen Valenzloer (Anti-christ). — Den abent und den morgen 3128 = „jederzeit": so oft; f. z. B. Kinzel zu Lamprechts Alex. 6818 und Rost, Kirchherr zu Sarnen (Schweiz. Minnef. XXXII), 7, 16, Eraclius 2823 f., Ulrich von Lichtenstein, Frauenbuch (Lachmann) 639, 13, Konr. v. Würzb., Alexius 279 u. 632, Der Welt Lohn 131, Heidin, GA. Nr. 18, 1880, Der borte, ebb. Nr. 20, 822, Das Rädlein, ebb. Nr. 58, 54, Maria und die Mutter, ebb. Nr. 75, 49, Rabenschlacht 9, 6, Renner 2923, 3144 u. 5487, Der sælden hort (H. Adrian) 1231, Wernher, Marienleben 1844, O. v. Wolkenstein: Hätzl. 1, Nr. 124, 42, Vintler 6671, Netz 9584, Mhd. Minnereden I (K. Matthaei) Nr. 3, 200, oft im Reime auf besorgen, sorgen.

3131 f. Eine ähnliche Häufung von Infinitiven mit dem Reim stechen : brechen 7298 f. u. 9495 f.

3134. wüeten = „ausgelassenes, sittenloses Treiben" wie 5367 u. 7603; vgl. 4109.

3135. schuoler und phaffen 3544 u. 5276 für die Geistlichkeit insgesamt (d. h. angehende und fertige). H. Sachs, Fastnsp. (Goetze) Nr. 60, 272 Last pfaffen vnd schueler dahaim. Die Ansicht, daß „Schüler und Pfaffen" die Hauptgefahr für die Tugend der Mädchen bedeuten, gemahnt an die weibergefährlichen Schüler, Pfaffen und Mönche in den Schwänken der Zeit, etwa beim Kaufringer. Unter den Opfern der Minne erscheinen in Pfeiffers Minnelehre 147 auch pfaffen und schuolære. H. v. Trimberg meint im Renner 21767 nu machet der werlde bœse bilde schuoler, pfaffen und münche sô wilde, daz sie... niur des lîbes lust betrahtent. Im Gr. Neidh.-Sp. (Keller) 401, 16 mahnt Uol Hausknecht seine Müetel: Du solt mein holder puel sein und solt niemant achten mer: schüler, pfaffen sein uner.

3139 f. Das Reimpaar leib und sel : guot und er auch 7508 f.; f. ferner 3873 f. u. **4942.** Die Verbindung lîp, sêle, êre unde guot Freidank 74, 21 (f. Bezzenberger z. St.) ift formelhaft: f. Konrad v. Haslau, Jüngling 460 f. u. 828, Renner 4511, Staufenberg 534, Suchenwirt 39, 79, O. v. Wolkenstein 111, 128, H. Folz, Klopfan (im Weimar. Jahrb. 2, 111) Nr. 16, 11, Thomas Murner, Badenfahrt (W. Uhl) VI, 117 u. LVIII, 207. In Wortlaut und Inhalt fteht nahe die Gefch. vom undankbaren Sohn, Lieberf. 1, Nr. LXXVIII, 8 ff. der ... hat dick gar ser baidi lib, sel und er gewaget durch richen hort. Den liesz er alles uff ain ort mit guttem willen sinem sun; vgl. auch Renner 3097 ff.

3143 ff. Inhaltlich vgl. Heinr. v. Melk, Erinnerung 274 ff. Sprichwörtlichen Ausdruck des Gedankens formt Freidank 42, 3 ff.; darnach Netz 1819 f. (f. auch 1806 u. 22 f.) und Denkfprüche aus dem 16. Jhdt. bei Mone, Anz. VII, 504. Der Teichner meint (Hf. A 12b, Karajans Anm. 230) Sîniu kint sint halt verdriuzet, durch der willn er vruo und spât ûf lîp, ûf sêle genomen hât. Diu sprechent dan: 'Der arm man, daz der niht gesterben kan! Wie lanc sol er daz hûs verrünen?' — Zarter vatter: vgl. 1722 u. 5908 (wie hier in der Anrede) u. 1878 im Briefeingang. Das Adj. ift befonders in der Anrede beliebt: außer den Bfpp. der Wbb. vgl. Reinfr. v. Braunschw. 13070, 13473 u. 25264, Ammenhaufen 1650, Ged. v. d. kreuztragend. Minne (R. Banz) 69, Rofenblüt, Von dem Einfiedel bei Keller, Faftnfp. 1129, ebd. 597, 28.

3147 ff. verlorn deutet nach 3315 f. auf Totgeburten; zu 3148 f. vgl. Sachfenfpiegel 1. Buch, Art. 4: Wirt ouch ein kint geborn stum oder handelôs oder vüzelos oder blint ufw.

3154. martret wie 1326; f. marter 562 u. 4145.

3161. Vgl. die gleichwertige Wendung 3416. Sie findet fich auch Klingenberg. Chronik (A. Henne), S. 50 oben, 186 oben (die mechtigosten im land hetten es haimlich mit dem künig), f. auch 37 unten diefelbe Phrafe mit han und halten.

3164. Zum Binnenreim spacht (f. 6996 und auch 4280): pracht (von brehten) f. Konrad v. Haslau, Der Jüngling 592 er sî herre oder knappe, er speht, er breht und O. v. Wolkenft. 81, 30. 35 spächten : prächten.

3165 ff. Die Erwiderung der Alten zeigt einen Parallelismus mit den Ausführungen des Vorredners, der bis ins Drollige geht: begründet er den vorzeitigen Schluß feiner Rede mit einem Huftenanfall, fo entfchuldigt fie ihren fpäten Einfpruch mit Zahnfchmerzen. Seinen geziert befcheidenen Einfatz mit dem Ausdruck kindelred 3082 greift fie mit überlegenem Hohn 3174 auf, indem fie erklärt, über Kindergerede hinaus zu fein. Dann rückt fie den Darlegungen ihres Partners Schritt um Schritt an den Leib, vom Ende zum Eingang vordringend, und widerlegt ihn Punkt für Punkt. Diefe unerbittliche Art der Polemik, die den Gegner oft beim Worte nimmt und ihm keinen Satz durchgehn läßt, erweckt den Eindruck gründlicher Abfuhr. Zwifchenrufe des verärgerten Vorredners erledigt die Alte zungenfertig, ohne sich in ihrem Redeflusse beirren zu lassen. Im einzelnen vgl. 3193—96 mit 3153—56. Colmans Antwort 3198 bis 3208 wird sofort abgetan 3210—44, wieder vom Schluß zum Anfang vorschreitend: vgl. 3210—18 mit 3205—08, 3219—32 mit 3201—04, 3233—44 mit 3198—200. Nach dieser Unterbrechung erwidert 3245—52 auf 3148—51. Ihre Sophisterei in diesem wichtigen Punkte reizt den Alten zu sofortigem Widerspruch 3253—60, der nach einem bissigen Wortwechsel 3261—82 mit sehr gewagten Gegenzügen 3283—312 abgewehrt wird. Nun erst führt die greise Rednerin ihre Sache ungestört zu Ende: vgl. 3313—20 mit 3147, 3321—24 mit 3137—46, 3325—30 mit 3127—36, 3331 bis 3340 mit 3121—26, 3341—46 mit 3116—20, 3347—50 mit 3115, 3351—90 mit 3101—14, 3391—96 mit 3097—100 u. 3397—413 mit 3083—96.

3167. Mit urlaub („mit Verlaub"): wegen der Derbheit des folg. Spruches. S. Megenberg, Buch d. Natur 420, 15 f. und haizent ez etleich läuskraut mit urlaub. Für urlaub (im R. sonst nirgends) hat die Hs. vrlâib, was an Ottokars urlæb gemahnt (âi oft in der Hs. = æ).

3168 f. S. Singer, Alte schweiz. Sprichw. Nr. 145 verweist auf Wander II, 1100, 7 (Ante fuit vitulus, qui nunc fert cornua taurus u. ä.). S. DWb. 5, 52 b. pauwet für das Pflügen zur Saat. S. BWb. 1, 185, 3.

3172—77. Bibelzitat I. Corinth. 13, 11: Cum essem parvulus, loquebar ut parvulus, sapiebam ut parvulus, cogitabam ut parvulus. Quando autem factus sum vir, evacuavi, quae erant parvuli.

3172. chlainer tagen: im Ausdruck vgl. 3742, im Bau 2941.

3176. zum menschen d. h. zum erwachsenen Menschen (f. DWb. 6, 2025, 8 b und zu 3177 ebd. 5, 748 unter kinderspiel) wie Mhd. Minnereden I (K. Matthaei) 12, 547 da mit sy er zů ainem menschen worden. Vgl. das Sprichwort Aus Kindern werden Leute DWb. 6, 847, 18 u. Fischart, Garg. (Alsleben), S. 21.

3185 ff. Über die besonders in Horazens Fassung (Ars poetica 139) sprichwörtlich gewordene Fabel s. G. Büchmann, Geflügelte Worte[18], S. 285 f. Näher steht im Ausdruck Boner Nr. 29 (die 26. Fabel des Anonymus): vgl. scher mit schermûs 15 u. 3185 f. mit scherhüfen 5; dagegen werden 3187 ff. und Boner 8 ff. verschiedene Befürchtungen ausgesprochen. Sonst erscheint in deutschen Fassungen der Fabel, an μῦς, mus der Antike anschließend, maus: s. Erasm. Alberus (W. Braune) Nr. 16, 108, H. Sachs, Werke (Keller) IX, 441, 21 (sprichwörtl.) und Rollenhagen, Froschmeuseler (K. Goedeke) 2, 2, 14, 171 f.

3190. temmen ebenso 4525, 7951 u. 8469 (hier = „töten": f. 8471 u. 74): der Ausdruck scheint in der mhd. Lit. erst spät heimisch zu werden. S. ferner Fischart, Garg. (Alsleben), S. 355 also könt ... König Sigmund die Moscouiter demmen.

3191 f. Vgl. 2969 f. — an dem lesten: f. 8362.

3194. huostes (dagegen huostens 4353): f. DWb. 4, 2, 1976.

3195. ist da hin: vgl. 1414 u. 6427; da hin im R. oft neben Verb der Bewegung.

3198. Sprichwörtlich: f. Zingerle, Sprichw. 119, Singer, Alte schweiz. Sprichw. Nr. 207 und Seiler, Deutsch. Lehnsprichw. 2, 110 f. Die Gegnerin ersetzt 3233 f., wo sie die Worte des Alten aufgreift, diesen Spruch durch einen derberen. **3202 ff.** S. Zingerle 158 und S. Singer Nr. 276. Die von Singer zit. Stelle im „Renner" spricht von sieben und neun Söhnen, während sonst zehn üblich ist: so Sprichw., Schöne, Weise Klugreden (Frankfurt a. M. 1565) Bl. 170a und Schottel 1127b, H. Sachs, Werke (Keller) 7, 437, 21 ff. u. 12, 140, 29 f. und noch bei Kirch-hofer, Wahrh. u. Dichtg. S. 190. Dagegen nennt Gottfr. Keller im „Grünen Hein-rich" 4, 57 „sieben Kinder" und die „Mutter" in dem Sprichwort. Immer ist von „ernähren, erhalten" die Rede: W.s eigenartige Prägung allein spricht vom Passieren eines Hindernisses (gatter = „Gittertüre").

3205 ff. Auf die höhnische gezierte Höflichkeit des Alten geht Laichdenman mit dem-selben Spotte ein wie auf seine fie frotzelnde Demut 3272 ff.

3210 ff. Vgl. Burlaeus, De vita et moribus philosophorum (H. Knust) Kap. XXX Socrates, S. 126: Cum autem diceretur ei a quibusdam: 'Numquid non verecundaris in senectute tua studere?' ait: 'Maior verecundia est in senectute ignorantem esse quam in senectute studere' (nach Diog. Laert. II, 32). Ähnlich Albr. v. Eyb, Ehebüchl. (M. Herrmann) S. 50, 14 ff. — Ze lernen: aufgegriffen aus 3208, f. auch 3215. — palch (f. 9189) hier vielleicht spöttisch, weil eben Lernen Sache der Jugend ist. Aber auch in Schillers „Räubern" schreit Franz dem alten Moor zu: „Hinab mit dem Balg!"

3217. merk die: f. zu 911. Vorher wisst, nachher ir.

3219 ff. Vgl. Keller, Fastnsp. 1026, 19 ff. Dar zuo mich bwegt all mein gemüt, so ich betracht die grosse güt, die unß gott selber hat gethon, als er bschuoff hymel, erd, sunn, mon und köstlich ziert das paradyß, den menschen macht mit gantzem flyß, das doch der selb wenig ansach, durchs teufels rot er gar bald brach die gbot gots. — Got do er ... sein ... des schepfers: Anakoluth.

3221. S. Singer, Zu Wolframs Parzival (Festschrift f. R. Heinzel, SAbdr.), S. 47. — des öpfels: die vom Plur. beeinflußte Form des Singulars nur hier im R.: f. SJb. 1, 366 f. und DWb. 3, 677. mas wie 4296.

3228. Offenbar eine Redensart (DWb. 4, 2, 2, 87), doch sonst nicht nachgewiesen. haberstro bedeutet in andern auch etwas Wertloses. Vgl. Fec. ratis 56 debita longa trahens pro frumine solvat avenam, Voigt z. St. und ZfdPh. 48, 87, Nr. 3.

3229. sprechen ist gebraucht wie jehen (das der Reim verwehrt): weitere Nachweise kenne ich nicht.

3234. Vgl. Salomon u. Markolf (Bobertag) 545 f. pei vil vbrigen worten er-kennet man den toren und Brants Narrensch. 19, 1—7.

3237 f. verdrossen = „verdrießlich", ungenossen = „unnütz" (f. dagegen 3240).

3241. Vgl. 3198. Rückert zum W. Gaſt 11101 ſieht darin eine Anſpielung auf die Redensart ze lange zungen hân.

3243. das Demonſtrativ wie 2734, 3171, 3201, 3768, 4071, 4364, 4429, 7450 u. 9246. Gerne wird dieſes daz des Zeilenſchluſſes durch daz im Eingang der folg. Zeile aufgegriffen: ſ. zu 2005 u. 4288 f., 4632 f., 7051 f. u. 9146 f.

3244. Sprichwörtlich wie Ein groszer ars musz eine grosze bruch haben in Fiſcharts Garg. 41b und Grosser vogel mus ein gros nest haben in Luthers Sprichwörterſammlung (E. Thiele) Nr. 418. Düringsfeld 1, 333. Alſo: ein wichtiges Thema bedarf auch ausführlicher Erörterung. S. 3736.

3245 ff. 3248 zielt auf die 3148 f. hergezählten Gebrechen, die Erwiderung 3249 ff. eher auf den 3147 angedeuteten Fall. S. 3315 f.

3247. auf und nider = „immerfort" wie 3680; vgl. 4110, ferner Teichner (Karajan 109, 39) Alexander ûf und nider al diu werlt was undertân. Im Sinne von „ganz und gar" in Schillers „Kabale und Liebe" 3, 1.

3250—52. Vgl. 3291 f. (derſelbe Gedanke mit anderen Worten). Eine Stelle der Hl. Schrift (ſ. 3284 ff.) dieſes Inhalts kenne ich nicht. — nichti ſonſt im N. nach umb: ſ. zu 2268; vernichte bei H. v. Montf. 32, 150 (ſ. Wackernell z. St.).

3254 ff. Sprichwörtlich. Vgl. 3689. Inhaltlich ſteht nahe Prov. 10, 19 in multiloquio non deerit peccatum (ſ. Schulze, Bibl. Sprichw., S. 48) und Fecunda ratis 433 peccati inmunes non sunt, qui multa locuntur (Voigt z. St.), Facetus g[1], 159 f. (E. Schroeder) man giht, wer vil gespehte, der sage dicke unrehte (= Lieberſ. 1, 563); Wander 4, 428 Schwatzen 2 u. 28. S. ferner Brant, Narrenſch. 19, 65 wer vil redt, der redt dick zů vil u. 69 vil schwätzen ist selten on sünd, Keller, Faſtnſp. 858, 11 man sagt, man liege ser, wenn man vil claff, Sprichw., Schöne, Weiſe Klugreden (Frankf. a. M. 1565) 102b wer vil schwetzt, der leugt gern vil (ähnlich 112a u. 215a), faſt ebenſo Fiſchart, Garg. (Alsleben) 12 und H. Sachs, Werke (Keller) III, 175, 20. S. auch H. Bebels Prov. Germ. (Suringar) Nr. 2. Der Wortlaut iſt wohl W.s Eigentum. Zu aller vilest (ſtiliſtiſch wechſelnd mit aller maist) ſ. DWb. 12, 2, 150, 13 und SJb. 1, 775, 3.

3257 ff. Matth. 26, 24 (Mark. 14, 21) vae autem homini illi, per quem filius hominis tradetur; bonum erat ei, si natus non fuisset homo ille. Über hiet ... gedigen ſ. H. Paul, Umſchreibung des Perfektums im Deutſch. m. haben und sein, S. 168. Anders iſt (warend) gedigen 4373 u. 9659.

3261. Der Schreiber iſt in der ganzen Stelle zerſtreut, vielleicht infolge des nahen Endes der Lage: ſ. 3258 irriges man, hier ausgelaſſenes tet, was er nachträglich berichtigte, während er Berchta (ſ. 6367) durch rhythmiſch unbrauchbares leichdenman erſetzte.

3262. Vil nach wie 623, 2820 u. 7891 (ſ. auch 1634 u. 6310).

3264. „Ihr lügt über Euch ſelber": wie auch ſonſt im Mhd.

3266. nacht und tag = „immerfort" wie 1283, 2743, 3090, 3329, 3589, 5474 u.
7315, ſtets im Reime, tag und nacht 5096 u. 8291, weder nacht noch tag 2922.
3267 f. Vielleicht ſprichwörtlich: ſ. Gottes Zukunft (Singer) 747 f. ez stet dem
lerer nit wol, daz in sin schuoler strafen sol.
3269. swigt und hörrt: ganz ähnlich Gr. Neidh.-Sp. 393, 4.
3270. hie und dört formelhaft = „überall, bei jeder Gelegenheit" wie 7429 (gleichwertig den Formeln 7430—32), 8646 u. 9567.
3272. säldenreich: ſchon von Keller (Vorrede X) hergeſtellt. S. zu 2470.
3277. vinster wohl Gen. des Subſt.s: ſ. 9376. Zum Ausdruck vgl. Brant, Narrenſchiff 107, 58 f. die wile ... wir jrren jn vinsterm schyn, so hat got geben vns das
liecht der wiszheyt uſw.
3280. Vgl. die ähnliche Wendung 6997.
3291 ff. Den Widerspruch zwiſchen den beiden oben ausgeſpielten Textſtellen ſollen
zwei Gloſſen zu Matth. 26, 24 beheben, die spitzfindig genug klingen: nach 3301 ff. legt
die eine den Nachdruck auf geporn — man erinnert ſich an den Hexenspruch in Shake-
speares „Macbeth" — nach 3307 ff. die andere auf den Zeitpunkt der Geburt, da nur
zu Chriſti Lebzeiten der Gottesverrat möglich war. Ob dieſe Gloſſen wirklich nachzuweiſen
ſind, wäre noch zu ermitteln. Die Glossa ordinaria des Walafrid Strabo bietet nichts
dgl.; ebenſowenig Nikolaus de Lyra; er faßt in dem bibl. Bonum erat ei, si natus
non etc. das bonum als minus malum und meint: minus autem malum est non esse
simpliciter quam esse damnatum uſw.
3294. gotzverräter iſt Lexer entgangen.
3295 f. Der auf dem Evangelium beruhende Ausdruck iſt zur Redensart geworden:
ſ. Chriſt. u. die minnende Seele 1290 f. O ewiger got, mir wäger wär nie geborn
denn dinen sun han verlorn! und Netz 6738 u. 7340 f.
3297. dein witzichait (ſ. 3207: fehlt wieder bei Lexer): wie 3314 dein torhait.
3301. Ein daz iſt zu tilgen (ſ. 3308) wie 3809 u. 7370: der Schreiber hat Fälle im
Ohr wie die zu 3243 vermerkten. — gesnitten ... emmitten: was den Tod der Mutter
zur Folge gehabt (3304) und ihre Schändung vereitelt hätte.
3305 f. Die Legende von Judas dem Vatermörder und Mutterschänder ſtammt be-
kanntlich aus der Legenda aurea des Jacobus a Voragine (Gräſſe p. 184—86), der
ſie einer historia apocrypha entnommen haben will. 3306 ſchließt ſich an den dortigen
Wortlaut an: Judas Ruben (d. i. ſeinen Vater) in ea parte, qua cervix collo connec-
titur, lapide percussit. Zu 3305 vgl. tunc Pilatus ... Cyboream, uxorem Ruben,
coniugem Judae dedit. Auf Jacobus a Voragine geht zurück die Judas-Legende im
Paſſional (Hahn) 312, 59 ff. — 318, 55, die Kölner Bearbeitung in Prosa, die Pfeiffer
in Frommanns Deutſch. Mundarten II, 291—93 abgedruckt hat (Anfang des 15. Jhdt.s)
und die Darſtellung in Joh. Rothes Paſſion (A. Heinrich), S. 92 ff. Dieſe Judas-
legende verwertete auch Jean Michels Paſſionsspiel, das seit 1496 in einer Reihe von

Auflagen erschien. W. Creizenach, Gesch. d. neueren Dramas 1, 256 f. Sie war im
Mittelalter über ganz Europa verbreitet. S. Creizenach, Beitr. 2, 192. Im Ausdruck
vgl. H. Sachs in der Tragödie Jocasta, Werke (Keller), 8, 45, 23 ff. O zetter, waffen
über waffen! Hab ich mein eygne mutter bschlaffen und mein leybling ʋatter
erschlagen? Der Kaufringer dagegen hält sich in Nr. 16 (wie die verarbeitete Predigt
Bertholds von Regensburg) durchaus an die Darstellung des Evangeliums. Zu bschlieff
vgl. 5048.

3314. vórdem: DWb. 12, II, 946 lauter spätere Zeugnisse.

3318. Ze gleicher weis sam 5008, 6085 u. 9303; f. auch 3015.

3320. taubeu nüssel: der früheste Nachweis dieser Verbindung.

3323 f. Scheint sprichwörtlich; ähnlich gedanke sint den liuten vrî und wünschen
sam Winsbeckin 15, 1 f. — Sam man do spricht wie hier dem Sprichwort voran‑
gehend 4193, nachfolgend 3777 u. 3983, eingeschaltet 2950; vgl. 4869, ferner 3904
u. 4249.

3325. sprichst: f. 3321, 31, 47 u. 81.

3327 ff. lernen = docere, wie 4541. Sonst sind im K. lernen und lêren in unserem
Sinne geschieden. Eben der Inf. lêr(e)n und lern(en) gab wohl Anlaß zur Vermengung
beider Ausdrücke, wie sie die betr. Artikel bei Lexer und im DWb. aufzeigen. S. auch
Bech, Germ. 5, 241 u. 7, 97 f., Vogt zu Salm. u. Mor. 591 und A. E. Berger zu
Orendel 627. lernen = lêren findet sich z. B. in Kellers Fastnsp. 400, 21, in den
Sterz. Sp. 1, 118 (= 8, 279) u. 4, 230, im Ehebüchl. Albr.s v. Eyb (M. Herrmann)
67, 8 ff. (hier auch lernung = „Unterricht"), in Scheidts Grobianus 409 u. 625, im
Simplicissimus (Hallenser Neudr.), S. 26, 79, 84, 90 usw., in Schillers „Räubern" 2,
3 lern' mich die Pfiffe nicht, Bruder! Beim Kaufringer 4, 22 ist lern (: wern
= werden) synkop. Inf. lern(en), Sterz. Sp. 8, 486 weist der Reim (: verkeren)
auf leren, ebenso Neidh. Fuchs 354 (: eren und meren), 1083 (: gern und bern) auf
lern. — tuot mit Dativ als Ersatz für straffen wie 8844 (für wurgten); Plural
kinden nur noch 3326 (Gen.), vgl. chindenspil 2754, dagegen Dat. kindern 1489
u. 95, 2966 u. 7626. Somit wäre auch jungeu kinder nicht ausgeschlossen. — ge‑
piegen: f. zu 2981.

3335. mit gfüeger speis: darnach ist 4248 gfüegeu zu lesen.

3336. from und weis: f. S. 129, Prosa, Z. 11 u. 5213.

3341. alter weiben: f. zu 3116. Vgl. die von J. Meier, ZfdPh. 24, 385 an‑
gezogene Stelle: precamur ... feminas nobiliores et alias quascumque, ut filios
suos proprio lacte nutriant et nullatenus ancillis aliis ad educandum tradant.

3346. dirr: Holland (Vorrede X) vermutet ir.

3352. S. 3114.

3355—57. Klingt wieder sprichwörtlich. Dem Gedanken nach vgl. Wander 2, 400,
85, Suringar zu H. Bebels Prov. Germ. Nr. 453, Fischart, Ehezuchtbüchl. (Hauffen)

159, 5 Der eigen Herd ist goldes werd und Goethe, Fauft 1, 3155 f. Das Sprüchwort
sagt: Ein eigner Herd, ein braves Weib sind Gold und Perlen wert. Singer, Alte
schweiz. Sprichw. Nr. 125 verweist auf Fecunda ratis 1, 1194 Quod propria domus
magni sit pretii; f. auch 1195 Censeo pro magno propriis considere tectis. Nachträge Singers: J. Werner, Latein. Sprichw. d. Ma.s, S. 20, 78 Dicitur a vulgo:
proprius lar plus valet auro (ähnl. S. 27, 42) und Eygner hertt Ist gulden wert
Klagenfurter Sprüche ZffdPh. 48, 81, Nr. 1.

3358 ff. 3359—68 behandeln das Thema aigen haus, 3369—72 aigen chind, und
zwar bef. den Punkt kindelgschrai, worauf 3373—88 wieder das erste fortgesponnen
wird und das in einer Weise, die auf eine Lücke nach 3101 schließen läßt; denn 3381 f.
greift die Sprecherin offenbar Worte des Gegners auf — die Grundlage bot wieder
Hieron. adv. Jov.: multo melius servus fidelis dispensat oboediens auctoritati
domini et dispensationi eius obtemperans quam uxor — ohne daß sich eine solche
Äußerung oben findet. 3389. 90 weist sie endlich die 3353 ausgesprochenen Befürchtungen
zurück.

3363. andern: ergänzt Bleisch S. 59.

3364 f. Im Ausdruck vgl. Teichner A 159b (Karajan, Anm. 212) süllens ein wîle
z' kirchen stân, daz ist in langer dan ein jâr.

3377 ff. Vgl. Helmbr. 1603 ff. dar nâch vil schiere sach diu brût, daz si dâ heime
ir vater krût het gâz ob sînem tische für Lemberslindes vische und Uhland, Volkslieder 4, 235, Str. 3 auf meinem tisch ob schon nit fisch und köstlich speis tûn
wonen, so iß ich kraut, fült mir die haut, sing: gang mir auß den bonen! — Nüsse
gehören zu Fischen nach 4314; wer diese nicht hat, ißt Brot dazu. Nüsse und Brot sind
in Südmähren z. B. noch heute als frugales Zwischenmahl üblich. S. auch SJd. 4, 826
Nussen öni Bröd esse git Lüs.

3379. Für W.s Zeit käme am ehesten Niccolo II. (1338—88) in Betracht, allenfalls
noch sein Nachfolger Alberto d'Este (1388—93) — Gustav Scherrers (Kl. Toggenburg.
Chroniken, S. 118) und Baechtolds (Gesch. d. deutsch. Lit. i. d. Schweiz, S. 188) Deu-
tungen sind aus chronologischen Gründen abzulehnen — wenn überhaupt an einen bestimmten Markgrafen gedacht ist: die Prachtentfaltung des Hofes zu Ferrara war sprichwörtlich geworden. S. Casimir von Chlędowski, Der Hof von Ferrara (übers. von Rosa
Schapire), S. 408: „Der Hof von F. trug das aristokratischste Gepräge, die Estes
konnten das meiste Geld ausgeben und den größten Luxus entfalten ... Das Leben in
den ferraresischen Schlössern und Sommerpalästen galt als Vorbild höfischen Lebens
schlechthin ... Von Ferrara und den Estes wurde am meisten gesprochen" und 448 ff.
„Die Küche hat zu den besonderen Sehenswürdigkeiten des Hofes gehört" usw. Endlich
S. 4: „Übrigens fing man in den Lagunen, in Comacchio, Aale in großer Zahl, die
mariniert und nach ganz Italien verschickt wurden ... Die durch den Aalfang erzielte
Einnahme ... war so bedeutend, daß es allgemein hieß, wer nur für ein Jahr von der

Regierung das Recht erlange, diesen begehrten Fisch zu fangen, werde zum reichen Mann." — Zum Reim Ferrär : wär und 7637 : swär vgl. Thomasin, W. Gast 2453 von Ferrære : mære (APl.) und Rückert zu 6333, Joh. v. Würzburg, Wilh. v. Ost. 17129 der marcgrave von Pherrer : swer; f. Matthias, Die geogr. Nomenklatur Jtaliens im altd. Schrifttum, S. 16; die Form Ferrær(e) hat auch Ottokars Reimchronik 97022, 84 u. 245, Konr. v. Megenberg, Buch d. Natur, S. 433, 18, Wilwolt v. Schaumburg (Keller), S. 10 u. 56, N. Manuel, Vom Papst u. fein. Priefterfch. (Baechtold), S. 67, 952 u. 87, 1487. Über æ für helles roman. a f. Enderlin, Mundart v. Keßwil, S. 24.

3385 ff. Ähnlich Fischart, Ehezuchtbüchl. (Hauffen) 160, 9 f. Dan, wie man sagt, ein Haus man bauet nur auf ein fromm Weib, dem man trauet.

3391 ff. Vgl. etwa I. Kor. 7, 32 f. Qui sine uxore est, sollicitus est, quae domini sunt, quomodo placeat deo; qui autem cum uxore est, sollicitus est, quae sunt mundi, quomodo placeat uxori, et divisus est. — Zum Konj. Präf. bedorff f. 2. Plur. Präf. bedorft 6883.

3394. Grau ist die Farbe weltabgewandter Buße: f. W. Wackernagel, Kl. Schr. 1, 183 u. Anm. 4 u. 5, 184 und J. Petersen, Das Rittertum in der Darstellung des Joh. Rothe, S. 128, auch Anm. 1. Der Ausdruck grawem tuoch, auf den sich im 3396 bezieht, ist also im Sinne von 4404 f. zu verstehen. Vgl. außer den Belegen unter grâ in den mhd. Wbb.n Netz 13063 ff. die zwen allerhailigosten man (Christus u. Joh. d. Täufer) truogend nie gefärwt gewand an. Die solten der gaistlicher vorbilder wesen. Zur Metapher vgl. unfer buntes Tuch (vom Soldatenstand), leichtes Tuch u. ä. Die oben gen. Paulus-Stelle fpricht freilich nicht von Geiftlichen im befonderen.

3397. pei der ersten sag: d. h. im erften Punkte feiner Erörterungen.

3403 ff. an eim ort: vielleicht in der im folg. verwerteten Euftachius-Legende. S. die Grifardis von Erhart Groß (ZfdA. 29, 376, 23 ff.) wir glauben, das nit alleyn in das reich der himel komen junckfrawen oder münch, sunder wir haben hoffnung, das man da auch vindet eleudt und witwen. mait als Ggf. zu gmähelt leut. — Singer verweift auf Heinr. v. Neuftadt, Gottes Zukunft 7986 f. (die elüte) ... tragent schone mit den megden krone.

3410 ff. Die Euftachiuslegende, die Rudolf v. Ems in einem verlorenen Gedichte behandelte, findet sich auch Gesta Romanorum 110 (Keller, Vorrede z. R. X: bei Hermann Oesterley S. 444—51): f. Der Rœmer tat, S. 166—74. Über weitere Bearbeitungen in Versen und Profa f. Goedeke, Grundriß I², 126 u. 232 f. — Eustächi: f. zu 1645; d. R. t. hat Eustachius.

3414. gaffer: vgl. gaffen 925 (dagegen chäpher 1074 u. 1138). Die Entstellung in dergaffen erklärt sich aus folg. wil.

3419. In Altfwerts Kittel, S. 54 Er kan von art kein rechten schimpf, an grift er sie mit ungelimpf, er schlecht sie hinden an den ars, des spilt er mit ir alter pars, er grift ir uf und nider (von Keller, Vorrede X und im Anz. für Kunde der deutsch. Vorzeit, N. F. 5, 80 mit der N.-Stelle verglichen) ist alter pars, wie Bech vermutet, altera pars (= cunnus), W.s alter part dagegen, wenn es nicht im Sinne der Anm. zu 2429 ff. zu verstehn ist, „die andere Seite, der Gegner".

3429—33. Vgl. die parodistische Schilderung Mätzlis durch den Dichter 76—96: im einzelnen 3429 flach mit 93 f., hinkt mit 76, 3430 mit 92, 31 mit 82—84, 33 mit 77 f. u. 89.

3432. S. Keller, Fastnsp. 614, 25 nit ain farz.

3433. swartz (zunächst von dunkler Hautfarbe, dann überhaupt = „häßlich"): s. W. Wackernagel, Kl. Schr. 1, 161 f. M. Betz 287 Mein lieb ist nit schwartz.

3440. der schimlig zan (s. 5518): Schimpfwort für einen Alten.

3442 f. Wilt du ... nit gelauben, so glaubt man ... von dir: mit höhnischem Aufgreifen des Ausdrucks in 3426.

3446. S. 3264 ff.

3447 ff. Die Einwände des Vorredners gegen Mätzlis Erscheinung und Wesen erledigt die Alte wieder Punkt für Punkt, immer den Wortlaut aufgreifend: so entspricht 3447. 48 — 3429, 49. 50 — 30, 51. 52 — 31, 55 bis 58 — 33, 65 bis 68 — 34, 71 bis 74 — 32 u. 75 bis 88 — 35. Doch verteidigt sie auch Gebrechen, die nicht der alte Colman, sondern der Dichter selbst 76—96 vorbrachte: vgl. 3447 mit 76 (chropfecht mit 80 f.), 3448 mit 76 (von adel), 3456 mit 90, 3457 mit 78 u. 89, 3461—64 mit 79, 3469 mit 95 f. Dagegen hängt 3453 f. ganz in der Luft, da 91 nur die Glanzlosigkeit der Augen verspottet wurde.

3447 f. Zum Gedanken vgl. 76 und die Anm. z. St.

3450. gechüssen: s. Bleisch S. 59.

3452. minner: dagegen mínr man 1626 u. 8318.

3453. Im Ausdruck vgl. 2299 u. 2429. Eine Ehefrau hat gute Augen nötig: s. 5437 f.; aber die Hauptsache, Kinder, leistet auch eine schwachsichtige.

3455. milch: nach Keller, Vorrede X. Inhaltlich vgl. Konr. v. Megenberg, Buch d. Nat. 25, 8 der swarzen frawen milch ist pezzer wan der weizen und 155, 16 f. diu milch swarzer schâf ist pezzer und grœzer wan an den weizen. Zum Schreibfehler der Hs. zitiert Singer G. Chr. Lichtenbergs ausgew. Schriften (hrsg. v. A. Wilbrandt), S. 211 Personen, die lebenslang ... Michl in ihren Hausrechnungen ... statt Milch schreiben.

3460. Vgl. Neidh. 51, 6 er unde ein wîp diu machet mich in kurzen tagen alt, Christ. u. d. minnende Seele 697 Diß ist des gaistes art, das er in kürtzen iaren machet alt. Zum Gedanken vgl. etwa H. Bebel, Prov. Germ. (Suringar) Nr. 454 Quatuor occidunt hominem ante tempus: uxor formosa usw.

3461. Schönes har: d. h. langes, wie heute noch. S. dagegen 79.

3463 f. Vgl. die Klagen des Bruders Berthold bei Heyne, Deutsche Hausaltertümer 3, 83, Anm. 192 u. 193. Die Deminutiva gärnel (fehlt bei Lexer; f. DWb. unter gärnlein und Netz 10564) und härli hämisch tadelnd.

3465. Die nachdrückliche Nennung wirkt als Protest gegen 3434.

3468. = „In der Taufe"; vgl. 143 und Neidh. 59, 8 derst alsô getoufet, daz in niemen nennen sol, 77, 11 wie der gouch getoufet sî, 15 f. daz er Eberzant in der toufe sî genant und 88, 24 derst getoufet Holerswam.

3471 ff. die wol geporn: ähnlich 9264 und auch 6687. — nach der schrift: f. Innozenz III., regestorum sive epistolarum liber I (28. April 1198) bei Migne, Patr. Lat. CCXIV, 102: Meretrices ducere in uxorem pium et meritorium est. Inter opera charitatis ... sicut evangelica testatur auctoritas, non minimum est errantem ab erroris sui semita revocare ac praesertim mulieres voluptuose viventes et admittentes indifferenter quoslibet ad commercium carnis, ut caste vivant, ad legitimi tori consortium invitare. Hoc igitur attendentes, praesentium auctoritate statuimus, ut omnibus, qui publicas mulieres de lupanari extraxerint et duxerint in uxores, quod agunt, in remissionem proficiat peccatorum (f. Decr. Greg. IX, l. 4, t. 1, c. 20). Franz Falk, Die Ehe am Ausgange des Mittelalters, S. 64 berichtet dazu, wie Berthold v. Regensburg im Thurgau eine Sünderin bekehrte und mit einem seiner Zuhörer verehelichte. Im Fastnsp. von Elßli Tragdenknaben (Keller Nr. 110, S. 885 ff.) wird dem Bräutigam die Heirat einer Gefallenen mit nachdrücklichem Hinweis aufs Neue Testament empfohlen.

3475 ff. Vgl. Carmen de contemptu mundi S. Anselmi Cantuar. archiep. bei Migne, Patr. Lat. CLVIII, 692 f. Quid domino numerosa pecunia prodest? Accipe, quid curae, quidve timoris habet. Et brevis et rarus fit somnus habentibus aurum ... non dat securos nec ebur nec purpura somnos, paupertas vili stramine tuta iacet. Auri possessor formidat semper et omnem ad strepitum factas aestimat insidias. Arma, venena pavet, furtum timet atque rapinam ... Paupertate ... nihil esse beatius unquam ... nihil tutius esse potest. Ähnliche Gedanken in Thomasins W. Gast, bef. 2689 f. u. 2846 ff., bei Boner (Pfeiffer) XV, 59 ff., in Brants Narrensch., Kap. 83, H. Sachs, Fastnsp. (Goetze) Nr. 3, 294 ff. und in Albrechts v. Eyb Ehebüchl. (M. Herrmann) 31, 31 ff. u. 34, 3 ff. (nach Petrarca). S. auch Seiler, Deutsch. Lehnsprichw. 2, 113 ff.

3483 f. Ganz ähnlich Scheidt, Grobianus 4855 f. Des dings noch vil zu sagen wer, aber das bůch würd gar zu schwer; vgl. auch 2443 ff. Ich het dich noch vil stück zu leren ... aber die zeit ... heißt mich eylen zu dem end. Vnd solt ich alles schreiben her, ich wißt nicht, wo papyrs gnůg wer, wißt auch nit, wer das bůch möcht tragen: man müst es füren auff eim wagen und Ammenhaufen 15334 f. es wurd mê denne ein salter, swer es alles sölte schrîben. — Im Munde der Alten wirkt die Redensart auf uns wie ein romantischer, illusionzerstörender Scherz. S. unten zu 3519 ff. Traut man W. in solchen Dingen eine gewisse Absicht zu, so liegt etwa bei Hans v. Bühel, Königstochter 3906 ff. eine naive Entgleisung vor, wenn der König sagt: Wan aber mir üwer mund vergicht, wie ir die sache hond getryben, also das vor stat geschriben (im Bericht des Dichters!), ... so lasz ich üwer gesind leben vnd on alle gnad sterben ir.

3485 ff. Über Heiraten um des Gutes willen klagt der „Renner" 6493 ff.; f. auch Brants Narrensch. 17, 24 ff. u. Kap. 52.

3490. lied (f. zu 97) nach Kellers Vorrede, S. X. S. in der Kato-Parodie (Zarncke, S. 147) 97 ff. ficht mit im (dem Wirt) ... biz er nach deinem willen sing ain lied, daz du gar geren hörst.

3496. ze dem zil wie 1677, 5500, 7126 u. 9071: hoc tempore; vgl. 9245 u. ze allem zil 3981 („jederzeit").

3504. Dem 2639 absichtlich zuletzt genannten Dorfschreiber fällt die Entscheidung zu: nach der Rolle, die er in Bertschis Liebesleben gespielt hat, ist eine im Sinne seines Neffen zu gewärtigen, womit er — im Sinne des Dichters selbst — allen Männern der Sippe gegenübersteht. Doch wahrt sein Schiedspruch in seiner vielfach verklausulierten Form den Schein der Unparteilichkeit. — Zu muoters ain vgl. außer Lexers Belegen (und DWb. 6, 2812 f.) Reimchronik d. Appenzell. Krieges 2828 mütterliche allain.

3505. gelesen: der Reim scheint gesehen (f. 2829) zu fordern; f. aber wisen : gelihen 1212 f.

3508. Ze einem gmainen man: „Schiedsrichter" (f. zu 950). Vielleicht ist gezelt zu lesen wie sonst in dem Reimpaar (f. zu 948 f.); gestelt ist vereinzelt im R.; f. dagegen gestalt 1384, 2706, 3015, 3675, 4439, 7214 u. 7325, ungestalt 3189.

3511. Ähnlich Sterz. Sp. 17, 605 f. zbar, es hiet boll ain gscheidern gfunnen.

3512 ff. Scheint sprichwörtlich zu sein; von ferne Ähnliches bei Zingerle, Sprichw., S. 108. — Femin. list (f. 2476, 2832, 3039, 3205, 3445, 3865, 4116, 4518, 6558, 7025 u. 8436) verdient besondere Beachtung: im Schweizerdeutsch. ist l. bis ins 18. Jhdt. mask. (SJb. 3, 1473). Singer verweist auf J. Morawski, Prov. franç. Nr. 2450 Ung foul conseille bien ung saige.

3516. „Durchaus nichts entschieden habt." S. 5435.

3517 f. Der rechtskundige Schreiber stellt zwei Formfehler fest. Zum ersten vgl. das Landrecht des Schwabenspiegels (Wackernagel) XCVII, 23 ff. Stênde sol man urteil verwerfen, sizende sol man si vinden (ähnlich CCXXXV, 15 f.) und Sachsenspiegel (J. Weiske u. R. Hildebrand) 2. Buch, A 12, § 13 Stênde sal man urteil schelden, sizende sal man urteil vinden under kunges banne, manlîch uf sîme stûle. Graf u. Dietherr, Deutsche Rechtssprichw., S. 410 u. 412 („Man verlangt von dem Richter ein äußeres Zeichen der inneren Ruhe, daher sitzt er ... jedem Manne gleich zugänglich, während er selbst sich keiner Partei annähern kann; kein Urteil bindet, das man gehend oder stehend findet."). S. Singer, Alte schweiz. Sprichw. Nr. 249. S. dagegen 2651.

3519 ff. Der zweite Formfehler, den der Schreiber rügt, stellt sich scheinbar als kecker Scherz des Dichters dar, der die gebundene Rede für die voraufgehende Disputation durch den Mund des Schreibers ablehnt und, die Form der Dichtung sprengend, die Entscheidung der Debatte durch einen Prosaspruch erfolgen läßt. Die Sachlage mutet an wie etwa J. V. Widmanns „Der Heilige und die Tiere", S. 7, wo ein junger Theologe, in seinem Notizbuch blätternd, meint: „Was ‚Aussicht‘! Einsicht! Aussicht ischt ein Wahn. Da hab’ ich’s endlich. Nun hör’ zu, ’s ischt Prosa" und nun ein Zitat aus Nietzsche in Prosa vorliest. In der mhd. Literatur kenne ich nichts Ähnliches. R. Meißner bringt in der Festschr. f. O. Walzel, S. 24 (mit gmessner red = metrico sermone) und 34 die Stelle mit dein clage ist one reimen; da von wir prufen, du wellest durch donens und reimens willen deinem sinn nicht entweichen Ackermann, Kap. 2 in Zusammenhang (Hinweis Singers).

3521 ff. Zum Ausdruck in 3522 vgl. Alexandreis, Beitr. 10, 335 mit versen geflorieret und Suchenwirt 30, 178 der red mit worten schon florirt; über blüemen und flôrieren in solchen Phrasen Ehrismann, Beitr. 22, 314, 24 u. 27 ff. – setz ich mich im Hinblick auf 3518, schlechtleich im Ggf. zu 3522.

Prosa S. 129. Zum Eingang vgl. 5244 f. die Eröffnung der feierlichen Frage an die Brautleute. Es handelt sich um eine beliebte Einleitungsformel der Urkundensprache: f. In nomine domini! Amen. Eidgenöff. Abschiede 1, S. 241 u. 43, In Gottes namen! Amen. ebb. Nr. 18, 20, 22, 23, 25 A, 44, 50, 51, 52, 53 (aus 1332 bis 1417). S. auch Gottes Zukunft Heinrichs v. Neustadt (Singer), Überschrift in d. Heidelberg. Hf. und die Anm. zu R. 321. – Das Thema ob ein man ein weib schül nemen nach Theophrasts liber de nuptiis, in quo quaerit, an vir sapiens ducat uxorem (Hieronymus adv. Iovinianum libri II: f. zu 2755 ff.). Darnach Albrecht v. Eyb: Ob einem manne sey zu nemen ein eelich weyb oder nit: vgl. Hf. 387 fol. der bischöfl. Bibl. zu Eichstätt Nr. 4 (von A. v. Eyb eigenhändig): An uxor viro sapienti sit ducenda. Nach Eybs Ehebüchl. wieder H. Sachsens Spruch Ob einem weisen Mann ein Weib zu nemen sey oder nit (Stiefel, Germ. 36, 51 f.). – mit rechtvertigem guot: wie das Gegenteil 4132 stehende Verbindung. – gevallen wie Ackermann, Kap. 20 Nein, es (das Alter) ist suchtig, arbeitsam, vngestalt, kalt vnd allen leuten vbel gefallen (f. Bernt z. St.); Murner, Gäuchmatt (W. Uhl) XXII, 7 f. Vnder welchen wyben allen allein Thays mir ist gefallen.

3527. Eindringliche Wiederholung des also in der Zeile vorher.

3531. Im Ausdruck ähnlich 3560.

3532. Den Glückwunsch 3530 aufgreifend.

3537. sinnreich nur hier: sinnen vol 3923, 6076 u. 7916.

3539 ff. Alte und noch bestehende, weitverbreitete Bräuche. Man erinnert sich an

Goethes „Hermann und Dorothea" IV, 255 ff. S. H. Baechtold, Verlobung und Hochzeit I, 18 „Vor etwa fünfzig Jahren noch warben im Kanton Baselland Freunde für
den Burschen beim Vater des Mädchens" und S. 27: „Wenn der Werber ... ins
Haus der Umworbenen kommt, so pflegt er sein Anliegen nicht ohne weiteres vorzu-
bringen. Mit erkünstelter Harmlosigkeit und vielen Umschweifen und Weitläufigkeiten
spricht er von diesem und jenem, vom Wetter und von der Ernte, vom Stall und vom
Vieh und fragt dann schließlich, ob nicht eine Kuh (oder ein Roß) zu verkaufen sei."
Auch in O. Ludwigs „Heiterethei" gilt es nicht für „schickerlich", die Brautwerbung
ohne weitschweifige Einleitung anzubringen.

3541. Von verrem her wie 6521, von verren (: herren) 2790, 5819 u. 8162.

3543 f. zemen machen befremdet neben giengin 3539 u. viengin 40; daher vermute
ich Konstr. umb ... ze (s. Laa.) wie 4613. Über 3544 f. ZfdA. 50, 260 f. u. 5275 f.

3547 f. Wo hin erscheint nirgends im R. (da hin oft), wa ist ihm fremd. Ich verstehe die Stelle jetzt anders als Beitr. 27, 50, Anm. 1. — 'Um ein sach': ausweichend
wie die nichtssagende Wortfülle des pfiffigen Schreibers 3550 ff. Vgl. im Ausdruck 8043.

3550. endleich „wichtig, bringend"; 5113 u. 9464 „hurtig". Ähnlich das Adverb
4297, 6709 u. 6946.

3551. und relativ verwendet: s. C. v. Kraus, ZfdA. 43, 170 ff. Das Reimpaar und
der ganze Ausdruck ist typisch: s. z. B. Konr. v. Helmsdorf, Spiegel des menschl. Heiles
3763 f. der helle pin die wirt so grosz, das ir kain ander wirt genoss und Lindqvist
zu 2196.

3561 f. S. Keller, Fastnsp. 483, 25 f. mich dunkt, du trinkest gerne : ge zu mir
in die taverne. H. Baechtold, Verlobung und Hochzeit I, 26 vermerkt, im Interesse
der Geheimhaltung des Vorganges werde die Werbung am Abend oder auch nachts ausgeführt. S. H. Sachs, Fastnsp. (Goetze) Nr. 36, 107 ff.

3567. Vgl. 3590 u. 99.

3570. „Die wird alt in deiner Obhut": s. die DWb. 4, 2, 350 g verz. Phrasen.

3571. langes „längst" wie 6740.

3572. Zu der ungewöhnlichen Wendung vgl. Parz. 112, 6 ff. diu frouwe eins kin-
delîns gelac, eins suns, der sölher lîde was, daz si vil kûme dran genas.

3573. S. zu 860 u. Fischart, Ehezuchtbüchl. (Hauffen) 323, 6 ff. darzu sei sie
weder schön noch holdselig, das er auch vilmals besorgt hette, er würde sie nicht
können versorgen vnd zu ehren bringen. Das Gegenteil 3776 f.

3575 ff. Die gewundenen Phrasen, mit denen er auf die Werbung lossteuert, ganz
im Sinne von 3541. Der Ausdruck in 3580 nach Metz. Hochz. (u. Meier Betz) 9 f. daz
er ze e und och ze recht si nem und och genemen mecht.

3583. S. Keller, Fastnsp. 69, 16 sie (die Braut) ist als von eim edeln geschlecht.

3585 ff. Keine Fortsetzung von 3565 – 84, sondern von 3555 – 64. Das zeigt der

Konj. wehag (: tag wie 4359), der meine Änderungen müg und well erfordert, ferner der Ausdruck sein magschaft (d. h. die Verschwägerung mit Fritz): 3585 bezieht sich auf 3564. 3588 ff. ist also ungerade Rede, abh. von einem aus rat im zu entnehmenden sag im. — Zu 3585 vgl. GA. Nr. 64, 2076 der dritte redet ouch daz sîn, zu 3586 Brants Narrenschiff 7, 9 f. vnd das ers wol besyglen mög, lûgt er, das er vil dar zů leg und Zarnckes Anm. z. St.

3591 f. S. zu 2015 f.

3597. in verlangt das folgende euch; ym der Hs. vielleicht irrig nach 3596.

3601 f. wäch: f. DWb. 13, 505 („hochmütig"). gäch: „ungestüm" wie 8099.

3603. Enruoch: „sei unbesorgt!" S. Mhd. Wb. 2, 1, 322b, 36 ff.

3607. S. ZfdA. 50, 258, Anm. 1.

3609 ff. Adversativ: der Brautvater lehnt eine weitere Erörterung des Antrags vorläufig ab — er spielt in dem ganzen Handel, wie Rürenmost vorausgeahnt hat, den Spröden — läßt aber deutlich durchblicken, wie günstig er innerlich der Sache gegenübersteht. Die Werber verstehn ihn wohl (3614). S. H. Baechtold, Verlobung u. Hochzeit I, 39: „Selbst wenn der Freier dem Vater des Mädchens genehm ist, wird doch vielfach . . . eine längere oder kürzere Bedenkzeit erbeten."

3611. Im Ausdruck vgl. 3717.

3612. Trinkt hin: f. 5847 u. 7062, auch 5703, 5869 u. 6103. — sant Johansen segen: zunächst im Sinne eines Abschiedstrunkes, mit dem der Brautvater die beiden Werber freihält. S. Goedeke, Grundriß I², 304: „Die vom Gelage aufbrechenden Zecher tranken St. Johannes Minne und segneten sich mit dem Namen des Heiligen gegen schädliche Wirkungen des Weines." Über den ursprüngl. Grund für St. Johannis Segen f. John Meier, ZfdPhil. 25, 95, über die Sitte dieses Abschiedstrunks Fr. Kondziella, Volkstüml. Sitten und Bräuche im mhd. Volksepos, S. 48 u. 151 ff. Im Wirtshaus beim Wein erledigt man aber auch in Kellers Fastnsp. 571, 7 ff. eine ähnliche Frage: Ackerschroll und Zisterlein die sein gewesen zu dem wein und sein worden überein; wann Hilla ist nit zu clein (f. R. 3574): der wollen sie geben einen man. Und so trinken auch unsere drei Leute auf den gedeihlichen Ausgang der Sache, die sie ins Rollen gebracht haben. S. J. V. Zingerle, Johannissegen und Gertrudenminne, Wr. Sitzungsber., philos.-hist. Kl., 1862 (Bd. 40), 193: „Vor einem schwierigen und gefahrvollen Unternehmen trank man Johanniswein, damit ein gutes Ende das mühsame Werk kröne." Besonders bei Trauungen war es üblich, das zu tun: f. Anton Birlinger, Aus Schwaben II, 249 u. Fr. Fr. Kohl, Die Tiroler Bauernhochzeit, S. 202, 14, 18, 22, 26 usw.

3619 ff. In je sechs Zeilen führt der Dichter die sechs Männer und fünf Frauen des Familienrats im Hause der Braut ein. Alle außer Nimindhand ergreifen das Wort, doch nicht mit so sorgsamer Einhaltung der Reihenfolge wie im Sippenrate Bertschis 2668 ff., indem Straub vor Uotz spricht und nach Lärenchoph ein in der Namenliste fehlender Füllenmagen, dem die tonangebende Leugafruo freilich das Wort abschneidet 3705 ff. Die Frauen treten diesmal hinter den Männern stark zurück: die beiden ersten Redner, Ochsenchroph mit seinen Wünschen betreffs der äußeren Erscheinung des idealen Ehemanns 3650—76 und Lärenchoph mit solchen betreffs seines Charakters 3685—704, werden von der praktisch denkenden Leugafruo 3717—43 ebenso abgeführt wie Füllenmagen mit seinen intellektuellen Forderungen. Nach einem Rückzugsgefechte zwischen Fritz und Jungfer Schürenbrand 3757—81 bringt ihr Vorschlag durch, Bertschis Absicht zu erkunden und ihn, falls er es ernst meine, entsprechend zu belehren 3744—55.

In diesem Bräutigamsunterrichte 3824—5200, der den lehrhaften Absichten des Dichters Tor und Türe öffnet, leitet Lastersak zunächst mit einem Schülerspiegel ein 3851—925 und entwickelt dann eine Christenlehre für Laien 3939—4187, hierauf, einer Anregung der Leugafruo folgend, der Apotheker Straub eine Gesundheitslehre 4220—401. Frau Richteinschand veranlaßt nun Übelgsmach zu einer breit ausgesponnenen Tugendlehre 4419—962, während er ihre Forderung, eine Hofzucht vorzutragen, kurz ablehnt 4851—70. Auf den Wunsch der Frau Siertdazland entwirft endlich Saichinkruog eine Hauswirtschaftslehre 5017—199. Die Frauen geben also die Themen an, die Vorträge aber halten die Männer. Daß die Namen der Redner (Ochsenchroph, Lärenchoph, Lastersak und Saichinkruog) z. T. in einem zweifellos beabsichtigten Gegensatz zu ihren Vorträgen stehen, habe ich schon ZfdA. 64, 148 betont.

3619. Ochsenchroph (aus Metz. Hochz. 93: vgl. ebd. 114 Ochsenböl, Meier Betz 361 Ochsenpeul, R. 6693 Rindtaisch), der erste Sprecher, vollzieht — offenbar als Ältester der bräutlichen Sippe — 5244 ff. die Vermählung und beschenkt nach dem Ältesten in Bertschis Sippe die Neuvermählten.

3620. Zur Bildung Lärenchoph, die Hügli, Der deutsche Bauer im Mittelalter, S. 125, mißversteht, s. ZfdA. 50, 257, Anm. 2 u. 258, Anm. 2, DWb. 6, 513 f., zu seiner Lehre 3691 vgl. sein Verhalten 6016 ff.!

3621. Lastersak: Teufelsname (s. Arndt, Personennamen d. deutsch. Schausp. d. Ma.s, S. 88 u. 93), urspr. Schimpfwort (s. DWb.) wie lasterpalk in Kellers Fastnsp. 255, 4 u. ö. (vgl. ebd. 6 du schnöder sack und sac in den mhd. Wbb.n). Ähnliche Bildungen mit laster- bieten die Wbb.

3622. Dieser Uotz (wie Üeli 425 Kurzform zu Uolrich) der Übelgsmak ist zu unterscheiden von dem 5919, 41 u. 6325 genannten Uotz vom hag, wenngleich die letzte Stelle fast wie eine Illustration seines Beinamens anmutet.

3623. Straub: s. zu 2215. — Saichinchruog: s. zu 971 und Einführung, S. 14.

3626. Leugafruo: s. ZfdA. 50, 258.

3627. Schürenprand: der volle Name 3762. Name eines Grabwächters im geistl. Schauspiel (Arndt, Personennamen, S. 43) und Teufelsname im Alsf. Passionsspiel 406 (ebd. S. 90); s. auch DWb. 9, 2033, 2. — Über Nimindhand s. zu 75.

3628. Richteinschand: f. ju 2955. — Siertdasland: f. ju 102.

3631. Das hatte Bertſchi 2651 ff. verabſäumt: f. ju 3517 f.

3637 f. Nemo solus sibi satis sapit, Rochholz, Alem. Kinderlied S. 31, 26. Singer, Alte ſchweiz. Sprichw. Nr. 92 verweiſt auf Graf und Dietherr, Deutſche Rechtsſprichw. S. 456, Nr. 494. 95 „Selbſt kann der Kläger kein Zeuge ſein" und „Niemand kann von ſich ſelbſt zeugen".

3640. „Von wem die Sache ausgeht" (f. Ausg. S. 334): vgl. man vorher. Die Werber ließen dieſen heiklen Punkt offen; Fritz verſteht die Sachlage dennoch ganz rich-tig (3641 ff.). Die Redensart wurde im Triſt. Gottfrieds (15444 f.) von Bech, R. Bech-ſtein und Zarncke (Mhd. Wb. 2, 1, 683 a 14 f.) mißdeutet; vgl. beim Armen Mann im Toggenburg (DWb. 8, 911) so rochs mir dann wieder auf dasſelbe unperſönl. riechen. von wan = von wannen 7221.

3644. Im Ausdruck vgl. 6805, f. auch 3054; dagegen wol 855.

3650 ff. Über das männliche Schönheitsideal in der deutſchen Literatur des Mittel-alters ſ. A. Schultz, Höf. Leben[2] I, 211 ff. und M. Heyne, Deutſche Hausalter-tümer 3, 16 f., bef. Konr. v. Megenberg, Buch d. Natur, hrsgg. von Pfeiffer, S. 50, 20 ff. S. ſchon Vegetius I, 6 Sit ... adulescens ... erecta cervice, lato pectore ... valentibus bracchiis, digitis longioribus, ventre modicus ... suris et pedibus non superflua carne distentis ... proceritatem non magno opere desideres.

3652 f. S. 1668 f. u. 4202 f.

3655 f. S. Megenberg 50, 23 f. der weiz ist und dar ain clain rœten ist ge-mischet (ähnl. 15 f. sein varb ain mittelvarb ist zwischen rôt und weiz). Schultz, H. L.[2] I, 219, Anm. 1 und W. Wackernagel, Kl. Schr. 1, 155, Anm. 2. Der Reim ist : gmist (f. dagegen 37 gemischen und 4814 mischen) iſt im R. vereinzelt. S. aber 1318.

3657 ff. S. Megenberg 50, 28 ff. sein hâr schol under lindem und hertem hâr ain mitel haben und schol ain wênig rôt sein (u. 17 ff. sein hâr ist niht hert ... und ist niht swarz : ez hât ain mittelvarb zwischen gel und swarz); auch Gottfr. Triſt. 3336 f. brunreideloht was ime daz har, gecruspet bi dem ende und Flore 6816 f. Flôre hâte schœne hâr, minre brûn danne val unde was daz ... ze mâzen reit. Schultz 212, Anm. 2, 220, Anm. 3 u. 4, Heyne 3, 85. Keller, Faſtnſp. 703, 6 f. (f. 728, 13 f. u. 736, 6 f.) klagt einer, der bei den Frauen kein Glück hat: die krumen, gelben, krausen har (der Nebenbuhler) die irren mich auch über jar. Renner 367 f. ſtellen Mädchen an Männern u. a. aus: disem gestrichen lît sîn vahs als ain niuwe gebürstet vlahs.

3661 f. S. Megenberg 50, 26 f. des selben haupt schol in seiner grœzen des leibs grœzen eben antwürten; Schultz 213, Anm. 2 u. 220, Anm. 2.

3663 ff. Pr. augenprauwen l. hängt vermutlich noch von haben ab, ebenſo vielleicht auch mund und nas (f. 5657, wenn dort nicht nasen stiess sei drin zu leſen iſt; denn

527 u. 5961 steht ASg. nasen, ebenso lautet stets DSg.: s. bes. 683). Möglicherweise eröffnet 3664 aber schon die Reihe der folg. Nominative (3665, 67 u. 69), die, durch regelmäßig gebaute Sätzchen 3666 u. 70 unterbrochen, den Eindruck des Herzählens machen.

3663. S. 2297 u. 2425. Schulz 213, Anm. 3 u. 220, Anm. 5.

3664. Schulz 214, Anm. 1, 215, Anm. 1 u. 221, Anm. 2 u. 4.

3665. S. Megenberg 50, 27 f. der hals... schol ain klain grœzen haben. Schulz 216, Anm. 3.

3666. weibisch: frühester literar. Nachweis des Abjektivs auf hochd. Gebiet (s. Lexer u. DWb. s. v.). S. auch Eyb, Ehebüchl. (M. Herrmann) 33, 12. – gsanch = „Stimme": s. zu 97. Inhaltlich s. Heyne 3, 17. A. Götze (Litbl. 1932, Sp. 297) versteht es als „Gesenke der Schultern" (?).

3667 f. Schulz 218, Anm. 1 u. 2, 219, Anm. 4. – wüesti = „Taille". Zu den Nachweisen bei Lexer u. im BWb. kämen Heselloher (Aug. Hartmann) 1, 45 u. Keller, Fastnsp. 515, 10 ff. sein wust ist im als eim pechenschwein (bei dieser Lesart erledigen sich alle Vermutungen Kellers und Hollands z. St.).

3669 ff. Über Arme, Hände und Finger s. Schulz 217, Anm. 3 u. 4, über die Füße 219, Anm. 5 u. 221, Anm. 9.

3671. S. 5597 f. u. 6049 f. u. Scheidts Grobianus 626 ff.

3674. Megenberg 50,22 ff. der ain mitel hât zwischen lang und kurz und zwischen mager und vaizt; Lamprechts Alex. (Str.) 5853 si... ne was ze kurz noh ze lanc; Schulz 212, Anm. 1. – kumpt recht wie 5015: vgl. 3734 u. 4540, ferner Netz 7966 u. 13428, Brants Narrenschiff 26, 73 u. Zarncke z. St. (Nachtr. S. 476).

3677. benüegt (: füegt) wie 2510: offenbar histor. Präsens wie 8717 u. 8837.

3678 ff. Scheint sprichwörtlich. Ähnlich Fischart, Garg. (Alsleben), S. 113 Wie meynt jr, daß auch bei eim schönen außgehenckten Schilt böser Wein vorhanden sey? meinet jr, daß inn solcher sauberer Herberg könn ein wüster Würt oder Gast hausen? — Zu auf und nider s. d. Anm. zu 3247.

3681. Ähnlich 3675.

3685 ff. S. die Liste mit den Hauptfehlern der Ehemänner in Kellers Fastnsp. Nr. 86 (700, 7 ff.) Einer ist resch, der ander ist faul (3731), der dritt der hat ain weits maul (3732), der vierd ist kün, der fünft verzagt, der sechst gern glogen poppen sagt, der sibent ee drei tag zum wein würd laufen (3691), ee er schmalz und kes ins haus wurd kaufen, der acht ee drei tag auf den tag schlief, ee das er ain mal zu frümes lief, der neunt drei tag ee spilt in den karten (3692), ee er ain mal dahaim seiner erbeit würd warten.

3686. Da mit „überdies, zugleich", im Hinblick auf 3681 f.

3689. S. zu 3254 ff.

3696. der leuten: s. meine Anm. zu Neidharts Liedern[2] (Haupt), S. 235.

3698. S. schellig im Kopf DWb. 8, 2503, hirnschellig, schellhirnig und Schellhirn in Fischarts Ehezuchtbüchl. (Hauffen) 284, 1.

3703. Ähnliche Wendung 3803.

3705. Füllenmagen (f. zu 3619 ff.) wie Neidh. Fuchs 472 u. 99; f. auch Narrenschiff 110a, 70 die selben heisz ich ... Fülldenmag, Uhland, Volkslieder 4, 234, 3 Füllnbauch, Keller, Faftnſp. 92, 34 Füllendrüssel, Herbſtſpiel bei Singer, Germ.-rom. Ma., S. 193, 97 Vüllensac.

3706. Im Ausdruck vgl. 7843.

3709. weis und chluog: f. DWb. 5, 1272, 3a.

3710 ff. Über das Sprichwort vom Esel, der Wein trägt und Wasser säuft f. Wander 1, 858, 106, 859, 133, 878, 624 und auch 856, 57, 858, 103 u. 862, 205, Düringsfeld 1, 215 u. Uhland, Volkslieder 236, Str. 6 im gschicht gleich wie dem esel hie: müß holz und waßer fronen, wermt sich nit mit und wascht sich nit. 3712 aber ist, wie es scheint, die Redensart „an éinem Joche ziehen" (ferre iugum pariter) verwertet. S. Otto, Sprichw. d. Römer 178 und Fr. Seiler, Deutſch. Lehnſprichw. 1, 174.

3713. Über reinfal f. A. Kluyver, Zf. f. deutſche Wortforſchg. 9, 3 ff. Die Form rainvail ist, so viel ich sehe, vereinzelt und vielleicht fehlerhaft.

3714. Die Herstellung ist unsicher: neben sich laben befremdet der Gen. des wassers (f. 2898 sich mit wasser l.), m. doch des w. haben (f. 5577) erklärt die La. mit l. nicht. Im Liede Jubileus ist uns verkündt Uhland 3, 166, Str. 13 heißt es: etwenn was ir (der Bauern) gemains geschrai: 'Wolauf mit mir zum malvensei!' Nun lernens waszer lappen. Hier bietet ſich nicht nur ein ähnlicher Gegensatz dar wie im R., sondern auch die Phrase, die der Zusammenhang erfordert: und müessent doch des wassers (f. zu 937 ff.) lappen (DWb. 6, 195 f.). Dabei ergibt ſich aber ein ungewöhnlich schlechter Reim. Singer meint, laben sei vielleicht Nebenform zu lappen: vgl. Trink, labe, labbe SJb. 3, 1348.

3717 = „Vergeßt euch nicht!" — vgl. 3611 — eine schon im Mhd. übliche Phrase.

3719 f. S. Zingerle, Sprichw., S. 11, Renner 10408 allez dinc man niht durchgründen sol und Bartſch, Meisterlieder d. Kolmarer Hf. CIV, 13 f. der alliu dinc wil besorgen, der dunket mich der lêre ein gouch (ganz ähnlich Marner XIV, 253 f.).

3723 f. S. liber III. regum 8, 46 non est enim homo, qui non peccet: Schulze, Bibl. Sprichw., S. 22 f. und Zingerle, Sprichw., S. 101 f. W.s Ausdruck ist ganz eigenartig. Doch sind im Spätmhd. mehrfach ähnliche Wendungen zu belegen: f. z. B. Zarncke zu Narrenschiff 102, 84.

3725. S. 4974 u. 5075.

3726. S. Häßl. p. LXXVI, 96 vmb ir lieb gäb ich nit ain laus.

3729. grader: beliebtes Epitheton, das auf ein gefälliges Äußeres weist: f. BWb. 2, 52. So z. B. Appenzeller Chronik 3002 vil grader knecht, Netz 10330 hat ain jung wib ain stolzen graden lib u. ähnl. 10391, Heselloher (Hartmann) 4, 11 die magt was krat, Keller, Fastnsp. 265, 11 ein junges weip gerad und stolz, 568, 9 mein öheim Hainz ist ain gerader man (ähnl. 19), Scheidt, Grobianus 1142 ff. dergleichen wirt die mütter ... fro, daß also ein gerader gsell ir schöne tochter haben wöll.

3731. Dann daz = wan daz: s. Meier Betz 246 dann das er nit guot ermel hat und Keller, Fastnsp. 520, 14 f. der hat noch freies gemüts genuk, den das er noch zu leppisch ist. S. Narrenschiff 76, 68 und Zarncke z. St.

3732. Typische Ausstellung wählerischer Mädchen an den Männern: s. zu 3685 ff. u. Renner 358 der sehste hat einen witen munt. Nach 3734 scheint ein Schönheitsfehler gemeint zu sein. Aber Megenbergs Bemerkung wer ainen grözen munt hât, der ist ain vrâz (s. Leyer unter vrâz) weist auf übertragene Bedeutung. – überweit (s. zu 58) ist im Mhd. sonst unbezeugt.

3735. ich sagt euchs vor: vgl. 463 u. 616, Verweise auf frühere Stellen. Wirklich steht 3244 ein gleichwertiger Spruch, aber dort spricht die alte Laichdenman vor Bertschis Sippe. Somit scheint ein starker Gedächtnisfehler des Dichters vorzuliegen.

3740. äni beruht wohl auf Verlesen von ätti der Vorlage. Stalder 1, 115 verzeichnet ätti als Ausdruck der Bauernsprache in mehreren Kantonen, SJd. 1, 583 ff. bemerkt, daß er heute vielfach auf die Kindersprache beschränkt sei. S. DWb. 1, 595 die Stelle aus Keisersb., wonach er als unehrerbietig gilt. Sachlich vgl. Hadlaub (Bartsch, Schweiz. Minnesänger, S. 295) Nr. 7, 8 ff. Sô dich kint an vallent, sô gedenkest dû: 'War sol ich nû? Mîn nôt was ê sô grôz': wan diu frâgent dik, wâ brôt und kæse sî, sô sitzt dâ bî diu muoter râtes blôz.

3748. muomen = „weibliche Verwandte"; s. 2641, 3633, 4406 u. 4968.

3750. Vgl. 2602 (Lage des Minnesiechen), 6001 u. 8013.

3758. wol ergänzte ich nach 5840; s. auch 4985.

3760. Unsicher; an tuon in dieser Verwendung ist erst spät bezeugt (s. DWb. 1, 499), vor an (vorher? besonders?) überhaupt nicht.

3762. Hächel: hier allein als weibl. Rufname; dagegen ist Frau H. 7995 u. ö. die Zaubermeisterin, die das Heeренheer anführt. S. darüber Fr. Vogt zu M. Fr.³ 210, 15. Stalder 2, 10 vermerkt häggele (fem.) als „Hexe" (Wallis) und als Namen eines weibl. Unholds, dem eine eigene Spuknacht (die häggelenacht) geweiht ist. S. auch DWb. 4, 2, 97, 2.

3763. sam einr, der schlaft: d. h. sinnlos; s. zu 816.

3764. Inhaltlich vgl. A. v. Eyb, Ehebüchl. (M. Herrmann) 52, 31 ff. Ein hübsche histori (von Guiscardus und Sigismunda, nach Boccaccio) ... gibt zuverstien, das man frawen und Junckfrawen zu rechter zeit menner geben soll, ee das sie durch blödigkeit des fleyschs und leichtvertigkeit des gemütes zu valle und schanden kumen mügen.

3769 ff. Eine Reimzeile (: nak) ist schwerlich ausgefallen; W. begnügt sich mit dem Reime sak : nak innerhalb des Priamels: s. Wander 3, 540, 157 Maus im Sack und Laus im Nack' sind schlimmes Pack und Euling, Das Priamel bis H. Rosenplüt, S. 391. Mätz darf natürlich nicht, wie Uhl, Die deutsche Priamel, S. 396, will, durch diep ersetzt werden, wie der Zusammenhang lehrt. Ein ähnliches Priamel bei Rosegger, Sonderlinge⁶, S. 535 (Hartleben), Eine Spul' im Sack, das Stroh im Holzschuh und ein Mädl im Haus läßt sich nicht gut verstecken. Dazu vgl. den bei Kirchhofer, Wahrheit und Dichtung, S. 266 gegebenen Schweizer Spruch Stroh im Schuh, Spindel im Sack, Hur im Haus sehen allweg heraus und den andern Vier Ding sind, die man nicht verbergen kan: eine Stadt auf einem hohen Berge, die Lieb oder Bulerey, das Stroh in den Schuhen und des Narren Rath, der sich in Brants Narrenschiff 39, 21 − 24 und sonst findet: zu beiden vgl. Zarndes Anm. z. St. und DWb. 8, 1615. Inhaltlich vgl. Sterz. Sp. 18, 62 ff. ... ein zeytige maid ist gar ain waglichs phand in dem haus zu phaltn lange zeit, so ir der furbitz nachnt leit. Nachtrag Singers: J. Werner, Latein. Sprichw., S. 51, 98 Mus, serpens, ignis reddunt mala sepe benignis.

3774. nicht ist offenbar Subjekt; im Ausdruck vgl. 612.

3775. Erlauer Spiele (Kummer), S. 66, 871 f., sagt die medica zu Rubinus: laufst dan von mir, so hiet ich leicht ander vir; vgl. Hätzl. 1, Nr. 106, 73 ff. fraw, ... halt euch zu ainem allain, sunst saget man, ir habt wol vier; s. ferner Gr. Reidh.-Sp. (Keller 400, 17 f.) wurd ich der minn nicht von dir sat, ich näm ander zwölf an der stat und den eingeschalteten Vierzeiler in einem sächs. Liebesbrief des 15. Jhdt.s (Anz. f. K. des deutsch. Ma.s 2, 74) got gesegen euch lip / ich mag nit gewein / kumt ir nit schir / ich nim noch einen.

3776 f. Die Überlieferung des sonst nicht nachzuweisenden Sprichwortes ist nicht in Ordnung; Bleisch, S. 59, vermutet In iedem haus, Singer, Alte schweiz. Sprichw. Nr. 143 In dem haus, gesprächsweise Nieman bhaits („behagt sie"), was dem sprichwörtlichen Charakter der Stelle zuwider ist. Im Ausdruck vgl. Fischart, Ehezuchtbüchl. (Hauffen), S. 299, 17 f. Eym alten Man ist eyn Junges Weib ein tödlich gifft.

3783. traten wie 5456 u. 7933. Der Schreiber war der eigentliche Werber gewesen (3565 ff.): in seinem Hause findet die nun folgende Prüfung und Belehrung des Bräutigams statt (3792) und dorthin muß sich auch die Sippe der Braut begeben haben. Dagegen ließen sich die Vorgänge vor und bei der Verlobung 5215 ff. eher im Heim der Braut denken.

3785. Ganz ähnlich 2310 u. 3799.

3787 ff. Im Ausdruck vgl. 5433; umb die red gehört zu wis. — nächt: s. Stalber 2, 228, Vetsch, Appenzell. Maa., S. 51, Enderlin, Keßwil. Ma., S. 25 und Wiget, Toggenburg. Ma., S. 26, 66 u. 106.

3792. her freunt wie 6795; s. zu 408. Auch haim her wäre möglich: s. haim hin

9539. — ewer: im Gegensatz zu folg. wir vom Schreiber und den Seinen; den angesprochenen Henritze butzt Fritz sonst.

3797. Nämlich in derselben Zeit. Ähnlich heute noch.

3803. S. zu 2621.

3815 f. an alles laugen: f. 4104. — sag auf: f. zu 1855. — nicht enlach: Singer erkannte darin den ostschweizerischen Imperativ von lassen. Vgl. Hablaub (Bartsch, Schweiz. Mf.) 13, 29 herze, lach fröide dîn! 54, 22 nicht lach mich nâch dir verderben, ferner 24, 49 u. 57. S. Edward Schroeder, Gött. Gel. Nachr. 1933, S. 190 und ZfdA. 70, 139 f. Im Zeileninnern des R.s steht 1367 la, an 26 Stellen lass, nie im Reim (8387 ist Konjunktiv). — Zu Triefnas der vgl. 2037. — Das kirchliche Brautexamen (Wetzer u. Welte, Kirchenlexikon² 2, 1212 f.) umfaßt 1. eine Prüfung über die rudimenta fidei, 2. eine Nachforschung über etwaige Ehehindernisse und 3. den Unterricht über die künftigen Standespflichten. S. H. Baechtold, Verlobung und Hochzeit I, 254 ff. (Beschluß der Synode zu Appenzell-A. Rh. 1609): „Es sollen keine Eheleute eingesegnet werden, ehe sie sich bei ihrem Prediger erzeiget, ob sie das Vaterunser, die Artikel des Glaubens und die zehn Gebote beten können."

Prosa S. 138—40. Pater noster — Ave Maria — Credo in deum sind Überschriften. Über diese liturgischen Einschaltungen, die in der Christenlehre für Laien 3943 ff. ihre Fortsetzung finden, f. Ausg. S. 7 unten. Dieselben drei Stücke enthält das Pergamentblatt Cod. St. Gallen Nr. 1394, Abt. XXVIII (f. G. Scherrer, Kl. Toggenburg. Chron. 152) und das Jahrzeitbuch von Oberbüren auf der Vorderseite des ersten Blatts mit der Jahreszahl 1406 (abgedr. von N. Senn von Werdenberg, Toggenb. Archiv 1865, S. 94). Davon weicht W.s Fassung im Wortlaut vielfach ab. 139, 16 vatter almächtigen (ebenso bei Senn) und 140, 41 f. von gantzem hertzen meinem offenbar in strenger Anlehnung an das Lateinische. Das vierfache Amen ist scherzhaft gemeint, wie die folgende Abwehr Fritzens zeigt.

3818. Formelhafte Zeile: f. D.HB. IV, 2, S. 337 zu Wolfdietrich D VIII, 294, 2 (Ortnit 219, 3 hœrent ûf, sîn ist genuoc usw.).

3820. gestanden (f. Ausg. S. 334): ganz wie lat. stare. Mit demselben Reim f. Keller, Fastnsp. 692, 5 f. der (der junge Meister) ist so ferr in fremden landen ain lange weil in studis gestanden, ebenso in Brants Narrensch. 76, 76 und in Scheidts Grobianus 4781 ff. S. auch H. v. Montfort 29, 90 wa bist du nu in studium gestanden? Eyb, Ehebüchl. 65, 3 f. als ich zu Banonia auff der hohen schule nach lernung bin gest., Sterz. Sp. 25, 912 f. ich ... bin ... gstanden auf der universitet, 1083 auf der hohn schuel zu wien.

3822. D. h. er nahm den Scherz des alten Fritz für bare Münze.

3832 f. S. zu 1272 ff.

3837 ff. Matth. 4, 4 Non in solo pane vivit homo, sed in omni verbo, quod procedit de ore Dei (f. Luk. 4, 4): nach Deuteron. 8, 3. Sprichwörtlich geworden: f. Schulze, Bibl. Sprichw., S. 130.

3840. dem (wie auch Singer, Alte schweiz. Sprichw. Nr. 39 bessert): f. im Credo, S. 139, 19 f. und im Confiteor, S. 150, 34.

3847. Der Nachdruck liegt auf wie: 3939 ff. erst behandelt die Frage was.

3848. Im Ausdruck vgl. 2137 u. 7725.

3851 ff. Der nun folgende Schülerspiegel, der keine Rücksicht auf die Charaktere des Sprechers, des Zuhörers, deren Bedürfnisse und Lebenskreis aufweist, umfaßt zehn Punkte, die in der Regel in vier Zeilen (sechsmal; einmal in 10, zweimal in 12, einmal in 14) dargelegt werden: 1. Gottesfurcht, 2. Aufenthalt in der Fremde, 3. Fähigkeit und Lust zum Studium, 4. Demut, 5. Ausdauer, 6. Gründlichkeit, 7. Kritik, 8. Gute Kost und Kleidung, 9. Mäßiger Wohlstand, 10. Sittsames Vergnügen zur Erholung. W. benützt natürlich eine literar. Quelle (f. 3884 u. 3904); mit dem von H. v. Trimberg im Renner (f. 16827 f.) zit. Werke De disciplina scholarium von Boetius (Migne, P. L. LXIV, Sp. 1223—38) bemerke ich nur wenige Berührungen: zu P. 4 f. 1226, cap. II: Nunc de eorum (= scholarium) subiectione erga magistros breviter est ordiendum, quoniam, qui se non novit subici, non noscat se magistrari. Miserum est enim eum fore magistrum, qui nunquam se novit esse discipulum. — Zu P. 5 f. 1228, cap. III: Cum autem discipulus ad perfectionem tendere teneatur, effectivam causam perfectionis, utpote continuitatis constantiam, prout facultas suppetit, menti dinoscatur imprimere. Quid enim in dilectionis opusculo lucidius constantia, quid inconstantia nequius? prima parit, secunda parta dissolvit usw. — Zu P. 7 f. 1234, cap. V: Quippe miserrimi est ingenii semper inventis et non inveniendis uti, stultius est magistratus orationibus omnino confidere, sed primo credendum est, donec videatur, quid sentiat, postea fingendum est eundem in docendo errasse, ut si forte reperire queat, quid commissae obiciat sedulitati usw. — Z. P. 8 f. 1225, cap. I: Cibariorum autem mediocris sit facultas; potus autem sit tenuis eiusdemque parcitas; vestium autem similiter absit penuria. — Aus Zehneu (f. 7092) machte der in dieser Spalte auch sonst regsame Korrektor, da er es nicht verstand (= zehn Punkte) sein Zehē nocz (f. 3853?).

3853. Nutz und er wie 3874, 7078, 7317 u. 8181; f. den Ggf. 6796 ff. Die formelhafte Koppelung (Grundlage honestum et utile) ist allgemein üblich: f. z. B. R. v. Ems, Weltchron. (Ehrismann) 5524 f. u. 54, H. v. Trimberg, Renner 23608, Reinfr. v. Braunschw. 14544, J. Rothe, Ritterspiegel 496 u. 3143, K. v. Ammenhausen, Schachbuch 15716, H. v. Bühel, Königstochter 1089, Kaufringer XIV, 90 f., Suchenwirt 22, 74, Mhd. Minnereden I (K. Matthaei) 1, 1596, Vintler 9508, Netz 638, 8415 (in C) u. 10400, Brant, Narrensch. 36, 19 u. 112, 40, Facetus 11, Morgant 64, 6, Keller, Fastnsp. 959, 33, N. Manuel (Baechtold), Totentanz 14, 63, Vom Papst u. f. Priesterschaft 35, 119, Von Papsts u. Christi Ggf. 107, 117, Barbali 140, 157, Rollenhagen,

Froschm. 2, 2, 4, 140 u. 3, 1, 17, 146, H. Sachs, Fastnsp. (Goeze) 7, 480, 8, 360, 16, 320, 19, 125; zu Facetus 5 (C. Schroeder) nihil proficui vel honoris s. deutsch S. 41, 18 erlich und nütze (vgl. 30, 11) u. 172, 22, 228, 239 u. 238, 513. Die Urkundensprache verwendet ze nutze und ze eren: s. z. B. Eidgenöss. Absch. 1, S. 243, Nr. 3.

3858—61. Nach Luk. 12, 31 Verumtamen quaerite primum regnum dei et iustitiam eius: et haec omnia adicientur vobis. Der Ausdruck W.s (s. 3393 u. 4224 f.) folgt dem Facetus: s. bei C. Schroeder i 15 f. gegeben : leben (ähnlich B v 23 f. u. v 23 f.) u. M 11 ff. ruchen : suchen, erheben : leben.

3862 f. S. lib. sapientiae 1, 4 In malevolam animam non introibit sapientia. Schulze, Bibl. Sprichw., S. 95. S. außer seinen Nachweisen Ammenhausen 164 ff. wan es sprichet Salomon, swer ein untugenthaft herze hât, das kein wîsheit in den gât und Konr. v. Megenberg, Buch d. Nat., S. 119, 8 ff. wan in die pœsen sêl ... kümt diu weishait niht, sam Salomôn spricht; s. auch Salomon u. Markolf (Bobertag) 208 f. Die weisheit nit stat haut in bosser sele noch dar ein gat.

3864 f. Psalm. 110, 10 Initium sapientiae timor domini, s. auch Prov. 1, 7 u. 9, 10, Ecclesiast. 1, 16 u. 25 und Job 28, 28. Schulze, Bibl. Sprichw., S. 32 f. S. außerdem Seemüller zu Helbl. VII, 1, Ammenhausen 16417 ff. u. 16661 ff., H. v. Montf. 22, 21 ff., Seuse (Denifle), S. 6, Anm. 1, Brant, Narrensch. 42, 1 ff. und H. Sachs (Keller) II, 240, 13 f., VI, 30, 17 f. u. XIX, 260, 7 f.

3869 ff. Nemo propheta acceptus est in patria sua Luk. 4, 24 (s. Matth. 13, 57, Mark. 6, 4 und Joh. 4, 44). Schulze, Bibl. Sprichw., S. 148 f. und Singer, Alte schweiz. Sprichw. Nr. 200. S. auch Freidank 119, 6 f. Gegen den Spruch wendet sich Spervogel MFr. 20, 1 ff. und darnach Bruder Wernher (Schönbach) I, 14, 7 ff. (s. die Anm. z. St.). W. legt sich ihn, wie das folgende lehrt, in besonderer Weise zurecht, schwächt aber 3876 ff. seine allgemeine Behauptung wieder vorsichtig ab.

3878. ane zal: s. Ausg. S. 339 (zu 9177) und z. B. Apollonius (Singer) 13157 f. der (Gen. Pl.) was auff dem pawme ane zal und Salm. u. Mor. (Vogt) 759, 4 f. Môrolf ... valte der heiden âne zal.

3887 f. A. Goetze (Litbl. 1932, Sp. 297) faßt schuoler (schuollêr ? Singer)=„Unterricht". Ich sehe darin den Ggs. schuoler—maister (DWb. 9, 1940, 6): er ist unzufrieden, ein Schüler zu sein.

3893. Dieselbe Zeile mit hertze st. haubet 3242.

3894 f. Vermutlich aus derselben Quelle wie Ritterspiegel (Bartsch) 105 ff. der meistir Aristotiles spricht, daz geglichit si eines kindis sel einer tafiln, do in geschrebin ist nicht usw. S. aber auch Simplicissimus (R. Kögel), S. 27 Ich habe ... befunden, daß Arist. lib. 3 de Anima wol geschlossen, als er die Seele eines Menschen einer läeren unbeschriebenen Tafel verglichen usw. — W.s Ausdruck ein permet gschorn entspricht genau tabula rasa, das sich zuerst bei Aegidius Romanus

(13. Jhdt.) für das γραμματειον bei Ariſtoteles (De anima, lib. III., cap. IV) findet. S. Rudolf Eisler, Wb. d. philoſoph. Begriffe.

3898 f. Ähnlich im Ausdruck z. B. Renner 1881 f. stêter muot hât êre und guot, unstêter muot vil schaden tuot.

3905. zweiveln in (ſtatt an S. 150, Z. 25) ungewöhnlich. Doch ſ. 3277.

3912. kumpt geleich = k. eben 3734, gleichwertig füegt wol 3867.

3916 ff. Auch in Aristotilis heimlichkeit (Toiſcher) 833 ff. wird das Saitenſpiel zu gelegentlicher Aufheiterung empfohlen.

3919 = Keller, Faſtnſp. 519, 26: eine konventionelle Zeile; sagen, singen, seitenspil Der Wiener Meerfahrt, GA. Nr. 51, 70, ähnlich Stricker, Kl. Ged. (Hahn) 12, 237 f.; ſ. auch ſeine Klage über den Verfall der Dichtkunſt in Öſterreich (Germania, hrsgg. v. von der Hagen, 2. Bd.) 52, 56 u. 64; sagen, singen, seitenklanc Weinſchwelg 57.

3929. Ganz ähnlich 4853 (nur euwer wirdü ſtatt ewer tugend).

3934 ff. Vielleicht ſprichwörtlich. S. Vintler 113 f. So hat vor mein auch nie chain man alle chunst allain mocht han.

3938. Der aus der antiken Literatur ſtammende Spruch (ſ. Otto, Sprichw. d. Römer, S. 375 und Büchmann, Geflügelte Worte[18], S. 297) iſt weit verbreitet. S. Wander 2, 1710, 28. Noch Goethe gebraucht ihn zweimal im „Fauſt" I (558 f. u. 1787) und ſonſt: ſ. Erich Schmidt, Anm. z. 558 f. in der Cotta-Ausg.

3941. von hertzen gern wie 7809.

3943—4187. Laſterſacks Laiendoktrinal nennt als erſte Chriſtenpflicht den Glauben an die Hl. Dreifaltigkeit (3943—81), als zweite die Werke (3982—4063). Diese beſtehn 1. in der Erfüllung der zehn Gebote Gottes (3984—95), 2. in der Übung der ſechs Werke der Barmherzigkeit (3996—4003), 3. im teilweiſen Empfang der ſieben hl. Sakramente (4004—17), 4. in der Vermeidung der ſieben Todſünden (4018—25), 5. in der Erfüllung der beiden Gebote der Liebe (4026—31), 6. in der Befolgung der Gebote der Kirche 4032—63). Nach einer eingehenden Belehrung Bertſchis über die Beichte (4064—97) bildet den Abſchluß ein Memento mori! (4098—187). Die Beichtformel S. 149 f. zeigt die Punkte 1—4 in derſelben Abfolge und ſchließt nach einer ſtarken Abſchweifung mit P. 6. Im weſentlichen dieſelbe Anlage weiſt Roſenplüts Gedicht von der Beichte auf (Keller, Faſtnſp. 1098 ff.).

3950 f. nach der grechten zal (= Bericht) : über al typiſch: ſ. z. B. Rudolf v. Ems, Weltchronik (Ehrismann) nah rehter zal : ubir al 599 f. u. 1298 f.

3951 ff. Gott Vaters Weſen die Macht (kraft 3970, mugent 3976), das des Sohnes die Weisheit (3953 u. 76, witz 3972) und das des Hl. Geiſtes die Güte (3955 u. 77, güetichait 3973): die bekannte Trinitätsformel; ſ. Seemüller zu Helbl. 7, 50; Lucidarius (Heidlauf) 3, 18 ff., Aristotilis heimlichkeit (Toiſcher) 35 ff., Keller, Faſtnachtſpiele 800, 8 ff.

3956 ff. S. Symbolum Athanasium: Pater a nullo est factus nec creatus nec genitus. Filius a Patre solo est, non factus nec creatus, sed genitus. Spiritus Sanctus a Patre et Filio non factus nec creatus nec genitus, sed procedens.

3957. dehainer frist wie 8532: Gen. d. Zeit (im DWb. f. v. einige spätere Zeugnisse); ebenso 4291 dehainer andern gschicht u. ähnl. 7204. S. zu 1416, 4369 u. 5057. Zu dehaineu frist 9204 vgl. 3292. S. auch 4041 in kainer frist.

3963. verstenleich (= verstentlich): sonst unbezeugt.

3964 ff. Die Einheit der Glut vereinigt in sich die Dreiheit: Kohle, Hitze und Leuchtkraft (zu 3966 vgl. 58, zu 67 vgl. 60 f.). Konr. v. Megenberg unterscheidet im Buch d. Natur 71, 10 Ez ist dreierlai feur: ... licht ... flamme ... kol ... diu flamm ist ain angezünter rauch, der dâ gêt von holz ... ain kol ist ain prinnend dinch, daz niht flammen gibt. W.s Gleichnis für die Hl. Dreifaltigkeit erinnert an das ähnliche von der Sonne, Freidank 24, 16 ff. diu sunne hât fiur unde schîn und muoz doch ein sunne sîn, daz nieman kan gescheiden ir einez von in beiden. S. Bezzenberger zu 24, 12 ff. Ähnlich Renner 18717 ff. u. Lucidarius (Heidlauf) 2, 6 ff. W. Grimm, Konr. v. Würzb., Gold. Schmiede, Einl. S. XXX f.

3968. wie das sei, daz usw. ist beliebte Einleitung von Konzessivsätzen im Buch d. Natur Konrads v. Megenberg: f. 18, 28 f., 22, 7, 35, 14 u. 26, 74, 35, 125, 4 usw.

3978—83. Dieselbe Antithese begegnet öfters in den von Schulze, Bibl. Sprichw., S. 184 f. gesammelten Stellen: f. Schwabensp. 140b gut geloube ane gutiu werk ist vor got ein totz dinc und gutiu werk ane den gelouben ist vor got alsam. Zu 3978—81 vgl. Hebr. 11, 6 Sine fide ... impossibile est placere deo; credere enim oportet accedentem ad deum usw., zu 3982 f. Jac. 2, 17 sic et fides, si non habeat opera, mortua est in semet ipsa (vgl. 20 u. 26). S. Wackernell zu Hugo v. Montf. IV, 110 ff. Ähnlich wie W. faßt sich Bruder Wernher, Sprüche (A. E. Schönbach) I, 33, 13 man seit, daz der geloube sî gar âne guotiu werc enwiht.

3985 ff. Die zehn Gebote und die sieben Todsünden zählt eine dem Marner zugeschriebene Strophe auf (f. Strauch, S. 159), die zehn Gebote der Freidank-Zusatz bei Bezzenberger 174, 1 ff., Konr. v. Helmsdorf, Spiegel des menschl. Heiles 625 ff., Hugo v. Montfort (Wackernell) Nr. XXIX, 97 ff., das Priamel VII Götting. Beitr. II, De decem praeceptis Altd. Bl. 1, 367 ff.; Suchenwirt Nr. XXXIX handelt davon und in des Teufels Netz 1360 ff. knüpft die Satire an sie an. Bei W. entfällt auf jedes Gebot eine Zeile: ebenso beim Mönch v. Salzb. (Hätzl. 2, Nr. 82, 8 ff.) und in der Wolfenbüttl. Hf. 2. 4. Aug. 2° Nr. 684. Die Anordnung (nach 2 Moses 20) entspricht der bei M. Senn v. Werdenberg (Toggenburg. Arch., S. 94) aus 1406: nur ist dort 6 u. 7 umgestellt (wie in Netz 2052 u. 2151, in Hätzl. 2, Nr. 82, 13 u. in der Wolfenb. Hf.); dagegen zeigt die pseudo-Freidanksche Stelle und der f. Tit. 507 in dieser Hinsicht W.s Abfolge.

3987. Der Wortlaut wie bei Strauch, Marner, S. 159, 9, Netz 1477 u. Hätzl. Z. 8.

3989. Ähnlich im Ausdruck Strauch, Marner Z. 10, Suchenwirt Z. 93 u. Netz 1779.

3991. Vgl. 4584 f.

3993. helen befremdet: vermutlich verdankt es sein Dasein der Reimnot.

3994. Im Ausdruck vgl. Freidank 174, 19 f.

3995. frömdes guotz: bei Senn früms (!) guetz.

3997. Über die Sechszahl f. Banz, Christus u. d. minnende Seele, S. 123 f. Die Reihenfolge bei W. weicht von der evangelischen (Matth. 25, 35—44) in 4000. 1 ab. Eine Aufzählung der sechs Werke der Barmherzigkeit bieten auch Freidank 178, 14 ff., Renner 20903 ff., Konr. v. Helmsdorf, Spiegel des menschl. Heiles 662 ff. (Siebenzahl), Rosenblüt, Die Beichte (Keller, Fastnsp. 1099) und der Mönch v. Salzb. (Hätzl. 2, Nr. 82, 25 ff.).

4007. crisem wie 4014: das Sakrament der Firmung.

4008. gesünt = gesündet 703, 14 u. 85, 7339 u. S. 149, Z. 5. — rew: das Sakrament der Buße: f. die Aufzählung im Landrecht des Schwabenspiegels (Wackernagel) 345, 15 ff. mit derselben Abfolge (touff, firmung, buos, gotz líchnam, öl, priester wíche, ê); bíhte Helbl. 7, 84 ff.

4020 ff. Die Reihenfolge der sieben Todsünden bei W. stimmt nicht zu der bei Vinzenz v. Beauvais, die bis ins 15. Jhdt. kanonisch blieb (R. v. Liliencron, Über den Inhalt der allgem. Bildung in der Zeit der Scholastik, S. 25 f.): superbia, invidia, ira, acidia, avaritia, gula, luxuria (f. Wilmanns zu Walther 22, 18), sondern eher zu der späteren, die im 15. Jhdt. schon mit dem Merkwort Saligia bezeichnet wurde (Liliencron, S. 46, Anm. 21) und fortan in der volkstümlichen Literatur üblich blieb, mit dem charakteristischen Schluß acidia (Liliencron, S. 35). Dieselbe Abfolge wie der R. und dieselben Ausdrücke (außer unkiusche und lazheit) finden sich Renner 2341 f. (17135 ff. steht nît vor gîtikeit). In des Teufels Netz nach 266 endet die Liste mit tragkait, 13201 ff. dagegen mit unkünsch, im übrigen herrscht, von hoffart an der Spitze abgesehen, bunte Willkür; ebenso z. B. bei Strauch, Marner, S. 159 (invidia fehlt: ebenso Altd. Bl. 1, 362 ff. in Versen über die sieben Todsünden aus einer Perg.-Hf. des 13. Jhdt.s im Kloster Weißenau), bei Suchenwirt, Nr. XL, Hugo v. Montfort, Nr. XXXVIII, 113 ff. (acidia fehlt), in Rosenblüts Beichte (Keller, Fastnsp. 1100) und beim Mönch v. Salzb. (Hätzl. 2, Nr. 82, 37 ff.: gula fehlt).

4026. Hier nach wie 4480 u. 4530, ebenso hier zuo 1275, 3249, 4052, 4608 u. 5080 (dagegen hie zuo 987 u. 3978): offenbar im Anschluß an dar nach und dar zuo; denn sonst hat der R. stets hie, hie für (inn, mit, pei, vor). S. zu 6254.

4028 f. S. Matth. 22, 37—39, Mark. 12, 30 u. 31, Luk. 10, 27. Nahe steht im Ausdruck der Zusatz zu Kato (Zarncke, S. 58) 1 578 minne got vor allen dingen, so kan dir nimmer misselingen; darnach Euling, Wolfenbüttl. Hf. 2. 4. Aug. 2°, Nr. 811, 11 f. S. auch St. Christophorus, ZffdA. 26, 530 ff. und H. v. Bühel, Königstochter von Frankr. 6722 f. den (Gott) habe lieb vor allen dingen, so kan dir nümmer misselingen. Ähnlich Winsbecke 2, 1 f. sun, minne reiniclîchen got, so enkan dir nimmer missegân. — Zu ebencristen f. die Anm. zu 287.

4032 ff. Die Fünfzahl der Kirchengebote datiert erst seit dem Konzil von Trient. Vasten abh. von Tuo, sunder = „besonders" (wie z. B. auch 4657); sunder alles sp. verbietet sich bei dem folg. Allen. — Zur Sache f. Schüch, Handb. d. Pastoraltheologie[11], S. 302: „Nur die Vigilien... vor dem Feste des hl. Joh. Ev. werden wegen der Freude über die Geburt des Herrn, die vor... dem Feste der hl. Apostel Philippus und Jakobus aber wegen der Freude über die Auferstehung des Herrn ohne Fasten gefeiert." S. auch Meinauer Naturlehre (Wackernagel), S. 8 f.

4036. Philipps: f. Walther 18, 29 u. 19, 7 u. 17 Philippes, Zimmer.Chron.(Barack) 1, 173, 10, 24 u. 36, 246, 16, 360, 14, 361, 12 Philips. Ebenso H. Sachs, Fastnsp. (Goetze) Nr. 61 im Personenverzeichnis.

4037 = Hugo v. Montfort 5, 120.

4039 f. Barthlome (f. BWb. 1, 283): 24. August. W. oder sein Gewährsmann sind offenbar aus einer solchen Gegend. Über die Bedeutung des Tages in der Schweiz f. SJb. 4, 1625.

4041. in kainer frist „nie"; Ggf. ze allen fristen 4031, ze aller frist 4260, 4559, 4688, 6809, 7628 u. 7708.

4054. Dem rechten pharrer: die von Innozenz III. zum Kirchengesetz erhobene jähr-liche Beichte (zu Ostern) ist vor dem zugehörigen Priester (sacerdos proprius) abzulegen. W. folgt z. T. dem Wortlaute des Kirchengesetzes der vierten Lateransynode: omnis ... fidelis, postquam ad annos discretionis pervenerit, confiteatur saltem semel in anno proprio sacerdoti, suscipiens reverenter ... eucharistiae sacramentum. 4059 f. bezeichnet mit nicht ganz klarem bildl. Ausdruck die Verweigerung des kirchl. Begräbnisses.

4057. Emphahen ohne ze nach zpeichten 4055 wie wellen 4093 nach ze tuon 4092. — man wie 4048: dagegen du 4052.

4061 f. Hat ... gehabt: DWb. 4, 2, 2233, 2 verzeichnet diese Ausdrucksweise seit dem 18. Jhdt. („offenbar unter Einwirkung des Französischen"). Hier mag latein. Ein-fluß maßgebend sein. — sinn, vernuft (so auch bei O. v. Wolkenst. im Reime : tuft 7, 2 u. : luft 94, 33) werden gerne verbunden: H. v. Montfort 30, 109, Meister Alt-swert, Der Kittel 64, 19, Eberhart Windecke, Denkwürdigkeiten (W. Altmann), S. 1, Uhland, Volkslieder 5, 309 A, Str. 1, Morgant (A. Bachmann) 177, 33 u. 178, 10, H. Sachs, Fastnsp. (Goetze) 5, 231 u. 263, 65, 168 u. 74, 362.

4067. S. 6823 und auch 1882: eine Minnesangsphrase.

4074. Sprichwörtlich: f. Suchenwirt 28, 348 wer nicht chünn, der lerne!

4076. noch = „doch nur": f. 2722, 2837 u. 52, 2971, 3280, 4072, 6903, 7523 u. 8354.

4077. die offen picht (f. die Berthold-Stelle bei Lexer unter bigiht), 4084 die p.

gemain (confessio generalis) genannt im Ggf. zu 4079 haimleich p. und 85 p. allain: die am Aschermittwoch (Gründonnerstag) im öffentlichen Gottesdienste für alle ge-sprochene Beichtformel.

Prosa S. 149 f. S. zu 3943 ff. und di gemain picht aus der Perg.-Hf. Linz Cc I 13 (14. Jhdt., Baumgartenberg) bei MSD.³ 2, 458 f., deren Eingang bis zu Z. 7 (ge-denchnüss) fast völlig mit W.s Fassung übereinstimmt und deren Schluß (von Z. 30 ab) auch ähnlich verläuft. Über die Anlage jüngerer Beichtformeln s. S. 460. Ähnliche, in manchen Punkten abweichende zeigen die Beichtformeln des Gedichts von Christ. u. d. minnenden Seele 712 ff. und in des Teufels Netz 13610 ff. S. ferner die „Tafel christ-licher Weisheit" Cgm. 523, 208b (Euling, Das Priamel bis H. Rosenplüt, S. 320) u. d. Mönch v. Salzburg, Hätzl. 2, Nr. 82, S. 300 ff., wo die sieben Sakramente und die fünf Sinne anders eingeordnet sind, die Kirchengebote fehlen, dafür aber die vier rufenden und die neun fremden Sünden herangezogen sind. Daß die von Albin Czerny in ZfdA. 22, 335 f. aus Hf. Nr. 132 des Stiftes St. Florian veröffentlichte Beicht-formel (1421) der W.s sehr nahe steht, kann ich nicht finden. — Z. 2 f. meiner frawen trotz des unserm vorher: infolge titelmäßiger Erstarrung des Ausdrucks. — Z. 7. gedenchnüss = „Gedanken", 4482 = memoria. — Z. 13 f. Die sieben Gaben des Hl. Geistes s. Hätzl. 2, Nr. 82, 43 ff. (für güetichait dort miltikait, für sin dort ver-stantnusz). — Z. 19 f. Vgl. Megenberg, Buch der Natur 5, 1 gesicht, gehœrd, smeckende kraft, versuochende kraft, gerüerd, Vintler 221 ff. sehen, gehörd, smecken, chosten, rüeren, Hätzl. 2, Nr. 82, 21 ff. hören, schmack, gesicht, gust, berürung. Zu costung = gustus s. DWb. s. v.; rüerung für den Tastsinn ist sonst un-bezeugt. — Z. 25. üppig er = 'inanis gloria': s. zu 2424, Netz 8148, Vintler 5657 und eitel er ebd. 3498, 4554, 63, 70, 78 u. ö. — cristem = cristenem.

4088 ff. S. 676 reuw (contritio) und peicht (confessio) und puoss (satisfactio): ebenso Suchenwirt 40, 237, 41, 279 f., 42, 179 u. 44, 74 f. Die vier wesentlichen Momente der Beichte (Reue, aufrichtiges Sündenbekenntnis, Buße und festen Vorsatz, nicht mehr zu sündigen) gibt auch Rosenblüts Gedicht bei Keller, Fastnsp. 1101. S. DWb. 8, 833, 3.

4097. Sprichwörtliche Redensart: s. SJb. 3, 12 u. Kirchhofer, Wahrh. u. Dichtung, Nr. 86 S' ist hin wie des Juden Seel; auch Rosegger, Waldheimat 1, S. 223 Die sind hin wie des Juden Seel' und G. Hauptmann, Florian Geyer (Volksausg., Bd. 2, 187) Du bist verloren wie eines Juden Seel'.

4098 ff. Das folgende, 90 Zeilen umfassende Memento mori! verrät durch seinen starken lyrischen Schwung und seine fünf immer wieder mit Gedench eröffneten, aller-dings ungleich langen Abschnitte die Herkunft aus einer lyrischen Vorlage. Mehrere Gedichte dieser Art verzeichnet z. B. Keller, Fastnsp., Nachlese, S. 327, aus der Augs-burger Hf. A (Altd. Hff. Nr. 16), Bl. 20, die ich nicht kenne. Mancherlei Berührungen mit der R.-Stelle zeigt Suchenwirts „Rede vom Jüngsten Gericht" (Primisser Nr. 42):

so das anaphorische gedenkch 23 ff. und die rhetorischen Fragen 32 ff. Im übrigen
s. unten zu 4112 ff.

4100 ff. Gedench ... wie (ebenso 4108 u. 36) = gedench, daz 4124 u. 58. —
raisgezelt: sonst nicht bezeugt. — noch = „und nicht" wie in der Prosa S. 129, 8.
Inhaltlich s. etwa II. Kor. 5, 1 ff.

4105. Im Ausdruck vgl. 4954.

4112 ff. Dieselbe oder eine ähnliche Namenreihe läßt die lateinische und die deutsche
Literatur des Mittelalters gerne aufmarschieren, wenn die Vergänglichkeit jeglicher
irdischen Größe dargetan werden soll: z. B. De mundi vanitate (Walter Mapes zu-
geschr., Ausg. v. Thomas Wright, S. 147) Dic ubi Salamon olim tam nobilis? vel
Samson ubi est dux invincibilis? vel pulcher Absolon vultu mirabilis? ... Quo
Caesar abiit celsus imperio? ... dic ubi Tullius clarus eloquio? vel Aristoteles
summus ingenio? Oder im Ritterspiegel des Joh. Rothe 261 ff. wo ist der wisir konig
Salomon und Absolon, der schonste man, der sterkistir herzoge Sampson ... wo
sint di gewaldigin keiser und di romischin konige darmede? S. J. Petersen, Das
Rittertum in der Darstellung des J. Rothe, S. 97. Ähnlich Hugo v. Montfort 15,
60 ff., Meisterlieder der Kolmarer Hf., S. 27, Str. 11 u. 12, Niklas v. Wyle,
Translatzen VI, S. 125, 1 ff., Wunderhorn, Dies ist das ander Land (1477): Wo ist
Karle, Hektor und Alexander? Julius, Artus und mancher ander? und Albr. v. Eyb,
Ehebüchlein (M. Herrmann), S. 86, 15 ff. O mensch, gedenck, wo sein hinkumen,
die in hohen wirden vnd eren gelebt ... haben? ... wo ist hinkumen Julius der
keiser? ... wo der groß künig Allexander? vnd wo der gelert Aristotiles? sie sein
alle hingeweet als die pletter des pawmes von eim schnellen windt usw. (s. die
Parallele in Eybs Gedichten: M. Herrmann, A. v. Eyb, S. 416). Bietet der Humanist
zwölf Beispiele aus der Antike, so beschränkt sich W. maßvoll auf fünf Erdengrößen (drei
aus dem Alt. Test. und zwei aus der Antike), die er mit bezeichnenden Merkmalen aus-
stattet (Weisheit, Schönheit, Leibesstärke, Macht und Wissenschaft): gleich ist aber der
Eingang gedenk, die Flucht der rhetorischen Fragen und die wuchtige Antwort.
A. v. Eyb zitiert als Gewährsmann Johannes Chrysostomus, Joh. Rothe (Ritter-
sp. 181) Hugo v. St. Victor, De claustro animae. S. K. Burdach, Ausgabe des
Ackermann aus Böhmen, S. 264, S. Singer, Stil und Weltanschauung der altgerman.
Poesie, S.-Abdr. aus der Festschr. f. O. Walzel, S. 18 f., und Die religiöse Lyrik des
Mittelalters, S. 113 u. 126. Über Herkunft und Verbreitung des Ubi sunt, qui ante
nos in mundo fuere? s. A. Dyroff, Die Philosophie des Gaudeamus in J. Ilbergs
Neuen Jahrbüchern, 26. Jahrg. (1923), S. 230 ff. u. E.-H. Becker, Aufsätze zur Kultur-
und Sprachgeschichte, 1916, S. 87 ff. (Festgabe f. Ernst Kuhn). Dieselbe Namenkolonne
oder eine ähnliche beleuchtet die Macht der Liebe: s. z. B. Meisterlieder d. Kolmar. Hf.
XV, 39 ff. (darunter alle fünf Namen W.s) u. LXXXI, 24 ff., Mhd. Minnereden I
(K. Matthaei), Nr. 3, 323 ff. u. O. v. Wolkenstein (Schatz), Nr. 88. Den Typus

Wêr ich alsô wîse als … Salmôn und wêre als schône als Absolôn usw. Salman und Morolf (Vogt) 155 (s. die Anm. z. St.) finde ich wieder im Renner 21011 ff. (als Zitat aus Augustinus), bei H. v. Montfort 33, 21 ff., in den Meisterliedern d. Kolmar. Hs. XXVIII, 20 ff. u. LXXVIII, 14 ff. Über die ganz typische Trias Absolon, Samson und Salomon als Vertreter der Schönheit, Stärke und Weisheit s. Kummer zu Herrand von Wildon 1, 49, ferner Euling, Wolfenbüttl. Hs. 2. 4. Aug. 2° Nr. 892, 67 ff., Uhland, Volkslieder 3, 206 (Rosenblüt) hab dir Samsons Stärk' und Kraft und König Alexanders Herrschaft, die Schöne Absalons, die Weisheit Salomons. In dem Erguß des Verfassers von Wilwolts v. Schaumburg Geschichten und Taten (Ausg. A.s v. Keller), S. 194 folgt auf die drei bibl. Namen unmittelbar Aristotilem, in kleinem Abstande Alexander.

4112. Zur Form Salamon (3862 u. 4472 Salomon) s. Wackernell, Hugo von Montfort, Einl. p. CLII u. zu 15, 64.

4118 f. ir: s. 8852 unser in derselben Wendung. — Zu 4119 vgl. nomina nuda tenemus bei Bernard von Morlay (J. Huizinga, Herbst des Mittelalters [Möndeberg] 1924, S. 182).

4121. an sünden rain: vgl. Netz 2106 an eren blos und A. Lindqvist, Zu Konr. von Helmsdorf, Spiegel des menschl. Heils 2314.

4123. Gleichwertig 4120.

4124 ff. S. Euling, Wolfenbüttl. Hs. 2. 4. Aug. 2°, Nr. 773, 5 ff. er sol got dancken … das er in hat zü menschen beschaffen und nit zü einem tier noch affen: offenbar nach derselben Quelle wie W. S. Burdach, Ausg. d. Ackermann aus Böhmen, S. 276.

4131. daz ist mein rat im Reime wie 4742, 4803, 4922, 6758, 7837 u. 50; s. es ist m. r. 3744, so ist m. r. 4856 u. und ist m. r. 7434.

4134. S. DWb. 3, 452, 2 und H. v. Bühel, Königstochter von Frankr. 42 ir letstes ende, H. v. Montfort 30, 112 herr gott, hab mich in diner huot an minem lesten end, in Tannhäusers Hauptton bei J. Siebert Nr. 4b, S. 221, 51 mein letztes ent, Rosenblüt, Die Wochen (Keller, Fastnsp., S. 1194), Göttinger Beitr. z. deutsch. Philol. II, Priamel XCVI, 20, Euling, Wolfenbüttl. Hs. 2. 4. Aug. 2° Nr. 671, 48 u. 696, 11, Eberhart Windeckes Denkwürdigkeiten (W. Altmann), S. 336, H. Sachs, Fastnsp. (Goetze) 5, 29 u. 7, 5, E. Weller, Dichtungen des 16. Jhdt.s Nr. 5, S. 33, Zimmr. Chron. 1, 233, 8, Stretlinger Chron. (Baechtold) 20, 24, L. Tobler, Schweiz. Volksl. 2, S. 92, Str. 9 und so heute noch in der Umgangssprache; s. Paula Grogger, Das Grimmingtor, S. 501 Uns ziemte, es ist das letzte End.

4135. Inhaltlich vgl. Netz 3986 f. wan wider gen tuot als wol, als da man zen usbrechen sol und Eberh. Windecke a. a. O. S. 128 wanne widerumbe geben düt gar wee.

4144. Nach Luk. 22, 44. Ebenso Walther von Rheinau, Marienleben 153b 44 f.

Im was von angest alse heiz, daz er bluotigen sweiz swiste, Der sælden hort
(H. Abrian) 1655 f. des todes angest tet im hais, das er swist bluotigen swais und
Suchenwirt 42, 122 f., Christ. u. b. minnende Seele 243, Netz 2554, Euling, Wolfenbüttl. Hf. 2. 4. Aug. 2° Nr. 774, 4, übertragen auf das Alltagsleben GA. Nr. 32 (Daz
bloch), 143 die wîle ich (ein Bauer spricht) sie (die Frau) unbegraben weiz, sô swizze
ich bluotigen sweiz. S. Stricker, Kl. Ged. (Hahn) 12, 325 und die Anm. z. St. —
wist (nur hier im Reime) ist die Prät.-Form des „Ringes": 2129, 2617, 6418, 6740,
7051, 7446 u. 9595, wisten 7147, 7911 u. 45, 9085 u. 9146, wisti 8522, wistin 876,
Part. gewisset 7866; nur 2463 west. Möglich wäre auch geswitzet : wisset.

4146 ff. Vgl. Uhland, Volkslieder 5, 311 (Leise der Geißler), Str. 3 Jesus Crist
der wart gevangen, an ein krütze wart er erhangen und Str. 4 sünder, das leit ich
alles durch dich. Im Ausdruck ähnlich ist 7474 f.

4158 f. Ähnlich Renner 6447 f. bedenke, mensche, daz du bist ein kranc ert-
knolle, ein fûler mist, Suchenwirt XLII, 23 ff. o mensch, gedenkch, daz du pist ein
erden und ein swacher mist usw. und Brant, Narrensch. 54, 13 ff. O narr, gedenck
zů aller fryst, das du eyn mensch vnd tötlich bist vnd nüt dann leym, âsch, erd
vnd myst usw. Ein fauler mist bildlich für den hinfälligen Menschenleib z. B.
auch bei Hermann Damen, Mf. H. 3, 161, 31 und Martina 256, 24, ein bœser mist
Freidank 21, 26, ein stinkindir mist Ritterspiegel (Bartsch) 210, swacher mist Bruder
Wernher (Schönbach) 3, 2. S. Schulze, Bibl. Sprichw., S. 14. Schönbach zitiert
mehrere Bibelstellen mit sicut (quasi, ut) stercus (stercora).

4166 f. S. Genesis 3, 19 pulvis es et in pulverem reverteris. S. Schulze, Bibl.
Sprichw., S. 14, der dazu irrig 4158 ff. zitiert, ferner Vintler 411 f. alle menschen
sein ertreich und werden dem ertreich wider geleich.

4170 f. Alsdann nach täglicher bewerung nütz gwüssers ist deß todes, vngwüssers
der stund des todes heißt es auch in der Bittschrift, welche die Bewohner Hembergs
wegen Aufrichtung ihrer Pfarrei an den Konstanzer Bischof richteten (Karl Wegelin,
Gesch. d. Landschaft Toggenburg 1, 262, Anm. 32). Die Bittschrift weist sogar dieselbe
Genitive des Vergleiches auf wie W.s Text: denn auch in (todes) schlund ist (wie 8332)
die Endung nur infolge des voraufgehenden Genitivs auf -es weggeblieben. S. Haupt zu
Neidh. 75, 17 u. V. Michels, Mhd. Elementarbuch § 206, Anm. 2. Über vereinzelten
Gen. comparativ. im Mhd. und im ält. Nhd. f. Behaghel, Deutsche Syntax 1, § 403. (Er
versteht übrigens 1, § 454 i todes schlund in der R.-Stelle als Dativ des Vergleiches.)
Die Grundlage bildet Nihil certius morte, nihil hora mortis incertius: f. Anselm von
Canterbury, Meditatio VII (Migne, Patr. Lat. CLVIII, 741). Locher zitiert diese
Sentenz zu Brants Narrensch. 85, 5 ff. wir wissen vnd ist vns wol kunt, das vns
gesetzet ist die stundt, vnd wissen nit wo, wenn vnd wie etc. mit der Einleitung
In hoc omnes fallimur, quod mortem non providemus, cum ... und der Quellen-
angabe Seneca. Die von Burdach, Ausg. des „Ackermann", S. 398 angeführten Stellen

bieten nicht die obige Fassung mit ihren scharf ausgeprägten Gegensätzen, ebensowenig die nach Bezzenberger (zu Freidank 175, 12 – 15) zit. Bibelstellen. Nachweise des Spruches geben Wander 1, 1664, 9 und DWb. 4, 1, 3, 6172a u. 6173, 3. S. ferner Keller, Fastnsp. (Nachlese) 270, 8 f. wan nust sychers ist dan der tod vnd nust vnsychers dan de ziyt syner noit und Wintler 1199 ff. das gesetz sagt auch da pei, das chain ding gewisser sei wann die zeit der todleichkait und ungewisser wann die zeit der sälichait. Zur Gestalt, die er bei Freidank 177, 13 ff. bekommt, f. Reinhold Köhler, Kl. Schriften II, 128, Joh. v. Neumarkt, Übersetzung der pseudo-Augustinischen Soliloquien bei Burdach, a. a. O. S. 311, H. Sachs, Werke (Keller) VI, 144, 17 und Grimmelshausen, Simplicissimus 5. Buch, 24. Kap. (Hall. Neudr. 19 – 25, S. 461), ähnlich auch H. v. Montfort XXVIII, 357 f.

4172 ff. Ähnlich Renner 21093 ff. von herzen grunde mich daz beswêrt, daz der tôt uns alle ervêrt und als ein diep kumt în geslungen ze dem alten und ze dem jungen, ze dem rîchen und ze dem armen, Suchenwirt 5, 97 ff. der tod... dem niemant mag entweichen. Er nimpt si paide jung und alt, di armen und di reichen, Narrenschiff 85, 35 f. O dott, wie starck ist din gewalt, sydt du hyn nymbst beid jung vnd alt usw. und Keller, Fastnsp. 932, 4 f. sagt der Tod: es kan mich nicht erbarmen (4174), mir ist der reiche wie der arme (4173). S. auch Fec. rat. 561 mors metit omne caput, medium, maturum et acerbum und Voigt z. St.

4174. Dieselbe Phrase 5043 f., ähnlich 4608 f. u. 6773.

4175. schleicht der Hf. scheint irrig aus 4172 übernommen; auch ist erschl. mit dem Subj. tod und entspr. Obj. üblich: f. z. B. Rosenplüt, Die Beichte (Keller, Fastnsp. 1102) ee das der tod uns hie erschleicht, und ähnlich Hätzl. 2, 1, 106, auch O. v. Wolkenstein 111, 151 f. das euch nicht übersleiche der tod. Doch f. Ausg. S. 334 z. St.

4179. sament: f. 4094.

4180. enphil: vereinzelt; f. dagegen emphilch 3343, 4658 u. 5099.

4183 f. Die Herstellung nach der zugrunde liegenden Epistel des hl. Bernhard (f. zu 5019 ff.): Diligentibus personam tuam non committas animam. Committe animam tuam diligenti animam suam. Flieg. Blatt (um 1495 bei Hans Mayr in Nürnberg gedr.) – f. zu 5019 ff. – dein sel soltu nicht wefelhen den, die dich, sunder ir sel lieb haben und Renner 4919 ff. swer übel sîn selbes sêle pfliget, daz der mîn sêle unhôhe wiget, daz dunket mich niht unbillîch. Gen. des Personalpronomens wie deiner kennt die Sprache des Ringes nicht.

4191 f. Sprichwörtliche Lebensregel: f. Thomasin, WG. 10347 ff. swer wol got dienen wil, der sol niht vasten sô vil, daz er kome von dem lîp usw. Rückert verweist (zu 10338) auf Isid. Sent. II, 44, 13 ff. Non est corpori adhibenda immoderata abstinentia etc. und Renner 3821 ff. Nieman ze sêre sich krenken sol mit vasten, mit wachen... daz er iht an dem lîbe verderbe und lützel lônes der sêle erwerbe. Auch 15606 ff. warnt Hugo v. Trimberg vor übertriebener Askese, die zu Trübsinn und Selbstmord führe, und erzählt ein Beispiel aus eigener Erfahrung. Im Gedicht von Christus und der minnenden Seele 1996 ff. erscheinen ähnliche Gedanken als teuflische Versuchungen: du solt got sinen diener nit ab brechen ald er würd es an dir rechen. Du hörst och dik wol sagen, das menger e zit ist begraben. Hette er geläßen sin vasten und het den lib laßen rasten … er het noch mengen tag gelebt … Was andacht mag der mensch hon, wenn sin lib müß in nöten stôn? S. dazu Brants Narrenschiff 38, 64 was sich gelibt, das gesölt sich ouch. Die Sprecherin hat die letzten Worte des Vorredners (4180 ff.) im Auge.

4200. Sag dem vielleicht = Sagt dem nach der Anm. zu 911.

4204. Das Dimin. Straubel verrät die Freude des Erzählers über seine Pfiffigkeit. S. zu 1180. Über sam ein gsell s. zu 249.

4205. Scheint eine sprichwörtliche Redensart.

4210. en-chunt mit vereinzelter Proklise der Negation ans Adj. statt der normalen an das Verb.

4212. S. zu 2021.

4216. Nu se hin: s. 1580, 2589, 5446 u. 93, 6299, 6368, 7587 u. 6153 (set), überall mit hin, ohne dieses 5498 u. 6535. − alter haller: s. Renner 18565 man vant die triuwe bî alten hallern und 18568 nu ist sô vil valsches bî den niuwen.

4218. „Besann sich" wie 9322 (anders 256): Wirkung des Trinkgeldes. Vgl. den Stimmungswechsel bei dem Spielmann 1345 ff.

4220—401. Die Gesundheitslehre des Apothekers wird eröffnet durch vier Zeilen mit dem obersten Grundsatz, Maß zu halten in jeder Hinsicht, und ist in acht Abschnitte verschiedenen Umfanges (12—36 Zeilen) gegliedert, die der Dichter selbst (den letzten ausgenommen) mit Nummern bezeichnet (s. auch die Randvermerke in der Hf.): 1. Lüftung, Temperatur und Kleidung 4224 ff., 2. Bewegung 4246 ff., 3. Reinigung 4262 ff., 4. Nahrung 4288 ff., 5. Trunk 4316 ff., 6. Schlaf 4338 ff., 7. Frohsinn 4374 ff. und 8. Macht der Gewohnheit und Neigung auf diesem Gebiete 4390 ff. M. Heyne, Deutsche Hausaltertümer 3, 106 f. vermißt in diesen Gesundheitsvorschriften nur solche über Zahnpflege und bes. Aderlaß. W.s Quelle ist nicht etwa das regimen sanitatis Salernitanum, sondern vermutlich das pseudo-Aristotelische Secretum secretorum, worauf schon Ph. Strauch, Jahresber. f. neuere deutsche Lit.-Gesch. II, 2, 3, S. 159 verwiesen hat, ein enzyklopädisches Werk, das in der Quellenfrage des „Ringes" auch sonst eine Rolle spielt. Die von W. Toischer in den Gymn.-Programmen Wr. Neustadt 1882 und Prag-Neustadt 1884 veröffentlichten Bearbeitungen in deutschen Versen enthalten W.s Quelle freilich nicht und der Ausdruck 4249 spricht der weis (s. 4395) besagt nichts, da auch sonst Weisheitslehren ähnlich eingeleitet werden: s. 3485, 3636, 4682, 8242 u. 9187. Aber manche von W.s Gesundheitsregeln stehn solchen des Secr. so nahe, daß ein Vergleich mit dem Gesamtwerk hier wie andernorts geboten erscheint.

4220 ff. S. Zingerle, Sprichw., S. 183, Singer, Alte schweiz. Sprichw. Nr. 315

und Vintler 6440. Inhaltlich vgl. Toischers Secr. B (Progr. Wr.-Neust.) 1521 ff., im Wortlaut 1477 ff. gesuntheit wol behalden me gute hat gewalden wen aller arzdie craft ... nie kein dinc wart me so gut, daz ein man vor suche sie behut. — Zu 4221 vgl. im Ausdruck 7555 f.

4226. ein gstalt haben = „beschaffen sein", Lexer 1, 926.

4230 f. Schafwolle bleibt auffallenderweise unerwähnt. Baumwolle war im 14. u. 15. Jhdt. ein wichtiger Handelsartikel Zürichs. — pauwull der Hf. sieht wie die heutige Appenzeller Form aus (bouwel): f. Vetsch, S. 30, § 30, 5. — manigslacht ist im R. vereinzelt. — Singer vermutet, daß in wol 4230 vielleicht wolle stecke; die wullen 1603 ist sw., pauwull aber st.

4237. Pei der erd: „zu ebener Erde". S. 1462.

4243 ff. S. Megenberg, Buch d. Nat. 347, 23 ff. wenn man der weiden pleter sträwet in ain haus oder in ain kamer, diu küelent den luft und sänftigent die hitz an den siechen läuten und GA. Nr. 32, 366 (von einem Schlafzimmer) beide, krût, gras unde loup, des lag der estrich vol und 450 f. niuwe loup, krût unde gras, daz machte dar inne küele. S. M. Heyne, Deutsche Hausaltertümer 1, 252 u. 369 und J. Meier, ZfdPh. 24, 381.

4246. Gesundheitsförderlich sind alle vorgebrachten Ratschläge: der Nachdruck liegt auf ander; der gs. g. hat den Wert eines Relativsatzes (f. 4262, 316 u. 374).

4248. gfüegeu speis: f. zu 3335. Ggf. grosseu sp. 4252. Toischers Secr. B (f. o.) 1576 ff. unterscheidet grobe kost (f. grober speis R. 5116) — lichte spise.

4254 f. Über den Wert der Bewegung vor dem Essen f. Toischer, Secr. B 1643 ff. und C 88 ff. (nur sachlich entsprechend). — Der Gebrauch der Partiz. Prät. wie 6805 oder Netz 931 es ist besser geflochen dann erslagen und 2795 es ist besser in die hell geritten denn in das himelrich mit tritten und Helbl. 2, 816, 867 u. 916. S. Benecke zu Jw. 4447, Martin zu Wolframs Parz. 1, 3, Zarncke zu Brants Narrenschiff 19, 85 f., J. Grimm, DGr. 4, 129 u. 947, H. Paul (E. Gierach), Mhd. Gr.¹² § 292; H. Paul, DGr. IV, § 328, Wilmanns, DGr. III, 1, § 61, 6 u. 7, Behaghel, DSynt. 2, § 791 ff.

4257. überflüssen — Gen. Plur. v. überfluss? (Pluralformen sind selten nachzuweisen: f. DWb. f. v.) oder v. überflüsse? (S. Lexer f. v. u. Nachtr.) — wie überflüssichait 4269 „überflüffige Stoffe". S. Folz, Lere von den paden bei Keller, Faftnsp. 1249 überflüssikeit, so in dem geplüt were und 1261 sein tranck ... treibt all überflüßigkeit auß. Ähnlich überic krancheit in Tanh. Hofz. 170. Vgl. Toischers Secr. B 1557 f. dar nach in cluger wise wol ubervluzzekeit man reingen sol.

4258 f. S. Secr. Wolfenbüttl. Hf. 2, 4. Aug. 2° (Euling) Nr. 522, 13 f. pis messig mit der abentspeys, darnach erge (so ist zu lesen!) dich, pistu weis und 38 f. wiltü der jar hie werden alt, so soltü nach dem nachtmal sten oder nach lüst spacziern gen: also, wie Olearius in Goethes „Götz", 1. Akt zitiert: Post coenam stabis seu passus mille meabis. Vgl. reg. sanit. Salern. 4 f. non sit tibi vanum surgere post epulas. Wander 1, 887, 26 und Suringar zu Bebels Prov. Germ. Nr. 593. Vgl. auch Helbl. II, 492 ff. ich dâht in mînem sinne, als uns tuont die arzet kunt, daz gên nâch ezzen sî gesunt und IV, 525 ff. nâch dem ezzen ich niht lie, an dem luft ich mich ergie ein wîle nâch der meister rât.

4267. wasserpad als Egf. zu swaisspad (Dampfbad): ähnliche Gegenüberstellungen DWb. 13, 2358, 1 a und Zappert, Über das Badewesen mittelalterl. u. späterer Zeit, im Archiv f. Kunde öst. Geschichtsquellen XXI, S. 21 u. 23. S. die f. Anm. und Alfr. Martin, Deutsches Badewesen 157.

4268 ff. Cammerlander, Eyn newe Badenfart (c. 1540, bei Zarncke, Anm. z. Brants Narrensch., Protestation 4 f.): Müssigen lewten, die wol essen vñ trincken, wechst feuchtigkeyt zwischen haut vnd fleysch, sollen schweiszbaden. Die andern, die sich ser arbeyten oder reyten in hitz, das in schweysz auff der haut ligt, sollen in wasserbad baden. Ganz ähnlich ein bei Chr. Egenolff (Frankf. a. M.) 1547 gedr. Kalender: f. Zappert, S. 63, Anm. 154.

4271 ff. Über Kräuterbäder f. Zappert, S. 58 u. 59, Anm. 143, Heyne, Deutsche Hausaltert. 3, 58 f. und Murners Badenfahrt XXVII, 1 ff.

4274 f. Wie im reg. san. des Aristot. an Alex., Wolfenbüttl. Hf. 2. 4. Aug. 2⁰ (Euling) Nr. 522, 19 nach dem pad aüff das wermbst dich halt! Zappert, S. 121 zitiert Laßberg, Lieders. 3, 115, 7 Nach bad warm vnd lâse kalt, tustu dez vil, so wirstu alt und Bebel, Adagia German.: Post balneum sis in calore et quere calorem! S. auch S. 74, Anm. 186.

4276 ff. Es spricht der maister Avicenna — als wer ze ainem mal oder zwir in vierzechen tagen das haupt twecht Zappert 114 ff. Semel in septimana verlangt es Fr. Sforzas Leibarzt 1477 (Zappert 115), alle vierzehn Tage eine Vorschrift aus 1491, alle fünfundzwanzig Egenolffs oben gen. Kalender aus 1547, alle acht eine Vorschrift aus 1562, alle fünfzehn ein Kalender aus 1563, ein- bis zweimal im Monat eine Vorschrift aus 1590 u. 97 (Zappert 116) u. dgl. m. S. Alfr. Martin, Deutsches Badewesen 73 f.

4280. an widerspächt: bisher nur in Lf. 2, 371, 438 (ân allen widerspaht) nachgewiesen.

4281. daz ist recht: dieselbe Reimformel 2918, 7283, 8329 u. 8640. Die Form mänat scheint vereinzelt zu sein.

4285 f. Regimen sanitatis Nürnberg 1508 (Zappert 24, Anm. 75): Will du vermeyden deines leibes schaden, so solt du nicht mit vollem bauch baden; f. auch Toischers Secr. C 151 ff: vor essens schlafen oder paden tuet an des leibes magen schaden, das er dir da von klainer wirt.

4287 f. Des driten stuks: f. 2736. — Zuom vierden mal = „viertens"; f. 1900.

4290 f. Meinauer Naturlehre (Wackernagel) 8 Swer ... erbeitet rehter zit, biz

daz er begerunge gewinnet zessenne, der sol alzestunt essen. Zu 4291 f. bie Anm.
zu 3957.

4292 ff. S. Toischers Secr. B 1654 ff. wen du me mochtes ezzen, so saltu die
hant entzihen und uberige sete vlihen; iz nicht zu sat, daz ist dir gut, alle uber-
maze schaden tut.

4298. S. Ammenhausen 15826 ff. eins ich niht vergessen sol ... das menger
leije trahte den menschen dar zuo bringen kan, das er muos übrig vuore hân.
S. bagegen Toischers Secr. B 1649 f. wen zu tische kumest du, so heiz vil kost dir
tragen zu und nach diner willekur setze dir diz oder jenes vur!

4299. kraft und ... macht wie 8129: formelhafte Koppelung, ähnlich macht und
craft 9281. **S. bie Reime** kraft : macht 4114 f. u. 9364 f., macht : kraft
690 f., 5139 f., 8347 f. u. 8539 f. unb DWb. 5, 1940, 10b u. 6, 1399, 4. kraft
u. maht bietet **Alpharts Tob** 152, 1, Konr. v. Würzburg, Golb. Schm. 1293,
Rosengarten A (Holz) III, 163, 2, Rub. v. Ems, Weltchronik (Ehrismann) 8449,
Heinr. v. Neust., Apollonius (Singer) 7450 u. 19773, Gottes Zukunft 3105, Konr.
v. Megenberg, Buch b. Nat., S. 306, 5, Mhb. Minnereben I (Matthaei) 1, 1751,
Ritterspiegel 1245, Suchenwirt 40, 107 u. 42, 32, Kato (Zarncke) 34, 118 (Der),
Deutsch. Facetus (E. Schroeder), S. 97, 139, Schönbach, Marienkl., Anhang I, S. 57,
3. 98, Eberhard Windecke, Denkwürdigkeiten (W. Altmann), S. 1, Hätzl. 2, Nr. 66
(Mönch v. Salzb.), 8, Nr. 70 (Kato), 72, Nr. 76, 10, Monbsee-Wiener Lieberhf.
(Mayer u. Rietsch) 11, 4, Keller, Fastnsp. 594, 10, Folz, Lere von den paden ebb.
S. 1251, N. Manuel, Vom Papst u. sein. Priestersch. (Baechtold), S. 85, 1441,
H. Sachs, Fastnsp. (Goetze) 8, 376, 62, 421, Murners Badenfahrt (1514) 2, 41 u.
30, 62, Fischart, Ehezuchtbüchl. (Hauffen) 159, 9 u. 172, 7, Badener Stabtrecht aus
1620 (f. H. Baechtold, Verlob. u. Hochz. 1, 75), Gotthelf bei Keller, Nachgel. Schrift.
u. Dichtung., S. 113; maht (u.) kraft Reinfr. v. Braunschw. 26810, Apollonius 8443,
Ammenhausen 5893 u. 8658, Hätzl. 1, 132 (Muskatblut), 112, Keller, Fastnsp. 765, 1,
Rosenblut, Vom Müßiggänger ebb. S. 1153, Beheim, Buch v. b. Wienern (Karajan)
152, 10, N. Manuel, Barbali, S. 188, 1528, Morgant 51, 25, lauter gelegentlich
gesammelte Beispiele, die sich leicht mehren ließen.

4300 ff. Vgl. im allgemeinen Toischers Secr. C 116 ff.

4303 ff. S. Toischers Secr. C 97 ff. darnach soltu ... dein speis also messen,
das du die gruntvesten von erst legest mit rainer (lies ringer) speis ... die
swaren und die vesten sullen dir sein die lesten. Wer von erst die swaren asse
und die zu grunt sasse, die ringen speis ob der groben und auf der vesten
swimmen oben etc. – In den essen: vgl. Virginal 681, 1 grôz ezzen wurden dâ
gegeben unb Stricker, Kl. Ged. (Hahn) 1, 2 f. sæhe si vor ir umbehuot wol hundert
tûsent ezzen stên.

4306 ff. Beim Obst gilt also das Gegenteil der eben erörterten Speiseregel. S. ba-

gegen 5633 u. 6119 f. und ZfbA. 50, 270, Anm. 2. Weinhold, Die deutschen Frauen
in dem Mittelalter³, 2. Bd., S. 72: „In Frankreich war es im 12. u. 13. Jhdt. Brauch,
Kirschen, Pflaumen, Pfirsiche, Erdbeeren zum Vortisch zu geben, Apfel dagegen und
Birnen, Kastanien und Nüsse zur Nachkost. Roquefort, Vie privée 3, 333 u. 38." —
vor / hin an wie 6379 u. 7420: vor temporal, hin an zum Verb gehörig.

4310. dir: s. uns 4315.

4314 f. Eine bekannte Speiseregel: s. regimen san. Salern. 115 post pisces nux
sit, post carnes caseus adsit! Fischart, Garg. (Alsleben), S. 254 Man darff mich
nicht in die Salernisch Schul führen; ich weiß on des: Nach Fischen Nuß eß, nach
Fleisch die stinkende Keß freß! K. v. Megenberg, Buch d. Nat., S. 334, 6 f. si (die
Nüsse) sint auch guot nâch vischen, sam etleich sprechent. S. Wander 1, 1035,
167 und Teufels Netz 5477, ferner oben zu 3377.

4321. des magens tor: die Speiseröhre. S. K. v. Megenberg, Buch d. Nat. 17, 29 f.
die rœrn haizt Aristotiles des magen munt; Rosenplüt, Nürnberg. Kalender (Kellers
Fastnsp. 1105) des magen tur. — Der Gen. Sg. magens, der nach dem DWb. (s. unter
magen) erst seit dem 15. Jhdt. anzutreffen ist, von magen 4373; DSg. magen 383,
2188 (: chlagen), 4294 u. 5624 und gleichlautend ASg. 1205 (: Hagen), 1541
(: geschlagen) u. 6070 (: kragen) vom Nom. mag 4333 u. 6540 (: glag). So
Wolfenbüttl. Hf. 2. 4. Aug. 2° (Euling) Nr. 257 in Titel u. Text. S. auch zu 4333.

4322 ff. Daß von Getränken nur der Wein erwähnt wird (s. dagegen zu 1369), erklärt sich aus dem engen Anschlusse des Abschnitts an seine Vorlage: s. Toischers
Secr. C 125 ff. dein getrank sol auch dunner wein wol gevar und lauter sein, da
pei gesmach deinem mund wol ... die grossen trunk du meiden muest und B 1763 f.
(als Vorschrift für den Winter) hore, wie din tranc sulle sin: trinc vil guten
roten win!

4323. mit fuoge: s. 3910.

4325. swar als Adj. wie 6624; sonst stets swär, und zwar im Reime 2008, 3294,
3484, 4435, 4615, 4730, 5647, 5778, 6196, 7140, 7638, 7818 u. 73, 7904, 8462
u. 8504, außerdem 2944 u. 6878.

4329. sak = Magen: s. Lexer s. v. und DWb. 8, 1613 unten.

4330 ff. Reg. san. Sal. 49 vinum sit clarum, vetus, subtile, maturum.

4333. S. Netz 10049 Im was nur der mag ze kalt.

4335. hohen wein (ungewöhnliche Verbindung): nach M. Heyne, Deutsche Hausaltertümer 3, 107 „süßlicher Edelwein". — daz ghört dar zuo wie 8204 u. 8568,
vgl. auch 5489 u. 9407 f.

4337. Künstlich bearbeiteter Wein (s. DWb. 14, 1, 844) oder geradezu gefälschter
(s. Zarncke zu Narrensch. 102, 15 ff.).

4338. S. 2929.

4341 ff. Reg. san. Sal. 5 somnum fuge meridianum u. 15 sit brevis aut nullus

tibi somnus meridianus. Dagegen Toiſchers Secr. B 1659 f. nach dem essen al zu
hant ganc uf weich bettgewant und C 135 f. so du von dem tisch aufstest und
uber ain weil slafen gest uſw.

4350 ff. S. Toiſchers Secr. B 1599 f. du salt ufsten und nach dem slafe dich
ergen. Zu 4351 vgl. im Ausbruck Boner 48, 113 ich mag des baz ze stuole gân
und stuolganc bei Lexer. — Zur Schilderung der Morgentoilette ſ. Meinauer Naturlehre (Wackernagel), S. 7 so man morgens von dem slafe gat, so sol man die arme
gelich dennen unde daz houbit strelen unde ogen, den munt unde die zene unde
hende weschen dur suverheit unde dur roscheit und Fiſcharts Garg. (Alsleben),
S. 252 Nachgehends schiß er, pißt er, fartzt er, seicht er, erprach sich, rib sich:
streifft sich: juckt sich: dänet sich: stach ein stund säuren auff: niset: kodert:
göwet: ginet nach dem Leinlachen: steuret vnd rib die Zän: hustet: schweiset:
plutet: bekotzet vnd schneitzet sich uſw.

4352. wasser = „Harn"; ſ. Lexer und DWb. und Die halbe Birne 229 dô kam der
vrouwen eine gegangen alterseine vür der kemenâten tür und wolte gerne dâvür
sich des wazzers erlâzen, Keller, Faſtnſp. 731, 9 und zaiget ir meinen wasser-
stecken (ebenſo S. 1520, La. in K), Nachleſe 290, 3 f. etlicher ein kachel hette
und schlug das wasser darein und Fiſchart, Garg., S. 379 So muß ich … vor hin-
gehen mein vnglück mit dem wasser abzuschlagen.

4356. S. Toiſcher, Secr. B 1602 din har der kamp zurecke. Das Kratzen mit
den Fingernägeln war die Aufgabe der Badeweiber.: ſ. Zappert, S. 88 und Th. Murners
Badenfahrt (E. Martin) XI, 6 ff. — chretzen ist W.s Form: ſ. 6142 (: dergetzen)
u. 6588 (: letzen), ferner 6148, 6455 u. 6561.

4359. S. zu 1268.

4367 f. Meinauer Naturlehre (Wackernagel) 7 f. so man danne gisset ze inbisse,
so sol man uf senften betten ein wile slafen uf der rehten siten unde darnach
sol man den slaf vollebringen uf der lingen siten; Toiſchers Secr. B 1662 ff. die
rechte site trage dich; uf die linke dich wende … wen die selbe site ist kalt und
C 147 ff. an die rechtn seitn soltu dich legen des ersten und des schlafes pflegen,
darnach an der tenken.

4369 f. Secr. C 139 ff. so mues im (dem Haupt) und den fuessen dein das pett
hoch gerichtet sein, zu dem haubt ain wenig pas. — zeiten: sonst stets Dat. Plur.;
lies dhainer zeiten? Gen. Sing. 7377, 8218 u. 9654. S. zu 1416 u. 3957.

4374 ff. Prov. Salom. 17, 22; Meinauer Naturlehre 7 Dez herzen frode und
friheit ane bœse geluste ist dem libe gar gesunt; zorn, sorge unde widermuote
swendet die craft unde den lip. Im regimen san. Salern. 9 wird mens laeta besonders
empfohlen.

4378 f. Reg. san. Sal. 3 curas tolle graves, irasci crede profanum.

4380 f. Nach Prov. 17, 22; zu derpert ſ. SJb. 4, 1460 und DWb. 3, 712. Vgl.

Wolfenbüttl. Hs. 2. 4. Aug. 2° (Euling) Nr. 522 (regim. san. des Aristoteles an Alexander), 7 f. zorn und grein und gros unmüt schadt deinem leib und deinem plüt.

4384 f. kümpt eben wie 3734 u. 9161. Der Übergang vom Zorn zum Feuer ergibt die beiden eigene Wirkung der Hitze.

4387. S. Wilh. Uhl, Die deutsche Priamel, S. 97 Nebel, vberige kelt vnd heysse glüt ... die dinck sein alle den augen schad. J. Haupt, Über das md. Arzneibuch des Meisters Bartholomaeus, S. 97 (545) Daz ist schedleich zu den augen: darunter daz fewr.

4391 ff. Sprichwörtlich: f. Kirchhofer, Wahrh. u. Dichtg., S. 251 Was einer gern isset, das ist sein Speise; H. Sachs, Werke (Keller) XXII, 131, 12 f. Man spricht nach alter weis: was ain luest, ist sein speis. S. IX, 363, 22. 4391 gehört wie zu 92 auch zu 93 u. 94.

4396 ff. S. K. v. Megenberg 29, 3 gewonhait verändert vil der nâtûr an dem menschen und 17 dar umb ist der spruch wâr, der dâ spricht: diu gewonhait ist ain wechslerin der nâtûr, Boner, Edelstein (Pfeiffer) LXV, 5 f. dik verwandelt diu gewonheit die natûr; f. auch Krone 1519 gewonheit wirt niemer laz, si grifet für nature, Graf u. Dietherr, Deutsche Rechtssprichw., S. 12, Nr. 151 Gewohnheit verdrängt ein Recht u. ä.

4405. Holland (Keller, Vorrede XI) vermutet eim (f. 4448 frümpt dir); zu ein vgl. den Akk. in 545; f. zu 1301.

4408. ziment: lies zimet? Sonst erscheint das Verb nur noch 2784.

4410 ff. Das Auftreten Ü.s, der ohne Ziererei und Umschweife, ja unaufgefordert mit seiner Tugendlehre loslegt, steht in einem vom Dichter wohl berechneten Gegensatze zum spröden Verhalten des alten Colman vorher 3056 ff. und besonders des alten Saichinkruog im folgenden (4983 ff.).

4411. überweiser: sonst im Mhd. unbezeugt (f. zu 58); späte Belege DWb. 11, 2, 639. Doch Singer vermerkt Brun von Schonebeck, Hohes Lied (Arwed Fischer) 2098 u. 7330, Predigten Taulers (Ferd. Vetter) 204, 7; f. auch 411, 16.

4412. ein faulen schlehen ist nicht (mit DWb. 9, 557 f.) als vereinzeltes Mask. aufzufassen, sondern als Femin. (f. SJb. IX, 501).

4415. Vgl. 2094 u. 8981.

4416. sam ich mich versich wie 4920; vgl. 5018.

4417. Formelhafter Schluß (f. 7206): vgl. Reinfr. v. Braunschw. 9784 ff. die Einleitung eines Antrags wie man dirre sache tuo, sô tuon ich kunt; wizz iemen baz, swenn ich gerât, der rât ouch daz und den Abschluß 9867 ff. diz ist mîn rât; wizz iemen baz, der sol iuch billîch râten daz und 14188 (ähnlich 16072) wizz iemen baz, den bit ich jehen, ferner H. v. Bühel, Königstochter 2248 ff. ob aber yeman hie nun ist, der besser ratte dann ich, dem wil ich volgen williclich und noch in

Rollenhagens Froschm. 3, 1, 10, 136 ff. ist irgend einr im ganzen heer, der etwas weiß zu bessern dran, der tret auf, laß sehn, was er kan! **4419 ff.** Die nun folgende Tugendlehre erweist sich schon nach ihrem Umfange (mehr als 500 Zeilen) als der Kern von Bertschis Belehrung. Auf eine Einleitung über den Wert der Tugend (4419–35) folgt der allegorisch eingekleidete Plan: die oberste Tugend, eine alte und doch ewig schöne Matrone, hat vier Töchter, deren Lehren und Gebote wohl zu beachten sind (4436–59). Jede dieser Töchter, die nun vorgestellt werden, hat ein Gefolge von Jungfrauen und jede von diesen vertritt wieder in der Regel vier Gebote oder Lehren von meist vier Zeilen. Diese ungemein straffe Architektonik wird nur 4851–70 durch eine Zwischenbemerkung der Frau Richteinschand und deren schlagfertige Abweisung unterbrochen: I. Die weisshait 4460–557. Ihr Wesen und Wert 4460–79. Sie hat vier „Dirnen": 1. gedenknüss 4482–97, 2. versichtikait 4498–517, 3. list 4518–37 und 4. der lere fund 4538–57, jede mit vier Geboten. – II. Die grechtikait 4558–743. Ihr Wesen und Wert 4558–73. Sie hat zehn „Dienerinnen" mit je vier Geboten: 1. strengeu 4582–99, 2. gnad 4600–15, 3. warhait 4616–31, 4. ergab 4632–47, 5. frid 4648–63, 6. minn 4664–79, 7. freuntschaft 4680–95, 8. gehorsam 4696–711, 9. treuw 4712–27 und 10. unschad 4728–43. – III. Die sterkeu 4744–850. Scheidung der körperlichen von der seelischen 4744–47. Wert und Wesen der letzteren 4748–55. Sie hat fünf „Mädchen" um sich, die mit Ausnahme der letzten je vier Lehren bieten: 1. sicherhait 4762–82, 2. hoher muot 4783 bis 4798, 3. guot gedinge 4799–814, 4. stät 4815–30 und 5. gdultikair 4831–50: diese hat vier Säcke bei sich: einen mit Kleidern, einen mit Geld, gtürstikait und gdultichait. – IV. Die mässichait 4871–962. Ihr Wesen und Wert 4874–96. Sie hat vier Jungfrauen im Gefolge mit je vier Geboten: 1. diemuot 4903–18, 2. schamung 4919–34, 3. gfuorung 4935–50 und 4. keuschait 4951–62.

Die vier schönen Töchter der Tugend sind die vier alten Kardinaltugenden (s. zu 4460): prudentia, iustitia, fortitudo und temperentia, die ersten drei am Rande der Hf. so bezeichnet. W. Wackernagel (Kl. Schr. 1, 403) bemerkt, daß sich das Mittelalter in der Unterscheidung der vier Kardinaltugenden an Platos σοφια (φρόνησις), ἀνδρεία, σωφροσύνη und δικαιοσύνη (Republ. 4, 6 ff.) anschließt, und zwar unter Vermittlung einer Bibelstelle (lib. sapientiae, Kap. 8, 7). S. rehtikeit, wîsheit, sterke, mâze im Landrecht des Schwabenspiegels (Wackernagel) LXXI, 12 f., Heinr. v. Neustadt, Gottes Zukunft (S. Singer) 243 ff., der sælden hort (H. Abrian) 1493 f. (mit beschaidenhait in der natur statt wîsheit), die Sammlung von Tierfabeln über die vier Kardinaltugenden bei Priebsch, Deutsche Hss. in England I, S. 4 (mit grösmütichait für fortitudo), Fischart, Ehezuchtbüchl. (Hauffen), S. 233 ff. W.s Tugendlehre berührt sich in ihrer Anlage, wie ich schon ZfdA. 64, 151 und in der Einführung der Ausg. S. 9 hervorhob, mit der bekannten, als Schulbuch verwerteten Moralis philosophia de honesto et utili (Migne, Patr. Lat. 171, 1003–56) des Wilhelm

von Conches. S. Ehrismann, ZffdA. 56, 142 f. Quaestio I geht dort von den vier
Kardinaltugenden aus, die wieder in eine Reihe von Einzeltugenden gegliedert werden.
Innerhalb der einzelnen Abschnitte erscheinen öfters mit Nummern versehene Gebote
wie bei W. und die Berührung reicht manchmal bis in den Wortlaut. Entschiedene Ab-
weichungen in der Anlage rühren vielleicht aus den Zwischengliedern her. In der Mor.
phil. heißen die vier Teile der prudentia: providentia, circumspectio, cautio und
docilitas, am Rande der Ring-Hs. memoria, providentia, astutia und disciplina. Die
Gliederung der iustitia im R. (am Rande der Hs. nur Nummern) berührt sich mit der
in der Mor. phil. in einzelnen Punkten deutlich: so strengeu mit severitas, warhait
mit veritas, treuw mit fides, unschad mit innocentia, freuntschaft mit amicitia,
gehorsam mit reverentia; frid entspricht wohl concordia, gnad misericordia, minn
pietas und ergab liberalitas oder beneficentia. Bei der fortitudo (am Rande der Hs.
nur Nummern) sind magnanimitas, fiducia, securitas, constantia und patientia in
W.s Gliederung leicht zu erkennen. Die temperantia (keine Zählung am Rande) zeigt
bei W. die Parallelen diemuot — modestia, schamung — verecundia, gfuorung —
honestas, wobei auch abstinentia, moderantia, parcitas und sobrietas inbegriffen sind,
und cheuschait — pudicitia.

4422 f. Seu : So der Hs. vielleicht aus 4424; oder es ist So geits zu lesen, wobei zu
4422. 24 auf 4367. 69 verwiesen werden könnte. Der Gedanke, daß Tugend allein Adel
verleihe, ist im Mittelalter geradezu sprichwörtlich verbreitet. S. Georg Waitz, Deutsche
Verfassungsgesch., 5. Bd., S. 405, Anm. 3 und J. Petersen, Das Rittertum in der
Darstellung des Joh. Rothe, S. 64. Vgl. dazu die R. 7224 ff. vorgebrachte Ansicht
über die Entstehung des Adels und die Anfangspartien des Ritterspiegels. Rothe verweist 1438 ff. auf Hieronymus, 1505 ff. auf Boethius, Ammenhausen 9693 auf Seneca.
S. Fr. Seiler, Das deutsche Lehnsprichw. 2, S. 1. Im carmen de contemptu mundi
des S. Anselm. Cantuar. archiep. (Migne, P. Lat. CLVIII, 695) heißt es Nobilis
est, animi quisquis virtute refulget; degener est solus, cui mala vita placet. Der
Relativsatz 4423 entspricht genau Carm. Bur. 69 quem virtus nobilitavit. A. E. Schönbach verweist zu Bruder Wernher I, 22, 1 f. auf Bedas Proverbien: nemo nobilis, nisi
quem nobilitat virtus. Der Teichner beruft sich für den Satz ez sî nieman edel noch
grôz, dan der edelîchen tuot (A 52a, Karajan, S.-Abdr., S. 62, Anm. 201) auf die
Hl. Schrift. S. auch S. 80, Anm. 261. Deutsche Nachweise des Sinnspruches bei
Graf und Dietherr, Deutsche Rechtssprichw., S. 33, Nr. 70 ff. und S. 37, Zingerle,
Sprichw. 9 ff., Heinr. Bebels Prov. Germ. (Suringar) Nr. 167, Singer, Alte schweiz.
Sprichw. Nr. 1 (f. auch Ammenhausen 18892 f.), Walter Rehm, ZffdPh. 52, 327,
W. Grimm und Bezzenberger zu Freidank 54, 6, Roethe zu Reinm. v. Zweter 79 ff.,
Rudloff, Untersuch. zu M. Helmbr., S. 44 u. 58. S. noch H. Sachs, Fastnsp. (Goetze)
8, 302 Tugendt die selb adelt dich und 15, 89 f. Über diese Moralisierung des Adels-

begriffes f. G. Ehrismann, Gesch. d. deutsch. Lit. bis zum Ausgang des Mittelalters 2, 2, 1, 308, Anm. 1; Walther Rehm, ZfdPh. 52, 327.

4426 f. Der Dichter beabsichtigt vermutlich ein Wortspiel, indem er tugenthaft aus tugend (Part. Präf.?) schaft erklärt.

4430 f. Ähnlich Brant, Narrensch. 17, 7 ff. Eym yeden gloubt so vil die welt, als er hat jnn sinr tåschen gelt. S. Zarncke z. St., ferner Heinr. v. Melk, Erinnerung 403 ff., Marner (Strauch) II, 171b (CCCLIIb, Str. 9) in armes mannes munde ertrinket wizze vil, Renner 8721 ff. des rîchen wort merket man ze grunde; in maniges armen mannes munde verdirbet wort und witze vil, sô sîn rede nieman hœren wil, Ammenhausen 7745 swer nu guot hat, der ist wert usw., H. v. Montf. V, 279 f. wer... phening hat, der ist gewaltig an dem rat. Nachträge Singers: J. Werner, Lat. Sprichw., S. 75, 29 quamvis sit sapiens, pro stulto pauper habetur, Freidank 42, 15 f. die armen dunkent sinne blôz, dâ bî der rîchen witze grôz, Renner 13401 armuot verdrücket witze vil, Meisterlieder der Kolmarer Hf. 104, 31 in aremmannes herze verdirbet wîzheit vil und 121, 9 armmannes witze ist gar verlorn.

4436. Ähnlich 4264. S. zu 2793.

4440. Im Ausdruck vgl. 5335.

4445. gerait = „gerechnet". S. 8157.

4451. Hinter Und scheint ein Verb (pleibt oder ist) versehentlich ausgefallen.

4452 f. Im Ausdruck ähnlich 2537 ff.; es handelt sich um eine sprichwörtliche Wendung: waz toug gold ze finden dem tôren, der sich ûf gold nicht versinnet? Des Minners Klage, Anhang zu Labers Jagd 625. S. Haupt, ZfdA. 15, 247 und Jwein 4251 ff. waz half mich, daz ich golt vant? ez ist et vil unbewant ze dem tôren des goldes vunt: er wirfet ez doch hin zestunt. Ähnlich Strickers „Bloch" GA. Nr. 32, 544 (mit der Einleitung nû sprechent doch die wîsen daz); in Luthers Sprichwörtern bei Thiele f. Nr. 462 Was sol narren das gellt? Sie legens ynn die kacheln vnd verbornens. Vgl. S. 402. Der Eingang gemahnt an Prov. 17, 16 Quid prodest stulto habere divitias (f. Schulze, Bibl. Sprichw., S. 60), aber der folg. Kausalsatz quum sapientiam emere non possit führt weit ab von den obigen Wendungen. Benecke denkt an eine „Anspielung auf eine damals allgemein bekannte Fabel".

4460. ertzetugent (sonst unbezeugt) scheint eine Neubildung W.s; die getreue Übersetzung angeltogent für virtus cardinalis steht nur in Randnotizen: f. neben 4442, 559 u. 873. Je einen Nachweis bieten Lexer, Nachtr. 25 und DWb.; f. ferner Rosenblüt, Die Kaiserin zu Rom (bei Keller, Fastnsp., S. 1140) mit fir angeldugenten, das Priamel Nr. XXI, Z. 12 in den Götting. Beitr. II die vier angeltugent, Albr. v. Eyb, Spiegel der Sitten (M. Herrmann, A. v. Eyb, S. 364) von den vier angeltugenden und die Prosa darüber Hf. 3027 der Wr. Nat.-Bibl. (Zwierzina, ZfdA. 41, 67). Schwabensp. (Wackernagel) LXXI, 11 hat die kardenæle tugent oder fürsten über alle tugende. — Wie hier die Weisheit wird 4752 ff. die Stärke mit superlativischen Ausdrücken gepriesen.

4461. vermugent (: tugent) wie 4747 u. 4871.

4468. ein tail „teilweise" u. ä. wie 3656 u. 8317.

4471 ff. Nach liber III. regum 3, 5 ff.; die ler = die Hl. Schrift; f. 2536 (vor einem Bibelzitat), ebenso 3868; f. auch 4669.

4478 f. Scheint eine derbe volkstümliche Redensart. Zingerle 136 und Wander 4, 448, 20 bieten keine weiteren Zeugnisse.

4486 ff. Die vier Gebote der gedenknüss beginnen, das erste ausgenommen, mit dem bezeichnenden Gedenk (f. 4100 ff.) wie die der versichtikait 4502 ff. mit Besich; das 1. u. 2. Gebot wie das 3. u. 4. gehören näher zusammen.

4495. scholt = „schuldest".

4499. S. 4483 (berait = zehant).

4501. Der Schreiber änderte dar in den, weil ihn die als Obj. zu volgen beirrte; der Dichter hatte aber in im Sinne, ohne es sprachlich auszudrücken, während er z. B. 2514 des durch in aufgreift.

4502 ff. Die vier Lehren folgen den Gesichtspunkten: Person, Sache, Ort und Zeit.

4504 f. Offenbar eine Redensart, die ich freilich sonst nicht nachweisen kann. sam den gemain = „wie denen insgemein". augstain: Belege dieser Form bei Lexer 2, 192 und im DWb. 1, 816. S. ferner Neidh. 99, 1 (Überschrift in c), Minnelehre (Pfeiffer) 1733 (in C) und Fischart, Garg. (Alsleben), S. 97.

4506. daz dich an trift: vgl. 7453.

4513. S. Ausg. S. 334. Ähnlich noch heute in unserer Wiener Umgangssprache: „Da werde ich nicht alt" = „Da bleibe ich nicht lange."

4516 f. Das bekannte Sprichwort (Wander 3, 450, 37, 451, 37 u. 42, 453, 67 u. 68, 454, 85 und Fr. Seiler, Das deutsche Lehnsprichw. 2, 93; DWb. 6, 1610, 5) war im Mittelalter stark verbreitet: f. Zingerle, Sprichw., S. 97 f., Suringar, H. Bebels Prov. Germ. Nr. 282 Pallium pendendum est contra ventos und die Anm. zu St., MSD.³ XXVII, 2, 237 Versa sit adversum tua semper paenula ventum und Zarncke zu Narrensch. 2ᵝ; f. ebd. S. 68, Z. 76 in N; ferner Renner 6230 ff., Kato, Tischzucht 287 f. in t den mandel scheib auch alle frist, da her der wind am greiffen ist, Hofmann, Deutsche Sprichw. aus Hf. der Schwabacher Kirchenbibl. (Münchener Sitz.-Ber. 1870, II, 28) Nr. 18, Av. Chr. 247 (f. BWb. 2, 1050 unter Wetter), Cgm. 1020, 48 (BWb. 2, 355), sehr häufig bei H. Sachs (f. Handschin, S. 89), in den Kinder- u. Hausmärchen 1, Nr. 83 Ich schleife die Schere und drehe geschwind und hänge mein Mäntelchen nach dem Wind und im Clm. 4408 (Zfsb.Ph. 48, 87, Nr. 2) Ad flatum venti debentur pallia verti. — Nachträge Singers: J. Werner, Lat. Sprichw., S. 21, 96 dirige vestem opponens, unde ventus et aura venit und S. 82, 184 quo Boreas spirat, hic prudens pallia girat.

4520. diseu viere = „diese vier Lehren"; s. 4500 u. 40 und zu 15.

4522 f. geleich dich = „mache dich gleich, mache es ebenso". Ähnlich rät Kato (Zarncke) 37, 187 f. Der mit rede gelîchsen kan und dir im herzen übels gan, dem tuo rehte alsam, sô triugestu in âne scham und der Moretus in Brants Übersetzung 385 ff. die bscheisser man betriegen sol: die recht das selb zů-lossen wol usw. S. Schönbach, Die Sprüche des Bruders Wernher I, S. 79 und Boner 50, 57 ff. ein schalk den andern schelken sol. Wel mensche trügenheit ist vol, den sol man triegen, daz ist recht. — Nachträge Singers: J. Werner, Lat. Sprichw., S. 46, 34 lex est iusticie fraudem depellere fraude und ähnlich S. 76, 55.

4525. temm: s. zu 3190.

4526. betrogenleich Adv.: unbezeugt; das gleichlautende Adj. belegen die mhd. Wbb. an einer Stelle, das DWb. an einer zweiten. Singer vermerkt das Adv. beim Schwei-zer Wernher 13607 und in der Pilgerfahrt des träumenden Mönchs 3001.

4530 ff. Der Arbeitsvertrag im Bauernleben, von dem hier die Rede ist, wird nicht näher beleuchtet; noch weniger zu verstehn ist der dagegen gebotene Ausweg. müessen: eines der ältesten Zeugnisse dieser Form: s. DWb. 6, 2750, 3, Weinhold, Mhd. Gr.² § 417, Alem. Gr., S. 402, Bayr. Gr., S. 332. — den naken peren: s. BWb. 1, 258 f., ferner Cod. Pal. Vind. Suppl. 3344, 113 ᵅ ᵝ per ir (einem bösen Weibe) den nack, Christ. u. d. minnend. Seele 510 Darumb wil ich . . . dir din ruggen beren und Sterz. Sp. 17, 500 So tont sy enckh . . . den pukl pern. Aber diese Phrase paßt wenig zu folg. mit listen: beachte Schmellers das maul beren 1, 259! Und der DSg. nak 3769 u. 5081 (im Reime) läßt schließen, daß den nak enperen zu lesen ist.

4534 ff. S. Cato, dist. II, 18 Insipiens esto, cum tempus postulat aut res: stultitiam simulare loco prudentia summa est und Fecunda ratis 119 Interdum stultus, qui stulto cedere nescit. Voigt verweist auf Ecclef. 10, 1 Pretiosior est sapientia et gloria parva ad tempus stultitia. S. Fr. Seiler, Deutsch. Lehnsprichw. 2, 108, Singer, Alte schweiz. Sprichw. Nr. 262. — bessers habend: s. 8356.

4538 ff. der lere fund = docilitas oder disciplina. 4538—57 ist also ein Gegen-stück zum Schülerspiegel 3850 ff. Daß diese Leitlinien der Kunst des Lehrens weder dem Sprecher noch dem Zuhörer gemäß sind, darüber sieht der Dichter wie dort hinweg. lernen = docere: s. zu 3327 ff.

4542 ff. Der Ausdruck fordert größte Bescheidenheit in der Beurteiluñg eigenen Kön-nens neben reichem Wissen in der Lehrpraxis. Der gegen den Rhythmus verstoßende Nachtrag ein 4543 erfließt wie 3867 aus späterem Sprachgefühl.

4546. nach dem sin = „nach seiner Fassungsgabe".

4548 f. Vermutlich sprichwörtliche Lebensregeln. Vgl. etwa Winsbeke 33 Sun, hebe, daz dû getragen maht, daz dir ze swære sî, lâ ligen.

4550 ff. S. Jacetus O (bei E. Schroeder) 153 Saepe nocet, qui multa docet, quae vix retinentur; excoquitur, quidquid capitur, dum pauca docentur.

4554 f. Ähnliche Lebensregeln oft in der mhd. Literatur: f. Kato 199 f. dem lêræe ez niht wol an stât, tuot er, daz er verboten hât, Renner 18025 f. swer wol lêrt und ez selber tuot, daz gêt den liuten in den muot und Boner 65, 49 f. (f. 90, 30 u. 37) wer wol lêrt und übel tuot, der ergert manges menschen muot. S. ferner Heinr. v. Melk, Priesterleben 554 ff. und Heinzels Anm. z. St., Freidank 69, 25 ff., König vom Odenwalde (E. Schroeder) Nr. 8, Brant, Narrenschiff, Kap. 21 von stroffen vnd selb tun, Zingerle, Sprichw., S. 87 u. 180, Schulze, Bibl. Sprichw., S. 156 ff.

4558 ff. Singer, Alte schweiz. Sprichw. Nr. 237 verweist auf Düringsfeld 1, 816 Iuris praecepta sunt haec: honeste vivere, alterum non laedere, suum cuique tribuere (Ulpian L. 10 § 1 D de iustitia et iure 1, 1). Der von W. Stammler, ZfdPh. 53, 13, Anm. 62 zit. Druck läßt Plato die Gerechtigkeit so definieren: die einem jeglichen gibt und lat, das im zugehort, und den nechsten nit schediget und behütet den gemeinen nutz.

4570 ff. Ganz ähnlich Moralis philosophia (Patr. Lat. 171, 1014 B): Iustitia, cuius tanta est vis, ut etiam illi, qui maleficio et scelere pascuntur, non possint sine ulla iustitiae particula vivere; nam qui eorum cuipiam, qui una latrocinantur, furatur aliquid aut eripit, is nec latrocinio sibi locum relinquit usw., fast wörtlich nach Cicero, De officiis II, 11. S. Thomasin, W. Gast 12377 ff. jâ mac ein diep ân reht niht wesen und kleit vaste, ob sîn geselle am teile im unreht tuon welle, Ammenhausen 2490 ff. die schâchliute ouch wellen hân einen künig under in, dem si gehôrsam müessen sîn und under in ein rihter ist. Swes keinem gein dem andern gebrist, das muos er alles rihten ûs. S. auch Vintler 7446 ff.

4573. gsetzt = gesetzede.

4579. eregab (Ausg. S. 334): f. Morgant 4, 6 f. inn schänckinnen was er vast ergeb (freigebig).

4581. unschadhaft (Ausg. a. a. O.): f. zu 4732; es ist als Subst. (Abstr.) gedacht.

4586. Landrecht des Schwabenspiegels (Wackernagel) CLXXII, 15 ff. Man sol alsô rihten: ougen umbe ougen, hant für hant, zant für zant, fuoz für fuoz. Diese Formeln der Rechtssprache gehn wieder auf Bibelstellen zurück: f. DWb. 4, 1, 1, 997 ᵇ u. ᵉ, Schulze, Bibl. Sprichw., S. 17.

4592. Also verbindet folg. an aller zerung mit 4590 f.: wer jemand in böser Absicht bei Gericht belangt, ist zum Tragen aller Kosten zu verhalten.

4608 ff. Die idealen Aufgaben des Rittertums: Gemeingut der mhd. Lehrdichtung; f. J. Petersen, Das Rittertum in der Darstellung des Joh. Rothe, S. 161. Petersen schließt daraus, daß W. den Inhalt des Schwertsegens (f. Ammenhausen 5890 ff.) in die bäuerliche Gesellschaft hineinträgt, er sei schon Lebensregel für alle Stände geworden. Vielmehr hat W.s Vorlage ritterliche Verhältnisse vor Augen, die er festhält, da er ein Lehrbuch der Lebensführung für seinesgleichen geben will; die dörperliche Einkleidung aber behandelt er als Maskerade. S. Ausg. S. 7 f.

4611. gtrüwer wirker: f. zu 45 ff. — heut: f. Chronik des Appenzeller Krieges 617 sy vorchtent do der hütt („für ihr Leben").

4612 ff. Vgl. Facetus 123 Noli maiorem te castigare super re, de qua, si vellet, posset tibi damna referre. — umb ... ze haben wie 7383 umb ... ze pauwen: die Stellen gehören zu den ältesten Zeugnissen der heute so lebendigen Kon- struktion im Obd.: f. H. Paul, DGr. IV, 121 und Behaghel, DSynt. 2, 336. S. GA. Nr. 75 (Paffional), 27 f. swaz sie gebat Marîen umb iren sun ze vrîen. Netz 7511 ff. ift zu lefen so tuond si sich ze samen schiben umb ain sprach ze machen. Vgl. im R. 9202 an ... ze streiten. — frid ... oder suon (f. 7738): formelhafte Verbindung aus der Rechtssprache (z. B. Landrecht d. Schwabenspiegels, hrsgg. von Wackernagel, 1, 30 f. mit fride unde mit suone), die ungemein verbreitet ift: f. außer den Zeugnissen der mhd. Wbb. Nib. (Bartsch) 1997, 2 u. 2090, 4 I, Biterolf 11412 f., Dietr. Flucht 3954 u. 5362, Wolfdietr. D IX, 169, 2, Die böse Frau 742, Minnelehre (Pfeiffer) 2035, Konr. v. Würzb., Heinr. v. Kempten 726, Enenkels Weltbuch, GA. 2, 573, 227, Reinfr. v. Braunschw. 25300. 407. 13. 38. 55. 989, Renner 8848, Joh. v. Würzb., Wilh. v. Oft. 5718 u. 11492, Ammenhauf. 2348 u. 2550, Konrad v. Helmsdorf, Spiegel des menschl. Heiles (A. Lindqvift) 1746, Suchenwirt 29, 114, 37, 66 u. 73, H. v. Montfort IV, 132 u. XXV, 156, Schondoch, Königin von Frankr., GA. Nr. 8, 628, Kaufringer VI, 226, XIII, 354, XIV, 546, XV, 50, XVI, 106, 537 u. 658, Netz 14, 169, 401, 871, 1933, 2025 (C), 2259 (C), 2566, 3080, 4833, 5105, 8365, 8410, 12362 u. 487, 12727, 13486 u. 13528, Chrift. u. d. minn. Seele 126 u. 29, 252 u. 68, 1447, Altfwert, Der Tugenden Schatz 110, 12, Der Spiegel 127, 29, H. v. Sachsenh., Spiegel 188, 30 u. 190, 3, Schleierlein 214, 14, 223, 20, 232, 10 u. 239, 8, Mohrin 2975 (u. Martin z. St.), Beheim, Buch von den Wienern (Karajan) 347, 17 u. 25, Euling, Wolfenbüttl. Hf. 2. 4. Aug. 2° Nr. 775, 6, Keller, Erz. aus altd. Hff. 370, 6, Faftnfp. 51, 18, 166, 27, 170, 6, 289, 10, 311, 23, 312, 4, 506, 17 u. 604, 26, Bartsch, Meisterlied. d. Kolmar. Hf. XCVII, 3, Folz, Im hanenkrat bei Keller, Faftnfp., Nachlefe, S. 312, Historie vom Römischen Reich in Kellers Faftnfp., S. 1321, Sterz. Sp. 6, 295, 9, 102 u. 18, 643, Uhland, Volkslied. 180, Str. 24, E. Weller, Dichtungen des 16. Jhdt.s, S. 35.

4624. Hüet dich auch (f. 4619) wie 3992. Oder ift Hüete dich zu lefen wie 9631? Oder Hüet dich vor der l. h. wie 4733 vor der sch. sch.?

4626 f. S. Freidank 164, 3 f. Daz wirste lit, daz iemen treit, daz ist diu zunge, sô man seit (darnach Boner 17, 25 f.) und den ganzen Paffus von der Zunge. Reinmar von Zweter 94, 1 f. und Roethes Anm., Zingerle, Sprichw., S. 184, Singer, Alte schweiz. Sprichw. Nr. 316. S. auch das Zitat aus Petrarca bei Albr. v. Eyb, Ehebüchl.

(M. Herrmann), S. 27, 2 ff. W.s Ausspruch gilt bef. der Lügenzunge. Zu 4628 f. vgl.
inhaltlich Suringar zu H. Bebels Prov. Germ. Nr. 291.

4630. Es wär dann: so ist auch 7807 u. 8522 zu bessern, ebenso in Kellers Fastnsp.
410,6; dagegen ist 416,4 (gegen die Anm. S. 1509) Er der Hs. festzuhalten, wie 416,33
beweist. Der Sinn der Zeile ist: „Es sei denn ein Versprechen, das ér dír gegenüber
nicht hielt."

4633 f. Ähnlich H. Sachs, Fastnsp. (Goetze) 7, 492 f. Schaw, wie, warumb, wem
vnd vmb was du dein gut gibst!

4642 f. Die erste Zeile ist eine Übersetzung der bekannten antiken Sentenz: Bis dat,
qui cito dat. S. G. Büchmann, Geflügelte Worte[18], S. 329, A. Otto, Sprichw. d.
Römer, S. 55, Seiler, Das deutsche Lehnsprichw. 2, S. 42, Suringar zu Bebels Prov.
Germ. Nr. 382, W. Grimm zu Freid. 112, 1 (S. XCIX), Bezzenberger z. St.,
Zingerle, Sprichw., S. 44, S. Singer, Alte schweiz. Sprichw. Nr. 76, ferner Thomasin, W. Gast 14277 f. swelch man gît und gît drât, wizzt, daz er zwir gegeben hât
und Scheidts Grobianus 3251 f. wer etwas gibt, vnd gibts geschwind, der ist ein
zweifach gûter fründ. —Die zweite Zeile scheint eine freie Zutat des Dichters.

4645. gaben: f. 4528, 4647 u. 5569.

4646 f. Offenbar sprichwörtl. Lebensregel; gaben zielt auf die Freunde, schinden
(f. 8414) auf die Feinde.

4650 f. S. Singer, Alte schweiz. Sprichw. Nr. 74. H. Sachs, Fastnsp. (Goetze)
Nr. 14, 275 Wo der frid ist, da wonet got.

4656 ff. Wieder gehören je zwei Gebote enger zusammen: bezieht sich das erste Paar
auf das allgemeine subjektive und objektive Verhalten, so geht das zweite auf das gegen
Freunde und Widersacher.

4683. S. Ecclesiastic. 9, 14 ne derelinquas amicum antiquum! Schulze, Bibl.
Sprichw., S. 104, Singer, Alte schweiz. Sprichw. Nr. 70; ebd. Nr. 290 aus einer
Zürcher Hs. des 12. Jhdt.s (MSD³. XXVII, 2, 21) Callis et anticus tibi non vilescat
amicus. S. auch Fecunda ratis 190 Non callem veterem, non obliviscere amicum.

4689. Ungeruoft: sonst im Mhd. unbezeugt.

4690 f. Wohl mit Rücksicht auf ein Sprichwort, das unerbetenen Dienst widerrät:
f. Graf und Dietherr, Deutsche Rechtssprichw., S. 265, Nr. 230 u. 31 und auch
R. 7446 ff.

4692 ff. S. Schulze, Bibl. Sprichw., S. 162 f., Zingerle, Sprichw., S. 179 und
Singer, Alte schweiz. Sprichw. Nr. 267. Dem positiven Teil der Sentenz liegt
Matth. 7, 12 (Luk. 6, 31) zugrunde: omnia ergo, quaecumque vultis ut faciant
vobis homines, et vos facite illis, Tobias IV, 16 Quod ab alio oderis fieri tibi, vide,
ne tu aliquando alteri facias (Seiler, Das deutsche Lehnsprichw. 2, 185 f.) vermutlich dem negativen, der schon Freidank 121, 8—11 erscheint. S. ferner Thomasin,
W. Gast 7836 ff. u. 81 ff. u. Rollenhagens Froschmeus. 2, 2, 3, 85 ff. Was du von

andern ungern hast, damit tu niemand überlast. Facetus g¹ (C. Schroeder, S. 223 f.) 125 ff. Du solt nieman anders nicht faren wann alz dir selber mit. Liecht ein andern daz bevilt, des du selber nit enwilt enthält dasselbe Reimpaar wie die R.-Stelle. 4695. Auch von in nit wäre möglich. S. 6387. 4696. schreibt man = sonstigem gepeut man. S. Mhd. Wb. 2, 2, 207 a 2 ff. u. DWb. 9, 1693, 5. 4701. fruo und spat „jederzeit", im Reime auch 2913 u. 3325, dann nur noch 6745; in der zweiten Hälfte des „Ringes" stets die Reimformel spat und fruo: 5414, 7393, 7744, 8012, 8234 u. 74, 8418. 4709. S. Kato (Zarncke) 367 ff. Versmæhe niemannes rât, obe er dir ze nutze stât; dîns knehtes rât verwirf niht, râte er dir mit triuwen iht. 4716 ff. Über das Würfelspiel f. Seemüller zu Helbl. XIII, 92; Reinmar v. Zweter 109, 1 f. Der tiuvel schuof daz würfelspil dar umbe, daz er sêlen vil dâ mit gewinnen wil; Kato (Zarncke) 96 f. nim einen topf vür würfelspil! wurfzabel soltu vliehen, f. 105, 70 u. 107, 75 f. Gegen das Würfelspiel eifert Berthold (Pfeiffer) 1, 14, 35 ff. u. 216, 39. 4722 f. bhalten... sam dein augen: f. Psalm. 17, 8 custodi me ut pupillam oculi! u. ö. S. Schulze, Bibl. Sprichw., S. 36 u. Murners Badenfahrt XIII, 52 der dein als eins ougapffels hiet. — sunder taugen: f. zu 1899. 4724 ff. Sprichwörtlich: f. Kirchhofer, Wahrh. u. Dichtg., S. 179 Man muß niemand trauen, mit dem man nicht eine Scheibe Salz gegessen hat und 354 Es soll keiner den andern für einen guten Freund halten, er habe denn zuvor einen Scheffel Salz mit ihm gegessen. S. DWb. 8, 1706, g, ᵅ u. SJb. 2, 932. 4727. auf gemessen: im Mhd. unbezeugt; f. SJb. 4, 457. 4728. unschad (f. zu 4581) ist fem., offenbar nach lat. innocentia. 4729. Im Ausdruck f. 6508. 4731. Abf. mär wie nur noch 4945. 4732. unschädleich (= innocens): im Gegensatz zu schädleich man 4739, einem Fachausdruck der Rechtssprache („Verbrecher"); f. DWb. 8, 1988, 1 und Burdach, Der Ackermann aus Böhmen, Anmerkungen, S. 161 f. Die ganze Klasse bezeichnet sch. schar: 4734 f. wird der Ausdruck erläuternd umschrieben, wie es scheint. 4741. S. Seiler, Das deutsche Lehnsprichw. 2, 116 (bef. Augustinus Audi partem alteram!). 4743. So heißt es im Sachsenspiegel (3. Buch, Art. 78, § 1) îclich richter mûz wol richten uber hals unde uber hant... und entût dar an wider sîne trûwe nicht. 4744 ff. Wie W. Leibes- und Seelenstärke unterscheidet und nur die zweite als Tugend anerkennt, so meint Vintler 4132 ff. unter Berufung auf Macrobius: die sterk die ist in dreierlai geschicht und erklärt von der ersten, der rein leiblichen, 4137 das selb ist nicht gehaissen ain tugent, während die zweite und die dritte in dem decret als Tugenden gelten. W.s Vorlage stand wohl in derselben Tradition.

4747. schalk: f. Holland bei Keller, Vorrede, S. XI.

4750. Für weist mit Akk. und Inf. gibt Lexer 3, 941 einen Nachweis (Jak. Twinger v. Königshofen, Straßburg. Chronik: do wisete und lerte... Saturnus das volg noch menschlichen sitten leben usw.), übergen = „über etwas hinweggehn": f. 4344.

4758 f. Das grammatische Geschlecht stimmt nicht zur Weiblichkeit der allegorischen Gestalten wie schon oben 4538 u. 80.

4760 f. Daß die beiden Zeilen der Hf. umzustellen sind (f. schon Bleisch, S. 59), verraten nicht nur die Zahlwörter, sondern auch die unten eingehaltene Reihenfolge (4815 ff. u. 31 ff.). Mit 4761 hatte der Schreiber ein neues Blatt zu beginnen, dessen Vorderseite (f. Laa. z. St.) ihm zu schaffen gab oder doch auffiel. So wurde er etwas zerstreut, wie auch die Zeilen 4763—65 erkennen lassen.

4762 ff. Die Moralis philosophia enthält im Abschnitt securitas einen breit ausgesponnenen dialogus inter securitatem et timorem aus Seneca, De remediis fortuitorum liber: f. Thomasin, W. Gast 5318 ff. und Rückerts Anm. z. St. und Burdach, Ausg. des Ackermanns aus Böhmen, S. 219. Es ist bezeichnend, daß auch W. im Abschnitt sicherhait eine Art Dialog vorführt, wobei der Angesprochene die timor-Rolle übernimmt. Die Berührung reicht bis in den Wortlaut: f. Furcht vor der Armut 4765 ff.: Tim.: Pecuniam perdidi. Sec.: O te felicem, si cum illa avaritiam perdidisti! Furcht vor übler Nachrede 4771 ff.: Tim.: Male de te loquentur homines. Sec.: Aequo animo audienda sunt imperitorum convicia et ad honesta vadenti contemnendus est iste contemptus. Furcht vor Krankheit 4775 ff.: Tim.: Aegrotabis. Sec.: Aut ego febrem aut ipsa me relinquet, cum morbo mihi est res; aut vincet aut vincetur, semper esse non possum (noch näher Seneca, De remediis fortuitorum VI: Non potest istud toto seculo fieri: aut ego febrem relinquam aut ipsa me; semper una esse non possumus). Endlich wird hier wie dort die Todesfurcht widerlegt.

4764. Schon Keller, Vorrede, S. XI, tilgt diesen Schreibervers, der entstand, indem das Kopistenauge nach Sprichst du in die Zeile vorher abirrte. In meiner Zeilenzählung wurde er, was ich zu spät bemerkte, mitgerechnet.

4765. Sprichst du ist Bedingungssatz, Hauptsatz 4767; vgl. 4771 u. 75.

4772. bsorg mit Gen. ist im Mhd. Wb. nur einmal bezeugt. Spätere Nachweise im DWb. 1, 1636 b.

4778. du geleich der Hf. = diu gelîche „dergleichen".

4783. muotes fro: f. 1779, ähnlich 5505, 8277 u. 9389; das Mhd. Wb. 3, 414b 29 f. bringt nur einen ähnlichen Beleg.

4784 ff. wil = „meint". Anklänge an den Abschnitt magnanimitas in der Moralis philosophia sind öfters nicht zu verkennen: zu 4785 vgl. das Zitat aus Lukan, De bello civili IX, 380 Componite mentes ad magnum virtutis opus summosque labores, ¾u 4787 f. Haec virtus, cum ad aspera ineunda aliquem promptum faciat, communem utilitatem quam suam potius attendit, ¾u 4793 f. etwa das Zitat aus Cicero De officiis, lib. I, cap. 19 Qui... errore multitudinis imperitae pendet, in magnis viris non est habendus und ¾u 4795 ff. Si... necessitas postulaverit, decertandum erit et mors turpitudini anteponenda (ebd. cap. 23) ... nunquam... fugae periculi committendum est, ut imbecilles et timidi videamur... fugiendum tamen est, ut nos morti vel periculis sine causa non offeramus, quo nihil est stultius (ebd. cap. 24).

4785 f. Der ungewöhnliche Ausdruck piegen ist wohl durch das folg. Sprichwort veranlaßt. Über dieses f. Seiler, Das deutsche Lehnsprichw. 1, 92, Aquila non captat muscas Wander 1, 31, 2. Es ist im Germ. und Roman. weit verbreitet. Kirchhofer, Wahrh. u. Dichtg., S. 271, vermerkt als schweizerisch Ein Adler fängt keine Mücken; ähnl. Froschmeuf. 2, 2, 15, 73 Meint, das der adler mücken feht. Singer vermerkt (sich) biegen = „(sich) wenden" in Heslers Apokalypse (K. Helm) 8855 die von diser werlde biegen und in den himel wollen vliegen (vgl. auch 13485), im Göttweiger Trojanerkrieg (A. Koppitz) 3098 in des dienst ich mich gebogen han und in Ottokars Österreich. Reimchronif (J. Seemüller) 22587 f. hin unde her biegen die red er listiclich begunde.

4789 f. S. Graf und Dietherr, Deutsche Rechtssprichw., S. 75, Nr. 54 Gemeiner Nutz geht vor sonderlichem Nutz. Der bildliche Gegensatz hin für = „weiter, hinein" und bl. pei d. t. = „bleibt draußen, findet keinen Einlaß" (vgl. 7234 f. für... vor der tür) ist in ähnlichen Wendungen typisch: f. Renner 6207 f. valsch und unzuht gênt nu vür, triuwe und zuht stênt vor der tür, ähnl. 17691 f.; 17753 ff. u. 20015 f., Mhd. Minnereden I (Matthaei) Nr. 2, 391 f. der pfenning gät über al für, so frûmkait stät hinder der tür (vgl. 365 ff.), Keller, Erz. aus altd. Hff. 577, 28 ff. und Faftnsp. 1042, 2 ff. ähnlich, Uhland, Volkslied. 3, 166 (aus 1450), Str. 3 si (die Bauern bzw. die Städter) stand mit ern hinder der tür, so die fürsten gand derfür und Brant, Narrensch. 100, 17 Züdüttlen hilfft yetz manchem für, der sunst langzyt blib vor der tür, E. Weller, Dichtungen des 16. Jhdt.s, S. 119 So kumpt er in der welt herfür, ein ander blibt hinder der thür. Auch R. 7445 heißt hin für „hinein" (f. hin ein 5388), dagegen 2029, 4241 u. 7064 „hinaus".

4796. fuder ziehen = fliehen im Ggf. ¾u beleiben.

4799. Im Ausdruck vgl. 1776 u. 5681.

4803. held in der Anrede: f. Lexer (Orendel) und DWb. 4, 2, 934, 5.

4809 f. S. Uhland, Schriften 8, 263, Anm. 684 u. 370, Anm. 3, bef. die Stelle aus Der Minne Falkner, Str. 73 Mit gutem gedinge und hertem leben nimmet der Swab sein ende. went: eher von wenden als von wenen.

4811 ff. S. Kato 53, 493 ff. Swenne dîn dinc wol stê, sô vürhte, daz dir missegê; als dir misselinge, sô habe guot gedinge! Zu 4814 vgl. ebb. 46, 353 f. Dînen sorgen grôzen soltu vreude understôzen. Zur bildlichen Ausdrucksweise wäre etwa auf Tobias 3, 22 zu verweisen: Quia post tempestatem tranquillum facis et post lacrimationem et fletum exultationem infundis (Schulze, Bibl. Sprichw., S. 126). S. Straßburg. Liederb. 1592 (Alem. 1, 45) Die sonn kompt nach dem regen ... also hoff ich werdt sich das glück auf mich in kurzer zeyt sich wenden; Mondsee-Wiener Liederhs. (Mayer u. Rietsch), Nr. 14, 31 f. Nach regen scheint dy sunn, nach laid kümbt freud vnd wunn. Singer zitiert: aer post nubila candet Ysengrimus (E. Voigt) II, 423.

4816. In der mittelalterlichen Farbensymbolik ist Blau die Farbe der Stæte: f. Konrad v. Megenberg, Buch d. Natur, S. 214, 6 f. Pei plâwer varb verstê wir gemaincleich stætikait, wan ez ist ain reht himelvarb und Uhland, Volkslieder (Cotta), Abhandlung, S. 284 ff., W. Wackernagel, Die Farben- und Blumensprache des Mittelalters, Kl. Schr. 1, 204 ff. Zu den dort und in den mhd. Wbb.n gesammelten Zeugnissen füge ich Reinfr. v. Braunschw. 1008 f. dâ von er sich bekleidet hât in stæte varwe lâsûrblâ, Suchenwirt Nr. XXVIII, 25 ff. die ain (nämlich die Stæte) trug pla in stætichait, dar auf saffir vil gelait in pla gesmeltz sam vin lasur (in Nr. XXIII, 83 ff. wendet sich Frau Stæte gegen dieses äußerliche Zurschautragen der blauen Farbe), Mhd. Minnereden I (Matthaei) 7, 46 ff. bla tragent die lüde: ez ist auch ein varwe gut ... so betûdet sie auch stete, Str. 9 zu Hätzl. I, Nr. 10 in Cod. Pal. Vind. Suppl. 3344, Bl. 102 b β wer nu in stet well dienen, der trag liecht plab seyden und Str. 10 Wenn liecht plab das ist stete vnd verleust der varbe nicht, H. v. Montfort XXVIII, 24 ff. die blawen varwe schetz ich für die besten: stet an gerechten dingen dabi sol man beliben (f. Wackernell, Einl. S. XCI), Meister Altswert, Der Kittel 29, 30 frou Stete treit saffir blo und 44, 14 sie was gecleit in lasur blo, Herm. v. Sachsenh., Spiegel (bei Meist. Altsw. 140, 2) Ein mantel samit blawen drug sie (Frau Treue), Keller, Fastnsp. 729, 33 blobe farb di pedeutet stet und 776, 3 ff. blabe varb ist stetigkeit. Wer lieb gen lieb in herzen treit, der schol sich da mit claiden und Fischart, Garg. (Alsleben), S. 184 Plau bedeutet bestendigkeyt: er verweist auf ein Büchlein des Titels Blâsonirung der Farben oder von Wapenvisierung vnd Farbenlosung.

4818. willwenchen f. Ausg. S. 334): vgl. willwänkykeit Morgant der Riese (Bachmann) 125, 12 und H. Fischer, Schwäb. Wb. unter willwankig, -wänkisch.

4819 ff. S. Moralis philosophia unter constantia: Constantiae vero est officium in utraque fortuna gravitatem tenere und zu 4825 f. Haec quidem lex est constantiae, ut nec in malis constantes nec in bonis vagi simus. in endvarwe (f. Ausg. S. 334): vgl. 4816. — Mit dem ersten zielt auf fröden, pei dem andern auf hertzeläd.

4823 f. recht = „Pflicht". Glatteren Rhythmus ergäbe sein ze tuon oder ze tuon scholt sein.

4831 ff. Der Abſchnitt über die gedultikait enthält manches Befremdliche: ſo vor allem die Allegorie von den vier Säcken an Stelle der ſonſtigen vier Gebote — ähnlich ſtellt die Parabel von Chriſtus als Kaufmann in den von Bachmann und Singer hrsgg. Deutſchen Volksbüchern, S. 247—58 die ſieben Seligkeiten der Bergpredigt als ſieben Warenkiſten dar — ferner der ſonderbar ungleichartige Inhalt dieſer vier Säcke — während der erſte und der zweite Kleider und Geld enthalten, ſind der dritte und der vierte Symbole für Eigenſchaften, die als Unterarten der patientia gedacht ſind: in dieſer Hinſicht iſt gtürstikait wenig paſſend, gdultichait aber (ſ. 4761) un‑möglich — ſeltſam iſt endlich, daß gerade dieſe Tugend fürs Hofleben ſo wertvoll ſein ſoll.

4842. S. zu 88.

4845 f. Der Ausdruck von 4845 wie 9006; plauger = blûger, winterper iſt nicht nachgewieſen, die Redensart aber klar: der Bär gilt im Winter offenbar als ver‑ſchlafen und blöde. S. 376.

4852. Die Bemerkung zielt auf 4834. Der Sprecher ſträubt ſich, eine Hofzucht vor‑zutragen, da ſie für einen Bauern unter ſeinesgleichen belanglos ſei. Warum ihr der Dichter hier ausweicht, erhellt aus der drolligen Bemerkung des Redners 4861—70, die ſich mehr an den Leſer als an Bertſchi wendet: in ihr liegt der Schlüſſel zum Ver‑ſtändnis der wüſten Szenen des Hochzeitsmahles, die ſich als eine praktiſche Parodie auf die Regeln der Tiſchzucht, des Kernes jeder Hofzucht, erweiſen und ſo die hier offengelaſſene Lücke reichlich ausfüllen. S. ZfdA. 64, 149.

4853. euwer wirdü: ſ. zu 1885 und G. Ehrismann, Zff.deutſche Wortforſchg. 5, 203. Ebenſo ûwer wird in der Anrede (an den König) Ammenhauſen 2314, ewr hoche wird Hätzl. 2, Nr. 47, 111, dine hohe werdekeit (an König Alexander) Aristotilis heim‑lichkeit (Toiſcher) 226, ûwer werdekeit (an den König) Ammenh. 1280, (an König Artus) Keller, Faſtnſp. 655, 25, eur erwirdigkeit 654, 23. Ähnlich ûwer gnad H. v. Bühel, Königstochter 87, 1115 u. 51, 1712, 2775, 4688, 4724, 32 u. 37, 4941 u. 5239, Metz 7963, Kaufringer 3, 362, dein heiligkeit Keller, Erz. aus altd. Hſſ. 30, 11, eur strengikhayt Sterz. Sp. 11, 381 u. 99.

4855. Ubelgsmach: er iſt der Vorredner (ſ. 4410) und ſetzt nach der Abfertigung des Einſpruches 4871 ſeine Tugendlehre fort. Der Name Lastersak ſchlüpfte dem Dichter (oder dem Schreiber?) in den Text, da er ihm vom erſten Vortrage, der Chriſtenlehre für Laien, noch im Sinne lag.

4856 ff. S. Kaufringer 4, 14 ff. das sprichwort ist gewär: das dahaim erzogen kind haist und ist ze hof ain rind aus Freibank 139, 14. Turandot von Heinz dem Kellner, GA. Nr. 63, 47 ff. 'vater, gib mir guot: in des küniges hof stât mîn muot und wil lêren hovezuht.' Singer trägt nach: J. Werner, Lat. Sprichw., S. 28, 96 est quasi vacca foris, quem nutrit lar genitoris und Taulers Predigten (F. Vetter) 10, 26 (nach Freibank).

4859 f. Im Sinne Ähnliches bei Schulze, Bibl. Sprichw., S. 108: „Bei Vollen lernt man saufen, bei Krämern lernt man kaufen, bei Lahmen lernt man hinken" usw. gatzgen verhält sich zu gackezen wie smatzgen zu smackezen. S. DWb. 4, 1, 1, 1517, 4. Vgl. blitzgen in den Deutsch. Volksbüchern (Bachmann und Singer) XCIX und J. Vetsch, Appenzeller Ma., S. 151. Über solche Bildungen s. Winteler, Beitr. 14, 455 ff. So auch letzgen „Lektion" 3901. — seuwisch: s. DWb. 8, 1899.

4861 ff. Wenn es wirklich einen solchen Sinnspruch gäbe, so könnte er W. auf den Gedanken gebracht haben, das Bauernhochzeitsmahl zu einer Parodie auf die Hofzucht zu gestalten. Zu 4864 in meiner Herstellung vgl. 3592. — gezier 4866 bezeugt Lexer nur einmal.

4877 ff. Ähnlich schon Thomasin, W.G. 9993 ff. Zwischen zwein untugenden ist ein tugent zaller frist usw., wofür dann unter andern Beispielen das vom Geizigen und vom Verschwender erbracht wird 10027 ff. Joh. Rothe leitet im Ritterspiegel 1813 ff. das Wesen der Tugend selbst aus der Einhaltung der Mitte zwischen zwei Extremen her und bedient sich 1837 ff. desselben Beispiels vom Verschwender und vom Geizigen unter Berufung auf Aristoteles: s. Ethica Nicomachea (Fr. Susemihl) B 1106a ff. und auch Toischer, Aristotilis heimlichkeit 361 ff. über die richtige Mitte zwischen milde und kerge; J. Petersen, Das Rittertum in der Darstellung des J. Rothe, S. 130; Christus u. d. minnende Seele 1956 f. und Vanz, S. 119; H. Sachs, Fastnsp. (Goetze) Nr. 7, 463 ff. und Nr. 16, bes. 301 ff. — Vor- und hintnan: s. zu 1102.

4889 ff. S. W. Gast 10031 f. diu milte gêt die mittern strâze: si behaltet unde gît nâch mâze und Ritterspiegel 1865 ff. Wer do gebit, do her gebin sal, und heldit· do her sal haldin ... der triffit daz mittil und daz zel. — nach mittlen massen DPlur.: mass ist im Reim des R.s stets stark: s. Gen. 4875, Dat. 714, 1710 u. 7785 u. Aff. 4303. — haben „festhalten": s. 4892.

4893. wiss: s. 4877 u. 81, 4901, 4 usw.

4898 f. Drei und ein: s. zu 216. — diemuot: s. 1732, 3270, 3885, 4908, 10 u. 17, 6848. Zum Bilde vgl. Suchenwirt 6, 123 f. Scham, Trew und Bescheidenheit, Milt unde Tzucht was ye sein chleit.

4903. Die drei folgenden Abschnitte werden durch Fragesätze mit Was an der Spitze eröffnet: s. 4919, 35 u. 51.

4906. gezellet weis: „für weise gehalten". S. zu 24, ferner das Bsp. aus Jerosch. im Mhd. Wb. 3, 845a, 28 f. und beachte, daß die Zeile schon ein für enthält.

4911 f. Matth. 23, 12 Qui autem se exaltaverit, humiliabitur, et qui se humiliaverit, exaltabitur, ähnl. Luk. 14, 11 u. 18, 14. Reiche Nachweise des sprichwörtlich gewordenen Bibelzitats bei Schulze, S. 158 ff. S. z. B. H. Sachs, Bd. 15 der Werke (hrsgg. von E. Goetze), S. 356, 4 ff. wer sich selbst erhöcht auff erden, derselbig wird erniedert werden, wer aber sich selbst nidriget, derselbig der wird erhöhet. — get wider Gegensatz zu kumet nider.

4915 f. Zur erften Hälfte f. Prov. 27, 2 laudet te alienus et non os tuum! Schulze, Bibl. Sprichw., S. 75. Der Gegensatz schon bei Boner 68, 49 ein vrömder mund sol loben mich, dîn munt sol ouch niht schelten dich.

4917 f. S. Facetus g¹, (C. Schroeder) 129 ff. du solt zu mazze demutig sin ... wann wer zu vil demut hat, gelich der einem thoren gat.

4929 f. S. Brant, Narrenschiff 49, 25 ff. (Zarncke z. St.: nach Plutarch) und Albr. v. Eyb, Ehebüchl. (M. Herrmann) 21, 12 f. das soll von vater vnd muter vermiden werden, das in nit die missetat des kindes werd zugemessen.

4944. Ähnlich Ammenhaufen 14281 lâ dich benüegen gevüeger gewinne.

4951 ff. Im Aufbau des Abschnittes, der sich, unbekümmert um die Situation, nur an das Mädchen richtet, wenn nicht mait für beide Geschlechter gilt (f. zu 3405), greift ein Glied ins andere: unkeusche Blicke führen zu unkeuschen Gedanken, diese wieder zu unkeuschen Handlungen.

4958. Den Jungfernkranz natürlich: vgl. das Schweizer Sprichwort „Ums Kränzlein kommen" bei Kirchhofer, Wahrh. u. Dichtg., Nr. 98 = die jungfräuliche Unschuld einbüßen. S. Lexer unter kranz, krenzelîn und krône, DWb. 5, 2052 f., 5a und d, 2058 kränzel b, 2356 c; ferner Keller, Faftnsp. 876, 14 ff. So hette sy weder silber noch gold von im umb iren rosenkranz, den er ir hett zerbrochen ganz und Erz. 479, 30 Also ward mir mein maigtum genomen und mein junkfreuliche kron: ähnlich Netz 6816 das si verlur ir megtlich cron. S. auch Mondfee-Wiener Lieberhf. (Mayer u. Rietfch) die Anm. zu 49, 9.

4960. S. Renner 11143 f. valsch getiusche hât valsche kiusche, wâriu kiusche lebt ân allez getiusche.

4966 f. Und, daz: weil 4966 den Wert eines Relativfatzes hat.

4971. hilf(t) daz weibe: f. zu 1301.

4980. hausgeschäftes: DWb. 4, 2, 667.

4986. S. Wander 2, 393, 30, 1511, 303 u. 1512, 324, Otto, Sprichw. d. Römer 166, 9, Seiler, Deutfch. Lehnsprichw. 1, 182, Suringar zu H. Bebels Prov. Germ. Nr. 380, S. Singer, Alte schweiz. Sprichw., Nr. 123 und Nachtrag im Schweiz. Arch. f. Volkskunde XXI, S. 236, Nr. 157a. Faft wortgetreu entsprechend Geb. des Königs vom Odenwalde (E. Schroeder) 7, 4 Als manig haubt, als manig sin; f. auch O. v. Wolkenftein 118, 271 als manig hirn, als manig haubt, H. Sachs, Werke (Keller) 1, 342, 19 so viel köpff, so viel sinn (f. 7, 409, 17) und Rollenhagen, Froschmeuf. 2, 3, 1, 21 so manch kopf, so mancher sinn.

4987 f. sitten und saus (f. 5805) als Gegensatz: f. DWb. 8, 1925, 2. Dem Sinne nach Ähnliches bei Seiler, Deutfch. Lehnsprichw. 2, 91.

4992 f. Meine (unsichere) Herstellung würde besagen: „Was er als Wahrheit erkannte, geht ihm auf Stelzen (d. h. mühsam oder gar nicht) zu Herzen" oder „hinkt hinter ihm drein" (d. h. kommt nicht zur Geltung). Zum Bilde vgl. die Redensart

Zimmrische Chronik (Barack) 3, 46, 31 Allain die zwei geschlechter ... giengen uf stelzen (d. h. seien in schlechter Verfassung), Fischart, Garg. (Alsleben), S. 148 Die Zung geht auff Steltzen (stottert) und Abraham a S. Clara, Judas der Ertz-Schelm (Bobertag), S. 206, 16 Weilen aber der Menschen Urthl gar offt auff Steltzen gehet (d. h. irrt) und die ähnliche im Rechtssprichworte Läßt Gewalt sich blicken, geht das Recht auf Krücken (Graf und Dietherr S. 4, Nr. 60) und Keller, Fastnsp. 218, 13 sein höchste freud die ging auf krucken. S. jetzt DWb. 10, II, 2284 ff. (6, a).

4997 ff. Die Rednerin erledigt beide Einwände des Alten: 4997—5002 betont sie (gegen 4985—90), daß alles, auch das Wirtschaften, gelernt sein wolle, 5003—12 (gegen 4991—94), daß der vor dem Hunger stehe, der sich nicht vorsehe. — von steltzer pain: f. 4993.

5005. S. Wander 2, 489, 57, Düringsfeld, Sprichw. der germ. u. rom. Sprachen 1, Nr. 703, Suringar, Heinr. Bebel, Proverb. Germ. Nr. 261, Fr. Seiler, Das deutsche Lehnsprichw. 2, 135 f. und Reinhold Köhler, Kl. Schr. 2, 102 f. und Nachtr. S. 678; ferner Thomasin, W. Gast 5215 ff. nu weiz ich, daz niht helfen kan dem untugenthaften man, ern habe danne die site ... daz er im selbe helfen welle, sô hilft im unser herre snelle und bei Suso: Antonius sprach zu einem bruder: mensch, hilff dir selber, oder weder ich noch got werden dir je helffen; wie bei W. Sprichwörter, Schöne, Weise Klügreden (Frankf. a. M. 1565), Bl. 68a.

5007 ff. Der Vergleich zeichnet in vier Zeilen ein entscheidendes Situationsbild aus der bekannten Fabel, die hungernde Fliege vor dem Tore der reichlich mit Vorräten versehenen Ameise, und zwar nach der Romulus-Version, die auch nur diese Situation zur Winterszeit schildert. S. Erich Seemann, Hugo v. Trimberg und die Fabeln seines „Renner" S. 104. Und wie dort dient die Lehre der Fabel zur Warnung der Faulen, die nicht rechtzeitig für die Zukunft sorgen. S. Liedersaal Nr. 156, 54 ff. das sy nit giengen bitten nach der mücken sitten, die ze winterzit verderben, wann sy nit enwerben ze summer vmb dü spise. Wenn bei W. die Fliege die Rolle des häustüffels bei Boner Nr. 42 übernimmt, so ist vielleicht auf die dort vorhergehende Fabel von einer vliegen und einer ambeizen (beim Anonymus Nr. 36 De musca et formica) zu verweisen, in der die Fliege prahlend ihr glänzendes Los gegenüber dem mühseligen der Ameise preist, worauf diese die törichte Prahlerin hart zurechtweist. S. H. Sachs, Fab. u. Schwänke (Goetze), Bd. 2, Nr. 205, 300 u. 386, Rollenhagen, Froschm. 1, 1, 10, 176 ff. Wie Boner Nr. 42 gibt die Rollen Fischart, Garg. (Alsleben), S. 111 versorget sich wie ein Omeyß vor dem Winter, brauchet den Sommer wie die Häuschrecken. Anders Walther 13, 26 ff. Owê der wîse, die wir mit den grillen sungen, dô wir uns solten warnen gegen des kalten winters zît! Daz wir vil tumben mit der âmeizen niht rungen, diu nû vil werdeclîche bî ir arebeiten lît! So auch die breite Darstellung im „Renner" 5565 ff., die knappere bei Keller, Erz. aus altd. Hſſ., S. 576, ferner H. Sachs, Faſtnſp. (Goetze) 7, 152 ff., Fabeln und Schwänke, Bd. 1, Nr. 47, Goetze und Dreſcher, Die Fabeln und Schwänke in den Meiſtergeſängen, 3. Bd., Nr. 64. Der Hinweis auf das Vorbild der Ameiſe bei Brant, Narrenſchiff 70, 31 ff. geht (ſ. Zarncke z. St.) auf Prov. 6, 6—8 zurück, ebenſo im Ehebüchl. Albrechts v. Eyb (M. Herrmann) 32, 22 ff.

5010 u. 12. ämbess: Boner hat ambeize, die Toggenburg. Ma. heute ambæsə, ambæslə: Wiget § 16, Anm. 1.

5017. Wol an: in den mhd. Wbb.n nicht bezeugt; ſ. 2603 u. 9158. Singer vermerkt Wolkenſtein (J. Schatz) 75, 1 und J. Klapper, Die Sprichw. der Freidank-Predigten, S. 84, Nr. 491.

5018. Des besten adverbiell wie des ersten (ſ. zu 1059): ſo auch Lſ. 3, 265.

5019 ff. Die nun folgende Haushaltungslehre iſt nicht ſtraff gegliedert wie die andern Vorträge, ſondern ſchreitet zwanglos, ohne ſcharfe Markierung der Übergänge, von einem Punkt zum andern. Der Inhalt der zehn Abſchnitte läßt ſich etwa durch folg. Schlagworte andeuten: 1. Bargeldvorrat 5019—34, 2. Ausgaben für Geſelligkeit 5035—44, 3. Wohnhaus 5045—52, 4. Kleidung 5053—58, 5. Haustiere (Geflügel und Hund!) 5059—62, 6. richtiges Verhältnis zwiſchen Auslagen und Gewinn 5063—72, 7. Herrſchaft im Hauſe 5073—136 (über die Gattin, die Töchter, die Söhne und das Geſinde), 8. Verhältnis zu den Nachbarn 5137—48, 9. Kauf und Verkauf, Leihgeſchäfte 5149—66 und 10. Verfügungen für den Fall der Krankheit und des Todes 5167—200. — Die hier vorgetragenen Lehren berühren ſich vielfach unverkennbar mit dem Brief des hl. Bernhard an den Ritter Raimund de cura et modo rei familiaris (utilius gubernandae) Migne, Patrolog. CLXXXII, 647—51, der freilich nicht B. v. Clairvaur, ſondern Bernard Silveſter v. Chartres zugeſchrieben wird (Hiſt. litt. 12, 241), ſich großer Beliebtheit erfreute und auch in zahlreichen deutſchen Überſetzungen verbreitet war. S. den Hinweis 5100 und R. Koebner, Die Eheauffaſſung des ausgehenden deutſchen Mittelalters, S. 63, Anm. 2. Über handſchr. Verdeutſchungen ſ. W. Stammler, ZſfdPh. 53, 13 f., Anm. 65 (außerdem Mſ. Germ. oct. Nr. 101, Papier, 15. Jhdt., der Preuß. Staatsbibl. in Berlin: ſ. Zarncke, Der deutſche Cato, S. 71 f., Aſhburnham-Place 565, Papier, 15. 16. Jhdt., Bl. 1: Priebſch, Deutſche Hſſ. in England 1, 6 und Züricher Hſ. C 101, 61 v: J. Werner, Beitr. z. Kunde der latein. Lit. des Mittelalters, S. 158), über Drucke Franz Falk, Die Ehe am Ausgange des Mittelalters, S. 33 f. Unter den Überſetzern begegnet uns auch Niklas von Wyl (translatzen Nr. 8). — W.s Darſtellung läßt viele Züge der Vorlage fallen und fügt viele neue hinzu; z. B. gerade die Stelle, in der er ſich auf ſant Bernhart beruft, hat in der latein. Faſſung keine Parallele. Aus demſelben Nährboden ging z. B. das fließ. Blatt Bie man ſol hauß halten hervor, das um 1495 bei Hans Mayr in Nürnberg gedruckt wurde. S. Abbild. 148 bei Eug. Diederichs, Deutſch. Leben der Vergangenheit in Bildern 1, 47.

5020 ff. an keren: f. zu 876. — tracht: von trachten: betreffs des bildlichen Ausbrucks f. zu 2870 f.

5029. S. 2856. 57.

5030. manger hand = „mancherlei", vereinzelt im R.

5035 f. Vielleicht sprichwörtliche Redensart. Im Sinne vgl. 5950 ff. und Epist. S. Bernh. 648: nuptiae sumptuosae damnum sine honore conferunt.

5037. daz dein: f. 5064.

5039—44. S. Epist. S. Bernh. 648 f. sumptus pro militia honorabilis est, sumptus pro iuvando amicos rationabilis est; zerung umb ritterschaft sagt auch Nicl. v. Wyl, Keller, S. 152. Der Hinweis auf die beiden kostspieligen Posten bei ritterlichen Festen (5039) aus der auf höhere Stände eingestellten Vorlage sieht in der bäuerlichen Umwelt bei W. seltsam genug aus. — Über 5043 f. f. zu 4174.

5045 f. S. Epist. S. Bernh. 650: si vis aedificare, inducat te necessitas, non voluntas. — durch den tod weiß ich nicht sicher zu deuten. Zu 5047 ff. leitet der folg. Gedanke der Vorlage über: nimia et inordinata aedificandi cupiditas parit et exspectat aedificiorum venditionem.

5047—50. Ein priamelartiges Sprichwort, wie es scheint (f. 3769 ff.): dem Sinne nach ähnliche, im Wortlaut jedoch völlig abweichende f. im Helbl. 2, 1439 ff., im Renner 15120 ff., in Laßbergs Lieders. 3, 197, 24 ff. und in Kellers Fastnsp. 695, 4 ff. (ähnlich Sterz. Sp. 1, 561 ff. und Keller, Alte gute Schwänke Nr. 6). S. auch Lessings Schriften, hrsgg. von Lachmann-Maltzahn, Bd. 11, 2, S. 311. Zu es ist ein wunder (im Sinne eines Folgesatzes) vgl. 6483.

5051. Triefens der Hf.: vielleicht in mechanischer Angleichung an 5047 f.

5052. S. Wander 4, 53 Schädlein, bef. 5, Zingerle, Sprichw., S. 128, Kirchhofer, Wahrh. u. Dichtg., S. 181, S. Singer, Alte schweiz. Sprichw. Nr. 224, DWb. 8, 1988 unter Schädlein; Bezzenberger, Freidank (Anhang), S. 241 Besser ist ain schädlin denn ain schad, ähnlich Kaufringer 6, 1 f. u. 259 f. und Fischart, Ehezuchtbüchl. (Hauffen) 326, 7. S. auch Rabenschlacht 1097 ein schedel michels bezzer ist dann ein gröz herzensêre: wirt ein schedel zeinem schaden, sô ist sîn mêre. Im Ausdruck vgl. Graf u. Dietherr, Deutsche Rechtssprichw., S. 256 Aus dem Schadl wird ein Schaden, wenn man nicht bei Zeiten wehrt, H. Sachs, Werke (Keller) VIII, 364, 16, Th. Murner, Badenfahrt (E. Martin) XI, 5 wier fliehent schedlich (= schedlin), suochent schad und trôst—trœstelîn bei Walther 66, 1 f., sächle—sach in Brants Narrensch. 71, 19 u. dgl.

5057. Vielleicht ist daz = daz ez und es liegt Anschluß eines Parallelsatzes mit daz an einen Bedingungssatz ohne Konjunktion vor (H. Paul, Mhd. Gr.⁴ § 388). — der zeit: temporaler Gen. (f. zu 4369 f.) oder Dat. zu gew.: f. DWb. 4, 1, 4, 6610c.

5058. Vielleicht sprichwörtlich: f. Brant, Narrensch. 34, 7 ff. Etwas anders Epist.

S. Bernh. 649 de vestibus nota, quod vestis sumptuosa probatio est pauci sensus usw.

5060. Des gwinst du danch: „das lohnt sich für dich"; 5993 „das half ihnen nichts".

5061 f. Epist. S. Bernh. 650 Caniculos valde parvos dimitte!

5063—66. Aufwand ist am Platze für die Erziehung der Kinder, für ihre Ausstattung und für die Unterstützung der Armen, doch mit Maß (s. 5067 ff.).

5067 ff. Epist. S. Bernh. 648 Quod si in tua domo sumptus et reditus sunt aequales, casus inopinatus poterit destruere statum eius.

5070 ff. Inhaltlich vgl. Kato (Zarncke) 42, 269 f. vil schiere hât verlorn ein man, daz er in langer zît gewan und H. Sachs, Fastnsp. (Goetze) 7, 230 f. Was du erkargst in langen tagn, geht offt in einer stund an galgen. — Zu in einem zeisen (Ausg. S. 335) f. BWb. 2, 1156 zeiseln.

5076. S. H. Sachs, Fastnsp. (Goetze) 66, 188 f. wie man den spricht: der man der sol sein herr im haus, DWb. 4, 2, 1131.

5077. Vielleicht das älteste deutsche Zeugnis der auch in andern germanischen und in romanischen Sprachen verbreiteten Redensart (f. Wander 2, 790, 36, 791, 60 u. 792, 87, Düringsfeld I, 245 f.), die wir — unter Ersatz von bruoch durch Hose — heute noch im Munde führen. S. DWb. 4, 2, 1839 d und BWb. 1, 343; ferner Vintler 9465 f. doch vindt man manige also getan, die do pruech und hosen trait und sol dannoch sein ain mait u. H. Folz, Der pös rauch (Keller, Fastnsp. III, 1279) Str. 1 einß malß er ernstlich an sie kort und macht mit ir ein punde, ob sie der man ym hauß sein wolt, das sye die pruch im an gewan und 1281, Str. 7 also die fraw die pruch gewan und trug sie darnoch selber an und darnach H. Sachs, Fastnsp. Nr. 28 Der böß Rauch (Goetze): f. A. L. Stiefel, Germ. 36, 17 f.; Mone, Anz. f. Kunde deutsch. Vorzeit V, 80, 2. Über bildliche Darstellungen des Kampfes um die Hosen f. A. Schultz, Deutsch. Leben im 14. u. 15. Jhdt. 275 f. Anders Cod. Pal. Wind. Suppl. 3344, 113$^{\alpha\beta}$ tregt si das swert, du pist vnwert, Mohrin 5200 f. In welchem huß nit kregt der han und kret dü henn, das ist nitt guot: f. Geyer, Altd. Tischzuchten, S. 21, 257 und ebd. 269 wo ... der wirt im hauß geschlayert geet.

5081. Über die heute noch lebendige Redensart f. BWb. 1, 1721 und DWb. 7, 242, f und g.

5082. sam den fuchs im sak = „daß sie sich nicht rühren kann"; sak ist ein sackförmiges Netz beim Fuchsfang: Lexer 2, 563, worauf 8844 angespielt wird (f. auch 3769).

5086. tisch und pett: f. 5470 f.

5090. säugen: als Mutterpflicht; f. 3345.

5098. eim andern: dem Gatten der Tochter.

5099 f. S. Ausgabe S. 335. Mit Wallner (Beitr. 33, 8) an ein Wortspiel von stäbli und Bernhart zu denken, verwehrt der Zusammenhang. Zur Besserung s. Egm. 746, 236a die Überschrift der lieb her sant Bernhart.

5102. Die Rücksicht auf städtische Verhältnisse wie 5190 u. 93 offenbar im Sinne der Quelle und mit Hintansetzung des bäuerlichen Kostüms.

5107 ff. Epist. S. Bernh. 650 Famulum alti cordis repelle ut futurum inimicum. Famulum tuis moribus blandientem repelle etc. — endleich 5113 = „flink".

5114 ff. Epist. S. Bernh. 649 Familiam grosso cibo, non delicato nutrias. — daz ist sein fuog: s. 5015, 5674, 5911, 6146 u. 9291.

5117 f. S. Ammenhausen 10250 ff. es sî dierne oder kneht, die im dienent, dien sol er getrûwlich geben ir lôn und Hätzl. 2, 61, 17 ff. Dein hußgesind ziuch cristenlich, den lon gib behenndiclich, nit halt in vor gewalticlich.

5124. hintersich: erstarrte Form für hinter dich: s. J. Grimm, DGr. 4, 319 f., Zarncke zu Narrensch. 9, 4, DWb. 4, 2, 1494ᵇ und J. Stosch, ZfsdWortforschg. 1, 329 ff., ferner 7834, Heinr. v. Neust., Gottes Zukunft (Singer) 6472 ir — hinder sich, H. v. Montfort (Wackernell) 2, 95 ich . . . hinder sich, H. v. Bühel, Königstochter 3170 du . . . über sich, Vintler 4897 u. 6031 ich . . . für sich, Metz 10009 ir . . . hinder sich, Herm. v. Sachsenheim, Mohrin 2543 ir . . . hinder sich, 3449 Brunhilt, . . . gang . . . hinder sich und 3460 wir . . . hinder sich, Heselloher (Hartmann) 4, 49 stee hintersich, Köbels Tischzucht (Geyer, S. 27) 224 leyn dich nit hindersich, Morgant der Riese (Bachmann) 72, 27 Jungckfrow, stellend üch hindersich, N. Manuel, Barbali (Baechtold) 144, 202 wie lang wilt . . . hinder sich zilen? und 174, 1123 Einer hiesse uns . . . hinder sich gon, Sterz. Sp. 11, 801 ich . . . hinder sich, H. Sachs, Fastnsp. (Goetze) 19, 122 streicht (2. Pl.) hinter sich die runzel und 47, 24 du . . . vntersich, Rollenhagen, Froschm. 3, 3, 2, 38 hebt (2. Pl.) . . . über sich, Stretlinger Chronik (J. Baechtold), S. 20, 19 Gesich obsich!

5126. Der aus dem Griechischen stammende Spruch (s. Büchmann, Geflügelte Worte[18], S. 304, Voigt zu Fecunda ratis 171 und Friedr. Seiler, Das deutsche Lehnsprichw. 2, 69) ist weit verbreitet: Wander 1, 170, 39, 40, 42—44, bes. 171, 45, auch 172, 75 u. 2, 541, 148. Für das Deutsche s. Singer, Alte schweiz. Sprichw. Nr. 22, ferner Flieg. Blatt, um 1495 bei Hans Mayr in Nürnberg gedruckt (s. zu 5019 ff.): dein augen machen . . . feyste rinder, Heinr. Bebel, Prov. Germ. (Suringar) Nr. 91, Scheidt, Grobianus 2382 vnd lûgt gern selber zu seim pferdt, so wirt es schön, gesundt vnd feißt, Sprichwörter, Schöne, Weise Klugreden (Frankfurt a. M. 1565, Chr. Egenolffs Erben) Bl. 48b Des Herren aug düngt den acker wol . . . des Herrn füß macht das pferd feyßt, Fischart, Ehezuchtbüchl. (Hauffen) 301, 14 ff. Nichts mäst das Pferd mehr und machts daugen als seines Herrn sorgachtsam augen, Lalebuch (K. v. Bahder), S. 16 das Viehe, welches . . . durch des Herren Aug recht fett wirdt und des Herren Aug das Viehe verjüngt, H. Sachs, Fabeln 148, 260 ff., Th. Hock, Schönes Blumenfeld (M. Koch) Kap. LIX, Str. 5 und noch in G. Hauptmanns „Elga": Das Auge des Herrn macht die Kuh fett (das Rind statt des Pferdes Romulus III, 19).

5127 ff. Ähnlich Ammenhausen 1613 ff. sô mengem sîn ding eben gât nâch der welte, das er sich denne lât an das gemach und müessig wirt: dû müessekeit im denne birt bôsen gedank usw.

5141 ff. Epist. S. Bernh. 649 vicinis minori pretio vende, etiam inimicis: non semper gladio, sed saepe servitio vincitur inimicus. Diese milde Lehre betreffs der Feinde, mit der etwa 4648 ff. u. bes. 4686 f. zu vergleichen wäre, ist hier bei W. ins schroffe Gegenteil gewendet; s. H. v. Montfort XIV, 37 (bis) den fründen hold, den vinden gram (Wackernell p. CX). Hinsichtlich der Nachbarn s. den Rechtsgrundsatz: Der Nächste über dem Graben der nimmt mit Näherkauf (Graf u. Dietherr Nr. 229).

5149 ff. Epist. S. Bernh. 650 Vis aliquando vendere, cave partem haereditatis non vendas te potentiori, sed potius minori pretio te minori und nihil emes in consortio potentioris. — vor eim gmainen man: s. zu 950.

5156 ff. Epist. S. Bernh. 650 Melius est gravem pati famem quam patrimonii venditionem; sed melius est partem vendere quam te usuris subicere. setzen (5160): nämlich das erbe (zum Pfande).

5161 ff. S. Kato (Zarncke), S. 31, 71 ff. sich rehte, wem du borgest, daz du dar nâch iht sorgest. Du solt gerne gelten. Der Komparativ ungerner bei W. (bei Lexer 1 Beleg; s. DWb. 11, 3, 821) überbietet das voraufgehende nicht gern; von dem „von einem solchen" im Hinblick auf 5161.

5167 ff. Epist. S. Bernh. 650 f. Dispone de rebus ante morbum; saepe quis efficitur infirmitatis servus et servus testari non potest. Liber ergo testeris, antequam servus efficiaris. gschäft von letztwilligen Verfügungen: s. Schwabenspiegel (Wackernagel) CXLIV, 1 ist daz ein man verscheidet ân geschefte etc. u. ö.

5170 f. Epist. S. Bernh. 650 Disponis legatum. Consulo, quod prius servitoribus quam sacerdotibus solvi mandes. — gülter = „Gläubiger"; s. DWb. 4, 1, 6, 1084 einen weiteren spätmhd. Nachweis.

5174 ff. Epist. S. Bernh. 651 sagt nur: Mater autem forsan remaritari quaerit: stulte agit. — Der Euphemismus für „sterben" 5175, der bis in die Neuzeit fortlebte (s. Lexer 1, 754 und DWb. 4, 1, 1, 1756, b) findet sich auch in der Novelle „Der Schüler zu Paris", GA. Nr. 14, 649 u. 59, bei Ammenhausen 4204 und im Lf. Nr. LXXVIII, 76. – Über chan s. zu 1685. Zu 5181 f. vgl. als Beispiel GA. Nr. 33.

5183 f. ein wirt mit recht „ein rechtmäßiger Gatte" im Gegensatz zu einem unehelichen Verhältnis über oder unter ihrem Stande (herr oder knecht). Auch Berthold von Regensburg empfiehlt Witwen in seiner Ehepredigt (Pfeiffer, 1. Bd., Nr. XXI, S. 334, Z. 21 ff.) eine neue Ehe an Stelle eines wilden Verhältnisses mit einem Knechte.

5189 ff. Epiſt. S. Bernh. 651 Si laboratores sunt, faciant, quod volunt (ſ. 5194 und Ausg. S. 335 z. St.); si mercatores, tutior est divisio quam communio, ne minus infortunium aliis imputetur. Zu dieſen beiden ſchon 5102 erwähnten Berufen ſtellt der Dichter noch den Fall des Müßiggängers: für ſolche iſt gemeinſame Wirtſchaft die billigſte, für Kaufleute geteilte zweckmäßiger; Handwerkern bleibt die Wahl frei. — Zu hantwerchgsellen ſ. DWb. 4, 2, 427.

5198 f. S. Wander 2, 1507, 215 Jeder Kopf will ſeinen eigenen Hut und Singer, Alte ſchweiz. Sprichw. Nr. 124. — Ieleich (= gewöhnlich iecleich) iſt im R. vereinzelt.

5200. S. die Schlußwendung 4962.

5203. Perchtolt, die Vollform, wie 5247 in feierlicher Anſprache (ſ. Uhland, Schriften VIII, 373, Anm. 4) und 1656 im Reim.

5205. Ganz ähnlich 9436.

5207. Triefnass: vereinzelter Gen.; ſ. Dat. Triefnaſen 1091 und Triefnas (: daz) 4070; W. gebraucht Tr. ſonſt nur im Nom., in andern Fällen Bertſchi.

5209 f. Redensart, die auf eine Fabel zurückgeht, wie es ſcheint. S. etwa die vom Fuchs, der die Henne mit heuchleriſchen Worten vom Baume herablockt, Wolfenbüttl. Hſ. 2. 4. Aug. 2° Nr. 543. Das Tierepos bietet keine entſprechende Situation.

5212. verhaissen mit bloßem Inf. wie 7083; mit ze 9585 f.

5215 ff. Hanns Baechtold, Verlobung und Hochzeit 1, 226 erwähnt die beiden Spûsagäumärna (Brauthüterinnen), die das Brautpaar unter den Verwandten und Befreundeten wählt und die am Hochzeitstage ’d’s Zopfa und ’d’s Alegga der Braut beſorgen.

5222. pettenprot (ſ. dagegen pottenprot 7588) iſt eine auch ſonſt verbreitete Form (ſ. bättenbrod in Glarus und Schaffhauſen Stalder 1, 144, SJb. 5, 975 ff., Fiſcher, Schwäb. Wb. 1, 950, BWb. 1, 308, Lexer 1, 237 u. Nachtr. 75, DWb. 2, 274 f.), die ſich an beten anlehnt; ſ. Lachm. z. Nib. 518, 1, DHB. IV, 2, 278 zu Wolfd. B 219, 3, Apollonius (Singer) 2390, 3478, 5582, 6891, 7102, 7733, 9717, 10383 u. 16057, O. v. Wolkenſtein 39, 2, 69, 28 u. 108, 30, Sterz. Sp. 25, 975.

5224. der: iſt urſpr. er der Hſ. aus es verleſen? S. daz in der folg. Zeile.

5231 f. machten … da her: vgl. auf machen 2995 u. 5233. — capponer (ſ. mlat. capo: weitere Belege der Form kenne ich nicht) smer „Hühnerfett" als kosmetiſches Mittel. S. Fr. Pfeiffer, Zwei deutſche Arzneibücher, S. 27: Wil dû dîn antluze … junchlich machen unde schöne, sô nim eine henne unde lege die in einen niwen havin unde versiut si mit wîzem wîne, der wol louter sî uſw. und J. Haupt, Über das md. Arzneibuch des Meiſters Bartholomaeus, S. 42 (490). J. Meier, Zfſd Ph. 24, 395 meint, die Salbe diene zum Beſtreichen des Geſichts und werde nachher wieder abgewaſchen. Er erinnert an die italieniſche kosmetiſche Vorſchrift: „Des Morgens waſche die Frau ſich mit warmem Mandelwaſſer, in dem Hühnerfett aufgelöſt iſt" Anz. f. Kunde d. d. Vorz. 1877, 188.

5239 ff. Zu dem Rate der Weiber vgl. die von J. Meier a. a. O. S. 389 zit. Stelle aus GA. Nr. 68, 168 ez diuhte ouch noch ein ungenuht, swâ man ez vernæme, ob ein wîp niht erkæme, dar (dâ?) man sie gæbe einem man, den sie mit vollen ougen an nie gesach zuo einem mâl. S. ferner Nib. (Bartsch) 615, 1 In magtlîchen zühten si scamte sich ein teil. — Zu 5240 f. 5262 u. ZffdA. 50, 259, Anm. 3.

5243 ff. Über die nun folgende Szene f. W. Wackernagel ZffdA. 2, 551 f., über ihr Verhältnis zum Bauernhochzeitsgedicht ebd. 50, 259 ff., über ähnliche Szenen im mhd. Heldenepos Fr. Kondziella, Volkstüml. Sitten und Bräuche im mhd. Volks- epos, S. 21 ff. Zu 5244 f. vgl. die Prosa S. 129, 1 f.; über 5245 f. die Anm. zu 3619 u. ZffdA. 50, 259. Zur Situation f. Helmbr. 1510 er staltes beide in einen rinc. Wie im Helmbr. gibt nicht der geborne Vormund der Braut das Paar zusammen. S. Lambel z. St.

5247 ff. Wie im Gedichte von der Bauernhochzeit und Helmbr. 1511 ff. wird die Frage zuerst an den Bräutigam gerichtet, in den bei Lambel zit. Stellen des Heldenepos dagegen an die Braut.

5253 f. ungewon ze kann ich sonst nicht nachweisen.

5260. er wie 5772 = Ochsenkropf; dir 5273 jedoch bezieht sich wohl auf Fritz. Zur Szene f. ZffdA. 50, 260 u. Anm. 3, H. Baechtold, Verlobung u. Hochz. I, 39 u. Kondziella, Volkstüml. Sitten usw. 21, 3.

5263. S. ZffdA. 50, 277, Anm. 1.

5265. S. 5856 (mit demselben Reim : gezogen).

5267. auf vor Zahlen, um die Annäherung zu bezeichnen, ist im R. geläufig: f. 4902, 5536, 7151, 7412, 16 u. 35, 8059 u. 61, 8194 u. 8200. Ebenso z. B. Orendel (A. E. Berger) 791, Helbl. 2, 251, Kaufringer 2, 154 u. 5, 123, Joh. Lenz, Schwaben- krieg (H. v. Dießbach), S. 65 u. 98, Zimmr. Chron. 1, 268, 17.

5272 f. S. 2208 u. ZffdA. 50, 259 f. — Über 5273 gevelt es dir f. ebd. 260, Anm. 3.

5274—76. Fast wortgetreu nach Metz. Hochz. 42 ff. (f. ZffdA. 50, 260 f.; 5276 wie 3544, im Gegensatz zu 5430). Freilich verläuft dort die Handlung ganz entsprechend: auf das Hochzeitsmahl in Bärschis Haus 135 ff. folgt die Brautnacht 258 ff., auf diese der Kirchengang am Morgen 306 ff.; dann geht der Schmaus wieder los 343 ff. und endet mit Tanz und Rauferei. W. aber beschränkt sich auf éin Hochzeitsessen, für das ihm die erste, reicher gehaltene Mahlschilderung der Quelle zum Vorbilde dient. Den Zug in die Kirche setzt er vorher, die Brautnachtszene hinter die Rauferei beim Tanze. Die Ehe wird nach altem Brauch vor dem kirchlichen Akt geschlossen, aber nicht voll- zogen, so daß auf den Einspruch des Pfarrers das Kirchenaufgebot noch zu seinem Rechte kommt. Über die alte Form der Eheschließung ohne Mitwirkung der Geistlichkeit f. Lambel zu Helmbr.[2] 1509 f. Rudolf Köstler, Ringewechsel u. Trauung, S. 28: „Die älteste Mitwirkung der Kirche bei der Eheschließung war die Erteilung des Brautsegens und bald auch die Abhaltung einer eigenen Brautmesse. Beides erfolgte urspr. erst nach

der (alten) Trauung und dem Beilager. Erst am anderen Morgen ging man zur Kirche."
Die Kirche strebte frühzeitig ihre Mitwirkung vor dem Beilager an. Zahlreiche Verbote von Laientrauungen auf deutschen Kirchenversammlungen im 13. und 14. Jhdt.
f. bei Emil Friedberg, Das Recht der Eheschließung, S. 30, A. 1 u. 79, Anm. 3. Im
Lohengrin 2307 ff. z. B. folgt auf den Abschluß der Ehe im „Ring" abends das Beilager; am Morgen geht das junge Paar nur zur Messe; in Reinfr. v. Braunschweig wird
die Ehe vor der kirchlichen Einsegnung vollzogen; nach der Brautnacht geht das Paar
in die Kirche: f. 11192 f. nâ ordenlîcher ê beschach in beiden von des priesters
hant. S. Emil Friedberg S. 82 u. 90.

5277 ff. In den Kölner Statuten des 14. Jhdt.s (J. Grimm, Weistümer 2, 836)
heißt es nach den Verlobungsformeln: So sall der brudgam dan den rynck nemen
ind stechen dan den rynck der bruyt an yren vynger neyst dem kleynen vynger.
Dazu f. Ruodlieb (F. Seiler) XV, 66 ff. die Worte des Bräutigams an die Braut:
Anulus ut digitum circumcapit undique totum, sic tibi stringo fidem firmam
vel perpetualem: hanc servare mihi debes. „Die einseitige Darreichung des Ringes
von seiten des Mannes an die Frau bei der Trauung, bzw. der Verlobung, erscheint
durch das ganze Mittelalter hindurch." H. Baechtold, Verlobg. u. Hochz. 1, 154 f.;
f. auch Kondziella, Volkstüml. Sitten u. Bräuche im mhd. Volksepos, S. 115,
Anm. 154 und Hagelstange, Süddeutsch. Bauernleb., S. 62. Vögelhochz. (Fl. Bl.
1613, ZfdA. 3, 38) der Emmerling, der bracht der braut den mählring.

5280 ff. S. ZfdA. 6, 304, 3 anulus ex vitro vitreo debetur amico. Über Ringe
mit gläsernen „Steinen" f. Wilmanns (Michels) zu Walther 50, 12. H. Sachs,
Fastnsp. (Goetze), Nr. 32, 354 Auff der glaßhüttn wechst der Demut. Der Bertschis
ist eine Ausgeburt von Wertlosigkeit. — naswasser (unbelegt) ist vielleicht scherzhafte
Neubildung. durch vor laseur ist mir nicht klar. Zur Stelle vgl. Suchenwirt 28, 25 ff.
die ain trug pla..., dar auf saffir vil gelait, in pla gesmeltz sam vin lasur. —
Der Adular, der geschliffen perlenartig aussieht, heißt Fischauge; hier ist aber an wirk-
liche Fischaugen zu denken, d. h. die festen Kügelchen, die nach dem Sieben davon
zurückbleiben.

5288 ff. Über die Szene f. ZfdA. 50, 261 f. schand „Scham" (f. 5270) ist auf
Mätzli zu beziehen: f. 5263 ff. Die folg. Infinitive aber sind damit schwerlich zu verbinden und so drängt sich der Verdacht auf, daß zwischen 5288 u. 89 ein Reimpaar ausgefallen ist. Nach alter Sitte, die trotz kirchlicher Verbote bis in unsere Zeit fortdauerte
(f. noch Immermanns Oberhof, 2. Buch, 5. Kap.), wird ja der Bräutigam unmittelbar
nach dem Zusammengeben von den anwesenden Männern unter Geschrei gerauft und
geprügelt. S. Metz. Hochz. 322 ff. u. Seb. Frank, Weltbuch CXXVIII. E. Friedberg, Das Recht der Eheschließung, S. 87 und Anm. 1; K. Weinhold, Die deutsch.
Frauen in dem Mittelalter 1³, 361. Zu 5291 f. vgl. 6454 f., 8701 f., 9010 f. u. 9298 f.,
auch 5743 f. u. 5825 f. — Mit enander „zugleich" wie 5737 u. 44, 9299.

5293. Auch Helmbr. 1533 begrüßt man den Vollzug des Eheverlöbnisses mit Jubel-
gesang. S. Lambel z. St.; Ruodlieb XIV, 59 ff. stimmt die Menge des „Umstandes"
einen Brautgesang an. Zu vil fruo, fruo, fruo, das den Jubel versinnlicht, vgl. Ulr.
v. Lichtenst., Frauendienst 505, 30 ich bin von ir vrô, vrô, vrô und fast ebenso 507,
22 f., 521, 6 sô ist mir in dem herzen wol, wol, wol, 576, 5 wol mich, wol mich,
wol mich des usw., 584, 25 f. ûz ir kleinvelrôtem munde süeze, süeze, süeze gât.

5298. S. zu 1780. — schlach . . . zuo (s. Ausg. S. 335): die Wendung ist verbreitet;
s. H. v. Bühel, Königstochter 1633 alles vnglück schlahe darin, ähnlich 3230,
H. v. Sachsenheim, Mohrin 274 u. 4187, Brant, Narrenschiff 52, 12, Keller, Fastnachtspiele 878, 33 u. 893, 20, N. Manuel, Barbali (Baechtold), S. 178, 1254 u. Rosenblüt, Die Handwerker (Keller, Fastnsp., S. 1137).

5299. Ähnlich Chronik des Appenzeller Krieges 115 (S. 6) Die mär koment us
gar schnell gen Huntwyl und gen Appentzell, ferner 272 u. 522. S. auch 7139.

5300—4. „Die Namenreihe läuft sichtlich vom Toggenburg aus zu den nächst
gelegenen Glarus, Schwyz, Appenzell, dann zu den entferntern Lauis und Prättigau
fort und schließt mit den entlegensten der Alb und der Scheer in Württemberg."
G. Scherrer, Kl. Toggenburg. Chron., S. 113. — Glaris ist die ständige Form der
eben angeführten Toggenb. Chron. und in der Klingenberger Chronik; s. auch Senn,
Toggenburg. Arch., S. 86 f., Urkunde Nr. 31 (aus Glarus 1475), Lenz, Schwabenkrieg (H. v. Dießbach), S. 40b, 44a, 64b u. 98b u. Fischart, Garg. (Alsleben),
S. 79. — Sweitzerland wie 8160 u. 9113; vgl. Sweitzer tal 6959 u. die Anm. z. St.
— Lauental: im Geogr. Lexikon der Schweiz III, 52 aus dem Kanton Bern ver-
zeichnet, was wohl so wenig in Betracht kommt wie Lauis (= Lugano: s. oben);
(Hinter-, Vorder-, Ober- und Unter-) Laui ist a. a. O. 57 aus dem Kanton St. Gallen,
Bez. Sargans, Gem. Quarten, bzw. Bez. Obertoggenburg, Gem. Krummenau an-
geführt. Nördl. v. Alt-St.-Johann (Bez. Obertoggenburg) liegt der Lauiberg, nord-
westl. die Laualp und Lauisboden. — Marchvelt (s. 8164): ist im Geogr. Lex. d.
Schweiz nicht zu finden; den nördl. Abschnitt des Kantons Schwyz bildet jedoch die
fruchtbare Ebene der March: s. III, 288 ff. und die obere March war Besitz der Grafen
von Toggenburg. S. G. Scherrer, Kl. Toggenb. Chron., S. 15 u. 25 die uss der
march. — Prettengö: auch im Vorder-Prättigau waren die Toggenburger Grafen be-
gütert. — die Alben: die Rauhe Alb in Württemberg. — die Scherr ist mir dunkel
geblieben; eine Stadt namens Scheer liegt in Württemberg. S. Zimmr. Chron. 1,
218, 7.

5304. allenthalben „überall hin" (s. zu 6958) ist vereinzelt; s. dagegen 1591
u. 7910.

5305 ff. Die Namen der drei Nachbardörfer von Lappenhausen sind sichtlich erfunden wie der von L. selbst: s. zu 56. 6964 f. tauchen Rützingen und Seurrenstorff
inmitten von Toggenburger Ortsnamen auf. S. auch 5346. Zur Deutung von Nis-

singen f. Neidh. Fuchs 2464 we, wie fil ich der eden nissen (= Bauern) finde und nissig im DWb. f. v.; f. Nissvelt 7582. — Zu Rützingen vgl. rützing „Rotzbube" bei Joh. Franck, Susanna 5, 1537 (DWb.), zu Seurrenstorff vielleicht siure bei Lexer 2, 949 u. süre bei Stalder 2, 420 (Hitzblase, Pustel im Gesicht). **5315 ff.** S. ZfsdA. 50, 262. Die Anordnung ist wohl überlegt: Nissingen sendet (von Ungenannten abgesehen: 5323 f. u. 43 f.) als Gäste neun Männer und fünf Frauen, Seurrenstorff vier Männer und zwei Frauen, Rützingen zwei Männer und eine Frau, Appenzell nur einen Mann: jedes also doppelt so viel Männer als Frauen; die Gesamtzahl sinkt von Dorf zu Dorf um die Hälfte. — Galgenswanch: eine vereinzelte Bildung, offenbar im Sinne von Galgenswengel (swenkel); Belege für dieses Schimpfwort DWb. 4, 1, 1, 1177 f., ferner in Fischarts Garg. (Alsleben), S. 66 u. 311, in H. Sachsens Fastnsp. (Goetze) 10, 190, in Judas der Ertz-Schelm (Bobertag), S. 158, 24.

5316. D. h. wenn er from war, so war es gegen seine Absicht. An Sein frou mär (Keller, Vorrede XI) ist nach dem ganzen Bau der Stelle (f. o.) nicht zu denken, 6853 ff., 6922 ff. u. 7089 ff. auch nur von den fünf unten genannten Nissingerinnen die Rede.

5317. Gerwig: f. Förstemann 1², 587.

5321. Storchenpain: das Appellativ fehlt in den mhd. Wbb.n. — Über Arnolt f. ZfsdA. 50, 262.

5322. Chriembolt nur hier, 6031 in der Hf. mit i, 6063 mit y, 6708 mit ay.

5323. drappen bezeugen die mhd. Wbb. nur noch aus Suchenwirt, f. auch Heselloher (A. Hartmann) 1, 109 f.; Neidh. Fuchs 707 liegt wohl das Kompos. dörfertrappen vor. Der im Meier Betz 123 als Eigenname gebrauchte Bauernschimpfname ackertrappe fehlt im R., ist aber sonst sehr verbreitet: f. W. Arndt, Personennamen b. deutsch. Schausp. b. Ma.s, S. 69 und Gusinde, Neidh. m. b. Veilch., S. 152 (zum Gr. Neidhartsp. 398, 4 u. 11), auch Schönbach, ZfsdA. 40, 371 (zu muostrappen im St. Paul. Neidhartsp. 52) und BWb. 1, 672 (aus Clm. 12296 f. 217 das ist ein ackertrap dicunt cives de agricola inter eos veniente); außer den dort und in den Wbb.n verzeichneten Zeugnissen f. noch Kellers Fastnsp. (Nachlese) 288, 27 (u. S. 337), Sterz. Sp. 10, 22, ferner den Eigennamen in Kellers Fastnsp. 285, 21, 418, 35 u. 437, 9, Ackertrit 681, 11 u. 685, 5. Über Schollentrit f. zu 1392.

5326. Chützeldarm: das erste Glied ist wohl kitzelîn.

5327. Gredul scheint nach Regul, Ursul gebildet; das Adj. ungemäss erscheint im R. nirgends. S. zu 2644.

5328. Ändel: f. 7090 Annen. Pfefferräss ist als das durch pfeffer verstärkte Adj. zu verstehen: ein sonst freilich nicht bezeugtes Kompositum. S. 7440.

5329. Wasserschepferin wie 6854 u. 6924 (sonst nicht nachgewiesen): gleichwertig wöscherin 7096.

5330. Zu Gnepferin (f. gnepfen 6285 u. Lexer 1, 1042, Stalder 1, 459) steht das Attribut schön (f. auch 6349 u. 50, 6888) in einem komischen Widerspruch.

5332—40. Palstersach ist appellativisch nicht belegt; Arndt, Personennamen d. deutsch. Schausp. d. Ma.s, S. 64 verzeichnet aus Kellers Fastnsp.n Bildungen mit Polster-. Über Guggoch f. ZsfdA. 50, 262, über Vallinsstro die Anm. zu 2570, zu Reuschindhell vgl. 9337.

5341. Der Name Varindwand kennzeichnet die kopflose Hast seines Trägers: dazu stimmt das Attribut der snelle 5901 u. sein Ende 5904 ff.

5342. Hüdel: ein bekanntes Appellativ, das auch als rohes Scheltwort dient: f. Basler Schimpfwörter aus dem 15. Jhdt. von G. Binz, ZsfdWortforschg. 8, 163 und Sterz. Sp. 15, 295 du magst mich nit zu ainem hudl, als du vor maniger hast getan. Die Dirne W.s liefert auch, ihrem Namen entsprechend, einige hervorragend schamlose Szenen (f. 6133 ff. u. 6408 ff.).

5343 ff. Der einzige Gast aus dem einzigen nicht erfundenen Nachbarorte scheint der Wirklichkeit zu entstammen; wenigstens spielt der Name Popp(h)art in der Appenzeller Geschichte mehrfach eine Rolle: ein Hermann P. war einer der Führer des mißvergnügten Appenzeller Volkes in den 70er Jahren des 14. Jhdt.s (Jldefons v. Arx, Gesch. des Kantons St. Gallen 2, 78 f.); er wird in dem vom St. Galler Abt (Hornung 1380) beim König erwirkten Brief genannt, der mehrere angesehene Appenzeller mit gerichtlicher Verfolgung bedroht, wenn sie ihm nicht huldigen und seine Gefälle bezahlen (Zellweger, Gesch. des Appenzeller Volkes 1, 287). Ein Ulrich B. wurde im Kampfe mit Graf Friedrich VII. von Toggenburg Nov. 1428 von seinen Landsleuten des Verrates bezichtigt. S. Bütler, Fr. VII., der letzte Graf von Toggenburg II, 73. Somit hat es den Anschein, daß der launige Dichter eine bekannte Persönlichkeit seiner Zeit und seiner Nachbarschaft in zweifelhafter Gesellschaft auftreten ließ.

5347 ff. geritten: f. zu 830 f. — Zur roten Farbe der Hosen f. Hagelstange, Süddeutsch. Bauernleben im Ma., S. 43. Singer: Der Saelden Hort 4106 f.

5351 f. swingen wie 6515, 46 (48 dafür messer) u. 9063: f. Neidh. 59, 10 langez swert alsam ein hanifswinge u. DWb. 9, 2684 c. — 5352 (formelhafte Schlußwendung hinter Aufzählungen) = 20 u. 841; f. S. 150, 21 u. auch 5182.

5354. Stangen als Bauernwaffen f. schon 3043 (f. DWb. 10, 2, 792 γ), ferner 6619; als Hiebwaffen sind sie 6516 neben swingen erwähnt (f. 6559), außerdem ist 6513 von spiessen die Rede (f. 6552 u. speren stangen 6550, lantzen 6628), von helmparten 6538 und einem swert 6599, lauter Waffen, die den bäuerlichen Gästen zur Hand sind. Weitere bringen die alarmierten Dorfleute 6613 f. mit. Neidh.[2] 306, 19 (unecht) trägt ein Bauer eine Stahlstange: f. auch Mf. 3, 270 a 7 (ein „Neidhart").

5355 ff. S. Hagelstange, Süddeutsch. Bauernleben im Ma., S. 47 f. — glantz (Adj.) ist im R. vereinzelt. — Der Scherz in 5358 stammt aus Metz. Hochz. 409 ff., warent ist aus 5355 zu ergänzen. — Zu 5359 f. vgl. Beheim, Buch von den Wienern

(Karajan) 313, 4 f. an der selben Sant Ulrichs naht zugen si her mit diser maht.
— zogten ist im R. wieder vereinzelt. — Zu mit ir vermacht (f. Ausg. S. 335)
f. die Anm. zu 4461.

5360. Kirchengang und Hochzeitsmahl finden am Sonntag statt. S. zu 64 f.
5362. in dem sausen = „in lärmendem Treiben": f. 6767 (wieder: Lappenhausen)
und in dem saus 5805.

5363 ff. Im Traugemundsliede 1 (MSDenkm.[3] Nr. XLVIII) erwidert der Fahrende auf die Frage (Str. 1) Wâ læge du hînaht, od wâ mite wære du bedaht?
Str. 2: Mit dem himel was ich bedaht usw. Uhland (Volkslieder, Anm. zu 3, 49)
verweist auf Greg. 3106 niwan der himel was sîn dach und Kinderlieder im Anhang
des Wunderhorns (3, S. 93 des Anhangs, Böhme, Deutsch. Kinderlied, S. 324)
Der Himmel ist mein Hut, die Erde ist mein Schuh. S. Reinhold Köhler, Kleinere
Schr. 3, 558—62 (aus dem Nachlaß). Die Formel bezeichnet das Bettlerleben und
findet sich oft in Diebssegen u. dgl. S. auch Keller, Fastnsp. 560, 15 ff. Nu sag,
jaufkint ... womit hast du dich bedeckt und wo hin hast du dich gestreckt? —
Mit dem himel han ich mich bedeckt, auf die erden han ich mich gestreckt. S. ferner Euling, Das Priamel bis H. Rosenplüt, S. 250. In Lamprechts Alexander (Str.)
4841 f. einen trôst habe wir doh dar abe, daz uns bedecke der himel (von einem
unbehausten armen Volke). — Zu gfider = „Federbett" f. BWb. 1, 692; Götze
(Litbl. 1932, 297) zitiert auch SJd. 1, 680 und Schwäb. Wb. 3, 162.

5371 ff. Die Hochzeitsgäste blasen mutwillig jedem, der eine brennende Kerze trägt,
diese aus. In der Dunkelheit schlachtet Bertschi den Esel statt der Kuh, bemerkt aber
seinen Irrtum erst am folgenden Morgen, wie er statt des Esels dessen Haut im Stalle
findet. Somit gibt es Eselsbraten an Stelle des Rindsbratens (5685 f.) und Bertschi
muß zu Fuß in den Kampf, da sein Streitroß verzehrt ward (8611 f.).

5374. denen wie hier 8942; f. auch 7141 u. 8634, deren (ohne Subst.) 5817, im
DWb. 2, 956: die Stellen gehören zu den ältesten Zeugnissen dieser zweisilbigen
Formen.

5376. Des lese ich nach 3596, 7123 u. 8808; f. zu 4630. Der der Hf. entstand durch
irrigen Hinblick auf die kuo 5374.

5385. Ieder man = „alle Männer" im Gegensatz zu 5387: die Männer holen den
Bräutigam, die Weiber die Braut zum Kirchgange ab.

5393. sam ich pilleich schol: ähnlich 8368.

5394. Dem tuon wir wol = „dem helfen wir ab" (?).

5395. „Leihe sie dir aus!" rabasch (f. Ausg. S. 335) ist weder im SJd. noch bei
Fischer bezeugt, scheint also in der Schweiz und in Schwaben fremd zu sein. Betreffs
schweiz. Namen des Kerbholzes f. SJd. 4 unter Beile und M. Gmür, Schweiz. Bauern-
marken und Holzurkunden (Abhandlungen z. schweiz. Recht, 77. Heft), S. 66 ff.

5399 ff. Über die Anordnung des Zuges f. ZfdA. 50, 263 u. Anm. 3, ferner Fischart,

Garg. (Alsleben), S. 98 Daher die Töchter den Mütern zu Kirchen vorgehn, aber die Sön den Vattern nach und Calebuch (K. v. Bahder), S. 115 Da nun der Kirchgang geschehen solte vnnd man ... wie bräuchlich je par vnd par daher zoge, die Braut mit den Weybern vor vnd die Männer hernach mit dem Bräutigam. S. auch Fr. Fr. Kohl, Die Tiroler Bauernhochzeit, S. 213, 18, 22, 26, 28, 30 usw. 5403 ff. S. ZsfdA. 50, 263 und W. Wackernagel ebd. 2, 548 ff.; Emil Friedberg, Das Recht der Eheschließung (1865), S. 78 ff.; H. Baechtold, Verlobung und Hochzeit 1 bemerkt 211 f.: „Noch Berthold von Regensburg stellt fest, daß viele Brautpaare ohne Einsegnung durch den Priester die Ehe schließen (Schönbach, Wr. S.-Ber. CXLII, 108). Erst vom 14. Jhdt. an wurde sie allgemein üblicher." Und S. 264: „Von der Kirche verlangt und durchgeführt wurde das Aufgebot erst unter Innozenz III. durch das Laterankonzil 1215, das sich gegen die heimlichen Ehen wandte. Statuimus, ut, cum matrimonia fuerint contrahenda, in ecclesiis per presbyteros publice proponantur, competentes termino praefinito, ut infra illum, qui voluerit et valuerit, legitimum impedimentum opponat ... In Deutschland wurde das Aufgebot durch die Trierer Kirchenversammlung vom J. 1227 angeordnet. Das Tridentiner Konzil sah sich aber genötigt, das Gebot des Laterankonzils zu wiederholen." S. in der Anweisung an den Priester ad copulandum ZsfdA. 2, 554 f. interroga virum de periculis instantibus, utrum ipse habet uxorem vel promiserit alteri, et de propinquitate seu amicitia ... tunc interroga virginem eadem verba ... et tunc publice interroga omnes circumstantes, si sciunt de periculo futuro; quod dicant manifeste et postea taceant. Auf den streng kirchlichen Standpunkt stellt sich z. B. Bruder Wernher (Schönbach) Nr. 42, 3 wer gît uns wîp ze rehter ê? (nämlich außer den Pfaffen). S. auch Gottfrieds Tristan 1624 ff. gebietet eine hohgezit ... da nemet si offenliche vor magen und vor mannen ze e. und rate zware, daz ir e ze kirchen ir geruochet jehen, da ez pfaffen unde leien sehen, der e nach cristenlichem site: da sæleget ir iuch selben mite. Die Erklärung 5411 ff. trägt den feierlichen, formelhaften Charakter der Rechtssprache: s. überlaut (sonst nirgends im R.) ... spat und fruo ... wär und wesen scholt.

5421 ff. Die derb grobianische Szene mit der mannstollen Alten ist W.s Eigentum. Im Fastnsp. von Rumpold und Mareth (Sterz. Sp. 1, 453 ff. u. 8, 644 ff.) erhebt ein Bursche Einspruch gegen die bereits geschlossene Ehe, weil die Braut ihm zugesagt hatte.

5426. verhaissen mit Aff. s. 1796, vgl. auch 9439 f. (Ausg. S. 335).

5427 ff. S. ZsfdA. 50, 263, Anm. 1.

5435 ff. Das Urteil ist in der schwerfälligen, von Nebensätzen strotzenden Form einer gerichtlichen Entscheidung gehalten: 5442 f. setzt 5436 f. fort, 5439—41 sind Folgesätze. Über 5437 s. zu 3453. Die Läuse sollen mit einer Kerzenflamme (s. 5440 u. 47) versengt werden, ohne Beschädigung des Schnürfadens (5441, 47 u. 52).

5449. lesen = „Bericht": f. Lexer 1, 1889.

5451. graffelt: für die haftigen Griffe der schwachsichtigen Alten. S. DWb. 5, 1911.

5455 f. Über draten f. zu 3783. Der Zug der Hochzeitsleute zum Haus des jungen Ehemannes erfolgt unter klingendem Spiel: f. Metz. Hochz. 328 ff. und Hagelstange, Süddeutsch. Bauernleb. im Ma., S. 65.

5457 ff. Über die Beschenkung des Brautpaares durch die Hochzeitsgäste, die mit der Übergabe der Heimsteuer durch den Brautvater beginnt, f. ZffdA. 50, 263—65. Von den Eltern des Bräutigams ist im Gedichte nirgends die Rede, ebensowenig von der Mutter der Braut. Übrigens beteiligen sich in manchen Gegenden die Mütter des Brautpaares (oder nur die Brautmutter) nicht an der Hochzeit der Kinder: f. Fr. Fr. Kohl, Tiroler Bauernhochz., S. 214, 18, 21 u. 26, 240, 43, 46, 50 u. 65.

5462. S. zu 919 u. auch zu 860; GA. Nr. 21, 378 ich bin iuwerre êren vrô anläßlich der Vermählung.

5465 ff. S. ZffdA. 50, 264. Die Heimsteuer der Braut besteht auch in Metz. Hochz. 45 ff. aus allerlei Haustieren; vgl. Helmbr. 280 ff. ich weiz wol, ez wil geben dir der meier Ruopreht sîn kint, vil schâfe, swîn und zehen rint und Hagelstange, Süddeutsch. Bauernleb. im Ma., S. 58. Die klägliche Heimsteuer Mätzlis verrät, daß Fritz ein Habenichts oder ein Filz ist und Bertschi geprellt wird. Über die tatsächlichen Verhältnisse f. Zellweger, Gesch. des Appenzell. Volkes 1, 257 f.: „Der Vater steuerte seine Töchter bei der Heirat aus. Wenn er nicht sehr reich war, so erhielten sie nur ein Bett, ein Polster, ein Kissen, zwei Leintücher, ein Tischtuch, eine Zwehle, ein Becken und ein Badhemb."

5467. gestrak (: sak) wie 6041. S. Ausg. S. 335.

5470 f. ze tisch (f. 5465 f.) und auch ze pett (f. 5467 ff.): f. 5086. Die alte, heute noch lebendige Formel für die eheliche Gemeinschaft ist in der älteren Zeit nicht reichlich nachgewiesen. S. Lexer unter bette; dazu GA. Nr. 48, 34 u. 49, 115, Reinfr. v. Braunschw. 11648 f., Ammenhausen 4957, Suchenwirt 38, 170 u. Keller, Faftnsp. 234, 19 f.

5474. Lies tag!'

5475 ff. Die Reihenfolge der Gabenspender ist planvoll und offenbar dem Herkommen angemessen: auf den nächsten Verwandten des Bräutigams (2669) folgt der Älteste aus der Sippe der Braut (3619), dann der Älteste aus Bertschis Sippe (2637). Jächel ist wohl sein Vetter Gumpost (2631: f. 6341 f.). Die Reihe der Männer schließt Straub aus Mätzlis Sippe. Während ihre Geschenke vornehmlich Bertschi gelten, wenden sich die nun genannten Weiber — alle drei aus Bertschis Sippe, mit der Ältesten an der Spitze — an die Braut. Nun folgen acht ungenannte Spender und ein summarischer Abschluß 5529 ff.

5476 ff. S. W. Wackernagel, Kl. Schr. 3, 78: „Es ist der Hund und mit ihm etwa Hahn und Katze das Merkmal menschlicher Wohnung und Haushaltung." HMf. 2,

207 a der hunt, diu katze und ouch der han heizent hûsgeræte. Die draſtiſche Zu-
ſammenſtellung got… und auch der hund iſt wohl beabſichtigt. — Vach: der
Imperativ.

5491. Öttel Kriech und Blaſindäſchen 5495 ſind nur hier genannt. Öttel auch in
Kellers Faſtnſp. 585, 2 u. ö.; Kriech (ſ. Met. Hochz. 433 f.) heißt auch ein altes
Züricher Bürgergeſchlecht: ſ. J. Dierauer, Chronik d. Stadt Zürich, S. 50.

5493. Nu se hin: ſ. zu 4216. Der Schreiber verlas nu in im.

5497 f. Heute noch begleitet der Volksmund Geldgeſchenke, die ſtatt anderer verab-
reicht werden, mit ähnlichen Worten wie: „'s Geld hat man lieber.“ Über Geldgeſchenke
der Hochzeitsgäſte an das neuvermählte Paar ſ. ZſfdA. 50, 265, Anm. 2. Perner = ein
Berner Pfennig. Zur näheren Beleuchtung der Sache ſ. G. Scherrer, Kl. Toggenb.
Chron. 114: „Bernermünze unterlag in der öſtl. Schweiz wiederholten Verboten;
wegen eines Berner Plappart brach 1458 der Plappartkrieg gegen die Konſtanzer
aus“ und H. v. Montfort V, 94 daſt Perner gelt = „wertlos“. S. Wackernell z. St.
und BWb. 1, 279. Der ſchlaue Gaſt ſchenkt alſo her, was er ſonſt nicht loswerden kann.

5499 ff. Der Apotheker hilft ſich billig mit ſeiner Schwindelware (zu glaiches ſ.
Vintler 3724). Dazu vgl. A. Birlinger, Volkstümliches aus Schwaben 2, 271: „Handwerker bringen Erzeugniſſe ihres Gewerbes.“

5501 f. Stendelwürtzen: als Stimulans, wie das Folgende lehrt. S. Fiſcher,
Schwäb. Wb. 5, 1632 f. u. die im DWb. aus Fiſcharts Garg. (Alsleben S. 114)
zit. Stelle, ferner Sterz. Sp. 24, 627 ff. Das iſt denn Standlwurtz: ob etwar aim
ſchutzn der ladſteckh wer zu kurtz oder wenn aim dj bulverpux verſagn that oder
in aim getungtn ackher gern jat vnd het ſein hauen ain zu ſchwachn ſtil, der ſalb
in mit diſer wurtz, doch nit zu vil uſw. Bei Megenberg, Buch d. Natur, S. 399, 7
heißt es vom wilden weißen Senfkraut, es erwecke unkeuſche Luſt: wan ez ſterkt den
wünſchelſtab; ſ. auch BWb. 1, 1181 unter Höswurz und das Zitat 1619 wer nicht
weiber mag minnen, der nem fuchsgail, endlich die unflätige Geſchichte von dem
verliebten Herrn von Guettenſtain (Zimmeriſche Chronik, Barack 2, 303 ff.), dem in
der Apotheke ein recept, damit er die kunftig nacht frewdig ſein konte, zugerichtet
werden ſoll. — Zu 5502 vgl. Sterz. Sp. 24, 360, wo der Knecht des Arztes von den
ausgerufenen Salben behauptet: dj ſtuckh kumen all vber mer her.

5504. S. Ausg. S. 335. Häufiger iſt das vielſagende es: DWb. 3, 1120, 5$^\beta$ u. 11,
437 b $^\alpha$. Im R. ſelbſt ſ. 7085 u. 7112 (ſ. auch 7050). Solche Wendungen ſind der Wiener Mundart z. B. noch geläufig ('er duat irs'); ſ. GA. Nr. 57, 198 f. und tât ir dâ,
als man noch… tuot nahtes an dem bette, Vintler 6364 f. nu wolt es die ſelb
frau nicht tuen, wann ſi het es vor getan mit ſeinem ſun, Kellers Faſtnſp. 222, 11
er hat es vor wol dreien getan, 400, 21 ff. kanſt das nicht, ich lerns dich wol, wie
man die frauen minnen ſol, und thue mir ſchir, es iſt mir not, Straßburg. Liederb.
aus 1592 (Alem. 1, 15) Str. 2 wann ich ihn bitt, ſo gewert er mich nicht; er tett

mirs nitt … wann ich ihn noch einmal drumb bitt. — S. zu 2158, ferner Meier Vetz 99 f. meins vaters knecht … vand es umb die mittennacht und das Gedicht von der Bauern Kirchweihe (Hf. 2885 der Wiener Nat.-Bibl. fol. 19b 66 f.: Bragur VII, 1, 206), wo er sagt: Ich wil aine, diu ez chan, diu ez recht lerne mich und sie erwibert: dich lernt ez alle weib wol.

5505. gmüetes frei wie 9389, s. auch 8277. Vgl. Lexer 3, 507 und Keller, Fastnsp. S. 1408 (Der fraue Venus und der frouwe Stäte brief von der alten und neuen minne) sie … warn frej des gemütes.

5507. wierten: s. Metz. Hochz. 389 u. ZfdA. 50, 265, Anm. 2.

5510. S. 5089. Ebenso GA. Nr. 35, 682 (: gewinnen).

5511 f. Aus Metz. Hochz. 395 f.; s. zu 2643. Auch Helbl. 1, 669 ist ermeltuoch zu lesen, womit ein besonderes Kleidungsstück bezeichnet wird.

5513 f. Vgl. etwa Gryphius, Peter Squentz (Kürschner, D. Nat.-Lit. 29, 230, 32 f.) der Strick ist viel zu teur, der Hanff ist nicht gerahten heur.

5520. pesmenstil: sonst im Mhd. nicht belegt; s. den Namen Besmanstil Metz. Hochz. 74, Pesenstil Meier Vetz 66 u. 120.

5522. 23. Der vierte fehlt: wenn nicht ein Versehen des Dichters vorliegt, sind zwei Reimzeilen ausgefallen.

5526 ff. Nach Metz. Hochz. 418 ff. S. ZfdA. 50, 265 u. Anm. 1; verschancht 5846 hat most als Obj.; hier liegt schon die übertragene Bedeutung vor, die im Mhd. selten belegt ist. S. DWb. 12, 1067.

5533. S. ZfdA. 50, 266, Anm. 1 und bei Kirchhofer, Wahrh. u. Dichtg., S. 251 das schweiz. Sprichwort Vor Essen wird kein Tanz.

5534 = 1264 (nur steht dort in für sei).

5536 ff. Gemeint sind vier Leute, die sich als Aufwärter beim Mahle angeboten hatten: sie werden in der Folge als diener bezeichnet (5582 u. 97, 5631, 5714, 5883, 6098 u. 6185, s. auch 5817), 5986 als knechte. Nur von einem gibt der Dichter den Namen kund (s. 5634 u. 81). Sie erhalten nach dem Herkommen ihre Brotsuppe, bevor sie die Tafel herrichten (5554—68). S. ZfdA. 50, 270, Anm. 1. auf 5536 ist nicht mit hin zu verbinden, sondern im Sinne der Anm. zu 5267 zu fassen.

5541 ff. Mit dem Vorspiel der Aufwärtersuppe setzt die Schilderung des bäuerlichen Hochzeitsmahles ein (s. darüber ZfdA. 50, 266 ff.), eine ins Epische umgesetzte Parodie auf die Regeln der Hof- bzw. der Tischzucht. S. zu 4852. Daß man auf der Bauern-hochzeit des R.s in ausgesprochenem Gegensatze zu den Tischzuchtlehren ißt und trinkt, betonte schon A. Hauffen, Kaspar Scheidt, S. 123. Epische Verwertung solcher Züge bot bereits der Helmbr. 1141 ff., 52 ff. u. 66 ff. W. fand Ansätze solcher Art in „Metzens Hochzeit": er benützte sie mehrfach und schuf durch zahlreiche Zutaten, die stets von bestimmten Tischzuchtregeln ausgehen, sein üppiges Gemälde. Unter den vielen erhaltenen Tischzuchten ist aber m. W. keine, die alle diese Einzelheiten enthielte und so als seine Quelle bezeichnet werden könnte. Die unten beigebrachten Nachweise, die auch räumlich und zeitlich dem R. ferne stehenden Texten entstammen, sollen nur dartun, daß der betreffende Zug in der Gattung lebendig war, von deren Reichtum nur ein Bruchteil auf uns gekommen ist. — Zu 5541—43 s. Metz. Hochz. 180 f. u. 199 — vgl. auch die Anm. zu R. 656 f. — und Tanhausers Hofzucht 205 ff. Ir sült die heizen spîse, swie grôz ein hunger iuch bestê, vermîden, sît ir wîse: diu bîte tuot vil manegem wê.

5552. nicht ein bissen (in der Ausg. lies bissen.'): hier noch eigentlich, 8859 übertragen; den Nom. bissen belegt Lexer, Nachtr. 89 einmal.

5554 ff. S. A. Schultz, Höf. Leben² 1, 369, Anm. 2 und Thesmophagia (Habich, im Progr. des Gymnasium Ernestinum zu Gotha 1860) 61 f. Interea iam sedit herus mensamque latere nix extensa super denigrans lilia iussit. Die Hochzeitsgesellschaft des R.s lagert sich im Grase (s. 5620 u. 28, 5772); man braucht daher am Ende des Mahles nur das Tischtuch aufzuheben (6181).

5559. S. Fr. J. Furnivall (Early English Text-Society, Orig. Series 32, II, S. 34 ff.), Modus cenandi 31 f. In mensa disci nimis [ampli] sive profundi (lies ample sive profunde) non apponantur cupe, calices habeantur ad placitum domini magni, parvi, mediocres und Häßl. 2, Nr. 71, 43 f. Uff den tisch setz auch nit einschenckgeschyrre... die trinckvas süllen da stân: mißverstanden in Köbels Tischz. (bei Geyer, Altd. Tischz., S. 22 ff.) 121 f. S. P. Merker, Die Tischzuchtenliteratur des 12.—16. Jhdt.s (Mitteilung. d. Deutsch. Gesellsch. in Leipzig, 11. Bd.) 32 f. Vgl. ferner Weinschwelg (Lucae) 6 f. er wolde näpf noch kophe niht: er tranc ûz grôzen kannen und in „Neidharts Gefräß" (Häßl. 1, Nr. 91) 76 f. most vs vngefügen krügen; ebd. 216 trinken die Gäste vß grossen köpffen weiten; s. 2, Nr. 74, 41 krüg das sind ir kannen. So ist auch bei W. krüeg Subj. Kopf = „Becher" hat noch Gottfr. Keller, Leute v. Seldwyla 2, 185 und Züricher Novellen S. 354.

5561 f. Über das Tischgedecke s. A. Schultz, Höf. Leb.² 1, 370 und Köbels Tischz. 19 f. Den tisch zu decken sey nit treg: ein zwehel fleißlich darumb leg; des saltzfaß soltu nit vergessen. A. Schultz, Deutsch. Leben im 14. u. 15. Jhdt., S. 167 vermutet zwähel für wädel in der R.-Stelle: in der Tat wird das Fehlen der zwähel 5593, 5603 ff. u. 5792 betont. S. jedoch Ausg. S. 335. S. Singer (briefl. Mitteilung) denkt an w. = „Salzstreuer" und verweist auf 5563 („Brotmesser und geschnittenes Brot").

5563 f. S. Modus cenandi 25 cultelli nitidi mense ponantur edendis und Ausg. S. 335. Die dort aus der Dresdener Hf. 209 zit. Stelle lautet vollständig: ist das dir beschicht not, das du schniden solt das brot, so tû der hofzucht sit vnd schnid ein dúr schnit: bei Keller, Erz. aus altd. Hss., S. 531 ff. fehlt die Stelle; Kato (Zarncke) 137, 272 in X steht ain vmbsnyd. Im R. vgl. 5688 sei... snaid da durch

(b. i. durch den laib). Die Aufwärter versorgten die Tafel weder mit Messern noch mit vorgeschnittenem Brote: sie brachten nur ganze Laibe (5565).

5565 f. Kein Weißbrot! S. dagegen Metz. Hochz. 143 si hatten wisz prot, auch Helmbr. 478, Helbl. 1, 980 (dagegen 1029 einen girstînen leip). Köbels Tischz. 25 rät: brot, rückes vnd weys, setz zusamen. — des was in not änderte ich nach dem sonstigen Sprachgebrauch W.s: s. 1331, 2901 u. 29, 4338, 8335 u. 8803.

5569. gaben: s. SJb. 2, 55 göbe Geschenke machen, bes. Brautleuten zur Hochzeit; Birlinger, Volkstümliches aus Schwaben 2, 330 f. „Das Schenken an die Brautleute ... heißt im Volksmund ständig goben"; Anm. 1 verweist auf Lukas Rems Tagebuch (1494—1541) mit zahlreichen Belegen dieser Art.

5571. Sprichwörtlicher Vergleich: s. Sprichwörter, Schöne, Weise Klugreden (Frankfurt a. M. 1565, Bl. 83 a) Er leufft zum tisch wie ein saw zum trog, ähnlich die Randglosse zu Scheidts Grobianus 2575 f., Erzherzog Ferdinand II. von Tirol, Speculum vitae humanae (Neudrucke deutscher Literaturwerke des 16. und 17. Jhdt.s Nr. 79/80), S. 63 und Kirchhofer, Wahrh. u. Dichtg., S. 295. Nachtrag Singers: vor und nach dem essen nicht betten, sondern zum und von dem Tisch lauffen gleich wie ein sew zum trog Geiler 110, 3 (Korrespondenzbl. f. ndb. Sprachforschg. 1896/97, S. 54).

5572. Das Waschen der Hände vor dem Essen ist eine der geläufigsten Forderungen der mittelalterlichen Tischzuchten: s. Furnivall, Ut te geras ad mensam 4 Non lotis escam manibus non sumpseris unquam, ganz ähnlich Stans puer ad mensam 11, Thesmophagia (Habich) 57; ferner Hagelstange, Süddeutsch. Bauernleb., S. 244, Anm. 3 und Roßauer Tischz. 11 f. merket, als ir ze tische gât, die hend niht ungetwagen lât, Köbel 42, Hätzl. 2, Nr. 71, 12 f., Priebsch, Deutsche Hss. in England 2, 152, Brant, Narrenschiff 110a 15 f., Scheidts Grobianus 619 f. u. 2645 ff., H. Sachs bei Geyer S. 30, Z. 1 f., S. 31, 1 f. u. S. 32, 6 f., nd. Tischz. (hrsgg. von A. Lübben, Germ. 21) 11 ff. und Siegburger Tischz. (hrsgg. von Adolf Schmidt, ZsfdA. 28) 13.

5574 ff. Vgl. 5607 f. u. 17 ff. im Inhalte und s. dagegen Köbels Tischz. 41 Zum essen solt nit jagen oder Siegburg. Tischz. 17 f. dü salt oüch swegen ind stylle stayn, byss dich der wyrt heist sytzen gayn.

5579. Zu seiner Vordringlichkeit vgl. Scheidts Grob. 2704 ff. u. bes. 3598 f. ehrlich weiber vnd junckfrawen solln vor deim wäschen all zuschawen.

5582 ff. S. 5591 und Furnivall, Modus cenandi 6 ff. Mappis subtractis manibus praestabitur unda; parce prestetur, manucis ne defluat illa; A. Schultz, Höf. Leb.^{2} 1, 417. — höhend: s. Weinhold, Alem. Gr. § 201. — enmit hin ein wie 8386; sonst stets enmitten, im Reime 3302, 4880, 5595, 5852 u. 84, 6054 u. 7934.

5585 f. Der Diener bei Tische hätte dabei das Knie zu beugen und das Haupt zu neigen: s. Schultz, Höf. Leb.^{2} 1, 416: in der aus Ernst zit. Stelle knien die Kämmerer beim Darreichen der twehel und Konr. v. Haslau bemerkt im „Jüngling" 635 rügend:

er (der Diener bei Tifche) kniet keine wîs niht nider (mit dem Getränke). Anders
Facetus 181: Dum steteris coram dominis, haec quinque tenebis: iunge manus,
compone pedes, caput erige, visu non dispargaris (f. dagegen 5818 ff.), sine iussu
pauca loquaris (S. 6111 ff.).

5589. des: f. oben 5579.

5592 ff. S. Facetus 90 Si te maiori pelvis famulatur aquosa, ad manicas eius
tua sit manus obsequiosa und im Modus cenandi (f. zu 5582 ff.) effusa lympha
manibus sit mappula presens; bef. aber Thesmophagia (Habich) 47 ff. Cum venit...
thetis manibus fundenda lavandis, mensarum qui primus honor, quicumque laboras,
ut domino placeas, cuius conviva vocaris, non te praetereat, pelvi, quae suscipit
undas de manibus domini, celeres immittere palmas pollicibus iunctis, sed, si mage
cesserit illud, praetento gremium mantili per te tuere et velato sinum, ne stillae
crebro cadentis offendat maculis dominas iniuria lanas foedaque consignet
mundis vestigia pannis.

5597 f. S. zu 3671 und Roßauer Tifchz. 13 f. Besnîdt die nagel ab den henden,
sîn si ze lanc, daz si iuch iht schenden: ähnlich Faffung v bei Geyer S. 14, 11 f.,
Priebfch, Deutfche Hff. in Engl. 2, 152, Köbel 125 f., nd. Tifchz. 15 f., Kato (Zarncke)
S. 138, 311 f., Häßl. 2, Nr. 71, 11, H. Sachs bei Geyer S. 30, 3 f. u. S. 32, 8;
ferner Thesmophagia 58 f. studio vigili perspexeris ungues expulsis, si quae pateant
ibi, sordibus, Ut te geras ad mensam 12 in discum digiti tibi sint unguesque politi,
Stans puer ad mens. 16 munde sint ungues, noceant ne forte sodali, Siegburg.
Tifchz. 14 f. dü salt... neit mit langen nagellen essen: f. Lübbens nd. Tifchz. 425,
7 ff. und Scheidt Grob. 625 f.

5599 ff. Also gtorst îr kainr: keiner von den Gäften (wie oben niemant), aus Furcht
vor den langen, spißigen Nägeln der Aufwärter; îr 5599 u. 5600 verftehe ich als Dat.
Sing. Über dar gsmechen („fich an etwas heranwagen") f. Ausg. S. 335. Zu 5600
f. pelvi... celeres immittere palmas pollicibus iunctis im obigen Zitat aus Thesmophagia; zemen gfüegt gehört zu daumen: fie hätten dicht nebeneinander auf dem Rande
des Beckens zu liegen, die Handflächen darunter, und fo hätte ein galanter Nachbar
das beki, bzw. sib emporzuheben, um das über die Hände gegoffene Waffer aufzufangen.
5602 ift alfo wörtlich zu faffen, anders als 5627.

5603 ff. S. Facetus (C. Schroeder) 31 Qua tegeris, non veste manus siccato
madentes und Kato (Zarncke) S. 136, 258 ff. Ob dir aber daz geschicht, daz du
niht zwehelen hâst ze hant, sô wüsch dich niht an dîn gewant; (ganz ähnlich
Häßl. 2, Nr. 71, 18 ff., f. auch Kinderzucht bei Geyer, S. 28, 76); das folgende du
solt sie selbe trückenen lân und dan alfo ze tische gân beleuchtet 5615 f.

5607 f. S. Facetus 89 Si te forte domus aliena rogavit ad escas, donec praeci-
peris, mensae loca nulla capescas, Stans puer ad mensam 12 f. loco sedeas, tibi
quem signaverit hospes. Summum sperne locum tibi sumere, sis nisi iussus und Ut

te geras ad mensam 6 nec capiat sedem, nisi quam vult, qui regit eden. Ferner
Kato (Zarncke, S. 136) 253 ff. sô du ze tische wellest gân, die êrbern soltu sitzen
lân vor dir und sitz selbe niht, ê ez der wirt zuo dir giht: f. die Parodie S. 146,
73 ff., die Fassung v bei Geyer, S. 15, Z. 15, Köbel bei Geyer, S. 25, 45 f.,
H. Sachs bei Geyer, S. 30, 5 f., Hätzl. 25 f., Brant, Narrenschiff 110a, 17 ff.,
Lübbens nb. Tischz. 425, 10 ff. und Scheidts Grob. 635 ff., 1520 ff. u. 2729 ff.

5610. daz ander gricht: f. 5680 u. 85; über das erste f. 5630 ff. Während sich Frau
Else und Farindkuo beim Händewaschen verspäten, sind die andern Gäste beim zweiten
Gang angelangt. Nun schildert der Dichter, wie die gefräßige Else das Versäumte
nachholt (f. 5704). 5705 erst treten wir in die Schilderung des allgemeinen Verlaufes
der Hochzeitsschmauserei ein.

5613. J. Meier meint ZffdPh. 24, 397, die Stelle scheine gegen die Ansicht zu
sprechen, daß die Frauen im Ma. keine Hosen trugen; aber der Dichter zielt auf 5604,
wo sich F. mit der bruoch behilft: sie als Weib hat eben keine.

5614. tuon enwicht vereinzelt: f. bringen … enwicht bei Lexer 2, 97.

5616. winden bezeichnet wohl das Drehen der nassen Hände gegen den Luftzug und
1066 (f. Ausg. S. 332) ist zu bedenken, daß der Kolben aus Stroh gefertigt ist.

5619. chrumb entspricht wie 4996 etwa unserem „faul".

5620. S. H. Sachs bei Geyer, S. 30, 12 f. Nit ungestümb nach dem brot platz,
das du kein gschirr umbstossen thust und fast ebenso S. 31, 8 f., f. auch Scheidt,
Grob. 2629 ff.

5621. Die Zeile scheint unrichtig, jedenfalls zu kurz überliefert zu sein. Wenn sau
als Scheltwort zu verstehen ist (f. Keller, Fastnsp. 178, 18 so, sau, so faß gar auß!),
so fehlt ein sau, so oder du, so: es liegt höhnisch verwunderte Frage vor wie 1153
(f. zu 402): lies barnach etwa So, du sau, sim so, du, so? Weinhold, Mhd. Gr.² § 342
stellt die Zeile unter imperativ. Ausruf sûsâ: am nächsten stünde dann GA. Nr. 68,
327 ff. Der êrste sprach: „Sô sûsâ sûs! Diu mîn ist ein unsælig lîp, sie ist ein
tiuvel und niht ein wîp und die Zeile lautete So, sausa, sausa, sausa, so? Sonst folgt
auf dieses sûsâ stets ein Ausruf mit wie: f. Burkhart v. Hohenfels Mf. 1, 206b 11, 5
Sûsâ, wie diu werde glestet! Bruder Wernher (Schönbach) 32, 1 Sûsâ, wie wætlich
der ûz Österrîche vert usw. (f. die Anm. z. St. S. 77), Mf. 3, Neidharthf. c,
Nr. 125, 7 sûsâ, wie die vinger müezen springen usw., Virginal 1047, 4 sûsâ, wie
lît sô rîch bejac an dem Stîrer, Konr. v. Würzb., Turn. v. Nantes 1124 f. sûsâ,
wie lît rîch bejac versigelt hiute in sîner hant und Joh. v. Würzb., Wilh. v. Oft.
14880 sûsâ, wie in ain ander brach diu schar ze baiden orten! O. v. Wolkenstein
(Schatz) 36, 85 susa süssli, 43, 25 seusa.

5625 f. Daß Streit- und Rauflust, die beim Tanze losbrechen, längst vorher unter
der Asche glommen, verrät W. auch 5843 u. 6245 f. — ze stössen ist DPlur.: f. 6376.

5627 f. „So aber (f. 5843) wurde die Sache beigelegt." — der tisch = „das Tischtuch"; f. 5554 ff.
5631. Einer der Aufwärter widmete sich ganz ihrer Bedienung.
5632 f. Die 4306 ff. gegebene Vorschrift (f. z. St.) wird also auf der Bauernhochzeit
(f. auch 6118 ff.) just ins Gegenteil umgesetzt: in den mir bekannten Tischzuchten finde
ich nichts Entsprechendes. In Megenbergs Buch der Nat. 342, 8 ff. heißt es aber von
den kriechen (f. 6120): Galiênus spricht, man schüll si nüehtern ezzen vor anderm
ezzen und von wilden Birnen 340, 21 f. si ... trückent auch daz ezzen mêr nider
in dem magen, wenn man si nâch tisch izt, dagegen von Pfirsichen 342, 25 ff. izt
man die pfersich nâch anderm ezzen, sô zerprechent si die andern kost in dem
magen und verderbent si und dar umb schol man si lang vor anderr kost ezzen. —
Im Schwank von der halben Birne 75 ff. bilden Käse und Birnen den Nachtisch. —
in blossen henden: betont (statt auf einer Schüssel oder dgl.).
5634. Spiegelmäs (f. 5681): wohl der Vogelname; f. DWb.
5635 ff. S. Modus cenandi 89 ff. Excisus tenue sit caseus inveteratus scinda-
turque recens spisse cenantibus illum und crusto dempto ponantur pane cavato
(Subj. weicher Käse).
5639 f. S. Scheidt, Grob. 3642 f. Du solt ... die nüß auffbeissen mit den zenen.
5641 ff. S. Lübbens nd. Tischz. 427, 6 ff. Wultu eine beren schellen, des scaltu
beginnen van deme stele, den appel van deme hovede. Über 5644 f. zu 1067.
5646. Die Herstellung der verderbten Zeile stammt, wenn ich nicht irre, von S. Singer.
5647 ff. Most darf nicht geschüttelt werden: f. zu 2632 und im allgemeinen Facetus
g¹ (C. Schroeder, S. 231) 337 f. wer dich beginne trencken, den kopf solt du
nit swencken.
5650 ff. S. Konr. v. Haslau, Jüngling 574 ff. swelch diener ... den becher
mizzet, daz er im rinnet über die hant ... des dienstes ist ein teil ze vil und Scheidt,
Grob. 1733 ff. wann du den gesten ein solt schencken, so schenck das gschirr
gstrichen vol, daß vberlauff, auch Siegburg. Tischz. 27 f. sich datü neit tzo veill
enschenks in den pot, dae dü oyss salt dryncken.
5655 f. fasst ... peinn henden: f. 8761. So ist auch Nib. 427, 2 zu verstehen und
damit erledigt sich meine Bemerkung Beitr. 26, 419. — Hätzl. 2, Nr. 71; 186 ff.
heißt es allerdings pewt man dir ... den wein, so ... empfach in nit mit zwain
henden ... wilt du den geben fürbas ... pewt in mit der einen hand usw., im
Facetus 50 aber Quando cifum sumis, utraque manu capiatur, ebenfo in der Übersetzung g¹ 333 f. und Brant 245 ff. und ähnlich in Lübbens nd. Tischz. 425, 22 f. wan
du drinken wult, so bore den beker up mit beiden henden over der tafelen ...
du enscalt nicht drinken mit ener hant als ein vorman, de den wagen smeret.
5657. S. Facetus 151 pocula dum sumis, immergas labra modeste; qui prope
fert nasum, potum non sumit honeste, Roßauer Tischz. 67 f. Ir schult den munt

ze mâzen in den becher lâzen: ganz ähnlich *v* bei Geyer, S. 16, 67 f., Hätzl. 89 f., nd. Tischz. (bei Geyer, S. 13) 87 f., Kato, Tischz. 329 f., Keller, Hofzucht 543, 2 ff. und Lübbens nd. Tischz. 426, 5 f. — nas: f. zu 3663 ff.

5659 f. S. Facetus 48 nec facias offas de pane prius tibi morso und Thesmoph. 154 ff. si... in... scyphos aliquid, quod pocula turbet, venerit... hoc tu vel calamo vel mundi fragmine panis proicis; darnach Brant, Narrensch. 110a 193 ff.; f. ferner Katos Tischz. (Zarncke 138) 306 ff. ob daz gschiht, daz in daz trinken gstoben ist, sô überswenke ez alle frist und ganz ähnlich in Kellers Hofz. 542, 24 f., endlich nd. Tischz. (Geyer, S. 13) 89 f. (Gi scullet)... steken nicht de vinger dar in (in den Becher).

5661 f. S. 5849 ff. u. 5999 ff. und Lübbens nd. Tischz. 426, 4 du enscalt nicht alto lange toge ten alse ein duve, Themoph. 272 ff. Bibiturus abinde indulgere gulae noli nec viribus haustum commetire tuis. Fas est iterata queratur, non plene satiata sitis modicumque caminis norit adhuc superesse suis, quod, si licuisset, exstingui poterat, Facetus 46 siquis dignetur offerre cifum tibi, laete accipias modiceque bibas reddasque facete, andrerseits Katos Parodie (Zarncke 148) 131 ff. setz den becher an den mund, güz den wein in deinen schlund, biz ain boden den andern sicht und gar Scheidt, Grob. 3255 ff.; zu 5660 f. dort 3263 ff. so du kanst verstehn, daß dir der athem will entgehn, so magstu thûn ein kleine rast, biß daß du wider athem hast usw.

5663. wider kam „sich erholte": f. 7063 und z. B. Boner (Pfeiffer) LXXXI, 64 u. LXXXIII, 59.

5664 ff. Thesmoph. 346 Quando bibis, nequaquam respice circum und schon bei Thomasin, WG. 495 f. Swer trinkend ûz dem becher siht, daz stât hüfschlîche niht: ganz ähnlich Tanh. Hofz. 89 f., Kellers Hofz. 542, 36 f. und Katos Tischz. 138, 301 f. (ûz dem becher: Merker, Tischzuchtenliteratur, S. 24, Anm. 2); f. ferner Konr. v. Haslau, Jüngling 586 f. u. 605 ff., Köbel 107 wañ du trinckest, so glotz nit weyt und Lübbens nd. Tischz. 425, 30 f. du enscalt nicht over den beker starren als ein koe.

5667 ff. Zu 5667 vgl. Neidh. Fuchs 276 es waz so wunderstarcker wein, dar von mir daz haupt ward sincken, 5669 bezeichnet wohl zunächst das Tränen der Augen, das natürlich am Sehen hindert (f. 5848 und Scheidt, Grob. 3271 f. die ander prob ist... wann dein augen voll wassers sind), einen Schwächezustand (wie die Stellen bei Lexer 3, 108) dieselbe Phrase in Teufels Netz 5275 u. 12289, Christ. u. d. minn. Seele 83 und Wolf. 59, 19 ff. ain andre die zaigt mir den weg mit ainer feust zum oren, das mir das pesser aug vergieng. S. DWb. 12, 400 und auch ZffdA. 50, 267, Anm. 1.

5672 ff. S. Roßauer Tischz. 53 (Kein zühtic man)... leine sich ze rucke niht, ähnlich *v* bei Geyer 80, Köbel 224, H. Sachs ebb. S. 30 f., 64, 31, 40 u. 33, 88,

Kato S. 139, 333, genauer Häßl. 57 ff. Halt dein haubt stätt mit gesicht, den ruggen wol uffricht! Du solt dich ye nit schmyegen und vast hin und her piegen.
5676 f. Über sam aus dem traum f. zu 816, über gestigen zu 763.
5679. Schench ... in: die mhd. Wbb. weisen das Kompositum nicht auf.
5682. öpfelgtrank wie 5994; f. epfeltranc Neidh. 42, 1 und vgl. des öpfels mas 3221.
5684. dem: f. Bleisch S. 60. Lies machet sich nach essen hin?
5685 f. S. zu 5371 ff.; über den Reim zu 59.
5687 ff. S. Roß. Tischz. 17 ff. Welt ir ze hove brôt snîden ... setzt iz niht vor an die brust nâch der kranken wîbe gelust ... daz ist ze hove ein grôzer spot, ähnlich Tanh. Hofz. 73 ff., v bei Geyer 31 ff., Köbel 73 ff., Kato, S. 137, 271 ff., Altd. Bl. 1, 111 ff., Häßl. 69 ff., nd. Tischz. bei Geyer 23 ff., H. Sachs ebd. S. 30, 14, S. 31, 10 u. S. 32, 18, Fabeln und Schwänke (Goeße) Bd. 1, Nr. 73, 21 ff. u. ö., Priebsch, Deutsche Hss. in Engl. 2, 152. Ablehnend verhält sich dagegen Lübbens nd. Tischz. 427, 13 ff. Dat ein minsche sin brot snit boven der hant, dar kumt bewilen schaden af. An eines Fürsten Hofe schnitt sich auf diese Weise ein Junker in die Hand und starb an der Wunde. Darauf erlaubte der Fürst, an seinem Hofe das Brot „vor der borst" zu schneiden. Dat sulve orlof hebbe du unde snit din brot vor der borst, wan is di not is. — recht sam umb sust = „mir nichts, dir nichts"?
5690 ff. S. Tischz. bei der Häßl. 111 ff. Leg die schnitlein nach geschicht neben das teller mit besicht! Du solt der ze vil nit schneiden, auch Scheidt, Grob. 3293 wann du ißt, schneid grosse schnitten.
5694. S. H. Sachs, Tischz. bei Geyer, S. 30, 28 u. 31, 24 Zerschneid das flaisch vnd prich die fisch und S. 32, 44 in der verkehrten Grobiani: Zerprich das flaisch vnd schneid die fisch: so gehn die Gäste hier vor und 5883 f. haben die Aufwärter wenigstens die entsprechende Absicht.
5695. „Das gehörte ihr alles." S. 40 und Mhd. Wb. 2, 1, 97 a 29 ff., DWb. 4, 1, 2, 3197 f β.
5696. S. Singer (briefliche Mitteilung) denkt an g(e)prät, Koll. zu brât.
5697 f. S. Thesmoph. 215 ff. Hunc ego, quisquis is est, etiam si rustica quaevis det sibi mensa cibum, quae nil curabile curat, non magis esse velim me, quam qui candida rodit principis ad mensas abrosis carnibus ossa.
5699 ff. Zum Ärger der Hunde, die nach Frau Else fürchten zu kurz zu kommen: f. Lübbens nd. Tischz. 426, 27 Du enscalt den knoken nicht gnagen also ein hund und schon Helmbr. 1564 ff. ob der hunt iht nüege nâch in ab dem beine? Daz tet er vil kleine. Vgl. auch Thesmoph. 212 ff. in der Anm. zu 5729 f.
5703 f. an und an = „immerfort"; f. 5869 und die Anm. zu 3612, ferner Neidh. Fuchs 1277 Nun trinckend an, mein liebe kinde! und Keller, Faſtnſp. 275, 32 trinkt

an, ich thu sein nit vor euch! — 5704. „Bis sie die andern (Gäste) eingeholt hatte" (natürlich im Essen).

5711 f. S. zu 142. Kirchhofer vermerkt (Wahrh. u. Dichtg., S. 253) als Schweizer Sprichwort: S' ist auf der Welt kein besser Ding als Kabiskraut und Schwinis drin. S. Helmbr. 867 ff. (u. Keinz u. Lambel z. St.) und bes. Helbl. 1, 943 ff., ferner Gedichte des Königs vom Odenwalde (E. Schroeder) 9, 47 ff. Vom swine kument veizte krut: sie ezzent brütgam unde brut. Ez ist ein gewonlicher sit: man bezzert alle kost damit und M. Manuel, Barbali (Baechtold), S. 199, 1849 da wirt es speck in d' rüeben gen. — greuben wie 5739: grübe vermerkt Lexer auch aus des Teufels Netz 8980.

5713. Zuerst geht es über das Kraut, dann (5871 ff.) — nach einem tüchtigen Trunke — über die Fische. S. zu 2906.

5714 ff. Hofleich: ironisch. Zu die finger laitens ... ein tail dar ein (b. i. in die Schüsseln) s. etwa Lübbens nd. Tischz. 425, 34 f. Du enscalt nicht den dumen in den beker slan und Köbel 117 ff. Empfechst du ein schol von yman, so ... stoß kein daumen oder finger dor ein. — verzettents halb „verstreuten es zur Hälfte". S. BWb. 2, 1159 und H. Fischer, Schwäb. Wb. 2, 1427 f. („Flüssiges tropfenweise fallen lassen"): vgl. Fischart, Garg. (Alsleben), S. 148 Allein trag auff, zett nicht! S. auch E. Weller, Dichtungen des 16. Jhdt.s Nr. 6, S. 45 der hat sein synn wol halb verzett. Zu 5718 ff. (und überal farbloses Zeilenfüllsel) vgl. 5763 ff. Geris Vorgehen, Köbel 27 f. Das essen züchtiglich dar setz, mit verschütten du nieman letz! und Scheidts Grob. 1619 ff.

5729 f. Zur Verwendung der hohlen Hand statt des Löffels vgl. Metz. Hochz. 190 ff. In warent allen die finger nasz also nach zu der hant, daz man wol dar an erkant, welher lai spisz si hetten gaz (s. Meier Betz 168 ff.), ferner Roß. Tischz. 87 ff., Tanh. Hofz. 53 ff., nd. Tischz. (Geyer, S. 13) 69 f., Fassung v (Geyer, S. 15) 51 ff., Köbel 89 ff., Narrensch. 110 a 131 ff. und Thesmoph. 212 ff. Quidam si piperis capiunt in flumine pisces aut in salsarum tingunt acrumine carnes, plus digitis quam pisce bibunt vel carne liquoris. Hunc ego ... non magis esse velim me quam qui candida rodit principis ad mensam abrosis carnibus ossa. Sed quicumque velit nullos offendere visus, quam decalvato non vellet in osse morari, tam detestetur digitis haurire. — sam vor z. tilgt schon Bleisch S. 60. Zu zerleich der Hf. wäre vielleicht auf DWb. 15, 474 f. und H. Sachs, Fastnsp. (Goetze) 5, 155 leben frölich vnd z. (: ehrlich) u. a. zu verweisen.

5731 ff. S. zu 440 und zu 652 ff.; jagen wie Metz. Hochz. 224 (M. Betz 194).

5735 ff. Diese Jagd nach dem Essen wiederholt sich bei den Fischen 5874 ff. und bei den Eiern 6024 ff.: s. Wälsch. Gast 507 ff. Man sol ouch niht sîn ze snelle, daz man tuo mit sîme gesellen in die schüzzel sîne hant (s. Kato, Tischz. bei Zarncke, S. 137, 293 ff. und Keller, Hofz. 542, 16 ff.), Tanh. Hofz. 133 ff. ob daz geschihet, daz man muoz drin setzen eín schüzzelîn, in wirdet aller zühte buoz, grîfents mit ein ander drîn, Köbel 47 ff. wan du ißt mit einem man auß eíner schüsseln ... hat er darin die hende sein, so stoss dein hende nit darein! Siegb. Tischz. 77 ff. wan dyn gesell yn de schüttel tast, de wele saltü hoeslich beyden, Lübbens nd. Tischz. 426, 19 f. Wan din kumpan de hant in der schottelen heft, so enscaltu dine hant dar nicht to beden und Thesmoph. 113 f. manibus scutella duabus intrari pariter, quamvis sit et ampla, recusat, auch Scheidt, Grob. 693 ff. u. 2771 ff.; dagegen in Fassung v (Geyer 16) 85 f. Selbander machtu wol greiffen ein, wo der leut vil umb die schüssel sein.

5739 f. Vgl. das Vorgehen des Reuschindhell 5887 ff.; in Metz. Hochz. 216 ff. (f. M. Betz 188 ff.) vertilgt man zuerst die Würste und läßt das Mus stehn. S. dagegen Konr. v. Haslau, Jüngl. 570 ff. maneger in der schüzzel wandelt und smückt daz beste in sînen munt, Kinderzucht (Geyer 28) 77 f. Was dir am nechsten leüt, das yß vnd klaub nit herauß die gûten byß, Kato, Parodie, S. 148, 124 ff. grab in der schizzel hin vnd her nach dem aller besten stuck usw., H. Sachs bei Geyer S. 30, 19 Thu nicht inn der schüssel umbstürn, S. 31, 15 Thw nach keim schleckerpislein zwacken, auch Scheidt, Grob. 759 f. u. ä.

5741 ff. S. Metz. Hochz. 176 ff. Do baisz vil manig qualle in den speck, daz im sin bart mit ain ander smaltzig wart (M. Betz 151 ff.) und Fassung v bei Geyer S. 17, 97 ff. Beklen dich auch nicht vmb den munt oder du wirdst geleicht ainem hunt, der da heisset Wischenpart, auch Kinderzucht bei Geyer S. 28, 52.

5745 ff. Das scherzhafte Bild des beladenen Erntewagens wird festgehalten (f. 5777 f.): ähnliche Hyperbeln sind heute noch zu hören wie „Fuhren" von Speisen, „aufgeladen haben" = betrunken sein u. dgl. S. dagegen v bei Geyer S. 15, E nach 40: Scheub zu massen in den mund und ebb. 89 Vas auf den löffel nicht ze vil! Ähnlich H. Sachs ebb. S. 30, 21, S. 31, 17 u. S. 32, 33.

5753. S. dagegen Thomasin, W. Gast 505 f. man sol ouch daz gerne wenden, daz man nien ezz mit bêden henden.

5755. ein gauffen vol: f. Stalder 1, 429 gauff „so viel, als beide hohle Hände in sich fassen mögen" (vgl. oben 5729 u. 53), SJb. 2, 127 und BWb. 1, 875, Sterz. Sp. 24, 281 ain gaffn voll. Das DWb. 4, 1, 1, 1587 f. belegt ein gaussen vol aus Franks Weltbuch; f. auch BWb. 1, 947 Gausen.

5756. Mit Bezug auf den Scherz 5749: übrigens eine Redensart, wie die Stellen aus M. Fr. u. Berth. bei Lexer 3, 951 u. witeren lehren.

5758. Vielleicht ist da her in m. schl. zu lesen.

5759 ff. Über Geri f. zu 1150. S. Roß. Tischz. 25 ff. Mit schüzzeln sûfen niht enzimt usw., ganz ähnlich Tanh. Hofz. 37 ff., Katos Tischz., S. 138, 313 u. Lübbens Tischz. 426, 30 f. — 5762. „Habt ihr's (das Kraut) gefressen, so will ich's trinken." frass (Ausg. S. 335): f. dagegen fressen 5494, gefressen 1147 u. 6978.

5763 ff. S. H. Sachs, Tischz. bei Geyer, S. 30, 37 Setz hübschlich ungeschüttet nider und bei. Scheibt, Grob. 534 ff. wann du etwas nider stelst ... so setz das so subtilig nider, daß es spring auß der platten wider vnd schwimm da auff dem disch herumb, daß jederman sein theil bekumb, vnd alle gest bespritzen thuo, worauf, 5766 entsprechend, folgt so lach dann erst wol fein darzů.

5767 = 8842; 8925 steht in derselben Zeile so für do; s. auch 8769 u. 9352, alle mit der Reimformel ich waiss nicht wie gebunden. S. zu 552. sauften ... auf (s. supfen 5770): sonst unbelegte Verbindung; st. Prät. suffend 5847.

5771 ff. Das Tischtuch liegt im Grase (s. 5554 ff.). S. die nd. Tischz. bei Geyer 103 f. Knoken, kromen de legget by vnde wat uppe deme dische nicht nutte si und Häßl. 2, 71, 160 ff. er sol nit vil vor im lassen vinden, weder prosem noch die rinden noch chainer cost sunst vil.

5775 ff. Etleich: s. Bleisch S. 60. — gezogen ironisch: s. zu 5265. — pürdin: s. Ausg. S. 335 und auch die Stelle aus Platter Mhd. Wb. 1, 154a 11. Die Tischzucht verbietet, sich über die Schüssel zu beugen. S. Konr. v. Haslau, Jüngl. 564 f. er biugt den rücke, swenn er sich habet durch ezzens gir über die schüzzel, ferner Roß. Tischz. 31, Tanh. Hofz. 41, Häßl. 93 und Kato S. 138, 315.

5779 ff. S. Brant, Narrensch. 110a 41 ff. etlich die sind also ful, wann sie den löffel zů dem mul dünt, hencken sie den offnen trüssel vber die blatten, můsz vnd schüssel. Was inn entfallet dann dar nyder, das selb kumbt in die schissel wider und Scheidts Grob. 2826 ff. So ist ein grobheit ... daß du das kraut nemst auß dem drüssel vnd werffst es wider in die schüssel. Zu 5783 f. s. Köbel S. 63 f., H. Sachs bei Geyer S. 30, 29 kew mit verschlossem mund, ganz ähnl. S. 31, 25 u. S. 33, 49.

5786. S. zu 5729 f. und Modus cenandi 99 In mensa non commaculet ... palmas.

5789 f. S. Fassung v bei Geyer S. 16, 95 f. Du solt nicht betrauffen dein gewant, Kinderzucht ebd. S. 28, 55 f., H. Sachs ebd. S. 30, 22, S. 31, 18 u. S. 32, 34, Brant, Narrensch. 110a 37.

5793 f. S. zu 391.

5796 ff. Modus cenandi 103 f. gebietet: si casu cadat a mensa panis, caro, piscis, mense ponatur, iterato nec comedatur, Thesmoph. 169 ff. dagegen: Nec ... collapsam, quamvis dilexeris, escam restitues disco vel avari dentibus oris procedens tribues, ne culpa priore paretur posterior fiatque pudor de simplice duplex. Sed si sanandi vis vulneris esse chirurgus, sit, quasi non fuerit, iaceatque procul, quasi non sit.

5806. S. Roß. Tischz. 32 ff. Swer ... gar unsüberlichen snabt mit dem munde rehte als ein swîn (s. 4860!), der schol bî anderm vihe sîn, ganz ähnlich Häßl. 94 ff., Tanh. Hofz. 41 ff.: hier auch der Ausdruck smatzet; dieser und der Vergleich

mit dem Schwein kehren in solchem Zusammenhange immer wieder: f. Faſſung *v* bei
Geyer S. 17, 103 ff., Kato S. 138, 315 ff., Kinderzucht (Geyer S. 28) 51,
H. Sachs ebd. S. 30, 11 nit schnaude oder sewisch schmatz (wie R. 4860), S. 31,
7 u. S. 32, 15, nd. Tiſchz. (Geyer S. 13) 31 f. Wil gi nicht doyn also eyn swin,
so latet iuwe smacken sin, Lübbens nd. Tiſchz. 426, 34 du enscalt nicht smackende
eten als ein mesteswin, f. ferner Köbel 195 f. wer schmatzt oder schnaufet, wann
er yßt, seyner zucht er do vergyßt und Stans puer ad mens. 23 nec disco sonitum
nimium sorbendo patrabis, Narrenſch. 110a 100 ff. Nahe ſteht auch die Vorſchrift
Roß. Tiſchz. 43 ff. swer snûdet als ein wazzerdahs und smackitzet als ein lahs, so
er izzet . . . wie gar sich der zuht verwigt, ganz ähnlich Tanh. Hofz. 61 ff., *v* 107 ff.,
Hätzl. 97 ff. u. Kato (f. o.) 319 ff.

5809. S. zu 1447.

5810 f. Im Inhalte vgl. 5707, 5961 ff. u. 90 ff. – von not: weil ſie vollauf mit
dem Eſſen zu tun hatten. S. zu dieſem wüſten Geſchrei der Gäſte W. Gaſt 476 f. Der
gast der sî sô gevuoc, daz er tuo diu glîche gar, sam er dâ nihtes neme war! und
Siegburg. Tiſchz. 52 ff. oeuer thaiffellen enheisch neit.

5812. S. 6469 f. u. 74 (Anm. zu 102), auch 8972 u. BWb. 1, 1199 (jebem).

5816 ff. S. Faſſung *v* bei Geyer S. 19, 155 ff. sie sullen nicht luegen wider
vnd für zu dem venster aus vnd hinter die thür. Sie sullen stat nemen war vnd
mit den augen luegen dar, auff dem tisch wes da sei not. – Zu niemant anders
f. DWb. 7, 826, 5. – deren iſt im R. vereinzelt: f. zu 5374 und Weinhold, Alem.
Gr. S. 462.

5823 ff. S. Thomaſin, W. Gaſt 474 f. ein iegelîch biderb wirt der tuo war,
ob si alle habent genuoc und *v* (Geyer) 163 ff. vnd wen er (der Aufwärter) es
alles nicht thuet, so sol man in streichen mit der ruet: da mit macht man sie
pehendt. W.s Tiſchdiener gehn in ihrer Unbotmäßigkeit noch weit über die Ratſchläge
in Scheidts Grob. 1547 ff. hinaus.

5832 ff. enzwer: in die Hüfte? S. 8956. – Zu 5834 vgl. Euling, Wolfenb.
Hſ. 2. 4. Aug. 2°, Nr. 212, 5 den solt man altag zwir arßpossen und DWb. 1,
566. E. Weller, Dichtungen des 16. Jhdt.s, Nr. 2, S. 11 es erhub sich ein groß
arßbossen.

5838. S. zu 24.

5842. Das Sprichwort duo sunt exercitus uni (f. Yſengrimus, II, 311, Ausg. v.
Ernſt Voigt): f. Benecke zu Jwein 4329, Singer, Alte ſchweiz. Sprichw., Nr. 320
und Wolfdietr. A 374, 2 zwên sint eines her (: wer), ebenſo Apollonius (Singer)
8016, auch E. Thiele, Luthers Sprichwörterſammlung, Nr. 474 zween hunde beissen
einen und H. Bebels Prov. Germ. (Suringar) Nr. 168. Bei W. iſt altes her miß-
verſtändlich durch herren erſetzt. S. E. Voigt z. a. St.

5847 ff. S. Metz. Hochz. 157 f. si suffent und trunckent, daz in die zung

hunckent. Do tranck maier Nasentropf uz ainem quertigen kopff, daz man an-
drost schencken must. S. die Anm. zu 144 u. zu 223.

5853 f. S. H. Sachs, Tischz. bei Geyer S. 31, 62 Ans tischtuch soll sich nye-
mand wischen (f. ebd. S. 32, 52 u. S. 33, 82). Ferner steht Facetus 30 nec mappa
tergas nasum madidum tibi sorde und 31 nec tergas mappa dentes oculosve
fluentes, wozu Roß. Tischz. 49, Tanh. Hofz. 58, Köbel 193, Kinderzucht 73 f., Katos
Tischz. S. 138, 299 f. u. 323 f., Hätzl. 101 f., Kellers Hofz. 543, 5 ff., Lübbens nd.
Tischz. 427, 33 f., Narrensch. 110a 133 ff. und Scheidts Grob. 3012 ff. u. 3101 ff.
zu vergleichen sind.

5855 f. S. 5265 und Facetus 49 Mensa tibi cubitum numquam sustentet edenti,
sed recte sedeas: in g¹ 339 ff. Wann du sitzest ob dem tische din ... biz wol-
gezogen noch stur dich nit uffen ellenbogen, also mit denselben Reimen wie die
R.-Stelle. S. ferner Roß. Tischz. 55 f. Leint iuch niht ûf den ellenbogen, sitzt ûf
geriht und niht gesmogen und ganz ähnl. Fassung v 81 f., Kato S. 139, 335 f.,
H. Sachs bei Geyer S. 30, 42 ff., S. 31, 39 f. u. S. 33, 85 f., nd. Tischz. (bei
Geyer) 35 f. Leget yu nicht uppe den ellebogen, wil gi wesen wol getogen, Köbel
221 ff., Siegburg. Tischz. 105 f., Lübbens nd. Tischz. 425, 12 ff., Narrensch. 110a
135 ff. und Scheidts Grob. 3057 ff.; zu 5855 vgl. auch Roß. Tischz. 52, Tanh. Hofz.
105 f., Kellers Hofz. 542, 26 u. Ut te geras ad mensam 19 in mensa cubitum
ponere sit vetitum.

5857. Wie unser „hatte er's überstanden".

5860. sorfent (f. Ausg. S. 336) bezeichnet eine Unart beim Trinken, die Narrensch.
110a 102 f. gerügt wird: wann man so sürfflet durch die zen, solch drincken gibt
eyn bösz getön. Das ironische gfuog verrät den Grad dieses Tuns. Im BWb. 1,
824 wird Also frent (fremb) vermutungsweise vorgeschlagen, eine sonst unbezeugte
Form, Bleisch S. 14 denkt an frein = „artig, hübsch" (Stalder 1, 395), das zum
folg. gefuog wohl paßte: doch fragt es sich, ob dieses frein so früh und so ferne von
Bern (f. DWb. 4, 1, 1, 118) angesetzt werden darf.

5863 f. S. Lübbens nd. Tischz. 426, 2 f. du enscalt nicht na lickemulen alse ein
bose piper, de den dans vorderft heft und H. Sachs, Grob. Tischz. 51 ff. schlag
dein zungen aus dem mund eben gleich aim flaischackerhund vnd leck dich vmb
das maul herumb, das dir nichs zv vnuecz hin kumb. Zu 5864 vgl. Metz. Hochz.
163 der der süri nach tranck.

5865 ff. Fast wörtlich aus Metz. Hochz. 354 ff. übernommen: si fülten sich mit
schalle, untz mangem do der gürtel brach, daz doch den wisen nie geschach.
Die warent wisz und cluog: si gurtent sich gefuog und aussen dabi fürsich an,
bisz in der gürtel recht kan. S. dazu Facetus 131 Baltea laxabis, ad mensam
quando meabis, ne sedeas maeste vel dissolvas inhoneste, Roß. Tischz. 15 f. Welt
ir niht sitzen als ein gouch, so entlâzt den gürtel umb den bouch! Ganz ähnl. nd.

14 D. L. Kommentar zu Wittenwilers „Ring"

Tifchz. (Geyer S. 12) 17 f., Tanh. Hofz. 125 ff. Swer ob dem tisch des wenet sich, daz er die gürtel wîter lât ... er ist niht visch unz an den grât und Lübbens nb. Tifchz. 427, 11 f. du scalt din gordel losen, er du to der tafelen geist, unde nicht over der tafelen, wie es bei W. die Schlauen machen. Helmbr. 1152 f. berichtet der Held erbost: er lie die gürtel wîter baz, do er saz ob sînem tische; f. auch Weinfchwelg 346 ff. dô huob er ûf unde tranc einen trunc ... der wert unz an die wîle, daz im diu gürtel zebrast, Kellers Faftnfp. 239, 16 ff. und han mich oft gefressen vol, das mir der gurtel am pruch zuprach und Fifchart, Garg. (Alsleben) S. 144 Trincken, daß jhr ... zersprängt die rincken. Vgl. noch Rosegger, Waldheimat 1, 324 Wie wir die Gürtelsprenge haben gehalten. Mehrfach in Scheidts Grob.: fo 608 ff. löß vorhin die nestel auff vnd laß dem bauch sein rechten gang ufw., 613 ff. Doch so du eingenestelt bist vnd dir der bauch gewachsen ist, so nestel dich nit auff zu mol, das wer zu grob vnd stünd nit wol, 820 ff. Ob du hetst ... den bauch gefült vnd eng gemacht, so nimb deiner gesundtheit acht vnd nestel dich mit müssen auff und 2933 ff. So dir der gürtel ist zu eng, so löß jn auff nach gûter leng vnd nestel dich fein auff darmit, so springen dir die seiten nit. — Zu drunkend ... an f. D.HV. IV, 2, S. 337 zu Wolfdietr. D VIII, 325, 3.

5873. chredentzet wie 8340 in der urfpr. Bedeutung (f. chosten 5876): bezeichnenderweife ist es der Apotheker, der das Vorkosten beforgen will; Fifche fordern Vorficht: f. 5926 die toten (d. h. verendeten) fisch als verdächtigende Äußerung eines Gaftes und das Sprichwort 9630.

5874 ff. S. Thomafin, W. Gaft 497 f. ein man sol niht sîn ze snelle, daz er neme von sîme gesellen, daz im dâ gevellet wol, wan man sînhalb ezzen schol und Scheidt, Grob. 694 ff. ... soltu der erst in d'platten greiffen vnd nemen rauß bey gûter zeit das best, an welchem ort es leit u. ähnl. 713 ff. Zum Ausdruck vgl. die Anm. zu 652 ff., zu streben f. die zu 215.

5881. legen (das Genitiv-s fehlt wegen des voraufgehenden des andern) für: f. fürlegen in Scheidts Grob. 715. Zum Inhalt f. Köbel 93 ff. Soltu mit einem ein stuck fisch essen, so soltu des nicht vergessen: spalt in zwei teil das stück eben und solt ein stuck furbas geben ufw.

5882. sam ich es spür: wie 6629.

5883 ff. hietten: irrealer Konj., wie 5885 lehrt. Die Fifche kamen, durch Querfchnitte zerlegt (f. 5888, 99 u. 902), auf den Tifch. Sache der Gäfte (f. zu 5881) und nicht der Aufwärter war es, ein folches Stück noch der Länge nach (enmitten) zu zerteilen, wozu aber kein Meffer benützt werden durfte (f. zu 5694).

5887 ff. duch (= tuc) wurde erft durch Korr. in der Hf. entftellt. — hin an wie 5877. — Zu 5892 vgl. im Ausdrucke 2949.

5895 ff. S. Facetus 156 Desipis, in caccabum si morsa frustra retrudis, Roß. Tifchz. 79 ff. Ich wæn iz ouch niht wol stât, swer daz bein genagen hât und iz

wider in die schüzzel tuot, ganz ähnlich Tanh. Hofz. 49 ff., Kato, Tischz. S. 139,
346 ff., nb. Tischz. (Geyer S. 13) 59 ff., Häzl. 2, Nr. 71, 164 ff., Faffung v
(Geyer S. 17) 121 ff., Köbel (ebb. S. 25) 55 ff., Narrensch. 110a 51 ff. Ettlich
die küwen jn dem mundt vnd werffen das von jn zů stund vff dischlach, schüssel
oder erd ... Wer von eym mundtfol gessen hat vnd legt den wider jn die blatt
usw. und Grob. 775 ff. Hastu etwas für dich genomen, das dir nit gar will wol
bekomen ... würffs in die schüssel, daß es schmatz ... oder behalts in deinen
henden, benags, benaschs an allen enden: hast du sein gnůg vnd bist sein satt,
so schmetters wider in die platt usw., s. auch v (Geyer S. 16) 59 ff. was aus dem
mund gat, das man vor besaifert hat, das ist alles ungenæm und den leuten
widerzæm. Schon Thomasin lehrt im WG. 479 ff. swelich man sich rehte versinnet, swenner ezzen beginnet, so enrüer niht wan sîn ezzen an mit der hant.

5897. also gantz: s. 6064.

5903 f. seim pruoder: s. 5340 f. — Zu 5904 vgl. Disciplina clericalis des Petrus
Alfonsi (Hilka und Söderhjelm) 40, 21 f. Nec glucias bolum, priusquam bene fuerit
commasticatum in ore tuo, ne stranguleris, Faffung v (Geyer S. 16) 57 f. Was
du in den munt wild schieben, das soltu vor prechen vnd klieben, Kinderzucht 64,
Häzl. 177 du solt unkewes schlinden nicht, Kato, Parodie (S. 148) 114 ff. scheub
in deinen drizzel als groz klampen als ain saw, ähnlich H. Sachs bei Geyer S. 32,
40, Siegburg. Tischz. 30 ff. (sich dat) ... de stücke syn so cleyn, dat dü sy tzo
eyner stont stechen machs in dynen mont.

5906. Sonst bedeutet den hals abstözen „das Genick brechen". S. DHB. IV, 2
(Ortnit u. die Wolfdietriche) S. 330, VI, 12, 2. Aber die Phrase W.s ist nicht bildlich zu verstehn wie etwa unser das bricht ihm den Hals (DWb. 4, 2, 246), wenn der
Dichter auch ähnliche mit hals = „Leben" wohl kennt (s. 8707 f. u. 8835), sondern
eigentlich, vom Ersticken durch die Gräten. S. Ausg. S. 336.

5908. Zarter got: s. zu 3143 u. Schweiz. Wernher, Marienleben 465, H. v.
Bühel, Königstocht. 965, 1417 u. 4572, Keller, Faftnsp. 594, 13.

5909 f. S. zu 1219 u. Brant, Narrensch. 3, 4 so er zům finstren keller fart
(s. Zarncke z. St.) u. 55, 6 so fert der sich gön dottenheym, Rollenhagen, Froschm.
1, 2, 11, 143 f. die sel fur mit angst und trübsal in einem grim ins finster tal. —
Schläuraffen land: s. z. B. Narrenschiff 108, 6 u. Vocabularius ex quo von Etten-
heim-Münster zu Karlsruhe (F. J. Mone, Anz. f. Kunde d. deutsch. Vorz. 8, 615):
Alphie, dütsche berge zwüschent den Dütschen und den Walhen, proprie der
Sluraffen land (Joh. Pöschel, Beitr. 5, 418 ff.). Unsere R.-Stelle, die hier wie in
Zarnckes Kommentar zu Brants Narrensch. S. 456 f., im BWb., bei Lexer und
DWb. 9, 495 ff. übersehen wurde, ist, wie es scheint, das erste Zeugnis für Vorstellung
und Benennung des Fresserelysiums.

5912. S. H. Sachs, Faftnsp. (Goeze) 4, 276 den Fluch: Ich wolt, du legest inn dem Necker mit deinem Balg! Daß mit W.s Neker der toggenburg. Fluß dieses Namens gemeint sei, hat G. Scherrer, Kl. Toggenburg. Chron., S. 113 f. erkannt. In seiner Nähe liegt also Lappenhausen.

5915 ff. Sprichwörtlich? Wenigstens der zweite Teil gemahnt an Renner 1549 f. swer kriegen wil und kriegen sol, der bedarf guoter friunde wol. Dazu vgl. H. Bebel, Prov. Germ. (Suringar) Nr. 354 Cum multis pugna ineunda est: cum paucis consultandum und die Nachweise z. St.

5920. Eine andre List, beim Mahle zu dem Seinigen zu kommen, s. in Scheidts Grob. 725 ff.: bef. 736 f. Biß sie auß der materi komen, hastu dein theil hinwegk genomen.

5922 f. lieder: s. der singer 5934, singen 5943 und lied 5935, dagegen 5928 tädinch und sait. Guggoch bringt aber kein eigenes Gedicht aus dem Sagenkreise Dietrichs von Bern, sondern wählt das ungemein volkstümliche Eckenlied (5929 f.) zum Vortrage. Schon im Renner 10307 ff. lesen wir: swer von hern Dietrîch von Berne dâ sagen kan und von hern Ecken... für den giltet der man den wîn und in Scheidts Grob. 2259 f. erscheint unter den Gesprächsstoffen der Kneipbrüder Sigenot, der Berner und Wolfdietrich (A. Hauffen, Kaspar Scheidt, S. 60, Anm. 1). S. Singer meint in der Literaturgesch. d. deutsch. Schweiz im Mittelalter, S. 39 f., das Eckenlied sei im 14. Jhdt. aus dem benachbarten Tirol in die Schweiz gekommen. Konr. v. Ammenhausen beginnt im Schachbuch 19233 sein Akrostichon mit Dô Egge Dieterichen vant und im ältesten deutschen Jahrbuch von Zürich (Mitteilung. d. Antiquar. Ges. in Zürich II, S. 50) heißt es: Anno domini CCCCC, umb daz selbe zît rîchsnôte Dietrîch von Bern, von dem die pûren singent, wie er mit dem wurme hab gestriten und mit den helden gefochten (geschr. nach 1339). Klingenberger Chronik (A. Henne) S. 190 Dietrich von Bern, von dem die puren singen... Des Teufels Netz 11758 f. spottet über die ungelehrten Priester: So er also predien stat, wie Egg Dietrichen sluog (mit höhnischer Umkehrung). Während beim Hochzeitsschmause ein sangeskundiger Bauer die Gäste durch den Vortrag des Liedes von Dietrich und Ecke ergötzt, erscheinen in den auf die Hochzeit folgenden Kampfszenen der Berner und sein Gegner leibhaftig als Mitstreiter der Bauern und es klingt geradezu an den Inhalt des Eckenliedes an, wenn 9030 ff. Egge von Dietrich in Stücke gehauen wird. S. Uhland, Schriften 8, 369. Dergleichen Unstimmigkeiten bekümmern den Dichter offenbar in keiner Weise.

5925 f. S. zu 632 f. Über toten s. zu 5873.

5929 f. Die Eingangszeilen des Liedes von Ecke: Ez sâzen helde in eime sal, sî retten wunder âne zal von ûzerwelten recken mit leiser Umbiegung zur Parodie (assen für retten mit Binnenreim : sassen), wie schon Uhland, Germ. 1, 330 erkannte. Jul. Zupitza erblickt (Prolegomena ad Alberti de Kemenaten Eckium S. 39 und

Anm. zu Eckenliet 1, S. 289) in W.s Zitat einen Beweis für die Unechtheit der ersten Strophe.

5931. Et cetera im Zeileneingang auch 6279, 6356, 6446, 7108, im Zeilenschluß dagegen 9254.

5932 f. loser = „Zuhörer"; aufessen ist in den mhd. Wbb.n. nicht belegt.

5939. jukket vermutet schon Bech (Lexer 2, 64 unter nicken): f. 7173 gejuket, das chratzlen 6452 aufgreift. DWb. 4, 2, 2349, 4 b. Gemeint ist eine Gebärde der Verlegenheit und des Ärgers: f. H. Sachs, Fabeln und Schwänke (E. Goetze) 1, Nr. 73, 44 vor scham ich in dem kopf mich kratzet. Ebenso 178, 62 u. 6, 148, 42. – in dem grind: f. 6547 u. 9273, zur Bedeutung SJb. 2, 760 ff. u. DWb. 4, 1, 6, 370 u. 3. – Inhaltlich vgl. Facetus 53 aut caput aut aliud membrum tibi scalpere noli! (in w 296 jukch dich nicht), Tanh. Hofz. 109 f. Ir sült die kel ouch jucken niht, sô ir ezzt, mit blôzer hant, Faffung v (Geyer, S. 16) 63 f. Jucken vnd kratzen niemant sol ob dem tisch, Köbel 197 ff. Vber tisch nit krau dich ... auch greif nit ... vf daz haubt, Kinderzucht 15 Nit kratz dein haupt, so man es syecht, H. Sachs bei Geyer, S. 32, 49 u. S. 33, 79, Brant, Narrensch. 110a 127 ouch der sich kratzet in dem grind, Siegburg. Tischz. 113 ff.

5940. Ich pins ein kind: dieses für das heutige Sprachgefühl überflüssige ez (f. Benecke zu Jwein 2611) ist bei W. nicht selten: f. die Zitate im BWb. 1, 160 f. u. außerdem 1129, 1346 u. 50, 1424, 2295, 2341, 45 u. 49, 2560, 2823, 3444, 4198, 4214, 6341 u. 42 u. 7025. Über die Redensart f. J. W. Zingerle, Das deutsche Kinderspiel im Mittelalter, S. 52, Anm. 1 und die Anm. zu 6912 ff.

5946 ff. Lage und Ausdruck erinnern, vielleicht zufällig, an Renner 5193 f. swem aber daz herze beginnet sinken, sô er die geste siht ezzen und trinken ...

5950 ff. S. 5035 f., ferner Facetus 108 Raro conviva, ne consumptis cito rebus in brevibus fias mendicus inopsque diebus und Kato (Zarncke) 31, 74 f. habe wirtschaft selten; du solt schallen ze mâze, daz dich daz guot iht lâze.

5954. S. Scheidt, Grob. 2931 f. So haben wir dich vor gelert, waß artzeney darzů gehört.

5961 ff. In Kellers Fastnsp. 524, 5 ff. sagt der Ritter mit der Glatze: Paur, du pist unkeusch in der keln. Wirst du der ploßen erden feln mit dem außspeien, so sag ich dir, das du den sal must raumen schir, worauf die Bemerkung folgt: Markolfus wirft dem glatzeten ritter auf den kopf. — S. Tanh. Hofz. 129 ff. Swer ob dem tische sniuzet sich, ob er ez rîbet an die hant, der ist ein gouch, v (Geyer, S. 16) 83 Schneutz dir nicht mit plosser hant, H. Sachs bei Geyer, S. 31, a 55 und b c 45, S. 33, 75 und die unflätige Stelle 905 ff. in Scheidts Grob.

5968 f. aus dem trom: f. zu 816. In Metz. Hochz. 197 ff. (M. Betz 175 ff.) spielen Würste beim Hochzeitsmahle eine große Rolle.

5970. gsunde: ironisch wie artzet 5975 mit Bezug auf 5958.

5974. du weist nit wie: an Stelle eines derben Attributs, das lieber unterdrückt wird. Zu diesem chnecht vgl. 1472, 3685 f., 3729 f., 4214 f., 5213, 5472 f. u. 6153. **5976.** Weit verbreitetes Sprichwort: f. Wander 1, 244, Bauch 1 u. 245, 5 u. 6, Zingerle, Sprichw., S. 16 f., S. Singer, Alte schweiz. Sprichw. Nr. 23, Freidank 125, 11 f. und W. Grimm S. C (zur R.-Stelle vgl. bef. Diut. 1, 324 ûf vollem bûche stât gerne vrœlîch houbet) und Bezzenberger z. St., ferner Boner LXIII, 36 ff. wie möcht mîn herze wesen vrô mit lærem bûch? usw. und, der R.-Stelle ganz ähnlich, Teufels Netz B C nach 676 und die Randglosse in Scheidts Grob., Ausg. von Milchsack, S. 35.

5978 f. Die höhnische Bemerkung sieht aus wie eine Verdrehung des Gebots Fassung *v* (Geyer, S. 15) 13 f. An deinem tisch bis milt und fro, an frömder stat tu nicht also!

5981 f. Sehr ähnlich 9278 f. Zu 5982 vgl. H. v. Bühel, Königstochter von Frankr. 2134 umb und umb an allen orten. — Bertschis Zurüstungen in Speisen und Getränk reichen nicht aus (vgl. 5994 ff., 6094 u. 6101): f. dagegen Thomasin, W. Gast 474 f. ein iegelîch biderb wirt der tuo war, ob si alle habent genuoc und bef. Tanh. Hofz. 209 ff. diu wirtschaft ist gar enwicht, swâ diu spîse ist kranc ... Swer machet eine hôchzît, dâ mac kein wirtschaft sîn ... dâ ensî guot brôt unde wîn und Hätzl. 2, Nr. 71, 39 ff. Ain wirt sol auch versorget sein mit tranck, pier, wasser und wein. Was den gesten gefall wol, das selb man resch haben sol.

5983 f. Vielleicht nach einer Redensart: f. Fischart, Garg. (Alsleben), S. 61 auch die Fliegen ... müssen hungers sterben, wann sie ... auß Nußschalen trincken. Aber Stellen wie 27 vier vnd viertzig Nussel Wein, 123, wo unter andern Trinkgefäßen Nussen und Nüsseln (DWb.) erscheinen, und 434 Trinknuß zeigen, daß kleine Gläschen so benannt wurden. Die R.-Stelle ist wörtlich zu nehmen. Nußschale als Maß für Arzneien f. bei J. Haupt, Über das md. Arzneibuch des Meisters Bartholomaeus, S. 94 f. (542 f.). — ein erleich guss: f. 6103 und die Stelle aus dem Tagebuch des Schaffhausers Hans Stockar bei E. Hoffmann-Krayer, Schweiz. Arch. f. Volkskunde 1, 50 und schankt man inen erlichen.

5985 ff. S. ZfdA. 50, 268 f. — **5988.** „Das Unheil verlangt Abhilfe": daher der Miniaturbecher und die vier Eier für sämtliche Gäste. In Kellers Fastnsp. Nr. 104 beschweren sich die freß- und saufluftigen Gäste über die karge Bewirtung wie die W.s; der Wirt schiebt alle Schuld auf die Nachlässigkeit des Koches und die Gier der Gäste; f. 768, 34 ff. Wer sülch gest wollt erfülln, der müst zufürn auf schiffen und zülln. Was man in möht dar getragen, das fressens alles in irn kragen. Und scholt ich in fülln irn darm, si machten mich in eim tag arm.

5991. Lieber wirt, nun trag her wein! in Kellers Fastnsp. 488, 17 der Anfang eines Liedes. Vgl. auch O. v. Wolkenstein (Schatz) 43, 1 f. her wirt ... trag auff wein usw.

5992. Pisces natare oportet f. Petronius 39: Otto, Sprichw. d. Römer 280, Seiler, Das deutsche Lehnsprichw. 1, 131. Die Redensart ist weit verbreitet: f. Wander 1, 1029, 34 und Singer, Alte schweiz. Sprichw. Nr. 67. Jn 6165 wird scherzhaft auf fie Bezug genommen. S. auch Fischart, Garg. (Alsleben), S. 126 Ich hab ein Igel im Bauch: der muß geschwummen haben.

5993 ff. S. zu 5060 u. 5844 ff. Über schlechenwasser f. Hagelstange, Süddeutsch. Bauernleben, S. 124.

5998. S. Folz, Von allem Hausrat (Keller, Fastnsp., S. 1218) Ein saure milch zu dem geproten kan man pein gesten hart geroten.

6001. S. Facetus 48 si ... cifum capias, adverso non bibe dorso, auch 137, 2 si stes vel sedeas, nulli debes dare dorsum u. Keller, Hofz. 542, 34 f. Nieman ker sich von den gesellen, so er drincken wolle!

6010 f. Jm Ausdruck vgl. Keller, Fastnsp., S. 1416 (Spruch vom Knecht Heinrich und der Bauerndirne) Was hett der pawr zu schaffen? Er lieff geschwind nach dem pfaffen.

6011 ff. S. Thesmophag. 191 ff. Haec inter si vel facienda screatio fauces vel tussis pectus vel sternutatio nares occupat, aversus tibi non quasi sponte satisfac etc., nb. Tischz. bei Geyer, S. 13, 41 ff. We up renfet oder hostet, wen he wil eten, de is eyn dore eder is vormeten, dat he de koste dar mengen vnde mit sinen dropen besprengen, H. Sachs ebb. S. 30, 34 Trinck sitlich und nit hust darein, ebenso S. 31, 30, f. auch S. 32, 59 und Narrensch. 110a 92 ff. vnd ist jm offt dar zů also nott, das es jm halb zůr nasz vsz got oder spryztz es eym andern licht inns drinckgeschyrr.

6016. der macht es chrumb wie 6681: f. Appenzell. Chron. 451 (S. 23) sy machent ir ding gern krum, Keller, Fastnsp. 884, 22 was wilt du nun vil krumms erst machen? Fischart, Garg. (Alsleben), S. 147 Er machts so krumm.

6019 ff. Die für das Essen weich gekochter Eier geltenden Tischregeln vereint H. Sachs im Schwank Das ay mit den achtzehen schanden v. 7. Aug. 1543 (E. Goetze, 1. Bd., Nr. 73): eine Erweiterung bietet Nr. 178; vgl. auch 6. Bd., Nr. 148 (Meistergesang von demselben Tage). — Zu 6019 vgl. im Ausdruck 5711.

6021 f. Das zweite do in 6021 ist vielleicht Fehler für jo. — chrepfen (f. Ausg. S. 336): in des Teufels Netz 9696 steht kreppffan neben rouffen; f. krepfig bei Lexer. Nachtrag Singers: Es sint nu viel der krepper umb den konig und der nemer Pilgerfahrt des träumenden Mönchs 9588.

6023. Jm Ausdruck vgl. 3824 u. 5564.

6029 f. Offenbar nicht wörtlich zu nehmen, sondern eine Redensart: f. die Fassung C bei Toischer, Die altdeutsch. Bearbeitung. d. pseudo-ariftot. Secr. secr. 362 f. doch sei mein lere die peste, die erste und die leste. Singer vermutet: Der ergest was der peste, der erste und d. l.

6035 f. Zu überpän : gnäm f. die Anm. zu 212. Vielleicht ist die Phrase jedoch der parallelen 9470 gleichwertig.

6041 ff. S. Thomasin, W. Gast 497 ff. ein man sol niht sîn ze snelle, daz er neme von sîme gesellen, daz im dâ gevellet wol und Kinderzucht (Geyer, S. 28), Lesart in b nach 76 Nym hin, was dir negsten leydt, greifft ain ander dar zů, las yms bezeyt.

6046. S. H. Sachs, Fabeln und Schwänke (Goetze), Bd. 1, Nr. 178, 34 Das ay mir durch die finger dropfft, das ich die finger thet ablecken. Die Lesart der Hf. ist sehr ähnlich Und schlikt es ein („schlang es hinein") 6066, aber im Zusammenhang unhaltbar. S. Ausg. S. 336.

6049 f. S. Modus cenandi 106 f. Ovum non fodeas (l. fodias) digitis vel pollice verso; stramine, festuca, cultro tantum moveantur, H. Sachs, Schwank Nr. 73, 53 f. Mit den lewsneglen ich das ay auschart, Meistergef. Bd. 6, N. 148 Mit den diebsneglen usw., f. auch Bd. 1, 178, 70 f.; ferner Roßauer Tischz. 99 ff. Ir grîft ouch mit dem vinger niht in die eier, als ofte geschiht, ebenso nd. Tischz. (Geyer, S. 13) 77 f. und v (ebd. S. 15) 47 f.

6054. Durch und durch in präpositionaler Verwendung: f. DWb. 2, 1568; adverbiale wie 8971 ist reicher bezeugt: f. Lexer 1, 477 und DWb. 1575 ff. — Zu Scheubinsaks Vorgehen f. Thesmophag. 187 ff. Sit tua cauta tibi ... comestio ... ne distillando damnis sit origo duobus, foedando, quod migrat, iter minuendoque semet, H. Sachs, Schwank 73, 46 f. Als ich das ay zwsamen schart, stach ich dardurch ein großes loch (f. 178, 66 f. u. Bd. 6, 148, 44); ferner auch Roßauer Tischz. 93 ff. Sî daz ir eier ezzen welt, ê irs engentzt unde geschelt, sô sulet ir ê mit witzen daz brôt mit dem vinger spitzen usw., ähnlich Kato (Zarncke, S. 139) 352 ff. und Häßl. 2, Nr. 71, 201 ff.

6055. das totter: ein zweiter Nachweis bei Lexer; f. DWb. 2, 1314.

6057 f. S. Stans puer ad mensam 33 murelegum numquam caveas palpare canemque (f. 5699 ff.), Ut te geras ad mensam 24 mureligus consors in mensa sit tibi nunquam und Siegburg. Tischz. 67 ff. so enlayss neit komen by de katzen an de spesse, so wa dat sy, want de katzen synt unreyn. — schliffend = „machten glatt".

6059 ff. Wie Bertschi 5840 ff. tröstet sich Sch. komisch gelassen mit einem Gemeinplatz. Dazu vgl. 9280 f. Im Gedanken ähnliche, im Wortlaut weit abliegende Redensarten f. bei Singer, Alte schweiz. Sprichw. Nr. 102; ferner Zingerle 195 und Wander 1, 1759, 680.

6063 ff. Durch Sch.s Mißgeschick gewarnt, geht Chr. umgekehrt vor. S. Thesmoph. 183 ff. Sorbile, si dabitur, gallinae filius, ovum, non vesceris eo, quo naves more Charybdis imbibit.

6071. Hie als Interjektion im R. vereinzelt: f. zu 1061.

6073 ff. Vgl. 894 u. 6534 ff. — Über sinnen vol f. zu 3537.

6077 ff. S. Modus cenandi 108 Convivis unum non dimidiabitur ovum, Köbel 82 ff. Wann du ein weich ei essest, nit dunck dar in selbander gemein, laß es ein ee eßen allein unb Lübbens nb. Tifch$_3$., S. 426, 34 ff. du enscalt ein ei nicht delen; gif it dime kumpane algans edder et it allene. — rüewenchleich (f. zu 1958): wie gmächleich 6080. — in des mundes tor: f. 4321 in des magens tor unb 6086 ze des schlundes tor.

6083 ff. S. Scheibts Grob. 3315 ff. Auch soltu ... ein bissen offtmals duncken ein, den du allmal leckst sauber ab ufw. unb H. Sachs, Schwänke (Goetze) Bd. 1, 73, 25 (f. 178, 37 f. u. 6, 148, 25 f.) von dem prot ich piß vnd in das ay es wider sties; ferner Roß. Tifch$_3$. 35 ff. Sumlîche bîzent ab der sniten nâch gar gebiurischen siten und stôzents in die schüzzel wider, ganz ähnlich Tanh. Hofz. 45 ff., nb. Tifch$_3$. (Geyer, S. 13) 37 ff., Faffung v (S. 17) 111 f., Köbel (S. 25) 67 f., Kinderzucht (S. 28) 83 f., Kato (Zarncke, S. 137) 279 f.

6087 f. S. H. Sachs, Schwänke (Goetze) 1, 73, 28 (ebenfo 178, 40 u. 6, 148, 28) mir zerrûnn geschniten prot.

6089 f. S. Thesmophag. 120 f. Nec tibi continuo placeat defigere visu fercula, ne nimium videaris avarus in illis unb Lübbens nb. Tifch$_3$. 427, 31 ff. Du enscalt anderen luden nicht seen in den munt als ein roskoper den perden deit.

6093. S. Köbels Tifch$_3$. 86 ff. niemant kein ey uffbrechen sol, er schneyd dan brot vor hin.

6095. die armen: scherzhaft bedauernd für die beiden Freffer. Auch Ortsarme könnten gemeint fein, die bei der Hochzeit wenigftens auf ein Stück Brot rechnen durften. S. Tanh. Hofz. 25 ff. Swenne ir ezzt, sô sît gemant, daz ir vegezzt der armen niht ufw.

6102 f. Zu in vgl. 6118. 6103 natürlich mit Jronie: beim Waffer war man erft recht freigebig. S. 6107 f.

6109 ff. Also: b. h. in diefer gehobenen Stimmung. Über singen und sagen f. zu 243. Zu dem wüften Durcheinanderreden der Gäfte f. Jacetus 139 In mensa numquam debes cantare vel umquam debes garrire nimium unb 142 Inter sermones caveas ne quando loquaris alterius, Thesmophag. 98 ff. Habere debet lingua modum, ne facta profusio vocis delirae valeat dici ructatio mentis et fastiditum moveat cornicula risum unb 305 ff. In mensa domini vox est solius et eius, quem sibi con-stituit disci pateraeque sodalem; si tamen es socius mensae, potes esse loquendi, sed modice, licitumque tibi tecumque sedenti verborum conferre vices, Stans puer ad mensam 17 Pace fruens multis caveas garrire loquelis, ferner Tanh. Hofz. 69 f. Ob dem tische lât daz rehten sîn ufw., nb. Tifch$_3$. (Geyer, S. 12 f.) 21 f. Kunne gi nicht vnnutte wort von andern luden verdriuen, seht dat gi er doch suluer swigen, 33 f. Singen vn vnnutte ding sniden sculle gy ouer dische vormiden unb

107 ff. Spreke gi, wan eyn ander sprekt, so sint [gi] eyn here eder sint eyn ghek, Faſſung *v* 65 f. Vil lachen und klaffen ist auch nicht gut, das man ob dem tisch tut, Köbel 135 ff. Meßig red soltu treyben vber tisch uſw., Häßl. 133 ff. Ob dem tisch solt du nit cläffig sein uſw., Siegburg. Tiſchz. 43 ff. woültü den lüeden wal beüallen, so ensaltü neit zo veil kallen uſw., ſ. auch H. Sachs bei Geyer, S. 31, a 53 u. b c 42 ff., S. 33, 72 ff., Narrenſchiff 110a 119 ff. Der ouch schwätzt über disch alleyn vnd nit loßt reden syn gemeyn, sunder mūß hören yederman im zū... keyn andern er vßreden loßt uſw. und Grob. Scheidts 2085 ff. Wann sie wol getruncken sind, da hebt sich ein rumor geschwind vnd schreyt einr hie, der ander dort, daß keiner hört sein eigen wort uſw., 3209 ff. u. 3703 ff.

6118. daz leste wie 6123: ſ. 6121.

6119 ff. S. zu 4306 ff. — kriechen (wie 6132): ſ. BWb. 1, 1360 u. DWb. 5, 2205 f., SJb. 3, 785. Die Bedeutung erhellt aus der Stelle im Simpliciſſimus: Haha, Kriechen, gelt, es seynd so kleine Pfläumlein?

6126. S. Lübbens nd. Tiſchz. 427, 6 Du enscalt de kerseberen nicht eten alse ein verken.

6130 ff. Beim letzten Gericht (Obſt!) erſt bemerkt der Hausherr das Fehlen des Salzes (ſ. 5561) und bringt es nun — im geren herbei: ſ. dagegen Tanh. Hofz. 76 f. Und werde iu bråht ein enpelîn mit salze, swenne ir ezzen gêt uſw.

6133 ff. Die derb grobianiſche Flohepiſode geht vielleicht auf eine Tiſchzuchtregel zurück: ſ. H. Sachs bei Geyer, S. 31 60 f. maid, jungkfraw und frawen solln nach keym floch hinundter fischen, ſ. 32, b c 50 f. u. 33, 80 f., auch Kinderzucht ebd. S. 28, 16. Über das Thema von der Feindschaft zwischen Weibern und Flöhen ſ. Ludwig Fränkel, Germ. 36, 183 f. (und später ADB. 43, 615), Adolf Hauffen, Kaspar Scheidt, S. 76 f. u. 128 f. und Philipp Strauch, AnzfdA. 18, 381. Auch die zweite Unart, die Frau Hübel begeht (6140), hat beſtimmte Tiſchzuchtregeln zur Grundlage: ſ. *v* (Geyer, S. 18) 135 ff. Ob dem tisch fült etlicher sein sak, das dar ein nimer mag: er ist ain lap in meinen sinnen, im möcht wol etwas (g deutlicher eyn furtz) entrinnen niden oder oben vnd das mag niemant geloben ... man verstet wol, was ich main, Kinderzucht 24 den hindern laß nit kallen, H. Sachs bei Geyer, S. 30, 45 f. Ruck nit hin und her auff der panck, das du nit machest ein gestanck (ſ. S. 31, 37 f. u. S. 33, 67 f.), Narrenſch. 110a 139 ff. Als die brut dett von Geyspitzheyn, die vff den teller legt jr beyn; do sie sich buckt nach dem sturtz, entfür jr ob dem disch eyn furtz und Scheidt, Grob. 3460 ff. Er bückt sich tieff, es ward im bang... biß im der athem ward zu kurtz: da ließ er erſt ein grossen furtz. Über den Kniff, den Hübel anwendet, um ihren Verſtoß gegen den Anſtand zu verhüllen, ſ. A. Hauffen, Kaſp. Scheidt, S. 72 u. Anm. 3 und L. Fränkel, ADB. (ſ. o.). Singer glaubt ſich an eine Geſchichte von Krates und Hipparchia zu erinnern: ſie rutſcht mit dem Stuhle, um das Geräuſch zu verdecken, er aber ſagt οὐκ ἔστι φθόγγος.

S. kann diese Geschichte weder in Diogenes Laertius noch in Wielands Anmerkungen zu Krates und Hipparchia noch in Webers Demokrit finden. Ein typisches anderes Mittel s. bei Lexer 3, 375 (vist) und Joh. Lauremberg, Nd. Scherzgedichte (W. Braune) 1, S. 7, 79 ff. — 6134. flo als Fem. (s. 6138) gilt im BWb. 1, 791 als schweizerisch: s. SJb. 1, 1183, Wiget, Toggenburg. Ma. 120, auch Fischart, Garg. (Alsleben) 262 Die Floh laufft im hemd (ein Spiel). — sich 6142 will Singer (briefl. Mitt.) streichen, da H. auf dem Boden mit den Füßen scharre, um das Geräusch zu kopieren; vielleicht ist es im Sinne der Anm. zu 1253 zu verstehen. — glaubet (für glauben der Hs.) 6143 ist nicht sicher: s. GA. Nr. 71, 300 (Stricker) dû solt gelouben hân (= glauben), daz dir die priester künden;; Beheim, Buch v. d. Wienern (Karajan) 103, 10 man sol nit glauben han an zauberei.

6145. chluog (s. 1874): schon von Holland (Vorrede XI) hergestellt.

6153. vercleiter: verhüllend (s. zu 763 und z. B. 6059) für verheiter: stehendes Schimpfwort in den blasphemiae accusatae der Luzerner Ratsprotokolle aus 1381 bis 1420 (s. ZfdA. 30, 407 f.) sowie in Kellers Fastnachtspielen: s. DWb. 12, 551 und außerdem — immer neben Scheltworten — 53, 25, 54, 21, 55, 3 (s. 333, 24) u. 31 (s. S. 1482), 88, 12 u. 22, 221, 25, 331, 3, 9 u. 29, 333, 28, 334, 16, 686, 17, 759, 12 u. 818, 11, ebenso in den Sterzinger Spielen 1, 363, 2, 64 u. 314, 4, 234, 8, 233, 11, 257, 13, 149, 15, 512, 820 u. 28. Keller (Vorrede XI zu L. Bechsteins N.-Ausg.) verweist auf Altswert 54, 24 du versorteniu hur, wofür in A verhite, B verhitü steht.

6155. S. zu 1019.

6158. schluog . . . zuo dem maul: s. zu 683.

6159 f. speiben (s. 8827): über diese in den mhd. Wbb.n nicht verzeichneten Formen mit b s. BWb. 2, 653, Weinhold, Bayr. Gr. § 125, Fischer, Schwäb. Wb. 5, 1502 und DWb. 10, 1, 2075, 3, über speiben : pleiben in Kellers Fastnsp. Nr. 54 s. V. Michels, Studien über d. ält. deutsch. Fastnsp., S. 29. Die Gestalt des bei Tische speienden Bauers begegnet auch in bildl. Darstellungen: s. die Kopie von Daniel Hopfers „Ländlichem Fest" bei A. Schultz, Deutsch. Leben im 14. u. 15. Jhdt. I, 165.

6165. S. zu 5992.

6167 ff. S. Häzl. 2, Nr. 71, 130 ff. Du solt von tisch nit wandern, es sei dann ehafftige not; wann es wär ain michel spot und Kato, Tischz., S. 136, 263 f. schaffe vor, swaz dir sî nôt, daz du iht sitzest schamerôt, auch Konr. v. Haslau, Jüngling 623 swer ze unzît von dem tische gât usw., dagegen Köbel 227 ff. Wirt dein bauch zů zeiten munder vnd den hindern zwingt besunder, das er krew an die (der?) zeit, mach dich von leuten weit usw. Zur freimütigen Äußerung des alten Gumpost s. Sterz. Sp. 25, 769 ff., wo sich Kropf mit den Worten erhebt: Lieben herren, thuetz mirs verzeihn, ich mues gen, das fleisch a mal ab seihn. Ich mues harnen vnd kans nit lenger verhabm. — Zum Ausdruck gen smeissen gen s. Win-

teler, Kerenzer Ma., S. 154, SJb. 2, 322, II und DWb. 4, 1, 2, 2417 f., auch BWb. 1, 917, 3 und Stalder 1, 412, ferner Morgant 10, 15 *ummhär gän gen bätlen und* 267, 13 f. *Nach dem essen giengend Rengnold und sine gsellen gen ruowen* (f. Bachmann im Register, S. 379), Wunderhorn, Schweizerisch, 2. Str. *Iez isch er gange go wandere,* Kuoni, Sagen des Kantons St. Gallen, S. 38 *Verflucht ist der Cyprio, daß me dreimol mueß go melche goh!* und S. 45 *wo denn Küä dä Summär . . . gunn go Wasser tringgä.*

6170. Die andern auf: das Verb der Bewegung fehlt in der lebhaften Schilderung, das Richtungsadverb übernimmt seine Rolle. S. in der jüngeren Sprache noch z. B. Schiller, Kab. u. Liebe 1, 6 *Ich in voller Karriere nach Haus,* Grillparzer, Ahnfrau 1763 *Ich hervor und auf ihn hin* und Ertl, Die Leute vom Blauen Guguckshaus, S. 361 *Er wie der Blitz zur Tür hinaus und Hals über Kopf die Treppe hinunter. Sie wutentbrannt hinter ihm drein,* in der älteren z. B. Gottfrieds Trist. 5342 *er des endes så zestunt.* W. liebt diese Knappheit des Ausdrucks besonders in den Kampfszenen gegen Ende seines Gedichts, f. 6204, 6584, 6611 (f. dagegen 6610), 6664, 7064, 7117, 7929, 7969 u. 75 (ganz ähnlich 8233), 8579, 8769 (erg. warend: f. 8842), 8845, 8926 f., 9232 u. 9362.

6174. S. Banz, Ged. v. Christ. u. d. minn. Seele 88 *villicht het es* (das Kind) *under sich geton* = Teufels Netz 5278 (f. ebd. 12260 u. a.). DWb. 3, 1120γ u. 11, 438. S. auch Sterz. Sp. 12, 48 *man tueter auf d'nasen.* Noch heute sind tun und machen in ähnlicher Verwendung.

6176. S. Fischart, Garg. (Alsleben) 211 *darnach braucht ich Jungfrawschwamen, die sie auff den Hobelwägen prauchen* und 257 *Dann . . . hat der ein recht Palamedisch Invent erfunden, so erstlich den Pruntzscherben hat erdacht vnnd zum Tisch gebracht, gleich wie der, so den Schwammen auff den Hobelwagen.*

6177. Über die in den mhd. Wbb.n nicht belegte Wendung f. DWb. 1, 1384, 6 u. 6, 1391, 6b (nur jüngere Zeugnisse). Vgl. 5839.

6180. *hieten:* irrealer Konjunktiv; vgl. 6181. S. zu 5554 ff.

6182. Im Ausdruck f. 5528.

6183 f. „Wären sie sitzen geblieben (statt alle auf und davon zu laufen) bis zum Segen (= tischsegen wie z. B. Buch der Rügen 522: dem regelrechten Abschluß des Schmauses; vgl. Nr. 16 in der Mondsee-Wiener Liederhf., hrsgg. v. Mayer und Rietsch), wann hätten sie sich dazu entschlossen?" D. h. die Sache hätte kein Ende genommen. S. v bei Geyer, S. 18, 143 ff. *Von dem tisch soltu nit auff stan, ain pater noster soltu vor gesprochen han vnd dank got seiner gnaden trat, das er dich gespeiset hat,* H. Sachs, ebd. S. 31, 66 ff. und Narrenschiff 110a 210 ff. *Zům letsten sprech man doch den segen, so man genomen hat das maß, so sag man deo gratias* usw.; f. auch Keller, Erz. aus altd. Hff. 279, 18 *Sie stund uff* (nach der Mahlzeit) *und ging hin dan. Sie gab dem schreiber iren segen.* — *an* wie 5147, 7394 u. 9145 = untz an

5851, bis untz an 9410 und bis an 1085, 2204, 3617, 5370, 5931, 6106, 6403, 6555, 6652 ufw. — danke geben = den segen geben wie 6950 f. (1 Zeugnis im DWb. 2, 732 aus Logau; f. oben).

6185. Die diener mit Nachdruck: fie hätten das Waffer den Gäften reichen follen. S. W. Gaft 519 ff. der wirt nâch dem ezzen sol daz wazzer geben ... dâ sol sich dehein kneht denne dwahen ... wil sich dwahen ein juncherre, der sol gân einhalp verre von den rîtrn und dwahe sich tougen; darnach Keller, Hofz. 543, 14 ff., f. auch Köbel 214 ff.

6187 ff. S. zu 5533 und ZffdA. 50, 270 f. Der Zug zum Tanzplatz unter der Dorf- linde Metz. Hochz. 453 (M. Betz 278) entfällt bei W.: man tanzt auf demfelben Rafen, auf dem die Gäfte beim Mahle lagerten. In den Tanzfzenen herrfcht trotz fcheinbaren bunten Wirrwarrs eine wohl überlegte Ordnung: 6189—246 tanzt man zur Mufik des betrunkenen Spielmanns, bis ein Maffenfturz die Unterhaltung ärgerlich abfchließt. — 6247—92 geht der Tanz nach der erften Paufe, da der Pfeifer verfagt, zu einem Liede Bertfchis weiter. — 6293—313 waltet nach der zweiten Paufe wieder der Spielmann feines Amtes. — 6314—62 übernimmt nach der dritten der Schreiber die Rolle des Vorfängers. — 6363—428 artet die Tanzluft zum wüften Getöne Gunterfais immer mehr aus, bis der beforgte Bräutigam dem wilden Treiben ein Ende macht. — 6429 bis 6457 fpringt jedoch Troll fofort als Vorfänger ein und bei der Erhitzung der Gemüter brechen nun Streit und Rauferei los, die längft in der Luft lagen. Es wechfeln alfo regelmäßig die Tanzweifen des Pfeifers mit Tanzliedern der Vorfänger: f. meine Anm. zu Neidh. (Haupt)² 40, 21 ff., ZffdA. 61, 154, ferner Mf. 2, 201 a 2 breste uns der pfîfen, sô vâhen ze sange! (Burkhart v. Hohenfels). Anders Helmbr. 940 ff.

6190. Die Entlohnung des Spielmanns in Eiern (f. ZffdA. 50, 271, Anm. 1), deren Geringwertigkeit fprichwörtlich war, foll die von W. auch fonft verhöhnte Arm- feligkeit der Hochzeitsgäfte beleuchten, zumal ein Ei für zwei Tänze geboten wird. Zu zwai vgl. eins singen, pfeiffen 6263, 6370 u. 74 f., 6433, ferner ein guotz 6299 u. ein hübschs 6330, Meier Betz 275 pfeiff mir ains das ich kan! (ebenfo Metz. Hochz. 448) und Keller, Faftnfp. 584, 4 Pfeif mir ains, dar nach ich kan. S. auch Haupt zu Neidh. 61, 39 und z. B. König vom Odenwalde (E. Schroeder) 1, 237 Hie get daz uz von der kû. DWb. 3, 258.

6195. lär (f. vol 6191) = „nüchtern".

6197. narrenvart (vgl. narrenwîse): „Der Tanz der Bauern foll alfo einer Narren- prozeffion gleichen. Vielleicht ift fchon an Faftnachtaufzüge gedacht." V. Michels, Studien über d. ältest. deutfch. Faftnfp., S. 104.

6198. einn sart: f. zu 102 u. zu 269; BWb. 2, 329.

6199 f. S. 203 f. u. zu 182; über Da mit und f. zu 1951.

6201 ff. Die gefchilderten Tänze find als Reien aufzufaffen (das Wort fehlt im R.): Hagelftange, Süddeutfch. Bauernleb. im Ma., S. 254 verkennt den Sachverhalt. Bei

bäuerlichen Tanzunterhaltungen, die ich in meiner Jugend zu Totzenbach (östl. von
St. Pölten) beobachtete, trat vor Beginn oder nach einer Pause ein Tänzer an die
Musikanten heran, bezahlte einen Tanz und erhielt dadurch das Recht, die Runde
mit seiner Tänzerin zu eröffnen, während die andern Paare folgten. So erwähnt auch
W., wenn der Pfeifer aufspielt, zunächst, wer den Tanz bestellt und bezahlt. Nur im
Falle Ofenstecks kommt dies nicht klar zum Ausdrucke (f. 6189 f. u. 6201 f.; beachte
jedoch 6223 die ersten = fro Jützen, die ihr Tänzer 6216 im Stiche gelassen hat);
deutlicher 6297 ff. u. 6363 ff., wo die Besteller einander überbieten. Der vorspringer
(6317: eben der Zahler) achtet natürlich darauf, daß der Spielmann das Seinige leistet
(6317 ff.). Er faßt seine Tänzerin an der Hand (6202 u. 6303 f.) und springt voraus,
sie hinterdrein (6203, 6305 u. 6380 ff.) und Paar auf Paar folgt (6204; f. 6229 ff.
die Reihenfolge der Stürzenden! 6380 ff. wird das Anfangs- und das Schlußpaar der
Kette bestimmt) und es geht in die Runde (f. 6264, 87, 6307 ff. u. 6431), was mit der
Zeit auch zu Drängen und Stoßen führt (6416 ff.). Der Tanz besteht in wilden hohen
Sprüngen, die der Dichter mit steigender Drastik 6206 ff., 6285 ff. u. 6384 ff.
schildert. Die Tänzer jauchzen (6224 u. 6392), es kommt zu Massenstürzen (6229 ff.),
zu unverschämten Übergriffen der Männer gegen die Weiber (6422 f.), die selbst scham-
los ausarten (6400 ff.), zu Zank und Streit (6218 ff., 6237 ff. u. 6318 ff.) und endlich zu wüsten Raufszenen.

6204. auf und an: f. 9007 u. zu 6170.

6208. Ich vermute in der Zeile einen Vergleich aus der Weberei, vermag ihn aber
nicht klarzustellen. Im Ausdruck vgl. daz treten ûf und nider beim Teichner (Karajan, Anm. 213).

6209. Des Stilmittels eindringlicher Wiederholung bedient sich W. in der Regel
nur in kurzen Ausrufen: f. 231, 472 (f. z. St.), 492, 583, 619, 738, 946, 1133, 1385,
1429 u. 49, 1808, 2029, 2999, 3795, 6071, 7852, 9014 u. 9336.

6211. Wie er ze faiss ist, so 6225 Schabenloch ze mager.

6214. er ... der man: der Dichter liebt die Aufnahme des Personalpronomens durch
ein Subst. (verdeutlichend oder nachdrücklich): 437 f., 768 f., 1194 f., 1519, 1702
u. 53, 2041 f., 2373 f., 3471, 6574 u. 83, 6892, 6942 f., 8695 f., 9237 u. 64 u. 9441.
S. H. Paul, Mhd. Gr.[12], bearb. von E. Gierach § 328.

6218 f. Holland (Vorrede XI) schlägt in vor (für ym der Hf.), wobei (zu gleret)
hant zu ergänzen wäre.

6221 ff. so chluog: er übernimmt den Ehrenplatz des Vorspringers (f. zu 6201 ff.),
ohne etwas gezahlt zu haben. — 6224. Unsicher. S. 6305. L. Bechstein liest sprach
und faßt Vil ... hio als Ausruf (f. 2852 u. 6392), schwerlich mit Recht.

6225 ff. S. über diese Szene und ihre Quelle ZffdA. 50, 271 f.

6234. Das Motiv des Spiegelbrechens beim Tanze, das der R. aus dem Gedichte
von der Bauernhochzeit übernahm (H. Hügli, Der deutsche Bauer im Mittelalter, hat

dies S. 135 ganz übersehen), verleiht beiden Dichtungen das Gepräge der Neidhart-
Schule. S. Brill S. 34 ff., 136 f. u. 211, Gusinde, Neidh. m. d. Veilch., S. 125 ff.
Der Spiegelraub begegnet im Großen Neidhartspiel (Keller, Fastnsp. 446, 14—56,
31) und im Zusatz zum Spiel vom Mönche Berthold 578, 21 ff. (f. Gusinde S. 130,
Anm. 1); überall liegt schon die jüngere, gröbere Vorstellung vom Zertrümmern des
Spiegels vor (f. Gusinde S. 126 f.). Vom Spiegelraube ist bei W. keine Rede mehr;
dagegen steigert er das Motiv, indem sich die Besitzerin an den Trümmern verletzt.

6236. schrey der Hs. ist vereinzelt (sonst stets schre): f. sey vorher!

6240 ff. Über die Szene f. ZsfdA. 50, 272, Anm. 1. In Gumpost verrät sich der ge-
kränkte Spender des Spiegels. So schreit im „Meier Betz" 306 Troll dem Leutfolt,
der am Zerbrechen des Spiegels der Jungfer Guot schuld ist, zu: du muost den gelten!
Denn er hat ihn der Dirne gekauft.

6247. lassen von = „ablassen von" (f. zu 1765) wie 6254, 6313, 6425, 6904 u.
94 u. 8664, im Mhd. Wb. 1, 944b 6 ff. nur einmal bezeugt (f. DWb. 6, 216, 1),
ist im Mhd. ganz geläufig: f. z. B. Helbl. 1, 1266, 4, 8, 233 u. 633, Ammenhausen
1107, Kaufringer 5, 282, H. v. Montfort 20, 47, 24, 68, 29, 60 u. 68, Wintler 5370,
Netz 2227, 3682 u. 88, 3792, 3971, 4037, 4352, 4420, 4620, 4905 u. 6106, Neidh.
Fuchs 1859, Sterz. Sp. 2, 243 u. 11, 533.

6249. daz was wol: im R. vereinzelt, in Boners Fabeln stehende Wendung: f. 4,
53, 29, 13, 60, 31 u. 50, 61, 67 u. 76, 68, 32, 80, 22, 91, 47, 98, 50 u. 100, 87.

6250. Vgl. 6293 u. Helmbr. 1223 roubes wirt er nimmer vol.

6251. für die knaben: „sie hätten es den Burschen zuvorgetan".

6252. Steinwerfen ist eine Volksbelustigung: f. BWb. 2, 763, ferner die Urkunde
aus 1465 im Archiv zu Oberutzwil (Senn, Toggenburg. Arch., S. 47): vnd söll die
hofrayti vmb das selb hus vntz ... an den krutgarten fry sin als ain fryer häng-
gart: das menklich da sol vnd mag springen, louffan, stain stossen, schiessen vnd
ander beschaiden mutwillen triben, als denn lantlöffig ist und das älteste Luzerner
Stadtbuch (Geschichtsblätter aus d. Schweiz, hsgg. v. J. E. Kopp 1, 338) Bl. 1b 12
nieman sol in dem kilchof ze kapelle keiglon noch walon noch stechen noch turnieren noch schießen noch den stein stoßen bi einr march silbers. Über das ritterliche Spiel dieser Art f. Schultz, Höf. Leb.[2] 2, 2, Anm. 5. Steinstoßen ist eins von
den Spielen, die Aeneas Sylvius 1431 während des Basler Konzils die jungen Leute
treiben sah. Rochholz, Alem. Kinderlied, S. 516 f. Außer den Nachweisen in den mhd.
Wbb.n u. bei Schultz f. Suchenwirt 6, 82 u. 31, 129, Schönbach, Vierteljahrschr. f.
Lit.-Gesch. 2, 328 (Anm. zu 114), Golz in Kellers Fastnsp., S. 1263 tantzen, springen,
steinstossen, lauffen, fechten, ringen usw.

6254. dar von wie 6425, 7877, 9263 u. 9648 (da von 4591, 7395 u. 8096), vereinzelt dar mit 6788. S. zu 4026. — dar (der) von steht öfters bei Ammenhausen:
f. Vetter, Einl. S. LVII u. 14441, 14597 u. 15387; ferner Vintler 5370.

6256. Nur 5620 wäre ein entsprechender Anlaß gewesen.

6257. daz ander gschrai: s. 6189 f.

6261. hab es dir: Redensart (s. Strickers Âmîs 682), hier in drastischem Gegensatze zu Daz ist mir laid.

6264. Ze ring umb zu springen, älleu zu wir gehörig.

6267 ff. Bertschis Tanzlied ist ungemein kunstlos gebaut: von den zwei Reimzeilen, die jede Strophe aufweist, beginnt die erste stets mit Daz schaffet alz, mit wechselndem Subjekt, die zweite mit daz, mit wechselndem Prädikat am Ende, was ohne viel Geschick und Phantasie ins Endlose fortgesetzt werden kann. Vgl. Trolls Tanzlied 6436 ff. W.s Text bietet nur fünf solcher Strophen, aber aus 6279 ff. ist zu entnehmen, daß der Vortrag bis zur Erschöpfung des Sängers andauerte. Jede Zeile wird — vielleicht vom Chor — wiederholt (nur in der ersten Strophe von der Hs. durchgeführt, in den folgenden dem Leser überlassen: s. aber den Randvermerk zu 6271), außerdem — echoartig — das Subjekt der ersten Zeile, das eben das neue Thema anschlägt. Die kunstlose Form und der überaus naive Inhalt dieses Tanzliedes wie der folgenden ließen Bleisch S. 22 darin Parodien erblicken: ob mit Recht, ist fraglich. Zu 6267—72 vgl. Ecclesiastic. 19, 2 vinum et mulieres apostatare faciunt sapientes et arguunt sensatos. Schulze, Bibl. Sprichw., S. 111, Renner 10592 diz machet allez der guote wîn, Fischart, Garg. (Alsleben), S. 146 Hilf, daz ich frölich bin, das macht allein der gute Wein. S. übrigens auch Metz. Hochz. 364 Secht, daz macht als der win! — Die Schreibungen da-as 6267 f., sy-ynn 6269 und ane-e-e 6270 (wieder nur in der ersten Strophe: s. 6438 ff.) sollen offenbar das Aushalten des betr. Vokals auf zwei bzw. drei Noten andeuten, sind also musikalisch zu verstehen. — Über das Vorsingen beim Tanze s. Uhland, Volkslieder (H. Fischer) 3, 245 ff., BWb. 2, 588 f., Zarncke zu Narrenschiff Kap. 61, ferner das Gr. Neidhartsp. (Keller Nr. 53, S. 446, 1 f. u. 454, 12 ff.). Auf der von Daniel von Soest in der „Gemeinen Beichte" geschilderten Prädikantenhochzeit trägt der Organist zur Laute den Tänzern ein Lied nach dem andern vor: s. 2689 ff.

6280 ff. Jeder sprang schließlich beim Reien nur auf éinem Beine empor, das andere schonte er, um darauf besser ausruhen zu können, wenn er sich zur Rast ins Gras warf (6295 f.). — dar umbe daz elliptisch wie 6890. S. zu 2005. — An tretten „ohne zu tanzen". — Über gnepfen s. zu 5330, über lupfen SJb. 3, 1355 („absolut oder doch mit verschwiegenem Objekt").

6290. S. zu 1959.

6292 ff. Über 6292 f. zu 383. Gegensatz dazu 6294 „Mir aber tut es wohl".

6304. pei ir sneweissen hant: stehende Verbindung besonders im Volksliede: s. A. E. Berger zu Orendel 452 u. ZfdPh. 19, 468 ff., auch z. B. Kellers Fastnsp. 584, 34 f. des mairs tochter ... für mir her pei ir schneeweißen hant!

6305 f. Wenn mit seinem gsellen = „mit seiner Tänzerin" richtig wäre — geselle steht im R. sonst nirgends für eine Frau —, ginge seu 6308 auf das Paar. Vielleicht ist aber seinen zu lesen (s. 6204). — Über 6306 s. zu 1976.

6315. trümelen (s. Ausg. S. 336) = „taumeln": vgl. Wiget, Toggenburg. Ma., S. 41, Vetsch, Die Laute der Appenzell. Mundarten, S. 72 und in Felix Platters Tagebuch (Boos, S. 246) unter dem 20. 9. 1555: ich ... dranck domolen ... ze vil, das, wie ich schlofen wolt, drimlet.

6317. dem vorspringer (nämlich Galgenswank): sonst im Mhd. unbezeugt.

6319. chotzenspilman (s. Ausg. S. 336) wie kotzendanc und kotzenherre bei Lexer.

6320 f. Verwünschungen: zu 6321 vgl. 7343 u. die Anm. zu 743. — hoger: vgl. hogroct 3451, SJd. 2, 1085, Lexer unter hocker und DWb. 4, 2, 1705.

6323 f. Steigerung gegenüber 6295 f.

6325 ff. Über Uotz s. zu 3622, über snarchelt zu 1306, über 6326 zu 2770. — in: den Schläfern; zu gnaftzgen vgl. napfzen SJd. 4, 776. — stanch so saur parobistisch für sanc so suoze (Singer).

6333 ff. Von Singer im Schweiz. Archiv für Volkskunde 6, 195 ff. als Gesellschaftsspiel erkannt. Der Vorgang wäre darnach so zu verstehen: 6333.34 ist die Frage des Vorsängers, der eines der Mädchen verschleiert vorführt. 6335.36 wendet er sich an einen der Burschen, der vortritt. Dieser antwortet 6337, was der Chor 6338 wiederholt. [Rät er richtig, so erfolgt nun wohl die Enthüllung der Vermummten.] 6339.40 spricht wieder der Bursche, worauf ihm der Vorsänger das Mädchen mit den Worten 6341 übergibt, die der Chor 6342 wiederholt. Der Bursche nimmt sie in Empfang 6343.44 und tanzt mit ihr eine Runde. Der Vorgang wiederholt sich 6345—55 mit einem zweiten Paare und das Spiel dauert fort, bis alle Mädchen ihre Tänzer haben. S. 6356 ff. Alle szenischen Anweisungen konnte W. bei der Volkstümlichkeit des Spiels der Phantasie des Publikums überlassen; denn ursprünglich handelte es sich dabei um die Auslosung der Paare für ein Jahr als Maibuhlen oder dgl.: s. Franz M. Böhme, Altdeutsches Liederbuch, Nr. 238, S. 317 f., L. Erk und Fr. M. Böhme, Deutscher Liederhort, Nr. 965 (2. Bd., 733), Joh. Bolte, Zf. des Vereins f. Volkskunde, hsg. v. Fritz Boehm, 33/34, S. 85 und M. For, Saarländische Volkskunde (1927), S. 343 f. und 481. Von einer wirklichen Versteigerung der Dorfschönen an die Burschen im Tanzlokal, wie sie Ludw. Fränkel, Zf. des Vereins f. Volkskunde 24, 311 aus Rüdesheim bei Kreuznach berichtet, ist hier freilich nicht die Rede. Als ein Nehmen und Geben des Mailehens mit dem Charakter einer Versteigerung legt sich auch Josef Mantuani, Die Musik in Wien, S. 159 den Vorgang zurecht: nach seiner Ansicht spricht 6335.36 der Chor, 6337 der Ausrufer, 6338 der Chor, 6339.40 meldet sich der Bewerber; stimmt das Mädchen zu, so wird sie ihm 6341 vom Vorsänger übergeben und 6342 wiederholt der Chor seine Worte. Singers Deutung scheint mir eher das Rechte zu treffen: das Neutrum 6335 f. (vgl. schon ichs = ich es 6333) zielt wohl auf eine verhüllte Erscheinung. Über die Verbindung von Tanz und Spiel s. Zarncke zu Brants Narrensch. Kap. 61. — Über Gredel Erenfluoch s. zu 2644. — Die Frage 6337 f. hat schon den Sinn der folg. Antwort. Zur Frage Wem schol ichs geben...? vgl. bei W. Mannhardt, Wald- und Feldkulte 1, 450 Wem soll das sein?

6341 f. seists (=seist du es) ist an den Burschen gerichtet: der Konj. folgt aus dem imperativ. Hauptsatze (s. den parallelen Indik. pist 6353). Über dieses es s. zu 5940, über gsell zu 249.

6353. Der Schreiber, der hier überhaupt etwas zerstreut war (s. die Laa. z. St.), übersah die Wiederholung der Zeile (gemäß 6342).

6360 f. Scheint der Eingang eines bekannten Liedes zu sein: s. die Limburger Chronik zum Jahre 1361: In disser zeit sang man diss Lied: 'Aber scheiden, scheiden das thut warlich wehe von einer, die ich gern ansehe' usw.; ferner Hätzl. 1, Nr. 9, 26 Von hertzenliebe schaiden das tůt we, O. v. Wolkenstein (Schatz) 18, 2 scheiden das tuet we, Uhland, Volkslieder (H. Fischer) 3, 295 ff. u. Anm. 286, Singer, Alte schweiz. Sprichw., Nr. 227. Zu 6360 vgl. etwa Neidh. 26, 25 die bluomen drungen durch den klê.

6374 f. S. Heselloher (Hartmann) 3, 13 her Schollentrit kan tantzen nach dem newen sytt. — S. zu 6190.

6376. stoss („Wettstreit"): nur hier im R.

6377 ff. Bei der überlieferten Textgestalt scheint ein Ausgleich der beiden Parteien getroffen zu sein: beim hofieren (die Bedeutung ist unsicher) erhält das alte Paar den Vortritt, beim tantzen das Brautpaar; oder es ist mit L. Bechstein (gegen die Hs.) 6380 dem zu lesen (vgl. in 6383) und hofieren = „vortanzen". S. DWb. 4, 2, 1684. — vor hin an: s. zu 4306 ff. — Zu 6380 f. s. im Ausdruck 8657 f.

6382 f. Über Grabinsgaden s. zu 694. — zagel: das Ende des Reigens, wie z. B. swanz in des Teufels Netz 1539.

6385. Typische Vergleiche in der Schilderung von Bauernreien: s. schon Neidh. 3, 2 u. 5, 6 u. Brill, Die Schule Neidharts, S. 107 u. 211; ferner Neidh. Fuchs 1119 ir springen vnd ir vmbhinschwanck geleich ich zů den pöcken, O. v. Wolkenst. (Schatz) 43, 15 pöckisch well wir umbhin ranzen und 23 spring kelbrisch.

6386 f. pfeiff (Prät.): s. zu 389. Die Redensart des folg. Relativsatzes bezeugt Sanders im Wb. d. deutsch. Spr. 1, 462 (fliegen 3); s. ferner Der arme Mann im Tockenburg (Reclam), S. 40 Die abenteuerlichsten Dinge... die weder gestoben noch geflogen waren und Georg Herrmann, Jettchen Gebert, S. 33 Dinge... die nicht gestoben und geflogen waren. Die Verbindung beider Verba ist auch sonst geläufig: s. 1372 f., 1923 f. u. 8682 (Binnenreim); Zimmerische Chron. (Barack) 1, 279, 24 das man weder staub noch flug von ime vernomen und 2, 275, 34 daran ist weder st. n. fl. mehr vorhanden, Brant Narrensch. 64, 26 Die richt vsz, als

das stübt vnd flügt, Rollenhagen, Froschm. 2, 2, 7, 34 verflogen und verstoben,
Fischart, Garg. (Alsleben) S. 351 zum fliegenden stiebenden Marienkämmerlin,
379 flohen vnd stoben ... vber die Heyd hinüber, Th. Fontane, Vor dem
Sturm 1, 27 Ist denn alles zerstoben und verflogen? **6388.** Vgl. Keller, Fastnsp.
818, 22 so kum ich auch da her geknetten; ʒur reimenden Bindung mit treten f. ʒ. V. Wolkenst.
101, 17 die treten mich und kneten mich und Lexer unter kneten.
6389 == 6026, fehr ähnlich 5666 (überall: hër): per == bêr (Eber). S. ʒu 1083,
ferner Neidh. 229, 68 limmende als ein wildez eberswîn, 232, 6 scherpfer dan diu
wilden eberswîn, Hefelloher (Hartmann) 3, 40 so rückt er als ein ewerschwein,
Joh. Lenʒ, Schwabenkrieg (v. Dießbach), S. 165 im Lied auf Hans Waldman Du
bissest vmb dich als die wilden süw, Uhland, Anmerkung 46 u. 47 ʒum 2. Buch
der Volkslieder, Brill, Schule Neidharts, S. 120 u. 211. S. auch Hefelloher (Hartmann) 1, 117 prang alß der per in seinem schopff und S. 48 (S.-Abbr.), 39 er
dut recht als ein wilder ber und Neidh. Fuchs 603 er schnaufet als ein per. Anders
Neid. 36, 15 limmende als ein ber er gât: f. meine Anm. ʒ. St. u. Brill S. 76;
ferner Neidh. 238, 33 dem bern ist er gelîch und c (Mf. 3. Vd.) Nr. 13, 8 si
vuoren umbe sam die wilden bern.
6392. S. ʒu 1061 u. Brill, Schule Neidharts, S. 123, Heia nu hei beim
Tannhäufer (J. Siebert) 3, 26 und den Hinweis S. 137 auf MfH. 3, 283b 6 swer
dem reien volget mit, der muoz schrien heia hei! und hei.
6396. S. Lanʒ. 9169 Die rîter sô die tumben trugen, daz si wol swüeren, si
vlugen. Über den Konj. ohne Umlaut f. Hahn ʒ. St.
6397. Scherzhaft: „Deshalb machte er kehrt."
6400 ff. Über rüeg f. ʒu 526. — gefüeg scheint prädikativ. Adj. ʒu fein: vgl. un-
gefüeg 5560, das als Attribut ʒu krüeg gehört. Adv. (un-)gefuog steht im Reime
5860, 6569, 8092 u. 8814.
6404 ff. Über die frivole Mode des weiten Halsausschnitts in den Frauenkleidern,
der den Busen entblößte, f. bef. Weinhold, DFr. S. 441 f.; schon Helbl. 1, 1108 ff.
ift fie erwähnt: der buosem was gerizzen wît gein der senke vor, dâ inne loblîch
truoc enbor zwei hiufel tratz, eben gedræt; f. dagegen 1373 f. gespriuzelt hôhe
buosem wît der frouwen (== einer ehrenhaften Frau) sint unmære. Die Limburger
Chronik vermerkt ʒu 1350: die frauwen trugen weite hembe ausgeschnitten, also
dass mann jhnen die brust beynahe halb sahe. S. Teufels Neʒ 5240 ff. So die
junkfrowen und die wib ... zuo der vesper und zuo der predig gand und so witi
hoptlöcher hand, das man in sicht den halben lib (B fügt hinʒu und in die brüst
tuond halb usligen ufw., ähnlich C); die Frauen find schuld, wenn die Bettelmönche
der Versuchung erliegen: f. 5262 f. das hat das wip getan: die solt nit als ain witt
hoptloch han (f. daʒu Helbl. 1, 1112 ff.!); Keller, Erʒ. aus altd. Hff. 677, 26 ff. Ir

hauptlöcher seint gesnitten beide zue weit und auch zue groß, daz man in sichet
den rücken bloß . . . so hat sie sich enblecket, daz man in iren buesen sichet,
Meister Altswert, Der Kittel 50, 27 ff. Die houptlocher sint in also wit, das in die
achsel huz lit. Man sicht under dem arm die gruoben; sere sicht man in die
buoben (die Brüste), Keller, Gesta Rom., S. 158 Wann man sicht nu lützel weibes
scham . . . als man wol nu specht an irer wat, wie unchæuschlichen die stet mit
weitem puosem, daz in ir tüttel und ir achsel plekchent, Euling, Wolfenbüttl.
Hf. 2. 4. Aug. 2⁰ Nr. 445 Zu Nürmberg die hantwercksweib . . . den rok aus
geschniten, das hercz mus plecken, das ir die tuten kaum halb din stecken, und
der rok hinden aus gesnyten und das halshembd jnnen halb in ruck, das man ir
schir sicht die krynnen, Brant, Vorrede z. Narrenschiff 114 ff. Metzen . . . wellen
yetz tragen on . . . spitz schuo und vszgeschnytten röck, das man den milchmerck
nit bedeck; f. ferner BWb. 1, 289 u. bausen u. 1142 f. u. haupt, Lexer 1, 1351 u.
houbetloch u. 1654 u. knorrelîn, Hagelstange, Südd. Bauernleb., S. 52.

6408 ff. S. Pseudoneidhart c Nr. XXXVII, Mfh. 3, 217b 7 swenne ich . . .
daz hemdel mîn entrenne von der brust unz ûf den nol, daz tuot mînem herzen
wol; so bûzt diu minne [diu mîne?] reht sam ein rephenne.

6410. die iren: wie noch heute in der Volkssprache. S. Megenberg, Buch der
Natur 357, 7 ff. Constantínus spricht, sei daz ain fraw sitz ob des holzes dunst,
diu werd gesunt, ob ir wê sei an der iren, Hätzl. 1, Nr. 89, 37 f. Sy . . . machts
gar nötlich mit der iren, Keller, Fastnsp. 400, 15 f. ich trauet es erleiden wol, der
mir die maine verschoppet wol, Neidh. Fuchs 853 f. Vor einem jar mir prosset
die mein, fraw mûter und 3526 die mein ist vor einem jar gewesen rauch, ferner
GA. Nr. 25, 212 si hete den sînen in der hant, Keller, Erz. aus altd. Hff. 410, 2 f.
Zu hant der sein her fur snalt, den er zwischen bein het gebogen, Fastnsp. 259,
20 u. 338, 11 wer der mein in dir! S. BWb. 2, 650 unter Schwester. So ist auch
Mondsee-Wiener Liederhf. (Mayer und Rietsch) Nr. 13, 35 dar vmb sorg nyman
vmb dy yren zu verstehn.

6411. Fast wörtlich = Walther 17, 36; f. Suchenwirt 30, 162 die machen sende
hertze vro und Gr. Neidh.-Sp. 397, 1 (ganz ähnlich 448, 17) das machet manig
herz fro.

6413. S. zu 1579.

6418 f. Zu keren erg. war (aus wo): dieses steht nur im Tagliede 7104.

6423. In Kellers Fastnsp. 343, 22 ff. erzählt ein Bauer vom Tanzen: Ee der
pfeifer ein tanz het gepfifen, so hett ich einer dreistunt dran gegriffen; f. auch
die bei Gusinde, Neidh. m. d. Veilch., S. 137 aus Kellers Fastnsp. zitierte Tanzregel:
das er nit sol werben der lieben umb di untern kerben. Von ähnlichen Übergriffen
beim Tanze (und zwar in der Pause) sprechen schon Neidharts Lieder: 44, 9 ff. u.
65, 12 ff. (47, 12 ist ein Vorfall beim Flachsschwingen). Aber auch in der höfischen

Gesellschaft erlaubt man sich solche „kühne Griffe" (f. zu 54), wie wenigstens Wolframs Parz. 407, 2 f. verrät. Über diese Unsitte im Verkehr mit Frauen f. Altswerts Kittel 54, 18 ff. Singer verweist überdies auf Heinrich v. d. Türlin, Krone, S. 143, 642 ff. — Zur ganzen Stelle vgl. Brant, Narrenschiff, Kap. 61, zu 6403 bef. 23 f. do loufft man vnd würfft vmbher eyn, das man hoch sieht die blosszen beyn und die von Zarncke zu 24 gebrachten Stellen.

6424. S. Renner 21837 ein volc heizet man trüller ... daz übels mére denne der tiufel kan.

6429 f. schre ... hin wider: f. 3024; in der hitze: nämlich des Tanzeifers.

6436 ff. Trolls Tanzlied, von dem der Dichter zwei Strophen liefert (f. 6333 ff. die zwei Paarungen im Gesellschaftsspiel), überbietet das Bertschis 6267 ff. in seiner kunstlosen Anlage und in seinem kindischen Inhalte derart, daß es an das Wesen mancher Kinder- und Auszählreime erinnert und als Parodie eines Tanzliedes anmutet. Die erste und zweite Zeile (zu je vier Hebungen) bilden ein Reimpaar, die dreihebige dritte wird als Korn durch alle Strophen gereimt (Bleisch S. 25). Sie endet in einen einsilbigen Namen, der durch eine längere Tonfolge ausgehalten wird; die Wiederholung der Schlußzeile läuft gleichfalls in einen Jodler aus. Die erste und die dritte Zeile eröffnet vorausdeutendes es, die zweite und, ihnen folgt ein Verb, das eine recht natürliche Funktion bezeichnet, endlich, durch eine Apposition (lauter Verwandtschaftsgrade) eingeführt, ein Eigenname: die erste Strophe gilt der älteren Generation (vatter, öhein, vetter), die zweite der jüngeren (sun, nef: das dritte Glied fehlt, offenbar, weil dem Sänger nichts Passendes einfiel). Aus dieser Anlage ergab sich die Herstellung mein öhein (f. 1840) Rimpart (rimpart bei Lexer 2, 439 ist also zu streichen). Daß das Verb bei Wiederholung der Schlußzeile auf drei Töne gesungen wird, deutet die Hf. nur in der ersten Strophe an. In der zweiten reimt sang : sprang und tantzt der dritten Zeile wird in der Wiederholung mit swantzt aufgegriffen. Wieder ist anzunehmen, daß in dieser Weise Strophe auf Strophe folgte, solange der Vorrat an Zeitwörtern und Verwandtschaftsnamen ausreichte. Die dritte Zeile der ersten Strophe wiederholt am Ende den Namen Oll neunmal, immer mit vorausgehendem her, die der zweiten Strophe, nachdem der Name Scholl angeschlagen ist, die Silbe lo (loll) neunzehnmal: musikalisch ist also lo-ló gleichwertig her Óll, wenn man ein lo tilgt. Da das stärkere loll nach drei-, sechs- und siebenmaligem lo erscheint, steckt das überschüssige lo in der zweiten Folge. Mit seiner Streichung ergibt sich das Verhältnis 3:5:7 und loll rückt dann stets in den guten Taktteil. In der Wiederholung der Zeile läßt sich aus der zweiten Strophe her Schó- / o-ó- / o-ó- / o-óll schließen, daß in der ersten entweder stets her Óll oder dreimal o-Óll zu lesen wäre, um sie einander anzugleichen.

6447. Dieselbe Phrase in Eberhart Windeckes Denkwürdigkeiten bei Altmann S. 98; an dem besten steigert ie bas vorher.

6448. Eine sonst nicht nachzuweisende Umbildung der bekannten Redensart, die auf Matth. 13, 24—30 u. 36—43 zurückgeht: f. J. Grimm, D. Myth.⁴, S. 845, Mhd. Wb. 3, 42a 42 ff., Lexer 2, 575 u. DWb. 11, 270e, ferner Mhd. Minnereden I (K. Matthaei) Nr. 2, 516 so wirfft der tüffel sin somen darin und Kaufringer 8, 463 f. der tiefel säet den samen sein zwischen der wirtlütt geren ein; Mondsee-Wiener Liederhf. (Mayer u. Rietsch) Nr. 20, 8 f. Nu sät der tyuel fru vnd spat, daz ym sein sam gar dik auf gat und die Anm. z. St. Vielleicht spielt in W.s Redensart der Ausdruck Teufelsasche (DWb. f. v. u. SJd. 1, 566) eine Rolle.

6450. S. 1520 und zu 102, 264 u. 304.

6452. Eisengreins Vorgehen mutet an wie eine Parodie zur Vorschrift in Kellers Fastnsp. 715, 18 das erst, das er am tanz kain frauen nit heimlich in der hend sol krauen: vgl. ebd. 235, 34 Krauet sie ein wenig in der hant und 726, 16 ff. Eins tags da tanzt ich mit einer frauen, das sie mich in der hend ward krauen. Die Situation erinnert an Neidh. XXXVII, 17 (c 51, 6) sein was von im zu vil, das er ir die weisen hant beczwang und XLVIII, 10 f. nåch einem vingerlîne verlenkte er ir die hant: hiemit ist das Signal zum offenen Ausbruch alter Feindschaft gegeben, indem der Bruder der Verletzten und seine Freunde den Schimpf blutig rächen (im Anschluß an das echte Lied 60, 27 ff.). Der Übergang des zweiten Teils zum dritten bewegt sich also völlig im Geleise der Schule Neidharts; der Verlauf der Ereignisse ist typisch: Übergriff eines Tänzers gegen ein Mädchen, seine Zurechtweisung durch einen Anwalt der Beleidigten, trotzige Entgegnung, Wortwechsel, Tätlichkeiten, allgemeine Rauferei. S. Groß. Neidhartsp. (Keller Nr. 53) 455, 21 ff. und auch Sterz. Sp. 2, 301 ff., Weinhold, DFr. S. 381, M. Manlik, Leben und Treiben der Bauern Südostdeutschlands, S. 27 f. und Hagelstange, Süddeutsch. Bauernleben, S. 258 ff.

6456 f. Im Ausdruck vgl. 6475 f. Der Einschnitt, den das Zeilenpaar zwischen dem zweiten und dem dritten Teil des „Ringes" markiert (f. auch den behaglichen Einsatz 6458) ist fühlbarer als der zwischen dem ersten und dem zweiten, da die Tanzszene von einem in den andern reicht und rasches Fortgleiten der Schilderung verlangt.

6458 ff. Über das Verhältnis der Raufszenen beim Tanze zu den entsprechenden Teilen in „Metzens Hochzeit" und im „Meier Betz" f. ZffdA. 50, 272 ff. Mf. H. 3, Nr. 2 heißt der Bauer, der Friderun den Spiegel bricht, Isenbriht (Hügli, Der deutsche Bauer im Ma., S. 135, Anm. 106); eine Streitszene zwischen Engelmair und Eisengrein f. im Gr. Neidhartsp., Keller 426, 21 ff. — Der Anlaß des Streites ist nicht Eifersucht (so Hagelstange S. 260), sondern der Nissinger Schinddennak stellt den Lappenhauser Eisengrein wegen unziemlicher Behandlung seiner Nichte Gredul Ungemäß als beleidigter Gast zur Rede. — Über 6458 f. zu 1514, über 6460 zu 527, über 6462 zu 992. — Ir hend 6465: übertreibend gegenüber 6452. — Eisengreins Worte (bis 6471) sind als abweisende Drohung zu verstehn (über 6469 f. zu 5812), die Schinddennak 6472 ff. überbietet. Bei L. Bechstein ist dies verkannt.

6475. prächt: f. 350 u. 1619; Stalber 1, 212 brächt neutr. = „Geſchrei", SJb. 5, 395; Boner hat m. breht (: reht) = „Wortwechſel": f. Mhd. Wb. 1, 243b 31 ff. u. DWb. 4, 1, 1, 1858c.

6477 ff. Das Vorgehen der Raufer weiſt eine wohlberechnete Steigerung auf: zuerſt rauft man einander Kopf- und Barthaare aus, dann arbeitet man mit den Fäuſten 6496 f., zuletzt greift man zu Spießen und Schwertern 6512 ff. Zu 6480 vgl. Keller, Faſtnſp. 588, 26 ff. Heinrich, da laß dich weisen von oder ich und meins pruder sun wollen im auch zuspringen.

6482 ff. Fesafögili aus Bertſchis Sippe, der erſte Tote, fällt dem Haarraufen zum Opfer (f. Metz. Hochz. 630 f. Al die löck d . . . zarten si im . . .), Snellagödel aus ebenderſelben dem Fauſt- und der Lappenhauſer Chnotz dem Speerkampfe (f. 6511 u. 34). Ihn rächt ſein Freund Troll (f. 6073) und ſo fällt Arnolt als das erſte Opfer auf Seite der Niſſinger (6539 ff.). Nach Trolls Tod (6556) wütet der Lappenhauſer Twerg mit dämoniſcher Wildheit unter den Niſſingern: Galgenswanch ſtirbt unter ſeinen Händen (6565), Harnstain unter ſeinen Füßen (6573). Endlich zerſchmettert ihn der rieſige Dietrich (6594 ff.). Das letzte mit Namen erwähnte Opfer der Rauferei iſt Fladenranft aus Lappenhauſen (6639).

6490. Singer beſſert treffend kinnpagg (briefliche Mitteilung). Zur Schreibung vgl. Paggenzan 8160, 8427 u. 9117, inhaltlich Virginal 738, 7 ff. er (Dietleip) . . . erwiſchte in (den Rieſen) bî dem barte. Mit bêden henden er in nam und rupfte in alſô harte . . . daz er im von dem kinne reiz drüzzel unde nasebant.

6497. wercleich: offenbar als wer -cleich (f. zu 163) zu verſtehen, das nicht bezeugt iſt, kaum als wërc-leich („kunſtgerecht"). — schluogens umb wie 5266 u. 6600 (dagegen umb sich 8983). Über so am Zeilenende f. zu 2353.

6502 ff. Über tauſt (: fauſt) f. Ausg. S. 335 zu 5546, die Stellen in Metz. Hochz. haben tast (: fast, Adv.).

6506. gen dem hertzen: f. 8833 u. 9393.

6509. gugel = „Kapuze": SJb. 2, 155. Über die Mode der mit langen, ſpitzen Schwänzen verſehenen „Gugeln" f. Herm. Weiß, Koſtümkunde 3, 1, 199 ff. (Fig. 96) u. 206.

6515 f. Über swingen f. zu 5351, über stangen zu 5354. — ungemach als attrib. Adj. im R. nur hier.

6518 f. S. 6287 f. u. zu 440.

6521. von verrem her: f. zu 3541.

6525. Im Sinne von 8730 f. S. zu 2382. Zur La. Sterken f. stark vorher. Vgl. auch Walther 60, 36 strite(n) BCE, stercken F.

6526 ff. Die Kampfepiſode entnahm W. ſeiner Vorlage: f. Metz. Hochz. 576 ff. u. ZfdA. 50, 274. Über den Mühlbach f. zu 217. müli iſt heute noch toggenburgiſch: f. Wiget S. 41 (SJb 4, 187); in der mülîn Ammenhauſen 19056 u. 19122; mülibach weiſt Lexer aus Liliencrons Hiſtor. Volksl.n nach.

6530. S. tætšə bei Winteler, Kerenzer Mundart, S. 49. Im Niederöst. glaube ich dådschn auch für plumpes und lärmendes Gehen gehört zu haben. **6536.** Scheint umgebildet aus der positiven Phrase mit en danc. **6538 f.** Vgl. 9114 f. Der Reim liegt nahe: f. Keller, Faftnsp. 589, 16 f. Ich wil mit meiner helmparten schlahen wunden und scharten. **6544 f.** Die mit dem Mantel umwickelte Linke dient offenbar zur Parade des Fechters. Vgl. etwa Wielands Oberon, 1. Gesang, Str. 36 Zum Glück pariert' ich seinen Stich mit meinem linken Arm, um den ich in der Eile den Mantel schlug. **6548.** daz messer = swinge 6546. **6555.** Im Ausdruck vgl. 4081 u. 9594. **6557 f.** S. zu 131 f. **6564 f.** Der Ausdruck scheint formelhaft zu sein: f. in Kellers Faftnsp. S. 1364 (Geschichte vom Ursprung Augsburgs) Si wurdent all sigloß vnd lagen als gar nider, das kainer auff stuond wider. **6567 f.** Über die Mode dieser Schnabelschuhe f. A. Schultz, Höf. Leb.[2] 1, 296. Die Limburger Chronik vermerkt 1350 am Rhein das Aufkommen der kurzen Röcke und der langen Schnabelschuhe – der Teichner gibt im Gedicht Von des leders tiurung C, Bl. 179b (v. Karajan, Denkschr. d. Wr. Ak. d. Wiff., phil. hift. Kl. 6, 92) ihnen die Schuld: Waz der rok hât abeganc, als vil ist der schuoch ze lanc und diu spitze an den schuohen vorn – und zu 1362 die lange ledersen mit langen schnäbeln gingen an. S. auch Suchenwirt 40, 57–61. Die Ratsverordnung zu Speier um 1356 (Herm. Weiß, Koftümkunde 3, 1, 202 f.) verbietet solche lange, spitzige Schnäbel an Schuhen oder Lederhosen. S. ferner J. v. Arx, Gesch. des Kantons St. Gallen 2, 632, Brants Narrenschiff, Vorrede 117 u. 95, 9 und Zarnckes Anm. z. St., Euling, Wolfenbüttl. Hf. 2. 4. Aug. 2⁰, Nr. 777, 23 ff. die langen schnebel und spiczen: wol hundert teufel darauf siczen ufw.; Rosenblüts meisterliche Predigt (Keller, Faftnsp. S. 1158) nennt unter den Modetorheiten auch schneblet schu. Über die Verdrängung der Schnabelschuhe durch die fogen. Kuhmäuler 1480 f. M. Heyne, Deutsche Hausaltertümer 3, 286, Anm. 147. **6571.** Nach 6567 wäre im zu lesen: Lexer bezeugt in solchen Wendungen nur den Dativ; die Wiener Mundart z. B. gestattet auch den Akk. **6573.** S. zu 1218 u. zu 2014. **6583.** Gemeint ist wohl göggelman (f. SJb. und Stalder unter gäuggel) mit Bezug auf die gauklerhafte Behendigkeit des Kleinen. Außer den Zeugnissen bei Lexer und im DWb. 4, 1, 1, 1552 f. Mohrin 3977 Damit so ward der Uotze vol und tanczet vast dort hin und her, als ob es hie der Bachuff wer, von Ruexingen der gœckelman, H. Sachs, Faftnsp. (Goetze) 8, 421 der alte Göckelmon (Spottname) und Keller, Erz. aus altd. Hff. 426, 9 Sy tacht, ich wer ein jockels- (B göckel-, C gœgel-) man, E. Weller, Dichtungen des 16. Jhdt.s, Nr. 4, S. 27 Ich acht in für ain gögelman und Nr. 11, S. 121 es mag wol sin ein gauggelman. Singer verweist auf gackeln und gageln im DWb. — A. Götze (Litbl. 1932) liest her viel über.

6590 ff. dirr: s. 7030 (Reim!), ferner 6048 u. 6566. — Die Stelle erinnert an Laurin A 543 ff. er (= Dietrich, wie auch der riesige Nissinger heißt) greif im in daz gürtellîn, ûf huop er den kleinen Laurîn, von Berne der vil werde, und stiez ez wider die erde, daz im sîn gürtellîn zerbrach. Singer denkt, auch der 6593 genannte Gürtel sei urspr. als Zaubergürtel gedacht, der besondere Kraft verlieh (briefl. Mitteilung). behuob: „hielt fest", nämlich mit den Zähnen die Hände des Zwergs, der ihm ins Maul griff. Der Kampf zwischen dem riesigen Nissinger und dem zwerghaften Lappenhauser ist ein Vorspiel zu dem des hörnernen Reimprecht mit den Zwergen 8915 ff. Die Kampfesweise der beiden Gegner ist typisch: die Zwerge kratzen den Feinden mit den Fingernägeln die Augen aus 8937 f. u. 8976 ff., die Riesen bedienen sich der Zähne 8725 f., 8935 f. u. 70. — Zu 6595 vgl. 1538.

6601. Ein michel diet: ebenso 7953; f. auch 9283.

6602 f. Im Ausdruck vgl. 8952 f.

6606 ff. S. Meier Betz 390 und die Zeilenreste in Metz. Hochz. 643 ff.: ZfdA. 50, 275.

6609. In dem pofel = „beim Volke" (in Lappenhausen; f. DWb. 7, 1950, 1 a); daher folg. seu.

6610 ff. S. ZfdA. 50, 275 f. Zu 6611 vgl. 1371 ff. u. Rosengarten D 120 f. (drastische Zeichen der Eile). Zum Alarmruf 6610 vgl. 1533. Die Gliederung von 6613 u. 14 gleicht der von 6618 u. 19. — und mit in 6617 ergänzte ich nach 9495 (f. auch 6790); und auch wäre möglich wie 9218.

6620 f. Fast wörtlich nach Metz. Hochz. 667 f. (M. Betz 410 f.). S. zu 3041 ff.

6622 ff. Die Gäste aus den Nachbarorten merken bald, daß das schaiden des Streites auf ihre Kosten geht. — innen wurde von Holland (Vorrede XI) hergestellt. — Über swar f. zu 4325.

6626 ff. Seine lehrhaften Zwecke fest im Auge behaltend, schildert W. bei dieser Gelegenheit die Bildung eines Karrees im Augenblick höchster Gefahr, die Abwehr eines Reiterangriffs (Fladenranft) und zuletzt die erfolgreiche Bekämpfung des Karrees durch Beschießung aus der Ferne. S. Vegetius I, 26 über die quadrata acies. — 6626 = 8677. — schluogen ... für = „streckten vor" (in den mhd. Wbb.n nicht bezeugt).

6640 f. Vgl. 8738 f. (6642 = 8739, 6640 = 658; vgl. 1188 u. 9605).

6646. Eine sonst nicht bezeugte Redensart. S. 8372.

6648 f. Vgl. Stricker, Kl. Ged. (Hahn) 4, 269 f. dô moht er lützel vliehen. Do begunde ich im nâch ziehen.

6654 f. Ein Sprichwort aus der latein. Literatur, aber mit gallus: f. Fr. Seiler,

Das deutſche Lehnſprichw. 2, S. 68 f. S. z. B. Fiſchart, Ehezuchtbüchl. (Hauffen) 158, 36 f. das haus ... macht eins keck wie den Han sein Mist, A. Birlinger, Altſtraßburg. Weisheit, Nr. 46 (Alem. 13, 42) Ein jeder Haan ist auf seinem Mist Meister uſw. Im Mittelalter iſt der Spruch mit canis ſehr verbreitet: ſ. Fecunda ratis 239 Confidens animi canis est in stercore noto und Voigt z. St., Zingerle, Sprichw., S. 73, Suringar zu H. Bebels Prov. Germ. Nr. 312 Canis est audax ante suum foramen, Singer, Alte ſchweiz. Sprichw., Nr. 137, ferner Cod. Pal. Wind. Suppl. 3344, Bl. 109 ᵃ β, 2. Str. ein yeder hundt ist auf seinē mist chuen, Joh. Lenz, Schwabenkrieg (H. v. Dießbach), S. 25 ein hund ist ... vff siner mysten früsch und Sprichw., Schöne, Weiſe Klügreden (Frankf. a. M. 1565) Bl. 326a der hund ist freudig (d. h. freidig) auff seim mist, auch mistbellerlin = „Hündchen" bei Joh. Pauli, Schimpf und Ernſt (Oeſterley S. 58). W. gibt dem Sprichwort eine beſondere Prägung; der Komparativ gehertzer befremdet neben für ander drei (ſ. 2858, 3032 u. 4906 Poſitiv!), iſt aber feſtzuhalten: ſ. 7768 f me für die andern und DWb. 4, 1, 1, 640 r, ᵃ für ander höher gehalten. J. Werner, Lat. Sprichw., S. 41, 56 In propriis foribus canis est audacior omnis (Komparativ!).

6656. mersten (von Keller, Vorrede XI hergeſtellt) iſt im R. vereinzelt: ſ. maisten 4276 (: laisten) und maist 2261, 3255 u. 3973 (: gaist).

6657. die ersten: die flüchtigen Niſſinger; dagegen den andern 6650 = den Verfolgern.

6661 ff. man schluog ze sturme an wäre nach Keller, Faſtnſp. 858, 14 die sturmglocken anschlagen oder Wilwolt v. Schaumburg (Keller) S. 22 derhalb an allen glocken sturmb angeschlagen, Beheim, Buch v. d. Wienern (Karajan) 184, 27 man leut dann sturm oder slug an (ähnlich 185, 9) zu verſtehen (ſ. auch oben 6607), wenn nicht die folgende Zeile verriete, daß es in Niſſingen keine Glocke gab. Aber 6663 iſt nicht wörtlich zu nehmen, sondern bildlich: ſ. Kirchhofer, Wahrh. u. Dichtg., S. 262 'Die Glocke ist gegossen', Wander 1, 1728, 91 u. Lalebuch (K. v. Bahder) S. 31 Als nun die Glocken (wie man sagt) deß newen Rhathauß halben gegossen ... war und die Anm. z. St. Der launige Dichter gebraucht eine ſprichwörtliche Wendung („die Sache war noch nicht erledigt"), die der Situation widerſpricht.

6664 f. Die Brücke führt offenbar durch das Tor (6652) ins Innere des Ortes. S. zu 217. Etwas anderes iſt der Steg 6669. – der jäger: ſ. jöchen 6650.

6668 f. auf halben weg: der Steg über den Grenzfluß (ſ. 9540 u. 9652) liegt also mitten zwiſchen den feindlichen Ortſchaften: daß er abgebrochen wurde, nehmen die zit. Stellen nicht zur Kenntnis.

6670. Den wurffens ab: ſ. Roſenblüts Spruch vom Maler (Keller, Faſtnſp., S. 1182) werft ab prucken und stegk, Klingenberger Chronik (Anton Henne v. Sargans) S. 130 vnd wurfent die brugg ... ab (zweimal) und ſonſt.

6672 ff. Dieſer rohe Mißbrauch der in Lappenhauſen verbliebenen Niſſinger Mädchen ist zu trennen von den 7088 ff. geschilderten Szenen aus der Hochzeitsnacht, in denen die Nissingerinnen (s. 5326 ff.) arg hergenommen wurden; denn 6894 ff. setzt der Dichter den Fortgang des Tanzes voraus und 6978 das Nachtmahl. W. denkt also wohl an zwei verschiedene Gewaltakte. Den zweiten hat Bleisch S. 47 f. u. 57 völlig verkannt. — Zur Pluralbildung mätznen s. Weinhold, Alem. Gr., S. 442 f. und Stalder, Dialektologie, S. 209; dagegen mätzen (DWl.): swätzen 1032 f. und : schätzen 5311 f. Die Zeile 6673 gehört zur vorhergehenden wie zur folgenden. — Daz 6675 (s. Des in der folg. Z.) fordert der Satzbau: s. 2546 und Mhd. Wb. 3, 689 b.

6681. machtens krumb: s. zu 6016.

6682 ff. Die Ratsversammlung der Nissinger führt zur Forderung entsprechender Sühne für die erlittenen Greueltaten, die der Lappenhauser am folg. Tage (Montag) 7149 ff. — doppelt so stark im Ausmaß der Zeilenzahl — zur Kriegserklärung. Zwischen beiden liegt die Schilderung der Hochzeitsnacht 6979 ff., mit der die Handlung der Bauernhochzeit abschließt. In beiden Gemeinden entscheidet der Rat unter dem Vorsitze des Bürgermeisters (in Nissingen), bzw. des Meiers (in Lappenhausen) selbständig über Krieg und Frieden; man sucht im Ernstfalle höchstens nach Bundesgenossen. In N. folgen die zwölf Geschworenen einfach dem Rufe des Bürgermeisters aufs „Rathaus" — eine Scheuer (6700), in L. versammeln sich die Ratsherren auf das Glockengeläute in einem Stadel (7165). In N. spricht der Vorsitzende zuletzt und entscheidend mit Würde und besonnener Zurückhaltung, in L. zuerst und radikal, worauf nach längerer Debatte der maßvollere Antrag des alten Colman durchdringt. Über die Rechtsverhältnisse in beiden Dorfschaften s. Hügli, Der deutsche Bauer im Mittelalter, S. 141.

6686. Über die Zwölfzahl der Eidesmänner s. Graf u. Dietherr, Deutsche Rechtssprichw., S. 416.

6690. Über Strudel, der im weiteren Verlaufe der Handlung als Führer der Nissinger Kriegsmacht eine beherrschende Rolle spielt und das mörderische Gefecht überlebt (9647), s. Einführung der Ausg. S. 11.

6693. Rindtaisch (im folg. nur Egghart genannt): s. Der sælden hort (H. Adrian) 450 unwerder den ain rindertaisch. Den Namen Kühdaisch kennt Keller (Vorrede XI) in Württemberg; s. Fischer 2, 139, Stalder 1, 253, BWb. 1, 555 u. 627; vgl. Fischart, Garg. (Alsleben), S. 349 Kühdesch es iß ja besser dann inn die hand geschissen. Durch Egghards Hand fällt der Meier von Lappenhausen 9270 ff.; der Dichter verhilft ihm zu blutiger Rache seines Sohnes wie Snegg zu solcher seines Vaters 9227—89.

6694. Zing: s. Albrecht Zingg 6864. Ein Johann Zingg aus Unterwalden begegnet in Urkunden aus 1417, 18 u. 20 im 1. Bb. d. Eidgen. Abschn.; vgl. auch Burckhardus dictus Zinke, Basel 1297 (Socin, Mhd. Namenbuch 451) und Koberne, Die

Familiennamen v. Burkheim, S. 59 (Übername wegen auffallender Nase). S. auch H. Edelmann, Zur örtl. u. zeitl. Best. v. W.s R. (SA.), S. 7.

6695. Schilawingg, der Name des Boten der Nissinger an die Lappenhauser 6865 bis 6957, erinnert an schili-bingg (Bezeichnung eines Schielenden) SJb. 4, 1377 f.; s. schilen 5665.

6696 ff. Der Luodrer, der Marner und Eselpagg verschwinden im folgenden, der alt her Pütreich (9469) dagegen entwirft den Plan, der zur völligen Aufreibung des Gegners und zur Zerstörung von Lappenhausen führt, und Fülizan wird als Strudels Neffe 8173 ff. zum Bannermeister ernannt und fällt 9332 f. im Kampfe. Über Wüetreich (762 als Scheltwort) s. W. Wackernagel, Kl. Schr. 3, 117, über Luodrer s. Lexer 1, 1986; Eselpagg als Appellativ ist erst bei Logau bezeugt (s. DWb.). Fülizan (s. 8175; 8613 ist i durch Korr. hergestellt, 8258 u. 9332 fehlt es wie hier), ist als Gattungsname bekannt; ein Johannes Fülizand aus Wallis erscheint in Urkunden aus 1419 (Eidgenöss. Absch. 1, S. 215, 17 u. 19). Pütreich und der Marner muten den Leser als literarische Namen an: sollte sich der schalkische Dichter den Spaß erlaubt haben, zwei Dichtergestalten unter den Nissinger Ratsherren auftreten zu lassen? J. Nadler denkt bei P. im Euphorion 27, 181 allen Ernstes an P. v. Reichertshausen, was zeitlich nicht angeht. Und marner heißen in Ulm und Umgebung die Weber grober Wolltücher: s. DWb. 6, 1669, 2 den Hinweis auf Jäger, Ulm im Mittelalter, S. 636 f. über die Verhältnisse der marner oder loderer. Über Lodrer s. DWb. s. v. und BWb. 1, 1444. Darnach ist man versucht, hier Lodrer zu lesen; aber W. mag es des Scherzes halber in Luodrer verzerrt haben. Somit verliert Marner seinen literarischen Anstrich und die Stelle liefert wohl den ältesten Nachweis für die Bedeutung „Weber", wenn Alfr. Götze, ZfdPh. 53, 184 ff. recht hat. S. auch H. Edelmann, Zur örtl. u. zeitl. Best. v. W.s R. (SA.), S. 7. Pütreich aber ist nach bütterich SJb. 4, 1924 („Schmerbauch, Dickwanst") zu verstehen; s. Morgant (Bachmann) 11, 36, 105, 2 u. 231, 20.

6700. Die Schreibung rauthaus ist in der Hs. derart vereinzelt — s. nur noch haut (?) 6797 — daß man an ein Schreibversehen (beachte folg. -haus!) denken möchte. Freilich hat in den Gedichten Hugos von Montfort (s. Wackernell, S. CLVII) der Cod. Pal. auch nur éin solches au bewahrt (raut 34, 37). Über den Unterschied von Scheuer (im R. nur hier) und Stadel s. Kretschmer, Wortgeographie, S. 407 ff. u. 614. — mit stro: d. h. gefüllt m. Str.; daher Da sassens ein. Die Ratsherren von Lappenhausen benützen 7165 einen stadel.

6702. knaben: s. 5323 f.

6706. Deupenpain: s. Diebsbein im DWb., Diebsknochen als Schimpfwort in der Wiener Mundart, schelme(n)bei(n) als fingierter Name bei N. Manuel (SJb. 4, 1300) u. ä.

6713—15. S. zu 439 u. 440.

6720 f. verschlag stellt schon Holland (Vorrede XI) her. Der Ausdruck in 6721 ist formelhaft: f. 7287; ferner H. v. Neustadt, Apollonius (Singer) 1280 u. 6418, Suchenwirt 4, 566, Aristotilis heimlichkeit (Toischer) 2152, Rothe, Thüring. Chron., Kap. 668 sal ich noch eyne cleyne zeit lebin, Christus und die minnende Seele 996 die wil ich ain tag uff erd leben, ähnlich Netz 7275, Reinfr. v. Braunschw. 16518 f. mîn lîp daz ungerochen lât niemer stunde, sol ich leben.

6730 ff. Der Bericht 6526—41 stimmt dazu in keiner Weise: Arnold ist nicht als Riese gezeichnet noch sein Gegner Troll als Zwerg. W. verwechselt vielmehr mit dieser Kampfepisode die folgende zwischen dem riesenhaften Dietrich und dem Lappenhaufer Twerg, die mit dem Tode des Kleinen endet, 6576 ff. Bei der Nähe der Stelle ist der Gedächtnisfehler verwunderlich. Aber vielleicht hatte der Dichter den vorhergehenden Teil seiner Arbeit nicht zur Hand, weil er ihn dem Kopisten übergeben hatte. Auch eine Arbeitspause könnte schuld sein. — Der Vergleich sam ein perg ein man (f. 8888) ist typisch: f. Erek 8034 f. weder ist er berc od berges gnôz, daz man in alsô fürhten sol? Lanz. 2454 wært ir græzer danne ein berc, Apollonius (Singer) 9318 Asclepidan... trat gegen im als ain perck (Singer per mit AD).

6733. unleicht: in den mhd. Wbb.n sonst nicht bezeugt. S. DWb. f. v.

6735. Harnstain: zur Form f. 5322 u. 6567.

6741—43. S. Wander 1, 288, Nr. 12 Lange bedacht, geschwind gemacht und Seiler, Deutsch. Lehnsprichw. 2, 110, ferner Thomasin, W. Gast 13155 ff. swenn man müezeclîchen hât ervarn einen guoten rât und hât gedâht, waz man welle tuon, sô tuoz ouch harte snelle. Man sol lange gedenken, waz man tuo, und sol snelle tuon daz. Ietwederez sîn reht hât, langer rât und snel getât, Rollenhagen, Froschm. 3, 1, 11, 143 ff. Ich halt den für ein tapfern man, der im ratschlagen ist forchtsam, wol zuvor bewegt alle sachen, so ihm könten widerstand machen, und denn ein unverzagten mut hat, wenn man nun greifen sol zur tat. — Der Reim bedacht : rat ist nicht gegen W.s Brauch: f. zu 1274 f. Zu 6743 vgl. 986.

6744 f. Sprichwörtlich (f. Die regel 6746): Burlaeus, De vita et moribus philosophorum (H. Knust), Kap. XXX Socrates, S. 126 Contraria consilio sunt ira et festinancia; darnach Ammenhausen 5262 ff. Socrates spricht ouch alsô, daz zwei ding widerwertig sint rehtem gerih und machent blint die rihter: zorn ist das eine; zuo dem andern ich meine gâcheit, Ritterspiegel 2525 f. der zorn und der snellir rad sint der wisheid wedir sere, Vintler 2658 ff. wider den getrewen rechten rat seind drei sach frue und spat: das ist die gäch, der zorn und übrig begirung.

6748. Vgl. die Häufung der Infinitive 6763 f.

6756. verrert ist als Partizip und Attribut gestochen gleichgeordnet.

6758 ff. Von Daz ist mein rat hängt ab daz wir gepieten (Konjunktiv)...und tüegin, 6759 ist stark betont („unverzüglich"); zu gepieten gehört als Richtungsangabe

ze ross und zfuoss und die Strafandrohung für Zuwiderhandelnde auf ein puoss
(f. pei dem haubt in derselben Phrase 8597), zu tüegin konstr. ein rennen... auf
die von L., dessen Zweck 6763 — 65 verzeichnen.

6762. zstetts (f. Ausg. S. 336): gewöhnlich zstett u. ä., das 1320 u. 98, 3849,
4654, 4978, 6752, 7037 u. 66, 7726 im Reime erscheint.

6764. schalmützen: die Formen mit l scheinen der Schweiz und ihrer Umgebung
geläufig zu sein: außer den Beispielen der Wbb. f. Appenzell. Chron. 2674 u.
3559, Chronik der Stadt Zürich (Dierauer), S. 76, 2 u. 5, 132, 23, 174, 3, 240, 9 f. u. 26,
241, 24, 264, 26 f. u. 29.

6769. machtz nit lang: f. DWb. 5, 2838ᵉ und 6, 1376a; dieselbe Phrase in
Kellers Fastnsp. 901, 31, Nachlese 258, 8 und in den Erz. aus altd. Hss. 387, 11,
Hätzl. 1, Nr. 12, 24, H. Sachs, Fastnsp. (Goetze) Nr. 39, 453.

6775. umb sach (f. Ausg. S. 336): Gegensatz ane sach.

6781. kinder = Töchter, SJb. 3, 340 b (Singer).

6782. Daz ist = „das heißt" wie 1699, 2482 u. 89, 2693, 2729, 3986, 4006, 22
u. 33 usw.

6786. Der Reim tahen (Ton) : slahen auch in Ottokars Reimchronik 65697 f.
Singer verweist zu rüerens uns ein tahen auf das Buch der sieben Grade des Mönches
von Heilsbronn 1797 dis drei... veinte... streichent uns irn leim an (beschmutzen
uns).

6787. D. h. die alte und die neue Unbill auf einmal rächen. Vgl. Scheidts Grob.
4913 ff. Ob mir schon einer drumb wolt flüchen... mancher mir dannocht wol
drumb redt: so schlag ich eins zum andern wett. S. auch H. Sachs, Fastnsp. (Goetze)
Nr. 31, 270 und L. Tobler, Schweiz. Volkslieder 2, S. 43, 13 so wirt uns eins zum
andern g'schätzt (d. h. eins gegen das andere gerechnet). Anders 9001 (Ausg. S. 339).

6788. Lexer 2, 1020 konstruiert wohl schol man... dar und faßt mit smutzen
parallel folg. mit schlahen usw.; ich denke an schol man... sm. über seu her (über
dar mit f. zu 6254) = „über sie herfallen": f. SJb. 9, 1040 und BWb. 2, 561.

6793. S. zu 572.

6794. Im Satzbau vgl. Brant, Narrenschiff 19, 8 Wer anttwürt, ee man froget
jn, der zeigt sich selbs eyn narren syn (f. Zarncke z. St.). Der Fall ist geartet wie
2649. 3974, wo Keller (Vorrede VII) Akk. mit Infinitiv feststellen will, ist sein
3. Plur. wie z. B. Helmbr. 1578 f. ich fürhte, fremde liute uns ze schaden nâhe sîn.

6795 ff. hat nach Holland (Vorrede XI): wie vorher ist (6800 enhat); über die
Schreibung haut der Hf. f. zu 6700; rede erscheint auch nur 886 im Plural, wenn
nicht Infinitiv vorliegt. Die Stelle erinnert stark an das Zitat aus Valerius Maximus, lib. VI, cap. 5, ext. 2 bei Ammenhausen 7966 ff. er (Aristides) sprach: 'The-
mestides der hat üns gegeben nüzen rât, der niht ist reht noch êrlich stât.' Dô
sprâchens ûs gemeinem munde, das in das niemer kunde werden nüz, des si

unêre heten iemer mêre. Dieselbe Anekdote hat Cicero, De officiis 3, 11 mit der Schlußwendung: Itaque Athenienses, quod honestum non esset, id ne utile quidem putaverunt.

6802 f. Die Debatte stockt: Sneggs Antrag war durch Pütreich gefallen, der Pütreichs durch Wüetreich.

6808. Vgl. Sachsenspiegel 1. Buch, Art. 55, f 1 dar umbe enmac nichein gesaczt man (Beamter) richter sîn und Hügli, Der deutsche Bauer im Ma., S. 140 f.

6811. Im Ausdruck vgl. 7699 ff.

6815. S. zu 2268.

6816 f. schon und eben wie z. B. Vintler 7029; zu mit gantzem frid f. 9213.

6818 ff. Die Disposition der folgenden Ausführungen ist 6818—21 gegeben: der 6820 f. geschilderte Fall liegt vor, wie aus 6822—32 erhellt; die Sache der Nissinger ist zudem gerecht vor Gott (6833—37) und der menschlichen Satzung (6838—40).

6819 = 8449 (f. zu 2824). — ieden: nirgends hat der R. wider mit Dativ in einem sicheren Falle; f. dagegen 852, 1538 (u. 6595), 1952, 2824, 3256, 5079, 6836, 7307 u. S. 149, 16.

6826. unleis: im Mhd. sonst unbezeugt. S. aber Marienleben des Schweizers Werther 10286 (Singer).

6827. schelcher: vom adj. schalk (f. Lexer).

6828. Im Gegensatz zu In irem dorff; gflöhet von mhd. vlœhen.

6830 ff. Sprichwörtlich: f. Tacitus, Agr. 33 honesta mors turpi vita potior und die sehr ähnliche Stelle bei Cornelius Nep. Chabr. 4, 3 (Seiler, Deutsch. Lehnsprichw. 1, 249 und Wander 4, 830, 13), Zingerle, Sprichw., S. 192, Singer, Alte schweiz. Sprichw. Nr. 50 u. 252; ferner Rosengarten A, 295, 2 É daz ich in laster lebete, vil lieber wære ich tôt, Ritterspiegel 3009 f. bezzir ist ez gestorbin dorch gemeinen nutz und frede danne schadin und schande irworbin, Suchenwirt 20, 199 f. Pezzer ist mit eren tot den schentleich sten vor frawen (Worte, mit denen sich Herzog Leopold bei Sempach ins Kampfgetümmel stürzte, als der Bannerträger sterbend niedersank: f. Primisser, S. 282 z. St.), Wolkenstein 29, 17 vil pesser wär mit eren kurz gestorben zwar wann mit schanden hie gelebt zwai hundert jar und Fischart, Garg. (Alsleben), S. 385 Ist es nit besser vnd ehrlicher, streitend standhafftig erligen als schandtlich leben vnd fliehen? Dazu Singer: H. Sachs, Werke (A. v. Keller) II, S. 16, 19 f. ehrlich sterben ist vil besser denn schendtlich leben lange tag. — frisleich der Hf. (f. La.) faßt Lexer als vrischlîche, ich als frais(e)chleich.

6840. D. h. es ist kaiserliches = gemeines, geltendes Recht: f. 7217 u. 8479 (Singer).

6842 ff. Eine vor Gott und den Menschen gerechte Sache muß nicht zum Siege führen: Gott straft bei solcher Gelegenheit den Gerechten oft für andere Sünden (f. 7354 f., auch 8109 ff.), z. B. Übermut (daher 6848 in gantzer diemuot: im Ausdruck f. 3270). Strudels Antrag hält zwischen denen der beiden Vorredner (6740 ff.

u. 74 ff.) beſonnen die Mitte. — eim: Singer ſchlägt im Hinblick auf das folgende einem mit Recht die Leſung im vor.

6852—59: faſt wortgetreu wiederholt 6922—29. chainen entſpricht dort niemant. — alle vier: ſ. 5326—30 u. 7089—97; 5325 iſt alſo arg übertrieben. — tüegin von tuon, müegin von müejen. — 6857 entſprechen ähnliche Formeln der Urkundenſprache: ſ. den Freibrief Herzog Albrechts von Öſterreich vom 23. Sept. 1355 (Eidgen. Abſch. 1, 294) daz si vns daz genzlich ledig vnd loz lazzen sullen vnd fürbas nymant daran irren.

6868 ff. Offenbar eine Redensart. Durch Netzvögel lockt man Falken und Sperber ins Garn. J. Meier verweiſt ZfdPh. 24, 546 auf Fragm. 43 a mîne sinne swingent als ein wildez vederspil, dem nâch des netzevogels zil von sîner tumpheit ist sô gâch. S. 7025 ff., inhaltlich 6940 f. u. 7562 ff.

6874. Vgl. vor der schedleich schar 4733.

6877. S. 6908 u. 12, auch 6048 u. 9472.

6882 f. der zag wie 871. Ebenſo z. B. Klingenberg. Chron. (A. Henne v. Sargans) 120 Also wolt kainer des andern zag sin. Über bedorft ſ. zu 3391 ff.

6890 f. Daz was die sach = „das war der Grund"; dar umbe daz wie 6281. Daz er 6891 nach Keller, Vorrede XI.

6894 f. Die heimgekehrten Lappenhauſer haben alſo indeſſen den durch die Rauferei geſtörten Tanz wieder aufgenommen. S. zu 6672 ff. — Springen = „ſpringend"; von rechter schantz wie 9225.

6912 ff. Nach dem internationalen Sprichworte „Kinder und Narren ſagen die Wahrheit": ſ. Wander 2, 1296, 570, Seiler, Deutſch. Lehnſprichw. 2, 181, Zingerle, Sprichw., S. 146 und Singer, Alte ſchweiz. Sprichw. Nr. 156; GA. Nr. 26, 299 ff. erwidert auf die Worte der Schönen ich hœre wol, ir sît ein kint, des iuwer wort ouch kintlîch sint der Schüler: ich bin ein kint, daz ist wâr, dar umbe ich kintlîch gebâr; diu kint redent mêr die wârheit. S. ferner Renner 15271 f. Trunken liute, tôren und kint guotes und übels wârsager sint und ganz ähnlich Wolfenbüttl. Hſ. 2. 4. Aug. 2° Nr. 977, 3 f. (Euling), Zimmeriſche Chronik (Barack) 2, 204, 4 und Fiſchart, Garg. (Alsleben), S. 204, bei H. Sachs (Keller) ſ. XXII, 275, 4, auch IX, 256, 22 u. XXIII, 106, 1 f., Suringar, H. Bebel, Proverb. Germ. Nr. 276. Dazu Singer: J. L. Friſch, Teutſch-Latein. Wb. I, 514 Kind seyn, nihil fallaciae, nihil doli fovere, ohne Falschheit seyn, simplicissimum esse ad malitiam, an der Boßheit, imperitum, stupidum esse, am Verständnüß. Über tobig ſ. zu 1992 u. zu 2916, über sam ein wicht zu 408.

6916. S. Zingerle, Sprichw. 96 und Seiler, Deutſch. Lehnſprichw. 5, 201.

6918. schlechten = „ſchlichten".

6921. pei mir: ſ zu 1735.

6922—29: ſ. oben 6852—59.

6931. Über chondet f. zu 2238, über bas („am besten") zu 2737.

6935. S. Metz 8511 Und geb umb dich nit ainen fist (8939 nit ain stank, 8988 ain kat), 5884 Und wissend drum nit ain vaist.

6936. kat (f. Ausg. S. 337): vgl. paurenmaister (bei Lexer sonst unbelegt; doch ist bûr-, gebûrmeister dem Sachsenspiegel geläufig: f. das Register in der Ausg. von J. Weiske u. R. Hildebrand) für purgermaister 6920.

6940 f. S. 7562 ff.

6947. Über die Redensart f. die Anm. zu 3723 f., ferner DWb. 11, 2, 137, 2 und Zimmerische Chronik (Barack) 3, 548, 14 da im gleich was überbain zukompt (f. auch 540, 31 u. 549, 20). — Ald erscheint nunmehr öfters in der Hf.: f. 7784, 7815, 8140, 8441 u. 8694. — In wäscht der Hf. ist s irrig nachgetragen, richtig in wûsch 5572. Solche ungeschickte Schreibungen sch für chs und chs für sch sind aber auch sonst gar nicht selten anzutreffen. f. bef. Weinhold, Alem. Gr. § 192, S. 159. Beim König vom Odenwalde (E. Schroeder) vgl. 4, 21 in M wahsse für wasche, 7, 58 wahschē für wasten, 10, 63 vleychs für vleysch; f. ferner E. Schroeder, ZfdA. 31, 149 zu Schönbach, Altd. Pred. 1, sermo 43, 97, 26 waschen für wachsen, die Legende vom hl. Kreuz aus einer Augsb. Hf. bei Keller, Fastnsp., Nachlese, S. 125 die gewürtzel wüschen (für wuohsen) Adam in den mund, dann der büsch was zuo ainem bäme ... gewaschen und also wusche er (der Baum) über den brunnen.

6950 ff. der segen: beim Abschied; f. Wackernell zu H. v. Montfort 2, 89. Die Lappenhauser denken an einen absichtlichen Unfug: f. zu 1109 f. — Über sunnentag f. zu 5360.

6955. veintleich wie 9217 u. 32 wohl im Sinne von „heftig". S. Lexer und Metz. Hochz. 460 er sprang vientlich enbor.

6958. überal = „nach allen Seiten"; f. 5302, 5720 u. 7888 und die Anm. zu 5304.

6959 ff. In die Ortschaftenliste Licht gebracht zu haben, ist Gustav Scherrers Verdienst, der in seinen Kl. Toggenburg. Chroniken, S. 113 bemerkt: „Von den ... unter fingierte Benennungen gemischten wirklichen Örtlichkeiten liegen die vier Weiler Kengelbach, Hofen, Libingen und Vettingen in einer Reihe westlich der Thur bei Lichtensteig; Wattwil ist bekannt genug, Fützenswille dürfte ein freies Wortspiel auf Bütschwil, alt Bützenswile, sein." Kengelbach liegt zwischen Lichtensteig und Dietfurt, westl. davon Hofen (eine Rotte), südwestl. davon Libingen und südwestl. davon Vettingen (Rotte). Kenelbach f. im Urkundenbuch der Abtei St. Gallen Nr. 2900 (Wil, 1420), Känelbach Nr. 3179 u. 3347, Kengelbach Nr. 3486; Kenelbach ferner bei Scherrer, S. 110 (St. Gallen, Stiftsarchiv Bd. A 110 fol. 211) und in der Stiftungsurkunde der Lichtensteiger Pfarrkirche (1435). Vettringen f. im UB. St. G. Nr. 2670 (Lichtensteig 1416), Vett'ingen im Mosnanger Jahrzeitbuch, Stiftsbibl. St. Gallen, Cod. 1399, auf der folg. Seite Fettringen. Bützenswil im Lehen-Archiv 74, S. 55

und im Wiler Zinsrodel (Stiftsarch. St. Gallen JJJ 4 F. 6), Bützischwil im UB. St. G. Nr. 3347. S. Scherrer S. 137 u. 39. Die genannten Ortschaften gruppieren sich um Lichtensteig, wo Nissingen zu denken wäre. Lappenhausen ist benachbart. S. zu 5300 ff. Von Rützingen und Seurrenstorff abgesehen (s. zu 5305 ff.), vielleicht Zerrbildungen wie Fützenswil, verbleibt eine Reihe von Ortsnamen, die G. Scherrer nicht deutet. Baechtolds Bemerkung in der Gesch. d. deutsch. Lit. i. d. Schweiz S. 188 „Die übrigen Toggenburger Dörfer sind bekannt" ist nicht gerechtfertigt. — Wie die Nissinger bei ihren Freunden Hilfe suchen, so die Lappenhauser 7879 ff., nachdem sie bei den europäischen Städten 7604 ff. vergeblich vorgesprochen haben.

6959. Aurach mit Baechtold (a. a. O.) als Uri zu deuten, „welches im 13. und 14. Jhdt. oft unter der Form Urach vorkommt" (s. Herm. Oesterley, Histor.-geogr. Wb. des deutsch. Mittelalters s. v. u. Urach = Uri in der Straßburg. Chronik Jak. Twingers v. Königshofen) verwehrt der Zusatz in Sweitzer tal: nach 7967 f. u. 8161 f. handelt es sich um den Vorort des Landes der Sweitzer, der von Nissingen weit abliegt (8162). Die Sweitzer (s. 7959, 8061, 8206 u. 26, 9132, 41, 54 u. 77, 9222) sind die Schwyzer: über ihr Wappen s. 7966 u. ihr Recht des Vorstreits im Kampf mit Christen 8206 ff. In gleicher Bedeutung hat die Appenzeller Reimchronik (hsgg. v. Schieß) die von Switz 1166, 1396, 2588 u. 2606, die Schwitzer 1778, 1933, 2399, 2417, 2711, 3780 u. 4128, die Schwitzerknaben 3970. S. G. Scherrer, S. 117 u. SJb. 9, 2266. Aurach in Sweitzer tal klingt jedenfalls seltsam genug, ob nun ein Irrtum oder eine Erfindung W.s vorliegt. An die andern Urach, Aurach in Süddeutschland ist schwerlich zu denken.

6960. Bei Gaigenhofen denkt Uhland, Schriften 8, 374 an Gaienhofen am Bodensee, das sprichwörtlich geworden ist: s. Kirchhofer, Wahrh. u. Dichtg., Nr. 63 Gayenhofer Arbeit machen (= „einfältige Streiche m.", Schaffhausen); die Zimmer. Chronik 1, 303, 26 ff. berichtet etliche solcher Schildbürgereien.

6961. Verbinde zuo dem Ofen in Gadubri? Ofen (Ausdruck der Gebirgssprache: s. BWb. 1, 44) heißt ein Bergstock in Glarus und Graubünden, Gadubri weiß ich nicht zu deuten. Singer denkt an das Kloster (Casa) Tuberis = Münster in Graubünden. Freilich soll Tuberis für Münster schon im 12. Jhdt. verschwunden sein. S. Histor.-biogr. Lex. d. Schweiz, S. 197.

6964 f. Fützenswille (s. zu 1572): harmlosere Verzerrungen von Ortsnamen z. B. bei Rochholz, Alem. Kinderlied, S. 36: Burri-di-lenz (Lenzburg), Fülli-di-mära (Willmergen), Mära-di-schwanz (Merenschwanden). Zu den Formen Fützens- und Wattwille gegenüber Wittenweilär 52 s. Festgabe s. S. Singer S. 113 f.

6966. D. h. die Thur abwärts.

6971. bis morgens: s. 8567 u. 9408 (b. m. fruo) u. Reinfr. v. Braunschw. 18861 biz morndes; Lexer 1, 2199 vermerkt ze morgens: s. Kaufringer 5, 485, Uhland,

Volkslieder 5, 313 B, Str. 3 u. DWb. 6, 2558ᵉ. Ähnlich vor und ze nahtes Lexer 2, 23, DWb. 7, 212 d u. Kaufr. 16, 630, Sterz. Sp. 20, 12.

6974. Daz hochzeit: dagegen femin. 4870, 5588, 5951 u. 7138, unsicher 5035. Das auch sonst zu beobachtende Schwanken im Geschlecht ist bei W. erklärlich, da er zeit selbst zwar in der Regel als Femin., hie und da aber auch als Neutr. verwendet: f. 7507 (Reim!) u. 4514 u. 6021.

6979 f. Mit dieser Wendung geht der Dichter, der das Ende des Hochzeitsfestes mit sorgloser Kürze abtut — woher Speise und Trank für das „Nachtmahl" kamen, bleibt bei seiner Darstellung ein Rätsel — ruckartig zur Schilderung der Brautnacht über. Hinsichtlich des Verhältnisses seiner Darstellung zur Vorlage f. ZffdA. 50, 276 ff. Über der selben nacht f. zu 1416 f., über 6985 zu 759.

6987. Vgl. 7002 f.: typische Phrasen wie z. B. Erek 6791 f. er druhtes an sîn brüste, vil dicke er sî küste, Lichtenstein, Frauendienst 516, 14 güetlîch triuten, küssen suoze, drucken brust an brüstelîn, Gr. Neidh.-Sp. (Keller, Fastnsp. Nr. 53, 405, 22 f.) Ich wolt euch nach der minne lust lieplich schmucken an mein prust (f. Gusinde, Neidh. m. b. Veilch., S. 84) u. a.

6988 ff. Über wolt f. zu 911, über gevarn zu 2630; im Inhalt vgl. 6989 mit 2246, 6990 f. (f. zu 652 ff.) mit Metz. Hochz. 258 ff. Die brut... was in den gebärden, sam si wild wolt werden: si wainet unde schre vil lut: 'Owe, owe!'

6996 f. Bertschi gedenkt nun der Minnelehre des Schreibers 1665 ff. (zu 7000 f. vgl. im Ausdruck 1898 f.). — Über spächten f. zu 3164, 6997 vgl. mit 3280, 6999 f. im Ausdruck mit 857, 1383 f., 2038 u. 8588 f.

7009 f. nu tuo so wol, gedench usw. wie 7530 f. u. 8650 f. (f. auch 1888 f. u. 3206 f.) wie unser „sei so gut und komm zu mir!" S. Stricker, Kl. Ged. (Hahn) 4, 178 f. herre meister, tuot sô wol und lât uns ein wênic ezzen! (f. die Anm. z. St.), Jüng. Sigenot (Schoener) 106, 9 Neinâ, helt, nu tuo sô wol, nim mîn swert usw.

7011—14. Nach der sprichwörtlich gewordenen Bibelstelle Genesis 2, 24 Quamobrem relinquet homo patrem suum et matrem et adhaerebit uxori suae et erunt duo in carne una (vgl. Matth. 19, 5 u. Marc. 10, 7). S. K. Schulze, Bibl. Sprichw., S. 11 ff. u. Zingerle, Sprichw., S. 97.

7015 f. Die Glosse erklärt den biblischen Ausdruck in 7014. Nikolaus de Lyra z. B. glossiert: quia masculus et femina coniunguntur ad unam carnem prolis procreandam. Cornelius a Lapide in den Commentaria in Pentateuchum Mosis: quia unam carnem, scil. prolem, generant: in der Phrase ein chind zgepern zog das vorausgenommene ze den Dativ des Subst.s nach sich. Ebenso ist vermutlich 2693 zu verstehn. S. Zarncke, Brants Narrenschiff, Überschrift des Kap. 100 im Register und die Anm. S. 443.

7018. S. die Stelle aus H. Sachs im WWb. 1, 835: (die Bäuerin) schlich zum Pfaffen herfür an Tennen, der thet ihr wie der Hann der Hennen.

7025 ff. falscher: f. Keller, Vorrede S. XI (und die La. 7014). Der Ausdruck folgt Kato (Zarncke) 176, 53 f. Noli homines blando nimium sermone probare: fistula dulce canit, volucrem cum decipit auceps (f. Seiler, Deutsch. Lehnsprichw. 1, 264 u. Euling, Wolfenbüttl. Hf. 2. 4. Aug. 2⁰ Nr. 983 Nit verlas dich aüff kaynen man, der vil der suessen rede kan: der vogler singet suß gar vil, wan er den fogel fahen will): anno 1367 ff. in der Limburg. Chronik zitiert mit der Überfetzung: Des voglers pfeiff gar süse sang, da er thete den vogelfang. In der Rota Veneris Boncompagnos (Baethgen, S. 19) klagt die Verführte similibus ... laqueis auceps decipit aves und im Straßburg. Lieberb. 1592 (Alem. 1, 41) Nr. XXX, Str. 4 Sie thun vns locken vnd singen, biss wir in fliegen zu, das sie vns thun bezwingen, dieweyl haben wir kein ruh. Gleich wie man den kleinen waldtvöglein thutt, man pfeifft ins süess vnd macht ins gut; wenn man sie dann gefangen hat, so schlecht man sie dan zu todt. S. auch Frauenlob 317, 13 der vogeler suoze pfîfet, ê er den vogel begrîfet u. MfH. 2, 152 b diu valsche stimme verleitet den vogel rehte unz ûf den kloben und noch in W. Meisters Lehrjahren 1. B., 12. Kap. Die Alte ... bediente sich dabei der guten Art, welche Vogelstellern zu gelingen pflegt, indem sie durch ein Pfeifchen die Töne derjenigen nachzuahmen suchen, welche sie ... in ihrem Garne zu sehen wünschen. Dazu Singer: Sicut avem modulans, stultum sic fallit adulans. J. Werner, Lat. Sprichw., S. 93, 138.

7029. Im Ausdruck vgl. 8485.

7030. S. 1429 und Metz. Hochz. 284 f. Naina, nain, Metzlin, gehab dich wol.

7042 ff. auf kert (f. dagegen 6992): f. Keller, Erz. aus altd. Hff. 131, 10 Da nam er die zarten und fürt sie in einen garten. Da kert er ir auf die schincken und Kellers Faftnsp. (Nachlese) 222, 21 f., wo der Schreiber zur Jungfrau der Königin fagt: ich will dich ain kunst leren: du solt deine payn gen mir auffkeren. — Über 7043 f. zu 1838. — Zu 7045 vgl. im Ausdruck GA. Nr. 55, 503 f. Vil ebene nâch dem alten site spilte er ir gemelîchen mite und Nr. 58, 415 f. Dô spilt' er der junkvrouwen mit lieplîch nâch der werlde sit, Keller, Erz. aus altd. Hff. 182, 24 So legt er mich dann an den rugk und erzaigt mir dann seinen dück, als unser ältern haben gethan, von den es uns ist porn an.

7048 f. hützret: f. zu 1091. Über 7049 f. zu 2246.

7050. daz erst: f. zu 5504.

7051 ff. Über das weit verbreitete Motiv von der „krachenden Bettftatt" f. Felix Liebrecht, Germ. 24, 21 ff. u. A. Jeitteles ebd. 417, Ludw. Fränkel, Vierteljahrfchr. f. Literaturgesch. 5, 470 f. In der volkstümlichen Literatur und im Volkswitz lebt es bis heute fort: f. Teufels Netz 7746 ff. die gespielan und die gesellen tuond denn ainandran vellen an ain grosses bett: da machend si denn wett, was si denn wend machen, das die bettstatt tuot krachen, O. v. Wolkenftein 71, 32 damit das pettlin krache und Kellers Faftnsp. 995, 28 ff., wo die Mutter der Verführten als Zeugin aussagt: Ich spirt das petlein krachen und dacht: Was wirt sich do machen? Do schaut ich zu einem lücklein ein und sach dy liebste tochter mein nakhat in dem pett ligen usw.; s. ferner Nachlese 251, 13 ff., Sterz. Sp. 1, 156 ff. u. 8, 348 ff., auch Keller, Fastnsp. 115, 9 darumb so hat auch mein pett oft kracht und noch in Thümmels Wilhelmine 7, 190 dies rauschende Brautbett. — das (nach machet) bezieht sich auf Daz wisst man wol. — Über wolt 7055 s. zu 102, über verprinnen zu 264, über den Ausruf in 7057 zu 472. Dieser ist das Stichwort für die vor der Türe Harrenden, Brautsuppe und -trunk ins Schlafzimmer zu bringen.

7058 ff. Über diese Sitte s. Weinhold, DFr. S. 269 und die dort zit. Stelle aus Gottfrieds Tristan 12638 ff. Zehant iesch ouch der künec den wîn ... wan ez was in den zîten site ... swer sô bî einer megede lac und ir den bluomen abe genam, daz eteswer mit wîne kam und lie si trinken beide, ferner Athis und Prophilias D 54 ff. grôzin scal sie hêtin ir vrûnt unde ir mâge in der wurme lâge, wen biz sie sich gevrouwitin gnuoc und man trinkin dar getruoc, Die böse Frau 25 ff., Lohengrin 2398. Über die Verhältnisse in Metz. Hochz. s. ZsfdA. 50, 277 f. In der „Gemeinen Beichte" Daniels von Soest 2869 ff. singt der Spielmann vor der Brautkammer ein Lied, um die Gäste herbeizurufen: Den hanen wel wi halen, dar to den rinschen win. Der Führer des Zuges mahnt 2953 ff. die Gäste: Nu latet uns gaen, heimlik vor des brudgams kamer staen und horen al er bedrif, wu her Simon mit sinem wif wake eder slape und holde sik in dem echten state (s. Ring 7051 ff.) und dar na kloppen dan mit twen vingern lislik an. Endlich öffnet Simon den Harrenden und man ißt den Hahn und trinkt dazu den Rheinwein. — Zu tragedi ... von Venedi vgl. etwa Keller, Fastnsp. 478, 1 f. (wo von Lebensmittelschwindel die Rede ist): Dein saffran hast zu Fenedig gesackt und hast rintfleisch dar unter gehackt. — malvasei steht in der Form Malvasia sehr nahe (s. Lexer 1, 2019 und Nachtr. 308, DWb. 6, 1512 f.): vgl. malvensey (: geschray) Hätzl. 1, Nr. 29, 76.

7063. wider chamen: s. zu 5663.

7065 f. Ähnlich GA. Nr. 18 (Die Heidin), 1751 f. Sie sluog nâch ir zuo die tür, den rigel schôz sie vaste vür. — Über Inrentalb s. zu 1027 u. zu 1591.

7068. Doch verrät, wie die Eile der Braut beim Abschließen des Brautgemachs zu verstehen ist. S. auch in irn fröden 7069!

7069. Den pluomen wie 7072: die Jungfräulichkeit (sonst erscheint das Wort bei W. nur noch 5357 im Gen. Pl.; über das Geschlecht s. S. Singer, Beitr. 46, 169). Die Metapher schon bei Catull 62, 46 Quum castum amisit polluto corpore florem; deflorare = devirginare bei Du Cange. S. SJb. 5, 69, 6 a, Lexer unter bluome, enblüemen, DWb. 2, 159, 6; ferner die oben zit. Tristan-Stelle 12643 und Frauenlob (Ettmüller) Sprüche 160, 3 ff. Er hiez der kindel vâren, diu dâ meidel wâren, unz sî verlurn der blômen lust mit der meide jâren. In der Grisardis des Erhart Groß (ZsfdA. 29, 376) 16 f. sagt der jugendliche Fürst zu den Gemeindevertretern, die ihm zur Ehe raten: Ir habt syn mir zu nemen ein plümmen, die mir in meinem leibe nymmer mer mag gewachsen und noch in Goethes „Fauſt" 1, 3561 heißt es Da iſt denn auch das Blümchen weg: vgl. Der Müllerin Verrat: 'Sie forderten des Mädchens Blüten... von mir.' S. auch Deutſch. Rechtswb. 2, 375, V.

7071. daz iſt mein ler: vgl. 4309 u. 8114.

7080 ff. S. zu 2391 f. Der Schreiber verlas in 7081 (vgl. 4485) vō der Vorlage in vn. — Über 7083 f. zu 5212, über 7084 f. zu 391, über Er tett īrs zu 5504.

7088 ff. S. zu 6672 ff. — Zu 7092 vgl. Keller, Faſtnſp. 69, 20 Ich han geſehen in der ernten... das mein ſtadel vol ſchniter lag, der ſie des nachts aller pflag. Iecleichem befremdet nach Zehner, iſt aber nicht unverſtänblich. — Über Die wöſcherin 7096 ſ. zu 5329.

7098. der liechte tag wie 5382 u. 8136, ſ. auch 2285 und Fr. Nicklas, Stil und Geſchichte des deutſchen Tageliebes, S. 167 f. — her prach (ſ. Ausg. S. 337) fehlt in den mhd. Wbb.n, iſt aber ſtehender Ausdruck in dieſer Wendung: ſ. Neidh. Fuchs 649 des morgens, da der tag herprach und ganz ähnlich Wilwolt von Schaumburg S. 169 und J. Lenz, Schwabenkrieg (H. v. Dießbach), S. 40, Morgant 69, 19 u. 24 so bald der tag har bricht, H. Sachs, Faſtnſp. (Goetze) 3, 150 biß das her pricht der helle morgen, Mhd. Minnereden 1 (K. Matthaei) 12, 20 mit dem die ſunn herprach. Mit andern Verben begegnet dieſes her Suchenwirt 19, 40 dez morgens, wenn der tag her gie (ſ. 22, 201), H. v. Montfort 8, 1 f. Ich fröw mich... der nacht, wenn ſi her ſlichen tuot und 21 damit so vert der tag daher, Scheidt, Grob. 4202 Biß daß die morgenröt her geh. S. Jänicke zu Wolfdietr. B 139, 1 (beſ. die Nachweiſe aus Reinfr. v. Braunſchw. 20595 u. Mſ H. 3, 301 b).

7099. Der wachter an der zinnen (beide Ausdrücke nur hier im R.!): eine feſte Verbindung im Taglied: ſ. Uhland, Minneſang: Schriften 5, 176 und Hätzlerin 1, Nr. 4, 3, Nr. 23, 41 u. 51, Nr. 25, 37, Nr. 27, 53 u. 57, Wunderhorn, Von den klugen Jungfrauen Str. 1, Die Entführung (von Seckendorffs Muſenalmanach), vorletzte und letzte Str., Uhland, Volkslied. 2, Nr. 79 A, Str. 2 u. B, Str. 3, Lachmann, Walther, Anm. zu 89, 20 (Fußnote), ferner Nicklas, S. 47 (Winterſtetten). 54. 67 (Wîzenlô). 162. 197. 98. 99. Über den Wächter im Taglied ſ. Wackernell zu Hugo v. Montf. p. CCLVII; Fr. Nicklas, S. 29 ff.

7100 ff. Der Text bietet nur éine Strophe des Taglieds, W. denkt es ſich jedoch mehrſtrophig (ſ. 7108 u. zu 6436 ff.). W. de Gruyter, Das deutſche Taglied, S. 125, meint: „Daß der wachter an der zinnen das entſchlafene eheliche Paar mit dem üblichen Warnungsruf aufweckt, iſt wohl in doppelter Hinſicht als kritiſierende Komik aufzufaſſen." Aber W. legt ſich die alte Gattung in ſeiner Weiſe zurecht: ihm wird wohl der wachter an der zinnen zum Wachtpoſten auf der Dorfbefeſtigung (7248 ff.), der wie ein Nachtwächter den Tagesanbruch verkündet. Er weckt auch nicht nur das junge Ehepaar, ſondern auch die Lappenhaufer, die ihre Gelüſte bei den Riſſinger Mädchen befriedigen. Inhalt und Form sind schlicht und volkstümlich ohne Anzeichen von parodistischen Absichten (s. L. Fränkel, ADB. 43, 616). Die Strophe ist zweiteilig mit der Reimstellung a a a b c c c b, die Reime a und c ein-, der Reim b zweisilbig, der Auftakt fehlt nur in der ersten Zeile. Der Ausdruck ist typisch: zum Eingang vgl. Uhland, Volkslied. 2, Nr. 79 B, Str. 2 Wer in herzenlieves armen ligt, der mach sich uf: is ist waile an der zit! Hätzl. 1, Nr. 19, 1 ff. Woluff, woluff, es ist an der zeit ... wer nun bi herzenliebe leit, der hör und merk, was ich im sag usw., MSH. 3, 452, 4 (Regenbogen) Wa herzeliep an herzeliebes arme lit usw. S. ferner Fr. Nicklas, S. 47 (Winterstetten) u. 163; zu es ist zeit S. 40. 106. 165 u. 67. — morgenstreit fehlt bei Lexer und im DWb.; überwunden = „überstanden". — Über war s. zu 6418 f.

7117. Wie so? Ähnlich wie do? Mhd. Wb. 3, 572 a 44 ff. Wie tuost du so? (Ausg. S. 337) bei Joh. v. Würzb., Wilh. v. Ost. 18441 u. 18456, Ruprecht v. Würzb., Von den zwei Kaufleuten (Altd. Wäld. 1, 38) Z. 103, Der sælden hort (H. Adrian) 248, auch Suchenwirt 30, 76. H. Sachs, Fastnsp. (Goetze) Nr. 37, 133 Wie, das du das hauß sperest zu? Vgl. auch 137 ebd.

7122 f. S. zu 1486 f.; über die Erzählungstechnik zu 1999 f.

7124 ff. Vgl. Metz. Hochz. 292 ff. Man kam mit schallencklichem pracht und bracht in zessent an daz bett: gelückes wunst man in ze wett. — Über gaden s. zu 148.

7128 ff. Bleisch S. 60 vermutet Ausfall einer Zeile (: versweigen): der Inhalt spricht nicht dafür. Über Dreireime s. zu 1906 ff., über 7129 zu 2158. Vgl. auch Apollonius (Singer) 18343 ff. di frauwen giengen ... zu Tarsiam in den sal und sahen zu irem pette, ob sy di augen noch hette.

7133. Typischer Ausdruck: vgl. z. B. H. v. Bühel, Königstochter von Frankr. 5687 mir geviel nie knabe basz.

7134 ff. Weinhold, DFr. S. 270: „Die Morgengabe ist ein Geschenk des Mannes als Zeichen der Liebe (in signum amoris) für die Übergabe der vollen Schönheit (in honore pulchritudinis) und der Jungfräulichkeit (pretium virginitatis)." S. Lohengrin 6833 Diu morgengâb nû rîlich wart benennet. Sie het, alsam ein juncfrou sol, sie verdienet: s. W. Kotzenberg, man, frouwe, juncfrouwe S. 137, Anm. 92. Mätzli hat also erreicht, was der Arzt 2247 in Aussicht stellte. — Ein par schuoch: s. Weinhold, DFr. S. 228: „Noch in der Hamburger Hochzeitsordnung von 1292 wird ein Paar Schuhe als Gabe des Bräutigams an die Braut erwähnt." Hanns Baechtold, Verlobung und Hochzeit 1, 247: „Das charakteristische Brautgeschenk sind ... die Schuhe, welche die Braut vom Bräutigam erhält und am Hochzeitstage tragen muß. Es ist auch heute noch weit verbreitet." S. 248 „Der Schuh hat als Brautgeschenk stets eine wichtige Rolle gespielt". S. die Literatur Anm. 17. Fr. Fr. Kohl, Tiroler Bauernhochzeit, S. 240 (Sand in Taufers): „Am Vorabend der Hochzeit überreicht ... der Bräutigam seiner Braut als Gegengabe für sein ‚Brauthemd‘ ein Paar neue Schuhe, die ‚Brautschuhe‘." Ähnlich in Abfaltersbach (S. 249). S. auch Sartori, Zs. des Vereins f. Volkskunde, hrsgg. v. Weinhold, 4, 168 (Siebenbürger Sachsen).

7139. Die Begründung verrät, daß nur der drohende Kriegsrummel das rasche Ende veranlaßt. Über die Nachhochzeit s. Weinhold, DFr. S. 273 f. Im Ausdruck vgl. Joh. Lenz, Schwabenkrieg (H. v. Dießbach), S. 120 In dem kamen in die mer, wie Cur ingenomen wer. S. Kinzel zu Lamprechts Alexander 2678.

7141. Nissinger: ohne Artikel wie im folg. oft: f. 7289, 7717, 9362 u. 9447, Lappenhauser 7718, 7954, 8235, 8496, 8566, 70 u. 80, 9223, 9302 u. 69, 9420, Mätzendorffer 8037, 8245, 9352 u. 83, Narrenhaimer 9311 u. 68, Torenhofner 9374, Januer 7621, Lamparter 7695, Sweitzer 9154 u. 9222, teutscher man 7697. Vgl. im Nib.-Lb. etwa 562, 4 dô tâten Burgonden, als in Sîfrit geriet. S. Behaghel, Deutsche Syntax 1, 67.

7143 f. S. 6958 ff.

7145. S. Ausg. S. 337, Morgant 60, 32 f. sag dem rytter, der sich so mechtig macht (gebärdet) und unser „sich lustig machen über etwas". Die mhd. Wbb. bieten keine Entsprechungen.

7147 f. Die persönliche Stellungnahme W.s für das friedliebende Alter (deutlicher ist der Ausfall 7374 ff.) erfolgt im Sinne sprichwörtlicher Wendungen: f. Wander 2, 1618, 29 dulce bellum inexperto Franck, Zeytbuch CLX b und Der krieg ist lustig dem unerfahrnen: ein gemein sprichwort nach einer Flugschrift 1519; ebenso H. Sachs, Werke (Keller) III, 331, 38 f. Wiewol ein altes sprichwort saget, krieg sey lüstig den unerfaren. S. auch Rollenhagen, Froschmeus. 2, 2, 14, 7 ff. wenn unerfarne leut in frieden sitzen ein raume zeit, so tun sie, wie der esel tat, da er zu viel des futters hatt und wolte tanzen auf dem eis und brach ein bein mit der unweis und 17 ff. So reucht dem unerfarnen man der krieg so süß als honig an. Er meinet, krieg sei eine sach, die alle knecht zu herren mach, darin man krieg, was man begert, bis er das widerspiel erfert. Vom Gegensatz der Jungen und Alten im Rate Alexanders berichtet Lamprecht (Strb.) 6631 ff. u. 6959 ff.

7149 ff. S. zu 6682 ff. und im ältesten Stadtbuch von Luzern (Anfang des 14. Jhdt.s: Geschichtsbl. aus d. Schweiz, hrsgg. v. J. E. Kopp 1, 336) Bl. 1 a 2 Swele dez Rates ist, der sol am fritage zuo dem Rate komen; vnd ist er nvt im huse, die wil man die gloggen lütet, der git usw.

7151. Die Zahl der Lappenhauser Ratsherren übertrifft die der Nissinger (6686) mehr, als Wittenwilers Angabe verrät, da er allein neunzehn neue Namen einführt, von deren Trägern in der Sitzung allerdings nur vier zu Worte kommen (Riffian, Lienhart, Ruoprecht und Pilian), während die meisten andern überhaupt verschwinden. Von früher Genannten erscheinen im Rat der Meier Rüefli Lechdenspiss,

Pertschi Triefnas, Graf Purkhart, Farindkuo, Eisengrein, Junker Haintz, Niggel und der alte Colman.

7153 ff. Ruoprecht: ein Meier des Namens im Helmbr. 281 u. 326, ein Bauer im Neidh. Fuchs 212. — Gaggsimachs: entstellt aus Gaggismach? S. gaggi-mache(n) = cacare und gaggi, gaggis SJd. 2, 165 f. — Hilprand: Name eines Bauern im Fastnsp. (W. Arndt, Personennamen d. deutsch. Schausp. d. Mittelalters, S. 59), eines Grabwächters (S. 42 u. 100). — Über Grämpler s. Lexer 1, 1078, über Gnaist Stalder 1, 458, BWb. 1, 980 u. a. — Gumprecht begegnet schon Neidh. (Haupt) LIV, 8, im Fastnachtspiel als Bauer (Arndt, S. 49), als Geistlicher (S. 92), als Knecht des Arztes (S. 93) und als Jude (S. 32). — Hellegaist ist als Gattungsname bekannt, nicht so Künchelstil; Ochsenchäs ist Scherzbildung wie Hahnenei u. dgl. — Über Futzenpart s. zu 1572; vgl. Keller, Fastnsp. 342, 12 in β Fotzenpart. — Über Fleugenschäss s. etwa BWb. 2, 475. — Zu Stumph s. zu 2118 und Koberne, Die Familiennamen von Burkheim, S. 60 (Übername eines Krüppels, S. 76 für eine kleine, dicke Person); über Pilian s. Lexer unter billian, pillian und SJd. 4, 1170. — pflegel (wie 7245): s. Rüfli Pflegel bei N. Manuel, Vom Papst und seiner Priesterschaft (Baechtold), S. 75; K. v. Bahder, Einl. z. Lalebuch S. XIV (= „grober Mensch"), SJd. 5, 1239 ff., Wiget, Toggenburg. Ma., S. 102, DWb. 7, 1736; Formen mit pf bieten auch die mhd. Wbb. Der Bauernname Flegel auch bei H. Sachs, Fastnsp. (Goetze) Nr. 20. — Simon und Jaudas fallen zusammen auf den 28. Oktober. — Über Kegel s. SJd. 3, 180 chegel unter 5 a u. b (Spottwort auf einen kurzen, dicken und Scheltwort auf einen groben, tölpelhaften Menschen). S. auch DWb. 5, 387, 11. — Schlegel: vgl. Schlögel Neidh. Fuchs 3559 und Koberne S. 80 („grober Kerl"). S. auch H. Edelmann, Z. örtl. u. zeitl. Best. v. W.s R. (SA.), S. 7. — Über Höseller s. SJd. 2, 1699 („armseliger Tropf", auch „furchtsamer Mensch"): dem entspricht sein Verhalten 7873 ff.

7166 ff. S. zu 6682 ff. In der Lappenhauser Ratssitzung, deren Gegenstand der bevorstehende Krieg mit dem Nachbardorfe ist, kämpfen zwei Parteien gegeneinander: die Jungen (7199, 7283, 7401, 7519, 24 u. 58) als Kriegs- und die Alten (7208, 7404, 7520) als Friedenspartei. Die Form der Wechselrede gibt W. willkommene Gelegenheit, das Thema seines dritten Teils (s. 25 ff.) von allen Seiten zu beleuchten. Der Meier legt sich als Verfechter der Kriegsstimmung in der Jungmannschaft sofort scharf ins Zeug, worauf abwechselnd die Jugend und das Alter das Wort führt: Riffian 7209—17 u. 7224—44 und Lienhart 7219—23 u. 7246—82, Ruoprecht 7285 bis 7387 und Eisengrein 7390—400, Pilian 7406—23 und Junker Haintz 7425—41, die alte Laichdenman 7446—509 und Niggel 7512—17. Endlich mahnt der alte Colman 7522—57, doch wenigstens um Bundesgenossen zu werben und den Krieg formell zu erklären, was auch den Beifall der Jugend findet. — Rüefli maiger: lies maiger Rüefli (wie 6932)? Anders ist natürlich Rüeflinn kaiser 9256 zu verstehen. — Über 7172 s. zu 2268, über gejuket 7173 zu 5939 und zu 6452.

7176. im ze fröden schein: „um ihm seine Freude zu zeigen".

7178. nemen = unternehmen; mit abh. Inf. SJb. 4, 729 e (Singer).

7183. mit treuwen: s. z. 1570.

7184. Derselbe Vergleich von Lappenhausern und Nissingern mit Löwen und Mäusen 7195 ff.: er soll das Stärkeverhältnis beleuchten, das der Dichter selbst als ungleich darstellt (7998 ff. u. 8073 ff.). Eine entsprechende Fabel kenne ich nicht; s. aber Suchenwirts red von hübscher lug (Primisser S. 148) 32 f.: ein maus ein leben sluog zu tod zu Tyrol in dem walde.

7190. Vgl. im Ausdruck 2806.

7193. S. Ausg. S. 337. Den Akk. zeigt die Phrase 2384.

7196. = „Um sie zu zerzausen". Vgl. Rollenhagen, Froschm. 3, 3, 12, 85 f. Damit fielen sie auf die meus, wolten ihn recht suchen die leus.

7198. Vgl. 3152 (Schlußformel einer Rede).

7199 ff. Zu 7199 vgl. 940, zu îrs gmüetes vol 9380 (s. auch 8358), über iemant icht s. zu 2041, über dehainer gschicht zu 3957, über 7209 zu 1665.

7212 ff. Wenn man bedenkt, daß einr von seinem gwalt in 7324 verdeutlicht wird durch volk von seim gewalt, d. h. ein reichsunmittelbares Gemeinwesen, so läßt sich die Äußerung Riffians mit der Strudels 6838—40 wohl vereinen. Der Sprecher scheint aber den Lappenhausern diese Gleichstellung mit den „hohen Fürsten" nicht zuzubilligen, was dann Lienhart 7246 ff. in grotesker Überhebung zurückweist. — Zu veldestreit s. 7411. — ein hoher fürst gestalt (vgl. 7323): = „ein hochgestellter F.".

7222 f. Sprichwörtlich: s. Freidank 135, 10 f. swie die liute geschaffen sint, wir sîn doch alle Adâmes kint (s. Bezzenberger z. St.), Zingerle, Sprichw. S. 9 u. 188, Singer, Zu Wolframs Parzival (Sonder-Abdr. aus der Festschrift für R. Heinzel), S. 41, Anm. 1. Bei W. im Sinne der Abwehr von Adels- und Standesvorrechten: vgl. Andreas Capellanus, De amore (E. Trojel), S. 52 (der plebeius meint) nulla ... possum ratione videre, si plebeius nobilem in probitate transscendat, quare ipsum non debeat in suscipiendis superare muneribus, quum ab eodem Adam stipite derivemur, Mhd. Minnereden I (K. Matthaei), Nr. 2, 437 ff. Sußt sin wir ... alle komen von Adam, daß niemant edel ist besacht dan der, den tugend edel macht, Scheidt, Grob. 653 ff. Wir sind von einem vatter gleich, ob wir schon arm sind oder reich, vnd sind gemacht auß staub vnd erdt — R. 7220 zielt auf Ecclesiast. 33, 10 omnes homines ex terra, unde creatus est Adam — und noch Abr. a S. Clara, Jud. 2, 79 Als Adam ackerte und Eva spann, wer war dann damals der Edelman? So meint auch Vintler 9648 ff. in einem Ausfall gegen die Hoffart der Herren: und wissen doch wol all gleich, das si auch sein ertreich und das aller adel am ersten cham von Eva und von Adam. S. Simplicissimus

(R. Kögel) S. 77 dieses alles sind ja Adams-Kinder ... Wo komt dan ein so grosser Unterschied her? S. auch Daniel Sanders, Zitatenlexikon, S. 10.

7224 ff. Die Vorrechte des Adels durch Berufung auf die biblische Erzählung von Noah und seinen Söhnen zu verfechten, ist traditionell. S. J. Petersen, Das Rittertum in der Darstellung des Joh. Rothe, S. 70 f. und H. Hügli, Der deutsche Bauer im Mittelalter, S. 24 f. Lucidarius (Heidlauf) 8, 13 ff. von Sem kamen die frigen, von Jafet ... die ritere, von Kam ... die eigin lüte. Mich. Beheim, Buch von d. Wienern (Karajan) 130, 26 ff. Und teten nauch irr graben art, di in dann an geerbet wart van aim, hiess Kam, her Noe sun, da di pauren sein kumen fun. Ganz wie in W.s „Ring" wird im „Renner" die Äußerung eines über den Standesunterschied aufgebrachten Bauers 1328 f. Nu sî wir doch geborn von einer muoter alle! durch den Hinweis auf Noah und seine ungleichen Söhne zurückgewiesen 1353 bis 1379. Im Fastnsp. des H. Sachs (Goetze) 15, 81 ff. meint der Bauer: Adam ... ist vnser aller vatter gwesen, so seint wir ie all seine kinder, der Edelmann aber erwidert: Doch ist ainr mer, der ander minder. Noa hett drey sûn, der ein laur hies Ham ... wart ein paur; Sem vnd Japhet, von den mit namen kumpt purgerschaft vnd adels stamen, worauf der Bauer antwortet: Junckher, ich hab anderst vernumen, von tugent sey der adel kumen. Und so erklärt auch Albr. v. Eyb im Ehebüchl. (M. Herrmann) 56, 19 f. Wir haben alle von eim menschen Adam ein vrsprung: allein die tugent hat vns vnderschaidlich gemacht vnd wirt der edel geheißen, des tugenthafftige werck werden gesehen. Es bedarf also gar nicht des Hinweises auf den Dialog De nobilitate et rusticitate, den Hemmerlin in seiner Kampfschrift gegen die Waldstätte ausspielte (J. Nadler, Euphorion 27, 183). Der Sachsenspiegel lehnt (3. Buch, Art. 42) die biblische Herleitung der Knechtschaft von Noahs Sohn Cham ebenso ab wie die von Kain, Ismael und Esau und begründet vielmehr die Freiheit jedes Menschen mit biblischen Argumenten, worin ihm der Schwabenspiegel (CCLIII, 20 ff. bei Wackernagel) treulich folgt.

7234 f. Über 7234 f. zu 377, über 7235 zu 4789 f. — chrangelt (s. Ausg. S. 337) steigert den Ausdruck bleibet 4790.

7243 f. S. Schulze, Bibl. Sprichw., S. 67.

7246 ff. Riffian beim Worte nehmend, beweist er sofort, daß die Lappenhauser „Herren" sind (7278): zu from s. 7229, zu tugend vol 7232; 7256 f. aber bezieht er sich auf 7215. — Zu 7246 vgl. im Ausdruck 3867, 4374, 5098, 8212, auch 4215 u. 89, 6337, 38, 49, 50 u. a.

7248 ff. Die Befestigung von Lappenhausen besteht in hölzernen Palisaden: ein wasserreicher Bach verstärkt diesen Holzzaun. Zwei Tore, wahrscheinlich von je zwei „Hütten" flankiert und durch einen tiefen Graben geschützt, führen ins Innere der Siedlung. S. Würdinger, Kriegsgesch. von Bayern 2, 415: „Fast jedes Dorf war mit einem Graben oder Zaun umgeben ... Es waren gewöhnlich breite Graben, Pali-

faden (Zäune) und Erdaufwürfe" usw., M. Jähns, Gesch. des Kriegswesens,
S. 1117 f., Hagelstange, Süddeutsch. Bauernleben, S. 104 f., Hügli, Der deutsche
Bauer im Ma., S. 23 (Iegelich dorf hinder sinem zune Schwabensp.). Sebastian
Franck, Germ. Chronicon CCCXIV a: Anno MCXXXIX, als die statt Vlm...
zu bawen von newem ward an gefangen, ists allein mit einem statgraben vnd
zaun biß an die drey pfort, so drei schön thürn gebawen waren, vmbzeunt gewesen vnd on maur gestanden, biß man MCCC hat zelet; daher es ein dorff
was genant. — Mit gsäss verb. gemauret wol („gut befestigt"): im Ausdruck vgl.
maur 7254, die hültzin maur 9513, ebenso Sterz. Sp. 11, 110 ain hulczene mauer.
— dörffern: Dat. Pl. von dorff (s. 8009 u. 49); dagegen zuo den dorffen 7880.
— ein pach: s. zu 217. — hütten scheint ein kriegstechnischer Ausdruck zu sein, den
unsere Wbb. nicht belegen; Schultz, Deutsch. Leb. im 14. und 15. Jhdt., S. 169 vermutet: „Türme"? Singer: SJb. 2, 1781 d (Hütte: Wohnung des Torwächters). —
zuo seiner maur „nebst s. M.".

7256 f. Im Ausdruck vgl. 7398 f.

7260 ff. Die Komödie von der Errichtung des Kaisertums in Lappenhausen verzerrt
die Großmannsucht der Dörfler ins Abenteuerliche; die Vorstellung wird aber im
folg. festgehalten: s. 8623 u. 35, 8855, 9074 und besonders 9252 ff.

7268. Der geographische Scherzname, den die rätselhafte Zeile enthält (s. Ausg.
S. 337), hebt den Zusatz in 7269 offenbar ebenso auf wie unten Nienderthaim das
folg. alz daz gpiet: s. Wahtelmære 20 gegen dem kunige von Nindertda; so un-
gefähr müßte das Land heißen.

7271 = 2670.

7272. Nienderthaim: verbreiteter Scherzname; s. Folz, Von einem griech. Arzt
(Keller, Fastnsp. S. 1198) dem herrn von Nindertheym, Fischart, Garg. (Alsleben)
S. 1 Niderherren zu Nullibingen, Nullenstein und Niergendheym, Zarncke, Brants
Narrenschiff 63 in L (S. 61) Monsieur Lause-Pelz von Nirgendheim; s. ferner
DWb. 7, 829 Nienen 1 (N.-heim, -land und -reich), 854 Nirgendheim, 855
Nirgendsheim.

7274 ff. S. zu 139 f. Betreffs des Spottes über die ungarischen Grafentitel s.
den zu 2878 ff. zitierten „Zwölf Zungen der Christenheit": die fünft zung ist Unger-
lant... nit vil ritter ist under in... sy bellen aber all grafen sein.

7280 f. S. die Szenen 8623 ff. u. 8663 f. — Die völlig vereinzelte Enklise manr
.der Hs. (= man ir) durfte Keller (Vorrede VII) nicht als Beispiel für seine Behauptung anführen, daß Anlehnungen des Artikels und der Pronomina in der Sprache
des R.s „häufig und sehr gewagt seien".

7290 ff. Er entwirft in Kürze den Plan seiner folgenden Rede: I. Wesen des
Streites (7291): 7297—99; II. Arten des Streites (7292): 7300—55, und zwar
a) geistlicher 7303—19: 1. der himmlischen Heerscharen gegen Luzifer und die Seinen

7304—11, 2. der Pfaffen mit geiftlichen Mitteln 7312—19, b) leiblicher 7320—55:
1. einer Gemeinfchaft beim Krieg eines Fürften oder eines ihm gleichgeftellten Volkes
7321—27, 2. eines einzelnen 7328—55, und zwar in Notwehr 7329—31, im Fall der
Rache an einer Mehrheit 7332—39 und im Zweikampf 7340—55; III. Urfachen des
ungerechten Streites (7293): 7356—87, und zwar 1. Unterlaffung der Sühne für
Übeltaten 7361—63, 2. Überfluß an Mitteln 7364/65, 3. Verweigerung des Zehnten
an den Pfarrer 7366—69, 4. Läffigkeit im Kampfe gegen den Teufel 7370—73 und
5. Mangel an Erfahrung 7374—80. Die Rede ift theoretifch gefärbt, greift über den
in Frage ftehenden Fall weit hinaus, wägt die Anläffe zum Streit forgfam ab
(f. 7310 f., 18 f., 25—27, 31, 36—39 und 43—55), verrät aber eine gegen Krieg
und Streit gerichtete Haltung, bef. im dritten Teil und deffen Endpunkt. Die gebotenen
Schlüffe auf den erörterten Fall werden 7386 f. den Zuhörern überlaffen.

7292. vach = „Gattungen" nur hier im R.

7297. chrieg ift fomit der weitere, streit der engere Begriff: ebenfo 7376.

7299. müsten (f. Ausg. S. 337) ift auch 9169 u. 9496 mit brechen verbunden wie
3132 das bedeutungsnahe knüsten.

7305. Die bezieht fich über himelher hinweg auf Die erste (schar) wie 7365 über
chast hinweg auf Die ander (sach). — Über chrefteleich f. Lexer 1, 1716.

7308 f. vallen : mit seinen allen: f. Singer, Zu Wolframs Parzival (S.-Abdruck
aus d. Feftfchr. f. R. Heinzel), S. 23.

7312. leit ... an wie 29, 4376, 7298, 8542 u. 9243.

7315. schedleich: d. h. zum Schaden der Betroffenen.

7316. Die kirchen ... verschlahent: Rechtsausdruck des Interdikts.

7317. auf ... habend mit von: fonft nicht bezeugt.

7322 ff. S. zu 7212 ff. — Gen dem andern: erg. land.

7325. Im Ausdruck vgl. 2706; auch: mit Hinblick auf 7318 f.

7330. Genitiv bei sich dernern fteht fonft in anderer Bedeutung.

7332 ff. Ein Beifpiel dafür liefert die alte Laichbenman, die fich wegen Niggels
roher Worte 7512 ff. an der ganzen Gemeinde furchtbar rächt 9418 ff.

7336. Im Ausdruck fehr ähnlich 6801.

7340 ff. Wie das Folgende lehrt, ift auch der gerichtliche Zweikampf eingefchloffen:
f. Sachfenfpiegel 1. Buch, Art. 63. Friedr. Zimmermann, Der Zweikampf in der
Gefch. der wefteurop. Völker, Hiftor. Tafchenbuch, hrsgg. von W. H. Riehl, 9. Jahrg.
(1879), bef. 271 ff. Auch der Teichner lehnt jeden Zweikampf ab. S. Karajan S. 169 f.
Die Kirche beftraft Zweikampf mit Exkommunikation: f. G. Phillips, Lehrb. d. Kirchen-
rechts II, S. 628, Anm. 10.

7345 f. pracht umb sein leben: die heute geläufige Wendung bezeugt erft das
DWb. 2, 390, 19 bei H. Sachs und fpäter. Doch findet fie fich auch im Wolfdietr. B,
612, 17, 2 u. 4: f. DHB. IV, 2, S. 318.

7350 f. Über den Satzbau f. zu 2005 f.

7353. Vgl. 2863 u. 4456.

7354 f. Zum Inhalt f. die Anm. zu 6842 ff.; das Bild vom Fallstrick (f. 2427) ist dem mhd. Ausdruck vertraut, wie die Wbb. zeigen.

7358 f. Die sach der sachen = „der Hauptanlaß": vgl. H. v. Montfort Nr. 32, 13 Du (nämlich Gott) bist ein sach aller sachen, vgl. 141 o wesen aller wesen. — die 7359 wäre auf lai zu beziehen, die erste 7361 zielt aber auf sach, wie aus 7374 erhellt.

7364. Vgl. Suchenwirt 37, 33 den reichen sind die chasten vol.

7367 ff. S. Corpus iuris canonici 2, causa 16, quaest. 1, c. 66 (Augustinus serm. 219 de tempore) Haec est enim domini iustissima consuetudo, ut, si tu illi decimam non dederis, tu ad decimam revoceris. Dabis impio militi, quod non vis dare sacerdoti. S. Vetter zu Ammenhausen 9876 ff.

7370. S. zu 3301.

7380 = 4942.

7381 ff. Hiemit fällt der Redner ganz aus der Rolle und wird zum Sprachrohr des Dichters, der, vermutlich im Banne seiner Quelle, mit dem Krieg auch den Drang in die Fremde verwirft. Deutlicher als W. äußert sich der Teichner (Karajan S. 94, 6) Wie ein gewaltiger herre leben sol A 66a: Maneger vert durch ritter tât über mer. Des wær wol rât, wær der sînen liuten bî und tæte die unrehtes vrî. Über 7383 f. zu 4612 ff. Im Ausdruck vgl. Renner 15029 ff. Schœn antlütze und wol schrîbendiu hant ... bûwent ofte fremdiu lant ... sô belîbet ein esel in sînem stalle.

7390 ff. Eisengrein beruft sich gegenüber den entscheidenden Ausführungen des Vorredners 7358 ff. (f. den Ausdruck 7293) auf den Meier (f. besonders 7179), betreffs der Warnung, die aus 7374 ff. klang, auf die Worte Lienharts 7256 f.

7408 f. Scheint sprichwörtlich zu sein: f. Boner (Pfeiffer) LXXXIII, 47 f. Sô stark ist nieman noch sô grôz, etswâ vinde er sîn genôz.

7410 ff. Die Dreiteilung fuossvolk, rossvolk, schützen, die aus 8376 ff. hervorgeht, liegt auch hier vor. S. Würdinger, Kriegsgesch. v. Bayern 1, 98 ff. (Zweiter Städtekrieg). Da 7435 ein Feldheer gegen 10 000 Bewaffnete umfaßt, 7412 f. aber 7100 Mann zu Fuß und 7414 ff. 719 gepanzerte Reiter gefordert werden, verbleibt für die Schützen, die ein michel schar ausmachen sollen, bei strenger Rechnung nicht eben viel übrig. Es wäre von Interesse, die Quelle all dieser Angaben, auf die der Ausdruck nach harscher ler 7410 unverkennbar hinweist, kennenzulernen. Dann würde auf die zum Teil befremdlichen Zahlen (bef. 719: zu 7414 u. 16 vgl. 8061 f.) ein Licht fallen. Vgl. Straßb. Alex. 1959 ff. Nû wil ih û cunden ubir al, wî vil einer scare wesen sal, als ihz in den bûchen hân gelesen: der sal sehs tûsint wesen und sehs hundrit unde sehsich man. Anders Vor. Alex. 1429 ff. S. Kinzel zu 1962.

Er verweist auf D. Kchr. 199, 28 u. 200, 4 und denkt an die römische Legion als Grundlage. Die Stadt Straßburg z. B. hatte nach Eberhard Windeckes Denkwürdigkeiten (W. Altmann), S. 240 stets 3000 Mann zu Fuß, gegen 500 Reiter, 300 Schützen und 400 blützapfen (Knechte zu Fuß). Vegetius III, 1 fordert für „leichtere Kriege" decem milia peditum et duo milia equitum. — Zu harscher vgl. harsch 8594, 9191 u. 9351. harscher vermerkt Singer auch bei Heinr. Seuse, Deutsche Schriften (K. Bihlmeyer) 75, 4 u. 83, 7.

7415. geritten = „beritten"; nach der zale mein: f. 8006.

7420. S. 8380 ff.

7426. gemessens geben = „genau vorrechnen" (f. 7433 des zellens). Über Partizip Prät. bei geben f. J. Grimm, DGr. 4, 128, 13.

7428 ff. streit gehört natürlich auch zu Alexanders, Der (Holland, Vorrede, S. XII) Trojaner und der Römer. Die Verbreitungsformeln steigern den Ausdruck. Über hie und dört f. zu 3270; hin und dar wie 1695; vgl. Teichner (Karajan, Anm. 308) A 166b und C 223a Ez ist worden heidenschaft in der werlde hin und dar („allenthalben"). Simplicissimus (R. Kögel), S. 51 hingegen lagen die Gassen hin und her mit Toden überstreut. Im Alexander des Lamprecht (Str.) 1830 ff. wird Alexanders Streit mit dem auf dem Wülpenwert und dem der Troer verglichen.

7437. chüm fordert das parallele schlach.

7438. Vgl. 2569.

7440 f. S. Wander 3, 1256 Pfefferkorn 1 u. 2. Über rässer f. zu 5328. Die Korrektur hässer (L. Bechsteins Lesung) bucht Lexer irrig unter haz: fie bezweckte wohl haisser. — hauffen Rom.-Sing. (f. BWb. 1, 1056), dagegen hauff 9493.

7445. Über hin für f. zu 4789 f.

7446. Im Ausdruck vgl. 6740.

7447 ff. S. Kato (Zarncke) 59 f. Kum nimmer an den rât, dar man dich niht gebeten hât und die Randgloffe in Scheidts Grobianus (Milchfack, S. 125) aus Kato: Ad consilium non accesseris, nisi accerseris, Vintler 9334 ff. Sag auch chainen rat ungepeten an chainer stat und gee auch an chainen steten in chainen rat ungepeten.

7457 f. pein begegnet 4597 f. u. 7310 als Femin., 7499 u. 8750 als Mask.: hier, mitten zwischen diesen Stellen, die sprachwidrige Mischung beider Gebrauchsweisen. Offenbar hatte das Wort in der Sprache des Dichters und des Schreibers verschiedenes Geschlecht.

7461 f. Zu 7461 vgl. 2423. — geschribens vind: f. dagegen 2344.

7463 f. Nach Ecclesiastes 10, 16 Vae tibi, terra, cuius rex puer est! S. Wander 2, 1771, 187 u. 4, 1862, Wehe, 11, Schulze, S. 93, Seiler, Deutsch. Lehnsprichw. 1, 181, Singer, Alte schweiz. Sprichw. Nr. 153, Bezzenberger zu Freidank 72, 1 und Voigt zu Fecunda ratis 969 f. Ähnlich wie im R. z. B. Renner 2137 Wê dem lande, des

herre ein kint ist, fast ebenso Suchenwirt 22, 139 f., Brant, Narrensch. 46, 21 f.
We, we dem ertrich, das do hat eyn herren, der in kintheyt gat. S. auch H. Sachs,
Werke (Keller) IV, 42, 5 f. (vgl. XIX, 407, 8 ff.), ferner Renner 16243 ff. Wol der
stat, diu noch die hât, die mit witzen alle ir tât verrihtent und dâ die jungen
liute der alten lêre volgent hiute! Wenne swâ der jungen tummez leben wil gein
der wîsen witze streben, dâ hebt sich angest unde nôt, schade und schande und
gêher tôt; Klingenberger Chronik (A. Henne), S. 1 im Eingang.

7469 ff. Die Worte der Rednerin gehen 9523 ff. in Erfüllung: die unheimliche Alte,
die in der Ehebebatte entschied, soweit sie der Dichter vorführte, verkündet auch den
Untergang Lappenhausens und spielt dabei eine entscheidende Rolle. – ob ich es ge-
sprechen gtar zur Entschuldigung des folg. starken Ausdrucks, einer stehenden, heute
noch lebendigen Wendung: s. Sterz. Sp. 25, 197 di kind in mueter leib erwurgen.
Ich kann nur auf Homers Ilias, 6. Gesang, 58 f. verweisen: μηδ' ὄντινα γαστέρι
μήτηρ κοῦρον ἐόντα φέροι, μηδ' ὃς φύγοι oder auf Hoseas 14, 1 parvuli eorum
elidantur et fetae eius discindantur! – Zu 7474 f. vgl. im Ausdruck 4146 f. –
höch embor wie 8270 u. 8658.

7476 f. Als Quelle W.s für die astrologischen Dinge im folg. vermute ich die
Secreta secretorum. Nach Aristotilis heimlichkeit 2905 ff. hat der Heerführer für den
Tag des Streites astrologische Kenntnisse nötig. In der deutschen Bearbeitung wurde
der Teil über die Ordnung des Himmels und die Planeten weggelassen (f. 1462 ff.).
Aus derselben Quelle schöpft wohl Joh. Rothe im Ritterspiegel: s. 4013 ff. Etliche
ramen gudir zid noch des himels louftin, wan si sullin haldin den strid und besonders 4073 ff. Wan Mars in deme tarande were, wer krigisch her danne bi eme
truge, den sterkete ez danne unmazin sere, daz her sine fiende vinge und sluge,
womit R. 7486 ff. zu vergleichen ist.

7478 ff. Die Anlage ist ganz antithetisch: die Nissinger sind Mars-, die Lappenhauser
Venuskinder, daher herrschen in N. Schmiede und Fleischhauer, in L. Schneider und
Weber vor. Der eritag steht vor der Türe, der Tag des Mars. Sein Stern steht eben
im Sternbild des Stieres, das ihm lieb ist und seine magischen Kräfte verdoppelt,
während die Venus einen unheilvollen Weg nimmt und unglückbrohend im Zeichen
des Skorpions steht.

7481 f. Vgl. das Bannerwappen der Nissinger 8614 ff. Vegetius I, 7 bezeichnet als
zum Kriegsdienste geeignete Berufe u. a. die fabros ferrarios und die macellarios.
Darnach gelten im Ritterspiegel 3465 ff. als wenig kriegstüchtig alle „sitzenden"
Berufe wie Weber, Schneider u. dgl. im Gegensatze zu den „stehenden"; f. 3473 f. di
smede di sint alliz gud und di mit deme isin umme gehin.

7482. fläschhaker: bayrisch, der Schweiz unbekannt (SJb. 2, 1113 nur 1 Beleg,
aus dem 17. Jhdt.), die Metzger gebraucht. S. P. Kretschmer, Wortgeogr. der hochd.
Umgangsspr., S. 414 f. (Singer).

7484. eritag, heute noch iertə' im bayr. Gebiete (BWb. 1, 127) = dies Martis, ein dem Schweizerischen fremder Ausdruck. Die Beratung findet am Montag statt. Auf diesen häuft der Dichter, um alle Wahrscheinlichkeit unbekümmert, die Fülle der folgenden Ereignisse: die Kriegserklärung an Nissingen, die Gesandtschaft an die europäischen Städte, deren Beratung und Antwort, die Gesandtschaft in die Dörfer, den Anmarsch der Verbündeten und der Gegner und den Kriegsrat in Nissingen. Die Nissinger verbringen die Nacht auf den Dienstag schon in freiem Felde 8130 ff. Am Morgen dieses Tages erfolgt der Aufbruch der Heerscharen: 7581, 8567 u. 75 ff. Die Schlacht wütet bis in die finstere Nacht 9404. Tags darauf — also am Mittwoch — wird Lappenhausen erobert und zerstört 9431. Die rasche Aufeinanderfolge der auf den Montag fallenden Ereignisse betont der Dichter immer wieder: s. 7562 u. 71, 7605 u. 90, 7853, 56 u. 79, 7900 u. 59.

7487. In seinem haus (s. Ausg. S. 337): ebenso Megenberg, Buch der Natur 108, 1 f. wenne die (Mars, Jupiter u. Saturn) in iren aigen häusern sint und Keller, Fastnsp. 294, 19 f. wann das der Saturnus . . . ein in das haus des schützen get.

7488. himelstier: sonst nicht bezeugt. Im Planetarium der Hs. 2146 des Johanneums-Archivs in Graz, Bl. 3 b—4 a Mars (Serapeum XXV, 2): Zwey zeichin sint mir vndertan / Der widdir vnd der scorpian / So ich mit crafft dar inne werde sin / Krieg wirt vnd widderwirtige pin / Myn erhohunge Inne dem steinbocke ist. Andere für den Streit günstige Konstellationen von Mond, Saturn und Mars erwähnt Rothes Ritterspiegel 4053 ff. u. 65 ff.

7495 f. S. das Wappen des Dorfes 8582 (Weberspule und Schneiderschere) und Ritterspiegel 3466 di daz tuch kunnen gewebin. So ergab sich die Besserung weber. Vielleicht spielt auch der Name Lappenhausen mit den beiden Gewerben.

7497 f. Vgl. 7479 u. 83. Zur Entstellung von Daz seu in der Hs. vgl. 7528. Auch an Die zwen könnte man denken.

7499 f. pein wird 7502 verdeutlicht. — widersinnigs (s. Ausg. S. 337 und widersinnes): das Bild von der Holzfaserung, die das Spalten verwehrt. — himeltarant (sonst nicht bezeugt): das Zeichen des Skorpions. In dem obigen Planetarium Bl. 5 b bis 6 a Venus (S. 3): Zwey husir sint mir vndirtan / Der stier die wage dar Inne ich han / Froliches leben vnd lustes vil . . . In den fischen erhohē ich mich.

7508 f. S. zu 3139 f.

7513 f. der übel gaist: s. zu 1747. — Mit . . . sternensehen: s. Mones Anz. f. Kunde d. teutsch. Vorzeit 4, 449 (Michael Behamer, Vom Aberglauben, Str. 4). Vgl. sterenseher H. Sachs, Fastnsp. (Goetze) 82, 2.

7515. verjehen wie 1822, 2047, 2653 u. 5246.

7516 f. S. 7165. — ab (über die Stiege hinab) und aus (aus dem Hause hinaus): der Schreiber ersetzte es durch die bekannte Formel, die hier sinnlos wäre.

7520 f. pach: Singer vermutet hach(e) = „Bursche, Kerl" (briefliche Mitteilung), was mir das Rechte zu treffen scheint. S. BWb. 1, 1041, DWb. 4, 2, 96 ff. und Vogt zu MFr.³ 210, 15 (s. zu 3762). Zimmrische Chron. (Barack) 1, 288, 19 Der grafe von Neifen war ein junger hach. — haisse wainend: typische Phrase, s. Heinrich Hoffmann, Fundgruben 2, 136, 11 wi heizze di danne weinint, Salman u. Morolf (Vogt) 299, 4, 513, 4 u. 742, 4, Orendel (A. E. Berger) 2374 u. 3263, Ortnit II, 168, 3, VII, 554, 4, Wolfd. B 321. 22, 1 u. 529, 6 in ᵟ (DHB. IV, 2, S. 313), D 218, 2, GA. Nr. 68, 271, Jüng. Sigenot (Schoener) 130, 1, Der sælden hort (H. Adrian) 9054 u. 10760, Konr. v. Megenberg, Buch d. Natur 220, 17, O. v. Wolkenstein 117, 106.

7523. S. 3800 und zu 2206.

7526 f. der alten ketzern: Scheltwort (s. zu 812) für die Partei der Alten. Über tant s. zu 2968. — **7527** = „zu Schanden machen".

7528. Das seu: hergestellt von Holland, Vorrede, S. XII. S. zu 7497 f. — streken = „foltern".

7534 f. Sprichwörtlich: s. Mart. 282, 2 ff. Wan siu vehtent iemer gen uns mit steter pfliht, so gilt ez einen riemen niht, ez gilt ein ganze hut, Th. Murner, Badenfahrt (E. Martin) 3, 69 f. Die sach ... gilt (so ist zu lesen) ein riemen nit allein, sunder gantze hut do zuo und 32, 39 f. On vrsach heißt es (das Bad) nit das wild, darin es nit ein riemen gilt: die gantze hut muoß werlich dran. — riem: s. dagegen riemen (MPl.) 435.

7538 f. Dem Sinne nach ähnliche Sprüche s. bei Wander 1, 1174, Nr. 58, Zingerle, Sprichw., S. 39 f., Schulze, Bibl. Sprichw. Nr. 143 (S. 101), Singer, Alte schweiz. Sprichw. Nr. 69, GA. Nr. 35, 430 f. der guoten vriunde nimt man war in der rehten nœte, Gottes Zukunft (Singer) 2697 f. Frunde werdent do bekant, da die not get in die hant; s. auch R. 4681 f.

7546 f. Im J. 1410 sandten nach Eberhart Windeckes Denkwürdigkeiten (W. Altmann), S. 22 die Herren von Preußen an den König von Polen ein blutiges Schwert zum Zeichen der Kriegserklärung. S. auch J. Grimm, Deutsche Rechtsaltert.⁴ 1, 232. Über die Symbole Schwert und Handschuh s. 7579 f. und Weinhold, DFr.² 1, 341 f.

7555. Im Ausdruck vgl. 4221.

7560. daz wär joch uns ein gnad: eine sonst m. W. nicht bezeugte Wendung.

7562 ff. Die kontrastierende Anlage zu 6862 ff. ist nicht zu verkennen: der Gesandte der Nissinger entgeht in Lappenhausen mit genauer Not dem Tode, die Nissinger dagegen entlassen den Lappenhauser Mesner den Feinden zu Troß und Hohn auf einem geschenkten Esel.

7566. Warum der Mesner so unbeliebt ist, erfährt der Leser nicht. 5427 ff. nehmen die Hochzeitsgäste gegen den Pfarrer Stellung und 8569 ff. weigert er sich, ihre Beichte zu hören. Vielleicht färbt dieses Zerwürfnis zwischen Pfarrer und Gemeinde auch auf den Mesner ab. Singer bemerkt dazu: mesner ist bayrisch, allerdings auch ostschweiz., am verbreitetſten in der Schweiz aber Sigrist. Sie ſcheinen im allgemeinen unbeliebt: ſ. SJb. 7, 511, 2 b: S. eine Perſon, die ſich in alles miſcht; DWb. 6, 2139: ein am Samstag gezeugtes Kind gibt nur einen Mesner; Wander u. Küster 10.

7567. Im Ausdruck vgl. 2320, auch 606.

7569. sein rede: ſ. 3070 u. 8106.

7570 f. Vgl. 6919 f. Zu 7576 f. vgl. 7553 f.

7578. allen sampt: allesament 9184 bezogen auf seu, ebenſo allesampt 9633; ſonſt allessampt bez. auf es, das, des.

7579. Sing. häntſchuoch (dagegen 7549 u. 92 hantsch., 5517 u. 8644 Plur. hentsch.): ſ. hæntſə bei Wiget, Toggenburg. Ma. 27, Vetſch, Appenzell. Ma., S. 58. Zu den Nachweiſen bei Lexer und im DWb. ſ. Folz, Von allem Hausrat in Kellers Faſtnſp., S. 1217 und Fiſchart, Garg. (Alsleben), S. 280 den schweren Cesthändschuch.

7582 f. Nissvelt: offenbar die Gemeindeweide mit der Dorflinde; ſ. 8584 u. 8619. — sich vinden lassen wie 8620 (ſ. auch 1405) = „ſich dem Gegner zum Kampfe ſtellen": ſ. Suchenwirt 1, 150 ff. In Syrphey der getewret sich vinden lie, Keller, Faſtnſp. 756, 16 f. nu ist er (der Gegner) mir sein abgegangen und wil sich nit auf der pan laßen vinden, Morgant 60, 34 Gang und sag dem rytter ... das er sich uff dem feld finden läß (ſ. 113, 18 u. 174, 7), Lenz, Schwabenkrieg (H. v. Dießbach), S. 107 Do enbüttens den eydgenossen, sy welten sich vinden lassen vff der sattel losse vff der halt, ähnlich Keller, Faſtnſp., Nachleſe 110, 29 f. er lasse sich auff der prugken sehen, so will ich gen in reitten. — Auch im Neidh. Fuchs 2593 ff. wird der Kampfplatz zwischen ſtreitenden Bauerngruppen vereinbart.

7586. Über gselle ſ. zu 249; im Ausdruck vgl. 2099.

7587 f. S. Schultz, Höf. Leb.² 1, 177.

7598. Dér rache: ironiſch mit Bezug auf 7565 f.

7601. Vgl. im Ausdruck 6957.

7604 ff. Nach dem Freudenausbruch über die kriegeriſche Antwort Niſſingens (Steigerung gegenüber 7145!) ſendet man nach Colmans Rat 7530 ff. in die Städte Süd- und Weſteuropas um Hilfe. Hat der Dichter 6958 ff. im ähnlichen Falle der Niſſinger eine Reihe von Ortſchaften des Toggenburg in den Text aufgenommen, ſo liefert er hier einen Städtekatalog von 75 Zeilen mit 72 Namen. Hinſichtlich dieſer Zahl ſ. das Traugemundslied: Nu sage mir, meister Tragemunt, zwei und sibenzig lant die sint dir kunt uſw.; Lied vom Hürn. Seyfrid Str. 54 Hettest du bezwungen das halbe teyl der erde vnd zwo vnd sibentzig zungen ... S. zu Ortnit 5, 4 im DHB. IV, 2. Wenn das armſelige Bauerndorf in ſeinem Streithandel mit dem Nachbarort bei den größten abendländiſchen Städten Hilfe ſucht und die Bauernfehde zur Staatsaktion wird, über die ein europäiſcher Kongreß berät, erzielt der Dichter eine groteske Wirkung wie etwa Gottfr. Keller in den „Drei gerechten Kammachern", wo ſeine

Jungfer Züs vor ihren Verehrern einen Städtekatalog Europas entwirft, der wie der W.s mit Rom beginnt. Mit derselben naiven Verwegenheit läßt er in den folgenden Schlachtszenen Riesen, Zwerge, Hexen und Recken aus grauer Vorzeit leibhaftig mitstreiten, so daß alle Orts- und Zeitverhältnisse phantastisch verwischt werden. An der Spitze des Katalogs steht die Trias Rom, Venedig, Brügge: hinter der Hauptstadt der Christenheit die Zentren des süd- und nordeuropäischen Handels. Bis 7630 folgen lauter Uferstädte des Mittelmeeres: vom äußersten Westen (Galicien in Spanien) eilt der Dichter über die Provence nach Sizilien, Italien, Griechenland bis Zypern, von dort springt er auf die Balearen am andern Ende. Nun nimmt er die Städte des italienischen Festlands vor; und zwar die in Toskana, der Lombardei und in Friaul. Dann geht es quer durch die Alpen über Bozen und Lausanne nach Paris, wobei noch zwei Städte Südostfrankreichs erwähnt werden. Nun folgt er dem Rhein von der Mündung aufwärts bis zum Bodensee, wendet sich nach Schwaben, in die Nordschweiz und mit einem Sprung nach Nordsteiermark, dann ins Elsaß, nach Thüringen, Franken und Friesland, eilt mit jäher Wendung über Nürnberg nach Böhmen und Mähren, hierauf nach Bayern, Österreich und Sachsen in die Mark Meißen, endlich nach Ungarn, Polen und Kärnten und bricht mit Preußen ab. Die Anordnung ist also nicht planlos, sondern zeigt deutliche Richtlinien (f. 7620, 24, 31 u. 52 f.), aber auch arge Sprünge und Wirrnisse (f. z. B. die Einordnung von Zürich, Wr. Neustadt, Nürnberg, Villach und Friesach). Seltsam ist mitunter die Auswahl: reich vertreten erscheint Italien, in Deutschland das Rheintal und der Südwesten; die Schweiz weist nur Zürich auf. Die Namenmasse war natürlich in Reim, Rhythmus und Satzbau nicht leicht zu bewältigen. So zeigt denn auch diese Partie öfters Dreireim (7612—14, 15—17 u. 22—24), einmal Vierreim (7661—64), Flickformeln (7641), Ungenauigkeiten (z. B. 7643 f.) und gekünstelte Wendungen (7621 f., 40, 73 u. 78). Im ganzen löst aber W. seine Aufgabe sehr geschickt, besonders in Hinblick auf den Wechsel des Ausdrucks. Nadler meint (Euphorion 27, 179 f.), daß der Dichter die Mehrzahl dieser Städte selbst gesehen habe, und will noch die Reisestrecken erkennen: f. dagegen ZfsdA. 64, 159 f. Ich glaube, daß vielmehr Ph. Strauch, Jahresber. f. neuere deutsche Lit.-Gesch., 2. Bd., II, 3, S. 159 recht hat, der an Entlehnung aus einer Vorlage denkt. Über 7605 f. zu 1643.

7609. Campanier lant: f. Mercator 529 (W. Matthias, Die geogr. Nomenclatur Italiens im altd. Schrifttum, S. 75) [Latium] wirdt itziger Zeit ... Campagna di Roma ... genannt.

7610. Venedi: f. 7058 (: tragedi) u. 7847, Matthias f. v. und Ulrich v. Richental, Chronik des Konstanzer Konzils (M. R. Buck), S. 143 u. 208.

7611. S. Konst. Chron. 208 Brugg ... in Flandern; ebb. 51 Flanderland, 183 Flandern. S. zu 1083.

7612. Santiago de Compostela in Galicien; Compostellan nach dem Adj. Compostellanus Konst. Chron. 157 u. 167, Compostellanensis 176.

7613. Pamplona in Navarra. Konr. v. Würzb., Partonop. 13400 Nafarre, Konst. Chron., S. 51 Navern, 87 u. 207 Naver.

7614. Barcelona in Katalonien (Konst. Chron. 202 Katholoni). Die Konstruktion ist lässig (erg. ist: 7612 steht hat), wenn nicht eine Zeile fehlt.

7615. Sibili (Suchenwirt 14, 286 Sybil): Sevilla.

7616. Marseille (Marsilje Partonop. 13406) in der Provence.

7617 f. Erg. aus 7615 Die gröst... ist hinter Palerm und Napels. Scicili ist vielleicht Vermengung von Sicili und Cicili, Cecili: f. Matthias 182 ff., Cecilje (Tannhäuser (Singer) Nr. 5, 34, Tzetzily Suchenwirt 14, 296, Cecilgen H. v. Sachsenh., Spiegel 197, 31. – Napels: Matthias 146 ff.; chüngreich: nämlich gleichen Namens.

7619. Bari delle Puglie: f. Matthias, S. 62 f., über Püllen S. 52 ff.

7620. Die Bemerkung gilt allen bisher genannten Städten.

7621 f. Januer = Genueser wie Konst. Chron., S. 67 u. 70, fehlt bei Matthias, S. 99 f.; doch belegt er Janua = Genua, f. auch Konst. Chron. 188 (Januensis 160 u. 176). Schavon ist offenbar Savona (f. Eberhart Windeckes Denkwürdigkeiten, hrsgg. von W. Altmann, S. 53 Sabonen Akk.), das bei Matth. fehlt. Genua selbst nennt W. aber nicht.

7623. S. Otte, Eraclius 2499 ze Ancône in die marke bei Matth., S. 49 f.

7625 f. „Daß Konstantinopel in Griechenland liegt, sollte jedes Kind wissen": f. 1773 das waiss ein kind (Agricola 165 Es wissen die kinder auff der gassen u. ä., Tannhäuser in J. Sieberts Ausg. 5, 10 fünf sterkiu regna sint — er ist vil gar ein kint, swer der niht weiz — in Spanje); sei ist zu verstehen wie schol man... kiesen 7665. Seit Uhlands Hinweis (Schriften 8, 368, Anm. 2) gilt die Stelle in der Datierung des „Ringes" als terminus ad quem, da eben 1453 die Hauptstadt des griechischen Kaiserreiches in die Hände der Türken fiel. S. Gervinus, Gesch. d. deutsch. Dichtg.⁵ 2, 419, Baechtold, Gesch. d. deutsch. Lit. in d. Schweiz, S. 188, Bleisch in seiner Diss., S. 16, L. Fränkel, ADB. 43, 611 usw. Nadler (Euphorion 27, 181), der den Wortlaut der Stelle allerdings mißversteht, lehnt mit Recht die chronologische Verwertung ab. Nach meinen „Urkundlichen Zeugnissen über Heinr. v. Wittenwil" käme sie auch gar nicht in Frage; ebensowenig wohl für den von Fritz Wielandt (Bodenseebuch 1934, S. 19 ff.) urkundlich nachgewiesenen Konstanzer Meister Heinrich von Wittenwil.

7627 f. Famagusta: GA. Nr. 64, 400 Famagust (: glust 3. Sg.), Famagost Seifried de Ardemont (Fr. Panzer) 371 u. 73. Zipern: Konst. Chron., S. 50, 159 u. 207, Tzipper Suchenw. 14, 212 f. u. 298. – inseln: st. Formen 7617 u. 30.

7629 f. Majorica (Mallorca) hieß urspr. nicht nur die größte Insel der Balearen, sonbern auch ihre Hauptstadt, das heutige Palma. S. Mayorch Suchenwirt 14, 292, das küngrich Mayorick Konst. Chron., S. 51, Maioricam Fischart, Garg., S. 350. **7631.** ker ich ... an: f. 7686 u. 876.

7632 ff. Aus Toskana bringt die Liste sechs Städte (Florenz, Perugia, Assisi, Lucca, Siena und Pisa), aus der Lombardei fünf (Bologna, Verona, Mailand, Padua und Ferrara). Über Tuscan f. Matthias 193 ff., über Florentz 91 f. — Paraus: Matth., S. 157, bezeugt neben regelmäßigem Perus die Form mit a aus Arigo. S. auch Konst. Chron. 208 Parüß, 161, 180 u. 188 de Paruseo, 174 in Parusio, 161 Parusiensis. — Asseis: f. Matth., S. 60 f. — Laugg: diphthong. Formen bezeugt Matth., S. 130, nicht. — Über die Hohe Sien f. Haupt zu Neidh. 41, 32 und die Ergänzungen in der zweiten Ausgabe, Matthias, S. 38, und Eberh. Windeckes Denkwürdigk. (W. Altmann), S. 328 (zü der hohen Synne), 29, 31 ff., 42, 66 u. 80. — Peis: f. Matth. 161 f. Lucke, Hohenseen, Bise in der Straßburg. Kaufhausordnung (Aloys Schulte, Gesch. des mittelalt. Handels u. Verkehrs 1, 586). Vgl. ebb. 1, 252 „Siena lag, vom Meere entfernt, im Gebirge, gleichwohl sah die hochgelegene Stadt ... manche Warenzüge, noch mehr aber Reisende und Pilger. Führte doch eine vielbegangene Straße auch oft unsere Kaiser und Heere hierher ..." S. auch Chron. d. deutsch. Städte 1 (Nürnberg, Ulman Stromer) S. 31, Z. 12 f. — Über Boloni f. Matth., S. 66 f., über Pern 209 ff., über Mailan 132 ff., über Lamparter (f. 2910 u. 7695) 128, über Padaw 151 ff., über Ferrär 90 f. (f. zu 3379).

7639 f. Über Freiaul f. Matth. 17 u. 93 f., über Weiden (= Udine) WWb. 2, 858 und Matth. 17 u. 201 f. W. gebraucht Städtenamen öfters feminin (f. 7634, 54, 58, 70 u. 71), doch auch neutral (7643, 68, 74 u. 80).

7641 f. Peuschendorff ist allein unter allen Namen der Liste unbekannten Klanges: ich vermute darin das von Eberhart Windecke S. 9 u. 25 genannte Busseldorf in Frigul, laut Register Peusedorf (?), d. h. Peuscheldorf, Puscheldorf, das heutige Venzone am Tagliamento (n. von Udine), einst bedeutender Handelsplatz mit deutscher Bevölkerung. Über die Plöckenstraße f. J. Ficker, Mitteil. des Instituts f. österr. Geschichtsforschung 1 (1880), 298 ff., bef. 302. Wegen des eigenartigen Zusatzes dachte ich ZfdA. 64, 159 an Puschendorf bei Čatez im Osten von Krain, in der Nachbarschaft des Bezirks Landstraß, urspr. Landstrost (f. J. Weichard Frh. v. Valvasor, Die Ehre des Herzogtums Krain, 2. unveränd. Aufl. von J. Krajec u. J. Pfeifer, 3, 329: da do allhie gar keine Landstrasse ist); Landstrass erscheint in Urkunden seit 1466. Aber der Lage nach stimmt eher der obige Ort. an underlass (f. Ausg. S. 337): auch 4302 u. 4876.

7644. Burg Tirol bei Meran, an der Etsch. — herrenfest: bisher nur an einer Stelle bezeugt.

7645. Losan und Lossen in der Chronik der Stadt Zürich, Fortsetzungen 1, 205 u. 209 (J. Dierauer). Sophoi = Savoyen. Sterz. Sp. 15, 11 Saffoy, ebenso Konstanz.

Chron., S. 192 u. 207, in Saphoyo S. 167, in Saphoyer land S. 146. Amadeus VI. v. Savoyen (1343—83) dehnte seine Herrschaft über das Waadtland aus.

7647. Toulouse und Montpellier: f. in (provincia) Tholosana Konst. Chron., S. 161, 166 u. 177. — ze Munpaliere Ammenhausen 15400.

7649. Leyden lag in der Grafschaft Holland, in der Nachbarschaft von Brabant (Prabanden wie Swaben u. ä.).

7651 ff. Die Reihenfolge (f. enander nach!) ist von Köln aufwärts nicht gewahrt, Trier und Aachen führen weit abseits. Die Namensformen sind die üblichen: Wurms: Konst. Chron., S. 163 u. ö., Speir: Spir ebd. 208 u. ö., Triel: f. Mohrin 793 (: Niel) und 6058, Konst. Chron. 16, 162 u. ö. und zu R. 7699, Mäntz: Mentz Konst. Chron. 15, 16 usw., Ach: Konst. Chron. 185, 208 u. oft in der Zimmer. Chron.

7654 ff. Konstanz, die Rheinstadt, leitet zu den schwäbischen Städten über. Die Zwischenbemerkung 7656—58 knüpft an die vil guot an: Ulm und Augsburg wetteifern mit Konstanz. 7659 ff. erg. liget aus 7655. Costentz (7700: Florentz, f. auch 7767) ist die ständige Form der Konst. Chron.; f. Lauchert, Ma. v. Rottweil, S. 15.

7659. auf: 7620, 24, 43 u. 69 an, 7653 pei. — Lintmag = Limmat. Die Formen Lindmag, Lintmag, Lindmagt, Lintmagt begegnen öfters in der Chronik der Stadt Zürich. Dierauer verweist dazu auf mundartl. Limmig und ad fluvium Lindimacum Vita S. Galli c. 4. S. auch Zimmer. Chron. 1, 116, 26.

7660. Wiener Neustadt. Die Gegend von Wr.-Neustadt, Pitten und Gutenstein kam durch den Frieden von Ofen 1254 von der Steiermark zu Niederösterreich. Doch noch im 14. Jhdt. haftete an diesem Landesteile der Name Steier, wie z. B. die bei J. Lunzer, Steiermark in der deutsch. Heldensage, S. 104 f. zit. Stelle aus dem Anonymus Leobiensis lehrt.

7661 f. Rastatt liegt aber am rechten Rheinufer und außerhalb des Straßburger Bistums. — Erdfurt: so stets in der Konst. Chron.

7663 f. Wirtzburg: auch die Konst. Chron. hat regelmäßig Wirtzburg; Frankenfurt f. ebd. 15 (Laa.) u. 16.

7665. Bamberg: f. Babenbergensis Konst. Chron., S. 163 u. 174.

7666. Das Bistum Münster reichte bis zu den friesischen Landen.

7667. In Spenvelden: BWb. 2, 674: „Sollte etwa Pleinvelden als Gegend genommen sein?" W. meint einen Landschaftsnamen: f. Swanvelt Nib. 1465, 1 u. Lachmann z. St., Alphart 79, 4 im dienet Swanvelden und ze Nüerenberc der Sant, Helbl. 3, 217 u. Renner 22256. Von hier ist der Weg zu W.s Form zu suchen.

7668. Pehmer: f. Konst. Chron. 78 den Behemer wald.

7669. in Märhern: f. Konst. Chron., S. 153, 192 u. 95, 200 u. 208, in Merchern Sterz. Sp. 15, 6. — an der March: bezeichnet den Fluß; die Ungenauigkeit der Angabe steht in der Liste nicht allein.

7675 f. Mîhsen in der Kaiserchronik, Anhang I, 521 bei Edw. Schroeder. Maychsen

auch bei E. Weller, Dichtungen des 16. Jhdt.s, S. 16 (ebenda der Reim Sachsen
: gewachsen). Der Wortlaut des Zeilenpaars (im Ausdruck vgl. 7630) ist mir nicht klar.

7677 f. auf der Ungern furt: d. h. wohl drei Donaustädte in Ungarn? Die Anordnung von Ost nach West ist bemerkenswert.

7680. Nadler bemerkt im Euphorion 27, 181, daß Breslau 1335 an die böhmische
Krone kam. W. folgt wohl einer veralteten Quelle. In Polen lag die Stadt freilich
auch vor 1335 nicht: sie war reichszugehörig, stand aber unter polnischen Herzogen.

7683 f. S. dagegen Erlauer Spiele 54, 538 ff. Hollant und Probant und
Präussenlant und Räussenlant, di sind im auch wol erchant.

7689 ff. Wo die Städte tagen, verrät der Dichter nicht. Der Vertreter Roms, der
den Vorsitz zu führen scheint (7694), schlägt eine Generaldebatte von drei Rednern
vor, und zwar soll Italien der Prior von Florenz, Frankreich der Hauptmann von
Paris, Deutschland der Ammann von Konstanz vertreten. Die folg. Debatte zeigt eine
planvolle Steigerung: der Italiener stellt in 20 Zeilen den Antrag, in dem Streite
der Bauern sich strenge neutral zu verhalten. Der Franzose stimmt in 40 Zeilen zu, rät
aber, das neutrale Verhalten freundschaftlich zu entschuldigen; das Schlußwort hat
der Deutsche, der in 75 Zeilen den Fall als Jurist behandelt und den Versuch zu vermitteln vorschlägt, wobei ihm alle zustimmen. — Der Wortlaut in 7689 f. ist formelhaft: s. Appenzell. Chronik 1238 f. Do nun die stett das vernämet, wie bald si
wider zemen kämet! Ähnlich 1396 f.; s. auch 1252 f. Do nun die stett dar kamen
und ettlich die mär vernamen... Rom vertritt der senador, Florenz der priol
(s. 7703 u. 25), Konstanz der amman (s. 7766 u. 71), Paris der haubtman (s. 7723),
Venedig der hertzog (s. 7847 und Wilwolt v. Schaumburg, A. v. Keller, S. 10 der
herzog von Venedig), Padua der potestat (s. 7849) und Prag drei schepfen (s. 7851):
die Titel entsprechen wenigstens teilweise den wirklichen Verhältnissen. Über die Vorstellung eines Bundes der Städte s. zu 7759 ff.

7695. Lamparter: der Prior von Florenz ist keiner (s. 7632 ff.).

7699. priol: hergestellt von Keller, Vorrede S. XII. Formen mit l bieten mehrfach die Wbb.; s. außerdem Renner 3665, Der sælden hort (H. Adrian) 731, Keller,
Erz. aus altd. Hss. 211, 37, Netz 4880, 83 u. 90 (in C), 5157, 63 u. 5359 ff. (in BC).

7703 ff. Hier wie 7725 ff. u. 72 ff. die höfliche und vorsichtige Sprache des Diplo-
maten.

7708 ff. S. Graf und Dietherr, Deutsche Rechtssprichw. S. 427 „Wer zwischen
zwei Freunden Richter ist, verliert den einen". — rechten: s. 8428.

7719. Die: die Nissinger. — verliesen = „preisgeben" wie Appenzell. Chron. 5
Ich ... verlur ouch niemand gern und 10 Ich verlur ungern kain biderman.

7725 ff. Her priol ohne Artikel wie bei Eigennamen. — weislich wie 9680. —
geticht: s. zu 97.

7731 ff. S. Joh. Lenz, Schwabenkrieg (v. Dießbach), S. 154 in einem histor.

Volkslied Byschoff, du gast vff hälem isch, lug, das du nit fallest! Singer, Alte schweiz. Sprichw. Nr. 53 verweist auf MSD. XXVII, 2, 180 Qui currit glaciem, se monstrat non sapientem (f. ebd. 37 curritur in glacie vehementer ab insipiente). Dazu vgl. H. v. Montfort 18, 227 wer gerne gat uff helem is, der tuot nicht wisheit pflegen. Auf hälem eis ist eine typische Verbindung: f. Hefelloher (A. Hartmann) 1, 56, Brant, Narrenschiff 110 b 8 (und Zarncke z. St.), Kellers Fastnsp. 754, 14 u. 1012, 10; auch 349, 13 ist so zu lesen (f. Nachlese S. 340). hæl = „schlüpfrig" ist der Toggenburger Mundart noch geläufig: f. Wiget, S. 43.

7737 ff. sanft = „getrost, ruhig". — Über dorffgesellen f. zu 214.

7745 f. Die sprichwörtliche Redensart könnte sich den Lappenhaufer Gesandten aufdrängen, wenn sie statt der erwarteten Hilfe eine wertlose Neutralitätserklärung erhalten. Sprichwörtliche Wendungen mit dem Gegensatz golt oder silber im Sinne des Echten, Wertvollen und chupfer in dem des Unechten, Wertlosen f. bei Roethe zu Reinmar v. Zweter 84, 1, ferner Neidh. 33, 13, Reinfr. v. Braunschw. 14480, Ritterspiegel 1013 f. u. 25 f., Apollonius 874, Mohrin 2896 f. u. a., doch weicht der Wortlaut von dem W.s ab.

7753 ff. sagen ab und sprechen: abh. von schüllen wir 7747. sag befremdet vor sagen.

7755 ff. S. Apollonius (Singer) 16985 f. Eur alte treuwe ist an mir worden neuwe und O. v. Wolkenstein (Schatz) 38, 5 Dein freuntschaft ist mir allzeit neu; Mondsee-Wiener Liederhf. (Mayer u. Rietsch) Nr. 14, 20 Waz ich dir y hab versprochen, das ist täglich neu. Über an gevär f. zu 1987. Der Nachdruck liegt auf billeich.

7759 ff. Wenn hier die Städter auf die feindselige Stimmung der Edelleute hinweisen, so bleiben 8025 ff. die Herrn dem Streite fern, weil sie Schlösser und Güter vor den Städten schützen müssen. Gemeint ist der langwierige Streit zwischen den Städtebünden und den Adelsgesellschaften, der im letzten Viertel des 14. Jhdt.s Süddeutschland durchtobte. Es ist bezeichnend für den Dichter, daß er an den Schlußkämpfen seines „Ringes" weder die Edelleute noch die Städter teilnehmen läßt. S. Einführung der Ausg. S. 13. Auf denselben Gegensatz spielt des Teufels Netz 7388 an, auf den Krieg der Herren und der Städte 8058 Laa. in BC. Suchenwirt klagt in Nr. 37 (1387) beweglich über den verderblichen Zwist. — Über 7760 f. zu 474, über ire huld zu 1885.

7772 ff. Der Eingang lehnt es zunächst — wie 7725 ff. — höflich ab, über die Anträge der Vorredner hinauszugehn. Wo der natürliche Verstand (7775) versagt, nimmt der gelehrte Ammann die Jurisprudenz zu Hilfe. Die Rechtsquellen, auf die sich die folgenden Definitionen und Gliederungen stützen, führen in ihrer Systematik zum Teil von dem erörterten Fall weit ab. Die Bauern haben um Hilfe gebeten (f. 7531 u. 7692): dieser Begriff zerfällt in zwei Arten: a) schirm, d. i. der Schutz,

auf den jeder Christenmensch gegenüber ungerechten Übergriffen Anspruch hat, ohne daß
er in Gewalttaten ausarten darf, b) gunst, der sich wieder in drei Unterarten gliedert,
die eine Steigerung erkennen lassen: 1. rat, 2. gewalt: Einfluß, 3. mitwürchen: werk-
tätige Mithilfe. 7804 ff. erörtert der Redner die Bedingungen, unter denen eine
Hilfeleistung unterbleiben darf oder muß; die letzte 7817—20, die nach 7716 ff. im
gegebenen Falle vorliegt, wird nach allen Möglichkeiten erörtert. Erst 7837 ff. zieht der
Ammann die gebotenen Schlüsse: beide streitende Parteien sind den Städten befreundet
und gleich stark: sonach hat man gütlich zu vermitteln; hat der Schritt keinen Erfolg, so
muß man sie ihrem Schicksal überlassen.

7785 fast wörtlich wie 1710.

7787. S. M. Manuel, Vom Papst u. sein. Priesterschaft (Baechtold), S. 75, 1150
Ich macht mich heim ungessen und -trunken.

7792. „Zwei davon sind"...

7793. Mitwürchen: s. 7801.

7794. helfen mit: die Konstr. wie bei helfen; das Kompositum ist sonst unbezeugt;
s. aber mithelfer.

7804. S. zu 1464.

7807 ff. S. zu 4630. — der selbig man = „der Hilfe Heischende", ein söleichs
= „einen Hilfsdienst mit viel Mühe und Aufwand". 7810 besagt: „Falls wir es von
ihm verlangten", 7811 „Die Sache ist jedoch so zu verstehn".

7816. pfaffhait im Sinne von „Priesterstand" wie in Hartmanns Greg. 1463.

7819. schüll wir: s. 988. Auch missvällen ist möglich: s. 382.

7823. daz schaiden: im Sinne von ez sch.

7830. irem willen: s. 9195. — geleich... gar ze reich (mit an s. 3889 f. u.
4544) „auf gleiche Weise von ihrem Vorhaben nicht abzubringen".

7833 ff. merken hintersich (s. Ausg. S. 337): d. h. wenn zwei Feinde streiten, hat
man nicht zu vermitteln und dem Stärkeren zu helfen. Im Ausdruck vgl. Heselloher
(A. Hartmann) 2, 25 Ir lob ich darumb preisen wil, der hübschen tantzerinne (hinder sich ze messen!): s. Hartmann z. St., Hätzl. 1, Nr. 82, 23 f. Wann wir wöllen
wesen gail (hinder sich ze messen) und 2, Nr. 42, 86 ff. Ich waisz, das sy mir
gütz gan, sy hab denn des vergessen (Ja, hinder sich gemessen!) und Murner,
Gäuchmatt (W. Uhl) 4578 Vil sindt, die wissendt rechten bscheidt, wie man die
spieß zum jormarck dreyt; das heißt zu gerspach: hinder sich! (im Gegenteil).
Goetze, Zu Theobald Hoeck (Beitr. 27, 164) 68, 15. Betreffs nach der welt s. Ammenhausen 10036 ff. daran (im Buche Exodus) vindet er, das vluoch und unglük
menger verschuldet hât, swem sîn ding nâch der welt (in weltlichem Sinne) wol
gât eben âne widerwertekeit und Hätzl. 2, Nr. 71, 32 ff. So ist man ietz über-
laden mit den, die leben nach der welt im Ggs. zu nach zucht leben Z. 29. W. fügt
noch einen bedeutsamen Relativsatz hinzu: die oben sich ergebenden Ratschläge klingen

denn auch weltlich genug. Sie schießen freilich über das Ziel hinaus, da es sich doch um Freunde handelt, die um Hilfe bitten.

7837. S. zu 4131 u. vgl. auch 8114.

7843 f. Über enklek f. zu 3706, über spreuwersek zu 2580.

7846. Im Ausdruck vgl. 8180.

7856. huobens: das entsprechende Subst. ist aus potschaft zu entnehmen. S. zu 1328.

7863. Typische Wendung der Urkundensprache: ze den heiligen swern. S. das Landrecht des Schwabenspiegels (Wackernagel) CXLVII, 12 ff. Man sol alle eide sweren bî gote unde bî sînen heiligen ... Man sol ouch sweren, daz man die hant ûf gegen den heiligen habe, Morgant 126, 18 Ich schweren ůch by allen helgen.

7865. S. Beitr. 26, 537.

7866 ff. Über diesen scharfen Ausfall gegen die Bauern f. zu 43 u. zu 412. 7869 f. nach einem verbreiteten bauernfeindlichen Sprichwort: f. E. Thiele, Luthers Sprichwörtersammlung, S. 252, Nr. 266, Singer, Alte schweiz. Sprichw. Nr. 24, Voigt zu Fec. ratis 815 f. Im Ausdruck sehr ähnlich (f. grosset mit Subj. kopf und grind wie haubet bei W. — vgl. unser „Dickschädel, dickköpfig" — statt des gewöhnlichen bauch) N. Manuel, Elsli 546 (Keller, Fastnsp. 878, 13 f.). S. ferner Bebels Prov. Germ. (Suringar) Nr. 13 und Wander 1, 256, 46, 261, 157, 268, 328 ff. u. 269, 341, Scheidt, Randglosse zum Grobianus (bei Milchsack, S. 80) Wann man ein bauren flehet, so großt im der bauch, Kirchhofer, Wahrh. u. Dichtg., S. 211 Wenn man einen Bauern bittet, so großet ihm der Zehrsack, Theob. Hock, Schönes Blumenfeld (M. Koch), Kap. LXXXIII, Str. 4 Bitt man den Bawrn, so plodern jhm die Stiffeln, A. Birlinger, Alte gute Sprüche (Alem. 14, 49), Nr. 22 Und wann man den Baurn bitt, so streicht er den Bart. — Zu 7871 vgl. Renner 5967 ff. Ich hœre wol, daz du von natûr bist als ein krieger vilzgebûr, sît du ungern iht anders tuost denne daz du tuon betwungen muost und Kirchhofer a. a. O. Wenn der Bauer nicht muß, so regt er weder Hand noch Fuß (f. Otto Ludwig, Erbförster I, 9). Singer verweist auf großkopfet, ZfdPh. 48, 88, Nr. 5 Wan man den pauren bit, so geschwild ym der hals (vgl. ZfdPh. 47, 387, Nr. 57) und Tunnicius, hrsgg. von Hoffmann v. Fallersleben, Nr. 23 Wo men den bûr mêr bidt, wo em de hals wryger sit.

7872. ist ... buoss: „ist das richtige Heilmittel für ihn".

7879 ff. S. 6958 ff. — 7883 beziehungsvoll (Lappen-hausen: Narren-haim). S. zu 56. — In-der-Chrinn wie 8016: ein Ortsname trotz des dortigen Zusatzes dem teuffen land. S. Uhland, Schriften 8, 371, Anm. 2. G. Scherrer, Kl. Toggenburg. Chroniken, S. 113 denkt an Krinnen nw. von Goldingen (Kanton St. Gallen) „oder an einen der vielen andern Orte dieses Namens in unserer Gegend". Krinau

(gespr. χrînau, von chrinne) westl. von Lichtensteig würde in die Nähe der Orte 6962 f.
führen. — Rupfengeiler (nur hier genannt) enthält wohl mhd. gîlære „Landstreicher".

7889. In der „Läusau" unter dem Höperg (s. 7912 u. 8798), dem sagenberühmten
Heuberg Schwabens (Keller, Vorrede S. XII, Uhland, Schriften 8, 369 f.) wohnen
die Hexen (s. Uhland, a. a. O., 370, Anm. 5; Anton Birlinger, Volkstümliches aus
Schwaben 1, 325 f. u. Anm. 1), im Innern die Zwerge (7912: s. A. Lütjens, Der
Zwerg in der deutschen Heldendichtung des Mittelalters, S. 88 f.), auf nahen Wiesen
die Recken und Riesen.

7890. häxen: hergestellt von Uhland, Schriften 8, 369, Anm. 2.

7895 ff. S. Eraclius 4442 f. diu liute von Kriechen sint swach an herzen und
an were. — siechen subst. wie 3103 u. 4002; s. auch 8561.

7899. Im Ausdruck vgl. 5927. — Des anknüpfend an 7885—90.

7901 f. Die Hexen reiten auf Geißen durch die Lüfte (8683 u. 8787; so ist auch
phärde 8798 zu verstehn): s. J. Grimm, Myth.⁴ 878 ff. u. Nachtr. 307 f., Weinhold,
DFr., S. 68, Mogk, Myth. in Pauls Grundriß² 3, 277. Ackermann, Kap. 6 Die zau-
berinne... hilfet nicht... das sie reiten auf den bocken.

7903. Weder tiefel: s. Ausg. S. 338 und Sterz. Sp. 8, 279 Wetter teuffl lernt
dich das? (dagegen 1, 118 Welcher teufl usw., s. Keller, Fastnsp. 993, 16 u. Nachlese 250, 5), 10, 161 Wetter teuffl pringt dich da herr? 24, 860 Zu wettm
henckher solln dj prilln da? Kummer, Erlauer Spiele 47, 334 Ich wais, wetter
teufel sei hin hat („entführt hat"), 145, 459 u. 75 Wetter teufel hat eu (euch)
nider geslagen?

7904. Hexen sind leicht bekleidet oder nackt: s. A. Birlinger, Volkstüml. aus
Schwaben 1, 307.

7906. Pelsabuken: außer Lexers Nachweisen der Formen mit k s. R. Heinzel, Abhdlg. zum altdeutsch. Drama, S. 65, Keller, Fastnsp. 510, 2 Belzepock, Morgant
(Bachmann) 24, 19 Bältzybock, H. Sachs, Fastnsp. (Goetze) 76, 114 (s. auch 302
u. 366) Belzenpock, Fischart, Garg. S. 188 Bock im Beltz. — chrumbe nas: s.
Suchenwirt 40, 61 chrump recht als des teufels nas, Facetus (C. Schroeder) S. 25,
Str. 158 Hoc etiam facias, ne quis fiat tuus hospes, qui curvum nasum fert
und Keller, Erz. aus altd. Hss., S. 13, 7 f., wo Luzifer von sich selber sagt: Mir stet
naß vnd der mun krummer dan einem hellehunt. — Zu diesem Teufelswappen der
Hexen auf dem Hemde vgl. das Siegel des schwarzen Bocksfußes auf dem Kreuze bei
Joh. R. v. Alpenburg, Mythen und Sagen Tirols, S. 256 f., Mogk S. 275, auch
J. Grimm, Mythologie² 2, 1023.

7907 ff. Beim Einmarsch der Verbündeten in Lappenhausen und in Nissingen eröffnen hier wie dort den Zug Wesen der Mythologie und Heldensage. Gruppe um
Gruppe läßt der Dichter mit ihrem Wappen an uns vorüberziehen, indem immer die
eine sich gegen L., die andere gegen N. wendet, dorthin Hexen, Riesen, Heiden, Narren-

haimer und Torenhofner, hierher Zwerge, Recken, Schwyzer, Mätzendorfer und der Leibinger: es ist nicht zu verkennen, daß die sympathischeren Gruppen zu den Nissingern stoßen. Bei den Torenhofnern nennt W. zuerst auch die Zahl der Streiter und holt dies nach, von Gruppe zu Gruppe zurückschreitend bis zu den Hexen, zum Schlusse gibt er die Stärke der Lappenhauser selbst und die Gesamtzahl der Streiter. Ebenso verfährt er bei der gegnerischen Partei, indem er vom Leibinger von Gruppe zu Gruppe bis auf die Zwerge zurückkommt, die Zahl anführt und bis zum vierten Posten sogleich summiert. Endlich erfahren wir noch die Stärke der Nissinger und die Gesamtzahl ihrer Kriegsleute.

7908 f. Die langen Schweinsborsten dienen den Hexen als Geschosse (s. die Ausdrücke 8697, 8702, 9, 82 u. 83), die zunächst den Augen des Feindes gefährlich werden (8705 ff.), aber auch den Hals kosten können, da sie vorne vergiftet sind (8708 ff.). S. Michael Behamer, Vom Aberglauben (Fr. J. Mone, Anz. f. Kunde der teutsch. Vorzeit 4, 451), Str. 9 auch sprechen ir etliche me von unholden ... wie sie mit börsten schiessen. R. Heinzel teilte mir einst mit, daß diese Hexenwaffe auch in der skandinavischen Literatur vorkommen soll. Dagegen ist die Vorstellung, daß Hexen Zaubersalben bei sich führen, allgemein verbreitet: s. J. Grimm, Mythol.², S. 1023 f., Weinhold, DFr. S. 68, Mogk S. 277, A. Birlinger, Volkstüml. aus Schwaben 1, 307. S. Goethes Faust 1, 4008 Die Salbe gibt den Hexen Mut. Über den Reim salb : allenthalb s. zu 1027.

7914. ze der selben gschicht: „bei derselben Sache, Partei".

7915. Über die Feindschaft der Zwerge und Hexen ist mir sonst nichts bekannt. Riesen und wilde Leute aber gelten als grimme Gegner der Zwerge: s. Lütjens, Der Zwerg in der deutsch. Heldendichtung des Ma.s, S. 105 f. Im R. s. 8718 ff. u. 8863 ff.

7916. S. zu 3537.

7917 f. Über die Vorstellung, daß die Zwerge auf Rehen reiten (s. 8683 u. 8795) — ein Gegenstück zu den Hexen und ihren Geißen — s. J. Grimm, Mythologie⁴ 1, 385 und Lütjens, Der Zwerg in der deutsch. Heldendichtung, S. 76 (auch 22 u. 57); im Edolanz (Altd. Bl. 2, 151, 95) reitet ein Wichtel einen planken rechpock. Der Reim veh : reh wie Laurin 165 f. und im Alexander Ulrichs von Eschenbach 18973 f. ûf einem orse als ein rêch in der grœze ez was und vêch.

7924. Über trôw s. zu 1570 (mißverstanden bei Lütjens S. 107, Anm. 3).

7928. Die freunt: die Zwerge, vor denen sie einherziehen. Diese gelten als Freunde von Musik und Tanz: s. J. Grimm, Mythol.², S. 438 f. und Jüng. Sigenot (Schoener) 163. Über das Verhalten der Spielleute während des Kampfes s. 8675 ff.

7929 ff. Über den Satzbau s. zu 6170. An den Zwischensatz 7930 scheint etwas lässig 7931 geknüpft im Sinne von „jeder mit seinem Eisenspeer und alle mit" usw. — Zu isensper s. 8746, 8995 u. 9392. — hön (nur hier im R.) wurde durch den Reim : schön herbeigezogen, der geradezu sprichwörtlich war. — in siben schritten. W. liebt diese Zahl: s. 1347, 5465, 6128, 6986, 7091, 7987, 9057, 9174 u. 9236. **7937.** S. 8221. Über die Feindschaft der Riesen und Recken s. Lütjens S. 106. **7941.** S. 9034 u. 63. — Iecleichs: Gen. Sing. mask., bezogen auf reken. **7943 f.** schein (s. Ausg. S. 338): wie gmaines zaichen 7905, wappen 7921, zaichen 7923, chlainet 7931. — 8856 ff. erscheinen die Riesen als „Minner": ein Irrtum W.s, da hier die Recken eine Jungfrau im Wappen führen? **7947 ff.** S. Suchenwirt 37, 69 f. Juden, haiden mach wir fro, wann wir edel christen an einander wuesten also und nicht daz leben fristen mit frid und suen ... in pruederleichen trewen. **7951 f.** Vielleicht eine sprichwörtliche Wendung (s. Singer, Alte schweiz. Sprichw. Nr. 64), die der Dichter auch 7835 im Sinne haben mochte. S. oben im selben Sinne 7946. Über temmen s. zu 3190. **7953 ff.** ein michel diet: 7983 f. wird die Zahl der Heiden mit 1000 angegeben: der Zusatz und me ist, wie aus 8007 f. erhellt, reine Floskel. Wenn es aber 9106 f. gar heißt, daß von heidnischem Fußvolk allein je 2000 Gegner auf einen der vier Recken kamen, liegt eine abenteuerliche Übertreibung vor, wie sie das heroische Epos liebt. Die Zusammensetzung der Heiden aus Fußvolk und Reiterei wird 9078 ff. festgehalten. Nach 9125 besteht ihr Heerhaufe aus Russen, Heiden und Türken, 9128 heißen sie Ketzer. **7956.** Mit iren krölen (s. Ausg. S. 338): sie werden nach 9092 ff. gegen die Feinde geschleudert und, sobald sie in Haut oder Fleisch festsitzen, an Riemen oder dgl. zurückgezogen. Man erinnert sich an Helmnods Waffe im Waltharius 982 ff. **7957.** Mit dem osmanischen Wappen! S. 9125 Turggen. **7959.** S. 9190. Die Sweitzer allein von den 6959 ff. genannten Dörfern eilen den Nissingern zu Hilfe (s. 8049), vom Leibinger abgesehen, während die Mätzendorfer ungebetten kommen (8037). **7960.** Vgl. 9115. **7965 ff.** frais (vereinzelt im R.) und ... übel: doch steht ihnen der Dichter freundlich gegenüber: s. 9113 und besonders 9141. — Im Froschmeuseler von Rollenhagen (Goedeke) 3, 2, 2, 25 ff. vgl. das Wappen der „Schweizerknaben": Es war aber im grünen feld ein milchkübel wapen gestellt und darüber drei weiße kes (überhaupt sind die komischen Wappen der einzelnen Schlachthaufen bei den Mäusen in Kap. 2 ähnlich geartet wie die im R. hier). 3, 3, 4, 63 ruft man die Schweizer spottend Ihr kühemelker! S. Joh. Lenz, Schwabenkrieg (H. v. Dießbach), S. 42 Die lantzknecht enthalb dem Ryn schreuwen: 'Hört, hört, ir swytzerlin!' und hetten gstucht ein ku: die furtens an dem Ryn harzu und S. 43 damitt tettens schryen, plerren wie die kü vnd kelber vff dem land, ferner DWb. 5, 2488e, γ und Albr. Keller, Die Schwaben in der Geschichte des Volkshumors 47. Die alten Banner von Uri zeigen

einen Stierkopf mit goldenem Nasenring, spitzen, aufrechten Hörnern und aus dem
Rachen hängender Zunge. Mitteilungen der Antiquar. Gesellsch. in Zürich, 2. Bd.
(1844), 2. Abt., S. 53 ff. — Über 7968 f. zu 8205 ff. — Die komischen Wappen der
anmarschierenden Gruppen (7971, 76 u. 8042) erinnern an die Bauernwappen 111 ff.

7971 f. S. zu 59 f. Der: f. oren; vielleicht ist Des zu lesen wie 5927 u. 7899.

7973 f. S. 9311 ff. Zu 7974 vgl. unser „das Messer schneidet" = „ist scharf".

7976. S. 645.

7977. kamen hergestellt von Keller, Vorrede XII. kamer der Hf. entstand wegen
des folg. her.

7978. Mit = „in der Stärke von" wie heute noch.

7979. S. 9385 steken und zu 5354.

7983 ff. Über die Zahl f. oben zu 7953 ff. Die Herkunft des Namens Mägeron
(f. auch 9075) ist mir dunkel geblieben. Über die Lederharnische der Heiden f. 9120 ff.
und Apollonius (Singer) 2984 ff. ir (es ist vom Volke Gock und Magock die Rede)
harnasch der ist hurnein: da vor stend dicke scheybelein geschlagen auff dy
ledervel. Auch im König Rother (H. Rückert) 4145 tragen die Heiden hornîn gewant:
d. h. Lederpanzer.

7988 ff. Die Riesennamen des R.s klingen z. T. recht wunderlich. Sigen (Akk. wie
8956 : geligen, Inf.) deuten Keller (Vorrede VI) und Uhland (Schr. 8, 369) auf
Sigenôt; die Kurzform fällt aber sehr auf und ist m. W. unbezeugt. — Egge (so die
ständige Schreibung in der R.-Hf.: wie in Laßbergs Hf. des Eckenliedes; f. J. Zupitza 2, 6 Laa.) ist Nom. (zum Satzbau f. Wackernagel zu A. Heinr. 341, Martin zu
Wolframs Parz. 13, 21, Paul-Gierach, Mhd. Gr.¹² § 206, Anm.); denn der Akk. lautet
Eggen (f. 9032 u. vgl. den Gen. 9044). Über Egge f. zu 5922 ff. — Ein Riese
namens Wegge (f. 8967 u. 75) ist mir sonst unbekannt. — Golias (ebenso Reinfr.
v. Braunschweig 18912), Golie 8897 (Dativ im Rolandslied 8849) ist natürlich der
biblische Riese. Er fällt 8894 ff. durch einen Schleuderstein des Zwergkönigs Laurein,
der ihm durch die Stirne in den Schädel bringt, ganz ähnlich 1. Samuel 17, 49. —
Der Riese Ruolant (f. 9002 u. 45) dagegen erinnert nur in seinem Namen an Karls
Paladin. — Ganz rätselhaft sind die beiden letzten Riesennamen: in der Heldensage
begegnet m. W. kein Reimprecht (8870 der wüetend, 8915 der hürnin genannt,
f. auch 8933); und gar der schön Siren! Singer vermutete brieflich, daß beide
Namen aus dem Reinfrit von Braunschweig stammen, der — ein zweiter Odysseus —
Abenteuer mit einer Sirene besteht. Der . . . Siren habe W.s Hf. gehabt wie der Orendel
(f. Ausg. v. A. E. Berger 88), Reimprecht statt Reinfrit beruhe auf einem Fehler
des Gedächtnisses oder der Abschrift. Wie dem auch sei, es bleibt seltsam, daß W. diese
Namen seinen Riesen beilegte. R. ist wie Siegfried durch seine Hornhaut unverwund-
bar (f. 8915 u. 31): Reinfr. 19140 ff. aber heißt es von einem Riesen: dô hât der

ungefüege man ... an sich ein hürnîn wurmes hût über die wâfen schôn geleit,
daz nie kein swert sô wol gesneit, daz sî wolte snîden.

7995 f. Über Hächel f. zu 3762, über die Faſtnachtfigur der Hächel-Gauggele in
Baſel („ſchon ſeit längerer Zeit verſchwunden") Hoffmann-Krayer, Schweiz. Archiv f.
Volkskunde 1, 189. — Zu der faigen fräwelein ſ. 2813.

7998 f. Lappenhausner (vereinzelt, ſonſt Lappenhauser): ſ. Torenhofner 7975
u. 9374.

8000 f. grad zielt wohl auf die Haltung (ſ. zu 3729) und der folgende Zuſatz ſpottet
darüber, offenbar im Sinne einer entſprechenden Redensart; vgl. heute „einen Stecken,
einen Labſtock verſchluckt haben"; alte Zeugniſſe kenne ich nicht. Verbreitet iſt die vom
„Scheit im Rücken": ſ. DWb. 8, 2474 u. Wander 4, 126, Scheit, 6. Ebd. Hinweis
auf die Schweizer Redensart: Er streckt de chopf, wie wenn er en däge ver-
schluckt hett.

8003. Über lantze ſ. zu 8074 ff.

8007 f. streiter: ſ. 8727. — Die Summe 2500 erfolgt aus 31 Torenhofnern,
50 Narrenhaimern, 1000 Heiden, 7 Rieſen, 1100 Hexen und 312 Lappenhauſern.

8009 ff. Die ander dörffer: von den 7879 ff. Genannten verbleibt außer In der
Crinn, das 8016 noch erwähnt wird, nur Rupfengeiler. Somit leiſten den Lappenhauſern nur die Narrenheimer und Torenhofner Hilfe. — 8010—14 klingt nach
einer Redensart. Über rüeweeleichen ſ. zu 1958, über pei der want ſ. zu 3750.

8016. S. zu 7879 ff.

8019. S. 7280 f. Jak. Twinger v. Königshofen, Straßburg. Chron. (Chron. d.
deutſch. Städte 9, 827, 21 ff.) von der Schlacht bei Sempach: ouch worent under
des herzogen volke vil junger edeler lüte: die woltent ritter sin worden und ire
frumekeit erzougen uſw.

8025 ff. S. zu 7759 ff. Die Auswahl von Namen der ritterlichen Epik, die der
Dichter hier trifft, um die Edelleute vorzuführen, iſt wieder (ſ. zu 7988 ff.) recht wunderlich. Zudem iſt die Überlieferung geſtört: denn entweder iſt 8025—27 ein Dreireim
und die Reimzeile zu 8028 darnach überſehen worden oder es fehlen zwei Zeilen
zwiſchen 8027 u. 28; auch ſcheint 8026 nicht am rechten Orte zu ſtehen, ſo daß mir Singer
(brieflich) Umſtellung von 8026 u. 27 vorſchlug. Jedenfalls ſcheint die damit gegebene
Appoſition auf Rainolt zu zielen, da ſie deſſen Stadt und Schloß Montalban nennt;
Stolff aber iſt wohl als Astolff zu verſtehn, wie der im „Morgant" oft genannte
Paladin Karls heißt.

8031 ff. Schon Uhland, Schriften 8, 372 brachte W.s B. v. Ellerbach mit Ver-
tretern dieſes ſtreitbaren ſchwäbiſchen Geſchlechtes in Verbindung, in dem der Name
Burkhart herkömmlich war. Suchenwirt, der zwei Vertreter dieſes Namens und Stam-
mes, Vater und Sohn, in drei Preisliedern als berühmte Kriegshelden des 14. Jhdt.s
feiert, nennt den Jüngeren 10, 258 ff. her Puppely von Ellerwach: in der tauff

ward er genant Purkart (vgl. 9, 237 her Puppli von Ellerwach ... Purkart ist sein rechter nam): und so wollte Uhland (S. 371) Rüggel der Hf. durch Püppel ersetzen. Diese Namensform begegnet auch bei andern Ellerbachern: eine Augsburger Urkunde von 1447 gedenkt des strengen hern Buppelins von Ellerbach, Ritters, des eltern (Uhland, a. a. O., Anm. 2); die Zimmerische Chronik (A. Barack) nennt 1, 221, 27 f. her Puppelin und Burkhart von Ellerbach 1392, offenbar zwei Personen; in Richentals Chronik des Konstanzer Konzils (M. R. Buck) erscheint S. 198 unter den schwäbischen Edlen Pupeli von Elrenbach, S. 210 derselbe Name beim Markgrafen von Niederbaden. Büggel, wie ich vermute, steht der Überlieferung näher: Bucco erscheint oft für Burkhard in den M. G. (f. Förstemann 1², 343); vgl. Buck bei Koberne, Familiennamen von Burkheim a. Kaiserstuhl, S. 8. Ein Ritter Burkhart v. E. begegnet 1407 in einem Adelsvertrag (Zimmer. Chron. 1, 380, 10) und beim Grafen von Cilli (Konst. Chron., S. 211), ein Knecht desselben Namens aus Württemberg (ebd. 213). Wenn W. den bekannten Haudegen seiner Zeit den Helden der ritterlichen Epik gegenüberstellt, mag ihm das Vorbild Suchenwirts 10, 74 ff., worauf mich Singer brieflich verweist, den Weg gezeigt haben. Fraglich ist, welchen von diesen Herrn von Ellerbach der Dichter im Sinne hatte. Der Jüngere, den Suchenwirt in Nr. 9 u. 10 bei Primisser besingt, fiel 1357 bei der Erstürmung von Zara, stand also W. zeitlich ferner als der Ältere, den Suchenwirt in Nr. 8, 187 ff. als Kriegshelden preist — 17mal focht er im Dienste der österreichischen Fürsten, nur einmal ohne Erfolg, 55 Jahre war er Ritter — und der seinen ebenso tapferen Sohn um 12 Jahre überlebte. Aber noch eine andere Möglichkeit wäre ins Auge zu fassen. S. v. Liebenau, Die Schlacht bei Sempach, S. 95: „Als die Befehlshaber der Nachhut (des österreich. Heeres), Reinhard von Wehingen, Landvogt im Aargau, und Burkhard von Ellerbach, der Stammesgenosse so vieler Helden, die in Europa und Asien Wunder der Tapferkeit vollbracht hatten, die Walstatt aus ihrer Stellung ob dem Schlachtfelde überschauten, entschlossen sie sich, das Feld zu räumen." Sie wurden deshalb von ihren Zeitgenossen der Feigheit geziehen. S. Suchenwirt 20, 229 ff. Ir hielten vil zu rossen still und sachen zu mit schanden: ir hertz und auch ir aigen will het tzegleich mut bestanden. Hieten all die recht getan, die mit dem fursten riten, den veinden wær gesiget an: die selde si vermiten. Dazu vgl. Primisser S. 281 f. Es scheint mir keineswegs ausgeschlossen, daß sich W. eine kleine Bosheit gegen diesen Ellerbacher seiner Zeit erlaubte, der bei Sempach sowenig von der Streitlust seiner Vorfahren bewiesen hatte. An einen späteren Püppel von Ellerbach denkt H. Edelmann, Zur örtl. u. zeitl. Best. v. W.s R. (S.-Abdr.) 9.

8032. verligen = „hinten bleiben". Singer vermutet (brieflich): Den man nie sich verligen sach im Hinblick auf Suchenwirt 9, 102 sîn kecker muot sich nie verlac.

8034. Uhland, Schr. 8, 372 meint: „Er war noch ungeboren, weil die Begebnisse einer nebelhaften Vorzeit angehören sollen." Der Dichter, der soeben Gawan, Lanzelot

und Triſtan als Zeitgenoſſen ſeiner Bauern erwähnte, rückt ſeinen Zeitgenoſſen Burkhart von Ellerbach gehörig von den Helden des Ritterepos ab. Sonſt hat er jedoch die
unmittelbare Gegenwart vor Augen, was ihn nicht hindert, neben Neidhart die Recken
der Dietrichsſage u.a. auftreten zu laſſen. Chronologiſche Bedenken liegen ihm völlig
ferne.

8037. Ein Matzendorf gibt es im Kanton Solothurn: W.s M. liegt nach 8164 in
der March: ſ. zu 5300 ff.

8040. 9360 iſt nur von spiessen die Rede. basler ſ. auch im Fechtbuch des Hugo
Wittenwiler bei G. Scherrer, Kl. Toggenburg. Chron., S. 102.

8042. stok = „Baumstumpf".

8047. umb ein stro: ſ. zu 269.

8050 ff. Der vereinzelte Kämpe aus einer wirklichen Toggenburger Ortſchaft in ſeiner
grotesken Ausrüſtung erweckt faſt den Eindruck, daß der Dichter eine bekannte Perſön-
lichkeit aus L. als Modell benützte. Die Niſſinger Streitmacht umfaßt alſo 1 Leibinger,
79 Mätzendorfer, 120 Schwyzer, 4 Recken, 1098 Zwerge und 60 Niſſinger: in Summe
1362 Mann. S. 8080 f., wo diesmal der Dichter die Einer vernachläſſigt. Das Stärkeverhältnis der Lappenhauſer und der Niſſinger Partei iſt faſt 2 : 1. – ein furggen:
ſ. 9124 (: Turggen). SJb. 1, 1012 f.

8061 ff. Die Zahl der Schwyzer iſt klein gegenüber 9174 ff., wo der Dichter den
Mund etwas voll nimmt. – Zu als ein har vgl. eben 8060, recht 8062 und gleich
8070. – Der Sing. was mit Genetiv zu Zahlen wie 7983 u. 98, 8057, 64 u. 70.

8065. die nenn ich dir: ſ. 4441.

8066. der Perner wie 9030, 42 u. 48; 5923 von Dietreichen dem Perner, 8149 ſ.
u. 8501 her Dietreich von Pern, nur her Dietreich 8913, 9008 u. 33.

8068. S. 9019. Im Gedichte von Biterolf u. Dietleib erbaut Biterolf die Stadt
Stîre (13340 ff.) und heißt deshalb der Stîrære (13350), zuletzt wählt er mit Dietlint
und ſeinem Sohne Dietleip die Stadt zum ſtändigen Wohnſitze (13481 ff.). Juſtus
Lunzer, Steiermark in der deutſchen Heldenſage, S. 95 bemerkt, die Kenntnis von
Dietleib „von Steier" und ſeinem Verhältnis zum Berner ſtamme aus dem Laurin A.
oder D. Im „Biterolf" iſt Dietleib der Neffe Dietrichs (ſ. Lunzer, S. 37 ff.): im R.
heißt er 9031 nur ſein gsell.

8072. macht = „ausmacht"; die Addition überläßt W. diesmal dem Leſer.

8074 ff. S. J. Würdinger, Kriegsgeſch. v. Bayern 2, 358: „War die Gleve voll,
ſo ſtand im erſten Gliede der völlig gewappnete Ritter" (der harscher), „im zweiten
der mittelſchwer gerüſtete Knecht" (ſ. schiltknecht 8085), „im dritten der Schütze"
(ſ. 8085). W. zählt nur die rechten harscher. Anders das Dokument aus 1429 bei
Eberhart Windecke (W. Altmann), S. 298: zü iegelicher gleven zwei pfert und zwen
gewoppent gerechnet. — auf den platz: ſ. 7920. — zellet: ſ. Holland bei Keller,
Vorrede S. XII.

8079 ff. do hiet ein man gesehen: vgl. die Anm. zu 1031. — Der Gegensatz erbrer (f. zu 2640) und der andern erhellt aus 8084 f.

8082 ff. ane zal: „Unzählige" (f. zu 3878). — Ze paiden tailen: zu Nissingern und Lappenhausern; die 8087—96 geschilderten Szenen beziehen sich auf beide Dörfer: die besonnenen Alten verhindern hier wie dort voreiliges Losgehen. — preganten: f. BWb. 1, 351. Zu Lexers Belegen f. noch Mohrin 807 u. 2877.

8090. S. 621.

8095. D. h. man wäre vielleicht wirklich in der Hitze des Weins auf die Gegner losgestürmt.

8097. Zu meiner Interpunktion (L. Bechstein faßt 8096. 97 als éinen Satz) verweise ich darauf, daß 8096 die grüne Farbenlinie ab- und 8097 die rote einsetzt. Mit dem Stichwort Die Nissinger beginnt eine Szenenfolge auf dieser Seite, die bis 8563 reicht. Nach 8564 ff. hat man sich den Verlauf der Dinge in Lappenhausen ähnlich zu denken.

8102. Über genäm f. zu 212. Wenn gemain richtig ist, gehört es zu uns: (nobis ... omnibus) und die Konstruktion wäre zu verstehn wie die Überschrift Albrechts von Eyb Ob einem manne sey zunemen ein eelich weyb.

8106 ff. Im Kriegsrat der Nissinger läßt der Dichter eine Reihe von Fragen des Kriegslebens in öffentlicher Debatte erörtern. Die Versammlung leitet der Vorsteher der Gemeinde Nissingen, ein Liebling W.s, klug und gewandt, immer höflich und doch überlegen; und zwar trifft er 8107—44 die letzten Anordnungen bis zum kommenden Morgen des entscheidenden Tages, 8145—85 bestimmt er die Hauptleute der einzelnen Schlachthaufen und schlägt einen Bannerträger vor, 8189—256 weist er jeder Gruppe nach ihrer Wahl eine entsprechende gegnerische zu und 8265—426 setzt er kurz die Pflichten des Bannermeisters und weitläufig die des Hauptmanns auseinander. Dann beantwortet er Anfragen der vier Hauptleute mit vollendeter Höflichkeit 8427—526 und erörtert schließlich auf die Bitte alter Nissinger um Enthebung vom Kriegsdienste, wer überhaupt dazu verpflichtet sei 8527—61. Eine ähnliche Rolle spielt Hildebrand Biterolf 7580 ff. im Heere der Hunnen und ihrer Bundesgenossen.

8107 f. S. zu 184; alle gelîche: arme unde rîche belegt mit einer Reihe von Stellen A. E. Berger zu Orendel 1361 f.

8109 ff. S. zu 6842 ff.

8112. In leib vn̄ ... seyn der Hf. steckt wohl die bekannte Formel leib und ... sin wie z. B. Hätzl. 1, Nr. 1, 81, Neidh. 30, 10 lîp und al die sinne, Renner 5141 an sinne, an lîbe und Ammenhausen 16959 an lîbe und an den sinnen — im R. ist sie sonst nirgends gebraucht — schwerlich ist an dem sein als „an dem Seinen" zu fassen (f. z. B. 7554 u. 7760 leib und ... guot, 7577 leib und ... hab), weil der Reim pîn : sin im R. vereinzelt ist. Aber im Ober- und Neutoggenburg ist sin (sensus) als sī (im Alt- und Untertoggenburg als sinn) zu hören (f. Wiget, Toggenburg. Ma. 71,

Vetſch, Appenzell. Ma. § 98) und dieſes zeigt, wie Dr. Auguſt Steiger aus Flawil freundlichſt mitteilte, geſchloſſenes ī, genau ſo wie sī = „esse". Singer meint (brieflich), dieſes sin ſei ſchon in mhd. Zeit gedehnt worden: ich vermute: unter dem Einfluß des Poſſeſſivs und des Verb. ſubſt. Übrigens hat auch das Große Neidhartſpiel einen ſolchen vereinzelten Reim sin (sensus) : mein (Poſſeſſiv.) 394, 5. S. Guſinde, Neidh. mit d. Veilch., S. 88.

8114 ff. Über Beichte und Buße vor dem Auszug in den Kampf ſ. Ritterſpiegel 3101 ff., Rabenſchlacht 512 — 15.

8117. Die Konſtr. (ze sagen = sagen[d]) iſt im R. vereinzelt.

8119 f. S. 6874 f.

8124. Vgl. 6578.

8131. Nach Keller, Vorrede S. XII.

8132. hütten ... und zelt: ſ. Nib. (Bartſch) 594, 3, 1304, 2, 1515, 1 u. 1629, 4, Eraclius 1865 f. und sluogen ûf an daz velt manec hütten und gezelt, Ulrich v. Lichtenſtein, Frauendienſt 68, 22. 79,9. 455, 17 f. u. 480, 14, Alpharts Tod 189, 2, J. v. Würzburg, Wilh. v. Öſt. 2274 f. dar in manic rich gezelt wart zerspant und hütten sidin, Beheim, Buch v. d. Wienern (Karajan) 34, 21 u. 163, 21 f., Hätzl. 2, Nr. 6, 18 f. Sein hütt und sein gezelt die waren uff gespannen, Keller, Faſtnſp. 1362 (Geſch. vom Urſprunge der Stadt Augsburg, 4. Kap.) vnd sluogent da auff in das veld gar kostlich hütten und gezelt. O. v. Wolkenſtein 78, 9, Morgant 28, 29, L. Tobler, Schweiz. Volksl. 2, S. 50, Str. 7.

8139 f. Die ſeltſame Reihenfolge ſteht wohl unter Reimzwang: vgl. GA. Nr. 18, 641 daz er vier tage oder drî bî uns ruowende sî und Brant, Narrenſch. 48, 16 do findt man sunst drig oder zwen (: gân).

8145. Jede von den fünf Gruppen der Niſſinger Streitmacht (Zwerge, Recken, Schwyzer, Mätzendorfer u. Niſſinger) erhält ihren Hauptmann, ganz im Sinne zeit-genöſſiſcher Vorgänge: z. B. im Kriege des Städtebundes mit dem Bayernherzog 1387 f. wurde Graf Heinrich von Montfort zum oberſten Hauptmann der Städte gewählt und jede der vier Heeresgruppen hatte ihren beſonderen Hauptmann. S. Zellweger, Geſch. des Appenzell. Volkes 1, 294.

8147 f. Laurein iſt König der Zwerge (ſ. 8672 u. 8884): vgl. Laurin 64 er ist ein künec lobesam. Singer bemerkt Aufſätze und Vorträge, S. 48: „Von einem König der Zwerge iſt in der Schweiz ſeltener als in andern Ländern die Rede, was ſich wohl daraus erklärt, daß man überall ihre Verhältniſſe den eigenen möglichſt gleich geſtaltet denkt." Bei W. hält er König Laurin für „ſicher literariſche Überlieferung aus der Sage des benachbarten Tirol". — Zu 8148 ſ. die Anm. zu 131 f. und zu 993.

8158. Der fraidigest: W. verwendet das Wort ſonſt nirgends.

8160 ff. S. zu 5300 und zu 6959. — Über aus der March ſ. zu 5300 ff.

8177 f. Scheint sprichwörtlich; etwas anders Brant, Narrenschiff 9, 19 f. Vsz sytten man gar bald verstat, was einer jn sym hertzen hat.

8187 f. Die zeitgenössische Geschichte lehrt, wie gefährlich die Frage des Vorstreitrechtes vor kriegerischen Entscheidungen werden konnte: Würdinger, Kriegsgesch. von Bayern 1, 29 berichtet einen solchen Vorfall bei der Belagerung Zürichs 1354 durch Herzog Albrecht von Österreich und König Karl IV.: als alles zum Sturme bereit war, kam es zwischen Albrecht und dem Konstanzer Bischof Joh. Windloch um die Ehre des Vorstreits zu einem Zwiste, in dem sich der Bischof auf das alte Recht der Schwaben berief, ohne durchzudringen, worauf die Schwaben abzogen und die ganze Belagerung ein unrühmliches Ende nahm. Suchenwirt berichtet von Sempach 20, 201 ff.: Swaben und Etscher hetten stoz: daz was umb daz vorvechten; ygleicher nach dem alten loz wolt bleiben pey den rechten. Strudel kommt um die heikle Frage dadurch herum, daß er zunächst durch Umfragen feststellt, auf welche der sechs feindlichen Gruppen jeder einzelne Haufe seiner eigenen Streitmacht es besonders abgesehen habe. So kann er, ihrem Wunsche entsprechend, den Zwergen die Hexen, den Recken die Riesen, den Schwyzern die Heiden, den Mätzendorfern nach kurzer Debatte die Narrenhaimer und den Nissingern die Lappenhauser zuweisen — die Torenhofner bleiben ungenannt, weil Strudel nur über fünf Scharen verfügt — und der Verlauf der Schlacht folgt diesen Richtlinien 8655 ff.

8191. cristan: Nissinger, Schwyzer und Mätzendorfer; die twerg und reken scheint W. nicht als solche zu betrachten. Die Zwerge gelten freilich sonst meist als Christen: s. A. Lütjens, Der Zwerg in d. deutsch. Heldendichtg. des Ma.s, S. 79.

8196. sam ich euchs beteut: s. 4033.

8199. cristan her: Lappenhauser, Narrenhaimer und Torenhofer.

8203. Im Ausdruck vgl. 2027.

8205 ff. In der Schrift von der Herkunft der Schwyzer (hrsgg. von Hugo Hungerbühler in den Mitteilungen zur vaterländ. Gesch. des histor. Vereins von St. Gallen XIV, 1—100) haben die Schwyzer das Recht des Vorstreites gegenüber den Heiden: dazu stimmt 8208 schlecht, aber 8228 wählen sie sich die Heiden zu Gegnern und 9112 ff. kämpfen sie auch mit ihnen. W. schöpft wohl aus einer ähnlichen Überlieferung wie die genannte Chronik (s. die Berufung auf die cronik Martiniana!), die man in die 50ger oder 60ger Jahre des 15. Jhdt.s setzt. Bekannt ist das Recht des Vorstreits der Schwaben: s. Schwabenspiegel (Wackernagel) 31, 7 ff. swâ man durch des rîches nôt strîten solde, dâ suln die Swâbe vor allen sprächen strîten. Uhland, Schriften 1, 487, v. Liebenau, Schlacht bei Sempach, S. 90, Anm. 1 und Albr. Keller, Die Schwaben in der Gesch. des Volkshumors 28 ff.

8215 f. unhold: s. den Plur. 8745 u. 8849. — Zu 8216 vgl. Salman u. Morolf (Vogt) 743, 2 der wart mir nie mit trûwen holt.

8221. Im Ausdruck s. 7915.

8233. Wie 7975; f. zu 6170.

8239. Ähnlich 3229.

8243 f. Sprichwörtlich, wie schon die Einführung verrät; doch kenne ich keine weiteren Beispiele. S. Singer, Alte schweiz. Sprichw. Nr. 44.

8251. Nach den früheren Angaben des Dichters sind die Lappenhaufer 312 Mann stark (7999), die Mätzendorfer 79 (8059), die Niffinger aber gar nur 60 (8074); doch wurden im letzten Falle nur die eigentlichen „Harscher" gezählt.

8255. Im Ausdruck f. 8722 f. (auch 8716) u. 9285.

8260. S. zu 1841.

8263. S. zu 1652.

8266 ff. S. Ritterspiegel 3685 ff. Wo man had einen kunen man, der starg ist und ouch wise und gudin harnasch tregit an, der mag ein her geprise, eines forstin panir gefurin. S. Primiffer, Suchenwirt, Einl. S. XXXVII f. und Schultz, Höf. Leben² 2, 225 ff.

8269 f. hin an = „vorwärts", hoh embor: „hoch aufgerichtet" (wie 6379. 81). S. Metz 7246 die baner enbar tragen.

8272. S. Strudels Vorgehen gegen das feindliche Banner 9294 ff. u. 9369 f., ferner Metz 7247 ff. den herfan land si denn fliegen: da tuot sich denn menglich under smiegen und die baner weren, das mans itt tüg nider zerren; wan wenn das baner undergat, das selb tail sin rechten lat. — mans: W. hat paner im Sinne, während 8268 sturmfan steht.

8273 f. S. Ritterspiegel 3692 ff. deme (dem Fahnenträger) sal man sine glichin schickin zu, di danne zu rechte uf en wartin und en habin in ere hute, di mit eme stehin in deme hartin ufw. Würdinger, Kriegsgefch. von Bayern 2, 360, Anm. 3 und Schultz, Höf. Leb.² 2, 227, Anm. 8.

8275 ff. Die Pflichten des Feldhauptmanns erörtert auch der Ritterspiegel 3925 ff. Durch W.s Darstellung, die nur im Anfang Spuren der gewohnten Gliederung zeigt (f. 8276 u. 83), schimmert öfters die literarische Vorlage durch, besonders, wenn er ganz über die vorliegende Situation hinausgeht, wie z. B. 8289 ff., wo von der Ausbildung und Ausrüstung der Mannschaft zur Friedenszeit die Rede ist. Mancherlei Berührungen mit Joh. Rothes Ritterspiegel ergaben sich wohl aus der gemeinsamen Grundlage, den pfeudoariftotelischen Secreta secretorum (f. Ariftotilis heimlichkeit 2783 ff.), und endlich wurzelt ja, wie J. Peterfen, Das Rittertum in der Darstellung des J. Rothe, S. 177 hervorhebt, die ganze kriegswiffenschaftliche Literatur des Mittelalters in Vegetius.

8277. Frei des gmüetes: f. zu 5505. — unverzait (nach Holland: Vorrede Kellers S. XII) wie 325, 515, 6910, 7197 u. 7585. Die Hf. bietet regelmäßig das Schriftbild vnuer- (so 109, 515, 2032, 2152, 4451, 6662, 6910, 7197 ufw.). unerzait ift unbezeugt, erzait aber bekannt (f. derzagen 9507), die hf.liche Lesart also nicht ausgeschlossen. — Sachlich vgl. Aristot. heimlichk. (Toischer) 2785 ff. des troste du di dinen jo und mache ir gemute vro, gelobe in immer gabe vil und der eren uberzil und din gelubde stete halt und 2827 den dinen gip jo guten trost ... sus wirt von diner gute creftic ir gemute.

8278 f. S. 8618. Über dieses trösten s. Kinzel zu Lamprechts Alex. 2016.

8280. Mit hetzen: s. Fischart, Flöh-Haz (Hauffen) 1283 f. Ich als ain Hauptman hezt sie an, sie solten nicht so schlecht nachlan.

8281 f. Wohl sprichwörtlich. S. Graf u. Dietherr, Deutsche Rechtssprichw., S. 496, Nr. 65 Freudiger Hauptmann macht lustige Kriegsleute.

8286. schaffzagel: über diese ergötzliche Umformung s. H. F. Maßmann, Geschichte des mittelalterl., vorzugsweise des deutsch. Schachspieles, S. 52, Anm. 52, BWb 2, 383 f., DWb. 8, 1967 u. Vetter, Konr. v. Ammenhausen, Einl. S. XXVI u. XLVIII.

8289 ff. tuo... und haiss: 3. Sing. (Subj. der haubtman); s. im 8290, sein 91; ebenso 8311, 12, 22, 50, 54 u. 87. Dagegen zielt du 8288 auf den Bannermeister, der die ganze Erörterung veranlaßte; 8390 aber ist du eine Entgleisung. Zu 8291 ff. vgl. Ritterspiegel 2829 ff. (nach Vegetius 1, 8 u. 9). — Mit... anderm jubilieren (s. Martin zu Mohrin 2182) = „mit andern Belustigungen (dieser Art)".

8295 ff. Der Ausdruck hat sprichwörtlichen Charakter; zu mag 8297 erg. überherten; 8297 f. klingt an Ritterspiegel 3949 ff. an: ez ist gar sere unglich zu der zid, wan man stritin sal, daz di mudin machin sich an di geruwetin mit glichir zal ... und einer, der do loufit bloz, kegin eime gewoppintin richin.

8302 f. S. Beitr. 26, 427. Ähnlich Ritterspiegel 2697 Her sal kunne wol geritin, snel uf und abe gesitzin; dâ sâzen marnære ûf und abe Walb. 138; s. ferner Boner (Pfeiffer) LII, 17 ab dem esel saz er dô, H. v. Bühel, Königstochter von Frankreich 1592 alsobalde er abesaß, ähnlich 1753 u. 5257, s. auch 5183 er saß von seinem pferde wider, Appenzell. Chron. 877 sitz ab, Lied auf die Schlacht bei Murten Herzog Reinhart von Lutering wolt ab sim pferd nit sitzen, HMs. 3, 243 a 16, 1 von dem rosse er sich gesazte, Kaufringer 14, 134 die satzten sich ainhalb ab (vom Pferde), auch Frauenlob, Sprüche (Ettmüller) 166, 11 f. ab der künste sezzel sitz. Dagegen stet ze fuoss ab 8803.

8305 f. Folgesätze ersten und zweiten Grades. S. Fischart, Garg. S. 279 saß fein lang, doch daß ein Haß mit auffgereckten Ohrn zwischen dem Sattel vnd dem Gesäß vnangestossen wer durchgeloffen, wann er sich in Stegreiff stellt zustallen.

8311. gewalt nur hier als Femin.: sonst Mask. (s. 4566, 4740, 6840, 7215, 7324, 7792, 7800 u. 72).

8312. „Der Sitz des Reiters ist außerordentlich gestreckt. Dies zeigen die Abbildungen fast ausnahmslos und die Schilderungen der Dichter entsprechen diesen Typen ... Derselbe Sitz herrscht auch noch im 14. und 15. Jhdt." M. Jähns, Gesch. des Kriegswesens 747.

8314 ff. Beim Anreiten zum Stechen hat der Steigbügelriemen auf der rechten Seite (so ist andern 8314 zu verstehn im Hinblick auf 8302) um eine halbe Spanne (über spang s. zu 437 f.) länger zu sein als auf der linken, wodurch der Sitz beim Stoß gefestigt wird. Zu 8317 vgl. 585 f.; zu 8319 f. Ulrich von Lichtenstein, Frauendienst 84, 17 ff., 237, 31 ff. u. 312, 17 ff. (zuerst stapfet man, dann gibt man dem Roß die Sporen) und Wilh. v. Öst. 8093 ff. vor stapfter, als die besten tûnt ... von sprûn- gen sah man biegen in des rosses lanken.

8332. leben: ohne Genetiv -s nach Des gsindes. S. zu 4170 ff.

8334 ff. S. Aristot. heimlichkeit (Toischer) 2801 ff. Dine buden und gezelt saltu setzen uf ein velt, dem ein berc lige na und ein wazzer vlize da. S. Vegetius I, 22 Castra ... tuto semper facienda sunt loco, ut lignorum et pabuli et aquae suppetat copia ..., III, 2 ne in pestilenti regione iuxta morbosas paludes ... milites commorentur; s. auch III, 8.

8339 ff. S. zu 5873 und Ritterspiegel 3757 ff. Nicht sal man sich lazin vordrizin, wo man mit here zu felde lid, daz di wazzir, di nicht mit strame flizin, der man do zu nutzin phlid, di sal man gar wol bewarin, daz si nicht vorgiftigit werdin (Vegetius III, 2): andrerseits rät Aristoteles in Arist. heimlichk. (Toischer) 2881 ff. mit listlichem gestifte daz wazzer in vergifte, daz sie schepfen unde holn.

8356. S. 4535.

8361 ff. S. Teufels Netz 931 f. Es ist besser geflochen denn erslagen: das hœ- rent wir die wisen sagen. Der Ritterspiegel 4085 ff. ist noch weitherziger: Ez fluhit dicke ein kuner man, wan sin fechtin ist obirwegin und wan her sehit, daz her nicht kan der winnunge wol gephlegin. Und daz ist kein schande ouch nicht in einer solchin maze: ein tore dicke vorgebins ficht und mochte ez wol gelaze. Dazu Singer: Quam male pugnare iocundius est fugitare Clm. 17142 (Anf. d. 12. Jhdt.s) im Anz. f. Kunde d. deutsch. Vorzeit, N. F. 20 (1873), S. 219.

8367 ff. Flucht ist dem sicheren Tode vorzuziehen, Gefangenschaft, die das Leben sichert, schmählicher Flucht. Über die Behandlung Kriegsgefangener s. 8468 ff. Über ze gfangen 8368 u. 70 s. zu 1092, zu sam man billeich scholt s. 5393.

8371 f. Scheint ein Volksbrauch, der gegenüber Feiglingen geübt ward.

8373 ff. Flucht oder Gefangenschaft erspart sich der Hauptmann, der mit der Reiterei ebenes Gelände, mit Fußvolk aber eine beherrschende Stellung sucht: im 8378 beziehe ich auf fuossvolk, der obertaile (8406 daz obertail) verstehe ich als „locus superior" S. Aristot. heimlichk. (Toischer) 2841 ff. Din dinc schicke jo also, daz die stat lige ho, da du wilt ... strites walden. Lexer dagegen versteht obertail = oberhant.

8379 ff. Der Ausdruck in 8389 alles eben und 8405 alles gpirggig verrät, daß hier ein mittlerer Zustand gemeint ist. — doch 8380: weil ein Abweichen von dem strategischen Grundsatz 8377 geboten wird. S. 7419 ff. — gpirgig fehlt bei Lexer. — ze hand 8380: s. Holland, Vorrede XII. — Zu 8381 f. vgl. Suchenwirt 18, 261 Der schützen hauffen fur sich trat und Ritterspiegel 3625 f. Zu dem erstin sint di schutzin gud, wan man des stritis beginnet usw.

8385 f. S. Ritterspiegel 2961 ff. Darum sal man si (Unerfahrene im Kampfe) schickin mittin in den houfin usw. — enmitt hin ein wie 5584.

8387 f. Über lass (3. Sg. Konj.) f. zu 8289. — Zur Sache f. die Vorschrift Heinrichs I. in der Ungarnschlacht bei Riade: ut nemo socium velociori, quamquam habeat, temptet equo praeire, die auch eingehalten wurde: Saxones aequaliter acie currunt nec est, qui velociori tardiorem transeat equo. Luitp. ant. II, 31 (M. Jähns, Gesch. des Kriegswesens 585). S. auch 8602 ff.

8395. Die zfüessen: f. 9079, 9170 u. 9260.

8398. des ergänzte ich nach 5230 u. 8816.

8401. Ringen … dar zuo würgen: f. 6561.

8405 ff. Wenn in völlig ebenem Gelände (8389) die Reiterei die Entscheidung herbeiführt, das Fußvolk sie aber nach Möglichkeit zu unterstützen hat, so ist es in durchaus gebirgigem (es 8405 = das lande 8389) von Wert, die beherrschende Stellung zu besetzen, wobei die Reiterei abzusitzen und den Feind auf sich zu ziehen hat, daß man überraschend über ihn herfallen kann. Meine Deutung von 8406 f. in der Ausg. S. 338 sucht sich mit dem überlieferten Texte abzufinden. Zur Sache f. M. Jähns, a. a. O., 919: „Erst seit der Mitte des 14. Jhdt.s, seit den Schlachten von Crecy und Maupertuis, wird es auch auf dem Festlande allgemeiner üblich, daß die schwere Reiterei zum Kampfe absitzt." Wie dem auch sei, die Forderung, die Reiterei habe ihre Lanzen im Wurfe zu gebrauchen, deutet doch wohl darauf hin, daß W. einer Vorlage folgt, die auf altertümliche Verhältnisse eingestellt war. — Die 8411 = die veinde.

8415 f. S. den Sempacher Brief vom 10. Juli 1393 (Eidgenöff. Absch. 1, 329): Den plunder sol ieklicher antwurten dien houptlüten … vnd die sulent in vnder die selben, die vnder si gehörent vnd da bi sint gewesen, nach marchzal gelich teilen vnd vngefarlich.

8417 ff. S. Ritterspiegel 3925 ff. Trostlich sal ein herzoge sin … sin folg haldin in solchir wise, daz her beware di zweitracht, daz di nicht neme obirhand; wo di undir en werdit gemacht, des sal her sturin alzuhand und GA. Nr. 17, 16 ff. Sie kurn einen houbetman, waz in under einander war, sehet, daz ebent er gar, er gestatte keiner zwîtraht.

8425 f. Singer verweist (brieflich) auf Fec. ratis 1021 Non me sic aliena manus quam ledit amicus: der Ausdruck steht freilich ferne.

8432. Über die Phrase f. zu 593.

8434. Über ander f. zu 1267; zur Flexion vgl. 8009.

8447 ff. Scheint sprichwörtlich. Inhaltlich vgl. 7147 f. u. 7374 ff. — 8450 (Dén) ist also ironisch zu werten (f. 8446). Das Überlassen von Pferden oder Waffen für den Streit gilt vor dem Rechte als Schenkung. — nemen ab: = „vergüten".

8459 ff. Die geradezu drollige Höflichkeit Strubels gegenüber den mythischen Bundesgenossen (f. 8505 f.) artet hier in eine kleine Komödie aus.

8465. pei einr weil = „nach einer Weile", her umb = „zurück".

8469. Über temmen f. zu 3190.

8472 ff. Dem verhaissen des Besiegten (f. 8512) steht das versichern des Siegers
(8474 u. 87) gegenüber. Doch ist verhaissen 8486 = versichern, das in der folg.
Zeile steht. — in offem streit wie 8515. S. Laurin K II, 363 mit offem streit. —
Zu 8475 vgl. 8483 ff.

8478. Im Ausdruck vgl. Helmbr. 305 f. und Lexer 3, 584.

8479 ff. Wer im Kampfe gegen den Kaiser gefangen wird, wo dieser selbst im Felde
steht, verliert unter allen Umständen die Freiheit, wie alte Rechtsbücher lehren. Grimms
Deutsche Rechtsaltertümer 320 (f. Holland, Vorrede S. XII) bieten keine ausdrückliche
Satzung dieser Art. Singer vermutet starke Entstellung des Textes und liest Daz ein
gevangen haiden chnecht werde: nur Heiden werden durch Kriegsgefangenschaft zu
Sklaven, Christen nicht, aber auch jene nur, wenn sie mit der Waffe in der Hand gefangen werden; das ist geltendes Recht (kaisers recht).

8483. hüerrensun = boswicht 8475.

8489. Halten: 2. Plur. Imperativ.

8491 ff. S. Lamprechts Alexander (Str.) 3961 ff., bef. 3969 f. man ne sal dem
untrûwen man neheine trûwe leisten. Der Ritterspiegel gibt 2357 ff. Alexanders
Beispiel, der dem Mörder des Darius die Treue brach, und bemerkt 2369 f. Wer sine
truwe gebrochin had, deme breche man wedir di truwe. S. J. Petersen, Das
Rittertum in d. Darstellung des Joh. Rothe, S. 179 f. galgenstrik: der früheste Nachweis des Wortes.

8495 ff. Die Lappenhauser sind also nach den Weisungen 8483 ff. zu behandeln, was
9308 ff. (f. auch 9497 ff.) treulich befolgt wird.

8501 ff. Dietrichs Anfrage, die sich in seinem Munde freilich seltsam ausnimmt, steht
zu der Laurins in einem gewissen Gegensatze: wenn L. die Behandlung Kriegsgefangener
im Auge hat, so zielt D. auf das Verhalten als solcher in einem bestimmten Falle.
Die La. der Hf. die . . . Den ergäbe dunken mit Dativ, eine Fügung, die im R. (neben
häufigem Akk.) so wenig zu treffen ist wie sonst im Mhd. Zum Sing. vgl. 8458.

8507 ff. Im Ausdruck vgl. zu 8507 die zu 2793 zit. Stellen. Der 8507—14 behandelte Fall (Gefangennahme durch Banditen zur Erpressung eines Lösegeldes) verrät
die Benützung einer Quelle, die der Dichter, unbekümmert um die Gebote des Zusammenhanges, restlos ausschöpft. — nach rechter sag wie 4464. — Über den Reim
8511. 12 f. zu 1054 ff.; st : ss ist im R. nirgends gebunden.

8515 ff. S. Sachsenspiegel, 3. Buch, Art. 41, § 1: Ieclîches gevangen tât und
lob ensal durch recht nicht stête sîn, daz her binnen deme gevanknisse gelobet;

lêt man in aber ledic ûf sîne trûwe rîten zu tage, her sal durch recht wider komen und sîne trûwe ledigen unb § 2 Swaz der man sweret und entrûwen gelobet, sînen lîb zu vristene oder sîn gesunt, al enmac ers niht geleisten, ez enschadet ime zu sîme rechte nicht. Ganz ähnlich das Landrecht des Schwabenspiegels (Wackernagel) CCLII, 1 ff. — Von So ist der sitt hängt ab daz 8521. — sich ausderbitten belegen unsere mhb. Wbb. nicht.

8520. versprechen mit bloßem Infinitiv ist unbezeugt: das ze wurbe vor antwürten vermieden, weil es gleich barnach steht.

8525 f. „Und hätte sich auch jemand andrer verbürgt, daß der Gefangene zu einer bestimmten Frist in seine Haft zurückkehren werde" usw., d. h. zu hiet versprochen ist 8520 das entspr. Objekt zu entnehmen. — ungerochen: für den 8522 ff. gegebenen Fall des Wortbruchs.

8528. in alter heut = „alte" (umgebeutet aus heit?). G. Keller schreibt am 5. Januar 1883 an Storm: „Ich weiß nur, daß sich die guten Leute ... den Teufel um unsere alten Häute kümmern."

8532. dehainer frist: s. zu 3957.

8535 ff. S. Ritterspiegel 3613 ff. Di aldin ritter sullin nicht uz den stritin blibin di wile, daz en nichtis gebricht von kreftin an erin libin, daz si den harnasch mogin getragin und zu pherdin wol geritin, so sint si dannoch in erin tagin gar nutze in grozin stritin. Si kunnen gudin rad gegebin, der fromit danne gar swinde. Wollin di jungin darnach lebin, si mogin wole obirwinde. — Praktisch s. 9450 u. 69. Ein Gegenstück in Lappenhausen bietet 8015 ff.

8538. das tät mich fro: s. Zarncke zu Narrenschiff 44, 5.

8539 ff. Von ferne ähnlich Ecclef. 9, 16. 18 Et dicebam ego meliorem esse sapientiam fortitudine. Melior est sapientia quam arma. — Der Ausdruck in 8543 f. lehnt sich vielleicht an Liber iudicum 15, 15 f. an.

8546 f. D. h. von den Alten, die es noch den Jungen zuvortun.

8552. zwing in: von Holland (Vorrede S. XII) hergestellt; zů folgt auf in, jung hatte der Schreiber aus dem Vorhergehenden im Sinne.

8554. Der Gen. lebentiger knaben abh. von fünf.

8560. mit stainen: s. Gudrun 1385, 4. Beheim, Buch v. d. Wienern (Karajan) 124, 23 ff. di knaben und juncfroulein rain solten zu den wern tragen stain den helden, di do stunden und hin werffen pegunden.

8561. Die Priester fehlen unter den von der Wehrpflicht Befreiten.

8562 ff. Der derbe Ausfall 8562 (lies wär statt was?) richtet sich nur gegen die Ausnahmebestimmung in 8561, die der Masse albern erscheint. — 8564.65 besagt in aller Kürze, daß man in Lappenhausen so sprach, wie nach dem Obigen in Nissingen.

8567. Das: der Inhalt ergibt sich aus 8116 ff.

8569 ff. S. dagegen 8116. Warum der Pfarrer den Lappenhausern das Beichthören

verſagte, was der Dichter ausdrücklich in der Ordnung findet, bleibt dahingeſtellt. S. zu
7566. Zum Reim 8571.72 vgl. GA. Nr. 38, 133 f. Ich getriuwe dir gehelfen wol,
wan ich dir billîch gehelfen sol.

8574. der alt got: vgl. den Spruch „Der alte Gott lebt noch". Singer, Alte
ſchweiz. Sprichw. Nr. 105. S. das Lied „O alte Burſchenherrlichkeit", ferner Der arme
Mann im Tockenburg (Ausg. bei Reclam), S. 138 und Wilh. v. Polenz, Der Büttner-
bauer[14], S. 131. Im Schwabenkrieg des Joh. Lenz (H. v. Dießbach), f. S. 40 Da
waren die Swaben feyg, sprachen: 'D' Switzern hand den alten gott; den wend
wir in zu vorteil lan'; S. 45 ſpotten die Landsknechte über die Eidgenoſſen: 'Sy hand
den alten gott, der will sy nitt straffenn; für war, wir wend inn touffenn'. Sie
ſtoßen das Kruzifix in den See mit den Worten: 'Nun bist der nuwe gott; für war
du uns helffen solt.'

8576. S. 8051; über den Hornſtoß, der am Morgen die Kriegsleute weckt, f. Gudrun
1350 u. 92, Biterolf 7586 ff. S. Kinzel zu Lamprechts Alex. 3239.

8578. Des tages: „Über den Tagesanbruch."

8579 ff. Über Saichinchruog f. zu 3623, über das Lappenhauſer Banner zu 7495 f.
Der Relativſatz in 8581 fordert gmalet was, das eingeſchaltete ich wän bringt daz
... wär mit ſich. − 8586 = 2235, 8588 = 6999.

8597. S. 5417 und zu 6758 ff.

8602 ff. an mein wort = „ohne meinen ausdrücklichen Befehl". S. zu 8387 f.
hüerrenwicht ist ſonſt nicht bezeugt.

8609 f. Worte des Meiers: die rote Farbenlinie verbindet auch dieſe Zeilen noch mit
den vorhergehenden. schrei ist Konj. S. zu 472.

8611 f. Vgl. 1501 f. u. f. zu 5371 ff. − lauffen = „zu Fuße gehn". DWb. 6,
316, 1 bietet keine Belege für die ältere Sprache.

8615 f. S. zu 7481 f.

8618. S. 8278; auch: wie der Meier die Lappenhauſer.

8620. S. zu 7582 f.

8623 f. ein gsell: f. zu 249. − Zu 8624. 26 vgl. 7280 f. Ritterſchlag vor der
Schlacht ist als alter Brauch bezeugt: f. A. Schultz, Höf. Leben² 1, 181, Anm. 11.
Karl Heinr. Frh. Roth von Schreckenſtein, Die Ritterwürde und der Ritterſtand,
S. 300, Anm. 3. Auch Herzog Leopold ſchlug vor der Schlacht bei Sempach junge Edel-
leute zu Rittern.

8627. sam aus eim traum: f. zu 816.

8631 ff. Dieſe hier neu Eingeführten begegnen im folgenden nicht mehr. Ein Stockach
liegt nördl. vom Überlinger See am gleichnamigen Fluſſe. − Tirawätſch ist eine mir
rätſelhafte Namensform. − Haim ist wohl feſtzuhalten; zu Gretzingen f. vielleicht
gretz m. = „kleiner frecher Kerl" SJb. 2, 836.

8637 ff. S. Suchenwirt 4, 268 ff. Der graf von Tzil, Herman genant, daz swert auz seiner schaide zoch und swencht ez in di luften hoch und sprach zu hertzog Albrecht: 'Pezzer ritter wenne chnecht!' Und slug den erenreichen slag. Roth von Schreckenstein, Die Ritterwürde und der Ritterstand 248 ff., meint, der eigentliche Ritterschlag habe sich in Deutschland erst sehr spät eingebürgert, riterslac sei in der mhd. Dichtung so gut wie unbezeugt, ritermachen (s. R. 8664) der übliche terminus. (Roth von Schreckenstein, Ritterwürde und Ritterstand, S. 299, Anm. 3.) In 8639 vermutet J. Petersen, Das Rittertum in der Darstellung des J. Rothe, S. 156 den Schluß einer längeren Formel. Eine solche des 14. Jhdt.s lautet: Zuo gotes und Marîen êr disen slac und keinen mêr! Wis küene, biderbe und gerecht, bezzer ritter denne knecht! S. Roth von Schreckenstein, Ritterwürde und Ritterstand, S. 255, Anm. 1 und Graf u. Dietherr, Deutsche Rechtssprichw., S. 34, Nr. 86, ferner Suchenwirt 4, 561 ff. Wer gut ritter wesen well ... 'Pezzer ritter wenne chnecht!' Daz wort er in dem hertzen trag, Netz 8098 Es ist besser ritter denn knecht. Der Teichner deutet dieses Besser ritter den knecht! im Liedersf. 2, 88, 123 ff. so: Wenn er gewint ritters brisz, des er grösser arbait sol tragen dann e vor bi knechtes tagen nach der welt und gen got.

8643 ff. Irreal: die üblichen Ritterinsignien waren nicht aufzutreiben. Über das Schwert, das vornehmste Abzeichen ritterlicher Würde, s. J. Petersen, S. 117 ff., über Handschuhe, Gürtel (hentschuochgürtel ist sinnlos und bei Lexer zu streichen) und goldne Sporen ebd. S. 115. rittersporn: der älteste Nachweis des Wortes. — hie und dort: s. zu 3270.

8649 ff. eren (s. 8655): nämlich durch den Vorstreit. Über tochtren s. zu 1221.

8655 ff. In der fast 800 Zeilen umfassenden Schlachtschilderung läßt der Dichter den Kampf nicht auf der ganzen Linie entbrennen, sondern staffelförmig die einzelnen Heerhaufen auf beiden Seiten ins Gefecht einrücken, wenn eine Gruppe in Bedrängnis kommt. Jeder von den Nissinger Haufen greift dann ein, wenn sein besonderer Gegner (s. zu 8187 f.) im Vorteil ist. So ergeben sich zehn Kampfstadien: 1. Dem Angriff der Hexen begegnet die Abwehr der Zwerge. Eingeschaltet ist die Episode mit dem wilden Mann, den sie gemeinsam niederringen, da er auf beide Teile losschlägt. — 2. Auf die Niederlage der Hexen folgt der Angriff der Riesen. — 3. Die Bedrängnis der Zwerge führt zum Eingreifen der Recken. — 4. Ihr Sieg über die Riesen veranlaßt den Ansturm der Heiden, der sie schließlich schwer bedrängt. — 5. Die Schwyzer greifen ein und schlagen die Heiden in die Flucht: Recken und Zwerge ziehen ab. — 6. Jetzt setzen sich die Lappenhauser ins Gefecht, 7. dann von der Gegenseite die Nissinger. — 8. Die Niederlage der Lappenhauser hemmen die Narrenhaimer, 9. die der Nissinger die Mätzendorfer. — 10. Diesen halten noch die Torenhofer die Waage. Da die Nissinger keine Reserve mehr haben, wird die Schlacht spät nachts unentschieden abgebrochen.

8661. S. zu 7908 f.

8663 f. Auch Strudel hat also vor der Schlacht den Ritterschlag erteilt: f. 8623 ff. — rittermachen: vgl. kindermachen 3388.

8667 f. deupin: Scheltwort für die Führerin der Hexen. Der Plur. rinder (: kinder) findet sich 3030, 3168, 4928 u. 9210, im Zeileninnern 146 u. 3696: nirgends wäre rind unmöglich. Der Plur. kind steht zweimal im Reime: sind (3411 u. 7479), im Zeileninnern nur 3174 u. 3454, sonst stets kinder (15 über das ganze Gedicht verstreute Stellen). kinder konnte nur mit dem neutralen Reime rinder gebunden werden. S. auch zu 3328. gesinder ist eine Unform des Schreibers, die der Reim herbeiführte. Der Vergleich sam die rind wie 6579 u. 9417.

8673 f. Die Zwerge kämpfen mit Schleudern: f. 8695 f., 8866 ff. u. 94 ff., 8921 ff.

8675 ff. Die Zeilen haben, wie die rote Farbenlinie lehrt, bidaktischen Wert: Pfeifer und Fahrende (f. 7925 ff.) sind keine Mitkämpfer.

8682 f. flugend... stubend: f. zu 6386 f.

8688. Über diesen spottenden Zuruf an Laurin f. zu 115 u. zu 425.

8689. maniggein (f. Ausg. S. 338): über die Bezeichnung „Männlein" für Zwerge f. Lütjens, Der Zwerg in der deutschen Heldendichtung, S. 74, Anm. 3. — vom Rein: f. Mohrin 320 Ich main, er sy ain geck vom Rin (ähnlich 954 f.) und Martins Anm. (auch Nachtr. S. 277); ferner BWb. 1, 1201 unter Jeck (H. Sachs). Das Geckentum rheinischer Ritter ward im bayr. Gebiete besonders bewundert und verspottet. So ist Ulr. v. Lichtenstein, Frauendienst 208, 29 zu verstehn (f. Mhd. Wb. 2, 1, 705 a 29 ff.); f. ferner Bruder Wernher, Spruch Nr. 67 (Schönbach), Kl. Neidhartfp. (Keller, Faftnfp. 194, 29) ich pin ein ritter von dem Rein, Neidh. Fuchs 2316 die abenttenz send geheißen Schwenckdenfüß: den pracht vns ein hübscher ritter mit im von dem Reine, Haupt zu Neidh.[2] 102, 34 und W. Wackernagel, Altfranz. Lieder und Leiche, S. 194, Anm.: „Bei höfischen Dichtern besonders deminutive Wortbildungen nach flämischer Art."

8691. S. Ausg. 338. Der Ausdruck besagt das Gegenteil von lac nider.

8694. S. die Szene bei Eberhard Windecke (W. Altmann), S. 84, wo Herzog Heinrich von Landshut den Gegner mit den Worten Nü wer dich! angeht.

8697. schossen: dagegen gschossen 8782 u. 9599; f. auch 7956 u. 8382.

8700. Vgl. im Ausdruck 8058 u. 9454.

8701. es: seltener Gen. im R. (f. 387 u. [e]s 5592, vielleicht auch in es ist zeit: f. zu 1832). — Über pfeillern f. zu 2441.

8702. Singer: f. Wolframs Titurel 1, 2, 3 sprizen gæben schate vor der sunnen und Marta Martis Anm. z. St.

8707 f. cham umb: f. DWb. 5, 1677 g und die Phrase 8835. Über hals f. zu 5906.

8710. S. Ariftot. heimlichkeit (Toischer) 2880 habe gelupte pfile. Beheim, Buch v. b. Wienern (Karajan) 84, 19 der selben pfeil warn vil gevifft. Vgl. M. Jähns,

Gesch. des Kriegswesens, S. 764, Schultz, Höf. Leben[2] 2, 201, Anm. 1 und Herm. Weiß, Kostümkunde 2[2], 396. Zimmr. Chron. 1, 84, 28.

8711. ein bott: bildl. für ein solches Hexengeschoß. S. 8921 dieselbe Phrase mit ein brief (dort im folg. Das was ein stain); beide Ausdrücke formelhaft verbunden 315.

8713. vil und dannocht mer: s. zu 2621.

8717. herte leit (s. 8756; 9271 mit herticleichen): „setzt hart zu". S. BWb. 1, 1167. Nachweise der Phrase in Eulings Anm. zu Kisteners Jakobsbrüdern 1047 und besonders bei Leitzmann, ZfdPh. 32, 561. Sie ist sehr verbreitet: s. Rost, Kirchherr zu Sarnen, Schw. Mf. XXXII, 8, 9, 18 u. 27 al mîn nôt mir herter nie gelac, Ammenhausen 8078 swie herte mir dû sache lît, Kloster der Minne (Lieders. 2, 124) 972, Ritterspiegel 3843 wan ez en also herte werdit geleid, Mondsee-Wiener Liederhs. (Mayer u. Rietsch) Nr. 11, 51, Appenzeller Chron. 2175, Keller, Erz. aus altd. Hss. 249, 23, 338, 35 u. 456, 29, Hätzl. 1, Nr. 50, 3, Nr. 87, 4 u. 17 u. 2, Nr. 75, 260, Eberh. Windeckes Denkwürdigkeiten (W. Altmann), S. 87, 88 u. 328, Keller, Fastnsp. 466, 11, Beheim, Buch von den Wienern (Karajan) 356, 13, Hans Folz im Liede der poß rauch (bei Keller, Fastnsp. 1279), Str. 1, H. Sachs, Fastnsp. (Goetze) Nr. 3, 340, Flieg. Blatt des 16. Jhdt.s bei Zarncke, Ausg. von Brants Narrenschiff, S. 456, Str. 6, 4, Uhland, Volkslieder 1, 64, Str. 2. — Das historische Präsens leit, reit, schlecht ist eingebettet zwischen Präteritis (8716 u. 24), ähnlich kümpt 8837. So steht auch z. B. beim Kaufringer wil (: vil) 3, 464 u. 11, 32 unter lauter Präteritis. S. zu 3677.

8719 ff. ein wilder man: s. 8736 u. 68. Er taucht ganz unvermittelt unter den kämpfenden Hexen und Zwergen auf, vermutlich als Feind beider, der ihren Zwist ausnützen will (8730 f.). Uhland, Schriften 8, 369, Anm. 3 bemerkt, daß dieses mythische Wesen „herkömmlich zu den Abenteuern Dietrichs im Walde von Tirol gehört". A. Lütjens, Der Zwerg in der deutschen Heldendichtung des Ma.s, S. 77 verweist auf zahlreiche bildliche Darstellungen des ausgehenden Mittelalters von wilden Leuten, die auf Hirschen (seltener auf Rehen) reiten. S. Anm. 5: „Zumeist sind es Abbildungen auf Teppichen obd. Herkunft anfangs des 15. Jhdt.s." S. Die altdeutschen Wandteppiche im Regensburger Rathause (Friedr. v. der Leyen u. Adolf Spamer) in „Das Rathaus zu Regensburg 1910, Nr. IV, S. 99 ff. und Betty Kurth, Die deutschen Bildteppiche des Mittelalters, z. B. Tafel 108. Über den Wilden Mann im Schempartlauf und Schwerttanz s. Gusinde, Neidh. mit dem Veilchen, S. 34 ff., über seine Rolle in der altdeutsch. Literatur s. Uhland, Volkslieder (H. Fischer), Abhandlung S. 42 ff. und A. Lütjens, S. 109; nach allen Seiten beleuchtet ihn Adolf Spamer, a. a. O., S. 88 ff. Auf dem Helme des Riesen Mentwîn im Orendel 1257 ist ein Wilder Mann dargestellt: A. E. Berger vermutet darin sein erstes Auftauchen in der deutschen Dichtung. W.s Gestalt hat manche Ähnlichkeit mit dem waltman im Iwein 418 ff.: s. dessen

Zähne 455 ff. und den Kolben 469 f. Zu den Zeugnissen bei Uhland und Lütjens f. Apollonius (Singer) 9887 ff. Do pegegend im ain wilder man, der was kotzott und rauch; payde ruck und pauch waren greyß als ain hunt: er hett ainen weytten munt; sein augen waren rot und fratt; Mohrin 632 ff. Vor in trat her ain wilder man ... mit ainer stang, was stechlin; auch Mf. H. 3, c 122, 5 er wirt gekapfet an, als ez si ein wilder man; Pleier, Tandareis u. Florbibel (Khull) 9986 f. der sach dâ manegen wilden man grôz unt vreislîch getân.

8720. hierssen: auch sonst sw. im R. (f. 8760, 66 u. 76). S. Jänicke (DHB. IV, 2, 271) zu Wolfdietr. B 24, 3, Lexer, Nachtr. 242 u. DWb. 4, 2, 1564.

8738 f. S. 6641 ff.

8740. Die gewöhnliche Konstr. sich nicht verdriessen lassen 2145 u. 8654. Für intransitiv. verdr. bietet Lexer 1 Nachweis.

8743 ff. Das schlahen geht vom Reiter aus, der mit seinem Streitkolben auf die Hexen losschlägt, stechen und rauffen vom Hirsch, der mit seinem Geweih die Zwerge bearbeitet. Daher wenden sie sich gegen das wütende Tier, worauf die Hexen den Reiter erledigen. — eisencholben: sonst unbezeugt. — Zu 8749 ff. findet sich ein paralleler Zug in Pulcis „Morgante Maggiore": Bayard, Rinaldos Roß, kämpft, auf den Hinterfüßen stehend, gegen die Heiden und haut und beißt wie rasend um sich. S. Morgant (Bachmann), S. 319, 34 f. und Reinold von Montelban (Pfaff) 2020 ff., 2487 ff. u. 9074 ff. In Lamprechts Alex. (Str.) 5020 ff. ist von einem Untiere die Rede, das 36 Mann mit seinem Geweih tötet und 50 mit den Füßen zertritt.

8757 f. Vgl. 1444 f.

8761 ff. Zu 8761 f. die Anm. zu 5655 f. — Äschenzelt (f. Dat. -en 8989, Aff. 8998 : engelten): Lexer vermerkt ascherzelte (f. auch Nachtr.) = „ein in Asche gebackener Kuchen". In der Parallelszene 8989 ff. kostet den Zwerg die Wiederholung seines Verfahrens bei dem Riesen Wegge das Leben.

8766. dem hierssen: f. DWb. 10, 2, 1224; dagegen hat dieselbe Phrase 8992 f. den Aff. (in).

8768. über ab (f. Ausg. S. 338): das Mhd. Wb. bietet 1 Zeugnis, und zwar aus Veit Webers Lied auf die Schlacht bei Murten: man stachs mit spießen über ab; f. auch O. v. Wolkenstein (Schatz) 1, 20 von höch der schaitel überab den grunt und Joh. Lenz, Schwabenkrieg (v. Dießbach), S. 125 Zum venster vs er sich wardt machen vnd über ab an dem end kam, durch den graben behennd entran.

8769. Erg. waren: f. zu 5767. Die Ellipse ist ähnlich wie in den zu 6170 zit. Stellen.

8770 ff. zamptend = „zähmten", ironisch (den Wilden Mann!). — Über 8772 f. zu 1622 f. — an not = „ungefährlich".

8777. Im Ausdruck vgl. 7812 u. 9688.

8781 ff. gstainen: der Zwerge, gschossen: der Hexen. Im folg. denkt der Dichter an einen Nahangriff der Heren, wie aus der stralen (f. 8702 u. 9), die gfüegen leute (f. 6581 der gfüeg vom Lappenhaufer Twerg und 8790) und 8787 erhellt. Nach 8658 reitet freilich nur die Führerin einen Wolf. — liessens lauffen: natürlich ihre Reittiere. S. Lerer 1, 1967.

8788. Die Zeile, die sich wohl auf die vorhergehende bezieht (wie auch noch Die 8789) ist mir in Bau und Gehalt anstößig geblieben.

8789 ff. die lüft: Akk. Plur. (luft ist im N. mask.). — chrüft (f. Ausg. S. 338; im Mhd. bisher unbezeugt): von den Zwergen. — 8791 mit direkter Ironie: f. 6401.

8792 ff. Konr. v. Megenberg, Buch der Natur 188, 29 ff. Ez hât der falk ain scharpfez pain an seiner prust, daz ist gar hert. Daz hât im diu nâtûr geben, daz er den raup dâ mit stôz.

8796. stiessens nider ist am ehesten wie 8786 zu verstehen, d. h. s(i) = die Heren, so daß sie dalagen wie Stöcke. S. folg. die häxen.

8797. Uhlands Konjektur naigten (Schriften 8, 369, Anm. 4), was nicht „stürzten" bedeuten kann, läßt es unerklärt, daß Laurin im folgenden vor allem die „Pferde" (8798 u. 8804, d. h. die Ziegen) der Heren vertilgen lassen will. Meine Deutung der hand-schriftlichen Lesart (f. Ausg. S. 338) macht die Sache klar: die ledigen Reittiere holen immer neue Streiterinnen herbei. — übern (nach Uhland a. a. O.) Höperg: f. 7889.

8803. des ist not wie 8335.

8819 ff. Er gebraucht also des paners sper als Stoßwaffe.

8822. nu der Vorlage verlas der Schreiber in vm (f. umb sust im folg.).

8831 f. Derselbe Reim z. B. Virginal 182, 7. 9. Zur Form der Hf. vgl. 9404 veinstren.

8833 f. er: dieser Dampf aus dem Wolfsrachen. Über schluog f. zu 683. sich plâgen Lerer 2, 276 ist verfehlt (f. Ausg. S. 338). Über chruog f. zu 9077.

8837. Über kümpt f. zu 8717. — Trintsch (fw. Mask.: f. 8974 u. 85) tritt noch in der parallelen Episode 8966 ff. als Netzkämpfer auf, in der seine Kampfesweise ähnlich verfaßt wie nachher (8989 ff.) die des Aschenzelt.

8841 f. S. zu 5767 f.

8843 f. Zu 8843 vgl. 8094, zu 8844 im Bau 3328; sachlich f. zu 5082.

8845. dis = die andren 8842 (nämlich Zwerge).

8847. Zum Fall der Führerin kam nun die Niederlage ihrer Truppe. Das Präsens kennzeichnet das Sprichwort: über dieses f. Zingerle, Sprichw., S. 127 f. u. 156, Wander 4, 1441, 78, 82, 83, 88, 89 u. 92, Fecunda ratis 759 und Singer, Alte schweiz. Sprichw. Nr. 273. S. bef. Boner 41, 77 ein unsælde die andern rîten sol.

8850. S. 7582. Um die Linde lagern, zum Eingreifen bereit, die andern Heerscharen im Grase (f. 8855).

8853 f. Bis an die versin: f. 9144 f. (an die knie auf) und 9409 f. (bis untz an den gürtel): W. bezeichnet durch dieses Zeilenpaar mit berechneter Steigerung des

Ausdrucks bedeutungsvolle Wendepunkte des Kampfes: hier die Niederlage der Hexen, dann die Verjagung der Heiden um die Vesperzeit, endlich den Abbruch des Gefechts in finsterer Nacht. Er bedient sich dabei in origineller Weise eines bewährten Motivs aus Schlachtschilderungen besonders der heroischen Epik: s. Uhland, Volkslieder, Anm. 3, 218, L. Wolf, Der groteske u. hyperbol. Stil des mhd. Volksepos, S. 84 und auch Lexer 3, 704 (waten), Kinzel zu Lamprechts Alexander 2146. S. ferner Uhland, Volksl. 3, 180 (aus 1516), Str. 5 biß wir watten in unsrem plüt; Reinbots Georg 744 f. da in manne bluote wart geweten volleclîche über die sporn und 1178 ff. daz von den heiden runnen die güsse mit dem bluote und d'ors in dem vluote wuoten vaste über den huof (s. Kraus zu 743 f.), Dietr. Flucht 6422 f. wir suln in mannes bluote hiute waten unz über die sporn, Keller, Fastnsp. 589, 18 f. das man in dem plut muß gan uber di sporn auf dem plan, Uhland, Volksl. 3, 187 (aus 1525), Str. 6 im blut musten wir gan biß über die schuch und 188, Str. 10 eine grüne heid ist's richters bůch, darein schreibt man die urteil, bis eim rinnt s' bluot ind schuoch; Ackermann, Kap. 17 die wuten in dem blute bis an die waden, N. Manuel, Vom Papst u. sein. Priesterschaft (Baechtold), S. 66, 919 Sie stond im blůt bis an die waden; Apollonius (Singer) 3802 ff. das veld ward pluetes also vol, das es den rossen an dy knie auff dem praitten velde gie, 7760 ff. man sach di hohen roß watten in dem plute untz an die knie, Joh. v. Würzb., Wilh. v. Ost. 8380 f. man sach diu ros in blůt waten ain hant über die visserlaich, 18120 man wůt in blůt üntz an daz knie, Morgant 285, 29 ff. das ire pfert im bluot badettend untz an die knůw, 314, 21 f. das die roß untz an die knůw im bluot wuotten. — S. zu 9660.

8856 ff. her risen: s. her rise Wirg. 765, 9, 820, 2 u. 891, 2, Rosengarten D X, 341, 4 (Holz) und zu 408 u. 502 ff. Oder Schreiberversehen für ir? S. 9005 u. 9192. — Über 8857 s. zu 7943 f., über nicht ein bissen s. zu 5552. — Unzerrüert weist Lexer nur hier, unzerrissen überhaupt nicht nach.

8865. twerglin: das Deminutiv mit Rücksicht auf die Riesen als Gegner.

8868. ze einem zil wie 3095. — in die risen „unter d. R."; s. 9013, 54, 80 u. 94.

8878. Das Ausg. S. 338 herangezogene gigkinn ist ein schweres Schimpfwort gegen Mannspersonen; die Zusammensetzung mit -fist verhöhnt dazu die Nichtigkeit des Gegners. Vgl. gickenschweiß als Scheltwort in Murners Gäuchmatt 5244. — huob an als verbum dicendi wie 749, 2561, 3439, 6266, 332 u. 435. — einer = Golie (s. 8897).

8881 f. vermag mit bloßem Infinitiv: s. DWb. 12, 886. — in einem schlag: der Eisenstange (s. 8922).

8894. luod: vgl. 9575. Dieses laden von Schußwaffen bezeugen die mhd. Wbb. nicht; s. DWb. 6, 44, 8 und ladeziuc, ladîser bei Lexer, ladîsen Nachtr.

8899. ir drei: s. 8064 ff.; der vierte ist eben Hildprand.

8901 ff. Auch in der Virginal 724 ff. u. 861 ff. wie im Rosengarten A V (Holz), Str. 198 ff. u. D VIII, 291 ff. leitet H. die Kämpfe mit den Riesen und bestimmt die einzelnen Kämpfer. — das ist Reimflickwort. — ir haubtmans (f. 8149) maister: f. 8067 u. 8913.

8921 f. ein brief: f. zu 8711. — die stang: aus Stahl (9026), die zum Schlagen dient (f. 8882, 8949 u. 83 ff.; der Ausdruck 7930 führt irre), die echte Riesenwaffe. S. darüber Grimm, Deutsche Mythologie², S. 500, Martin zu Gudr. 447, 3 u. 517, 1, Leo Wolf, Der groteske u. hyperbol. Stil des mhd. Volksepos, S. 29, Heinr. Schröder, Zur Waffen- und Schiffskunde des deutsch. Ma.s, S. 28 und DWb. 10, 2, 794ϑ Ferner Straßburg. Alexander 5075 ff. und Kinzels Anm. z. St., Laurin 1494 u. 1527, Virginal 202, 10, 315, 12 f., 359, 8, 381, 11, 383, 2, 384, 7, 505, 10 f., 527, 3, 684, 3, 690, 8, 719, 10, 720, 11 f., 725, 8, 747, 11, 865, 9 ff., 871, 7 f., 874, 9, 875, 5, 877, 8, 879, 8, 883, 5, 888, 12, Wolfdietr. D IV, 5, 22, 27, 76 u. VII 34, Sigenot (Zupitza) 18, 1, jüng. Sigenot (Schoener) 8, 9 f., 19, 10, 59, 12 f., 139, 8 u. 144, 2, Sterz. Spiele 9, 279 u. 454; andrerseits in Wolframs Wh. 195, 27 ff., Ulrichs Lanzelet 1919, Reinfr. v. Braunschw. 18926 ff., 25082 f. u. 25148 ff., Heinr. v. Neustadt, Apollonius 9373 f. u. 11748 ff., Joh. v. Würzb., Wilh. v. Öst. 17834 f., Meister Altswert, Der Kittel 37, 8.

8925. S. zu 5767.

8930. faustmesser: sonst unbezeugt.

8931 ff. von horn: f. Reinfr. v. Braunschw. 19636 ff. swaz in dem lande… von wîbes lîbe wirt geborn, daz ist allez sament horn… dâ von diz volc in strîte kan niemen überwinden. — ir stupfen: f. Fischart, Garg. (Alsleben), S. 280 stupfft mit den tolchen. Über hornhäutige Völker f. Singer, Germ.-rom. Ma., S. 245.

8935 ff. S. zu 6590 ff.

8947 f. S. Teufels Netz 9392 f. (gens : tens).

8951. S. 1093 und Mhd. Wb. 1, 472a 2 ff., Orendel 2117 f. waz si der heiden dô mohtent erlangen, umb die was ez ergangen, ähnlich 2325 f. (f. A. E. Berger z. St.), Rabenschlacht 698, 5 f. swen si mohtn erlangen, umb den was ez… ergangen, Wolfdietr. D IX, 138, 3 f. swaz er ir mohte erlangen… umb die was ez ergangen, ähnlich Wolfdietr. D X, 73, 4 f. u. 88, 1 f. und Staufenberger 100 ff. swaz er mit sinem swerte moht umbe sich erlangen, umb die was ez ergangen.

8956. Entwerichs: f. dagegen entwerchs 8637 (: vers), enzwer 5832 (: her).

8958. er = Sigen: Laurins Anschlag mißlingt.

8959. sein: f. zu 2646. Die Phrase ist zu vergleichen mit 8933, 39, 69 u. ä.; die Schreibung erklärt sich wie bei ein aus der Anlehnung an mein, dein, sein.

8962. sein ross: den Rehbock; so bezeichnet Ir phärde 8798 die Ziegen und pfärd 8985 den Zwerg, der Tr. trägt. Über die Szene f. zu 8837.

8965. D. h. er reichte nicht hoch genug.

8971. ze allen wenden = „nach allen Richtungen": Lexer 3, 758.

8972. S. Ausg. S. 338. clei verhüllend für chei = ghei (BWb. 1, 1027, Netz 7077 das den der tüfel kig, ähnlich 8815 u. 9538, Keller, Fastnsp. 175, 4 das dich der teufel ghei! Vgl. Pfarrer vom Kalenberg 1330): f. Keller ebd. 272, 24 Ich torst dir wol dein muter geheien und DWb. 4, 1, 2, 2342, SJb. 2, 1106 f.

8973. Des Netzes wegen, mit dem der Zwerg ihn bedeckte. S. zu 6868 ff. Ähnliche Spottreden z. B. 9015 u. 22.

8974. maistern: sonst st. flektiert (Dat. maister 3852 u. 88, 4545 u. 4704, Gen. maisters 2534). Unsere mhd. Wbb. weisen keine sw. Formen nach; f. SJb. 4, 511.

8981. S. zu 2094 u. 4415.

8986 f. Scheint ein Euphemismus für „sterben" (vielleicht nach einer Redensart) im Sinne von: daß ihnen alle Launen vergingen. Singer: Wol gessen ist halb getrunken in einer Straßburg. Hs. (ZfdPh. 47, 381, Nr. 6).

8988. der twergen hilf: zielt wohl auf Trintsch und sein „Pferd".

8989 ff. S. zu 8761 ff. — eisenpruoch: sonst unbezeugt.

8997. Einer bekannten Redensart nachgebildet: f. Erek 5483 Ich zerbræch dich als ein huon und Haupt z. St., Helmbr. 1851 Ich briche in als ein huon und Haupt, Lambel u. Keinz z. St., DWb. 4, 2, 1876. S. auch Stricker, Daniel (Rosenhagen) 3190 f. swen er darnâch vor im vant, den zerbrach er als ein huon und Lf. 2, 148, 424 er erwürgt in als ein huon (f. GA. 1, 3, 280).

9003. S. 8846.

9004 ff. Hildebrand erspäht den Augenblick zum Angriff der Recken. S. zu 8901 ff. Zu 9006 vgl. im Ausdruck 4845.

9007. In der zu 8694 zit. Szene aus Windecke ruft Herzog Heinrich seinen Leuten zu: Nu wol uf, es ist zit!

9011. Auch Rother 4223 bebt die Erde unter den Schritten der Riesen.

9012. Bäume aus dem Erdboden zu reißen, um sie als Waffen zu gebrauchen, ist sonst Art der Riesen. S. L. Wolf, Der groteske u. hyperbol. Stil des mhd. Volksepos, S. 35 u. 112. So reißt im Eckenliede 184 f. Vâsolt im Kampfe mit Dietrich Baumäste ab und seine Schwester Uodelgart entwurzelt 235 u. 240 einen Baum zu ihrer Bewaffnung. S. ferner jüng. Sigenot (Schoener) 73, 12 ein boum er (der Riese) ûz geroufte und lief in (Dietrich) aber an, 74, 1 ff. Den boum er in der hende truoc; Dâ mit er ûf den fürsten sluoc; Reinfr. v. Braunschw. 19086 ff. Ûz der erden zucken sach man in (den Riesen) lang und kurze boume mit der wurze, mit den er ûf den fürsten sluoc; im Kittel des Meisters Altswert (Holland u. Keller), S. 17 f. reißt ein Wilder Mann im Kampfe mit einem Eber eine junge Tanne aus der Erde; Fischart, Garg. (Alsleben), S. 368 Vnd als er vnterwegen ein grossen, hohen baum antraf, ... macht er jhm ein spanisch Bäselosmanos vnd sprach: 'Sehe da, was mir gefehlet hat! Dieser baum soll mir für ein Leytstab vnd Spieß dienen.' Riß jhn

derwegen flugs leichtfertig auß wie ein anderer Christoffel, behieb jhm die
äst usw.; Georg Baumberger, St. Galler Land. St. Galler Volk, S. 193 in der Sage
vom Calfeiser Riesenpaar: „Unterwegs bewehrte sich jeder mit einer Tanne, die sie aus
dem Boden rissen... Im Kampfe... schwang jeder seine Tanne wild im Kreise."

9015. S. 3328 ff. und Hätzl. 2, Nr. 42, 10 f. Junge kind mit gerten man uff-
ziehen sol. Singer, Alte schweiz. Sprichw. Nr. 155. Egges Spott findet sich im
Heldenbuch Kaspars von der Rön, Ecke 260 Du tüst mein gawmen, sam ich ein
schuller sey gewesen, mit deynen wilden gerten (L. Wolf, S. 105) und im jüng.
Sigenot (Schoener) 74, 5 ff. spottet Dietrich selbst, wie der Riese ihn mit einem
Baume schlägt: Nu gedâht ich wol, daz der ruot nu entwahsen wære. S. auch
Virg. 80 bei Kaspar.

9016. auf in: s. Behaghel, Deutsche Syntax 1, 299, Anm. über reflexives in im
Obd.; eine Änderung in auf hin verbieten Reim und Versakzent (auf hín).

9018. Vielleicht ein Neckwort aus der Volkssprache für etwas Bedrohliches, das
jäh aus der Höhe geflogen kommt. Man könnte an das alte Kinderspiel vom Gyren-
rupfen denken. S. Ernst Ludw. Rochholz, Alem. Kinderlied u. Kinderspiel, S. 410.
Singer denkt an Gîr, einen Berggipfel im Obertoggenburg: s. Geogr. Lexikon der
Schweiz 2, 308.

9022 f. Wie der Riese die entwurzelten Bäume 9015 gerten nennt, so der Recke
den von Egge geschleuderten Berg Erdschollen und mist; dem Ausdruck kinder dort
steht hier ein weib gegenüber.

9025. der Egger: eine kühne Bildung nach der Perner? Uhland, Schriften 8, 369,
Anm. 1 verweist zu diesem vereinzelten Egger (für Egg) auf Laßbergs Sigenot Str. 34,
wo es als Abkürzung des Zwergnamens Eggerich dient.

9031. S. aber 9067 ff.

9032 f. S. zu 5922 f. Näher als Eckes Tod steht im Eckenlied der seiner Mutter
Birkhilt: s. 238, 7 f. Mit grimme er (Dietrich) sî enzwei gesluoc mit dem vil guoten
swerte. S. auch L. Wolf, Der groteske u. hyperbol. Stil des mhd. Volksepos 79.

9034 ff. Die wunderbare Schärfe von Dietrichs Schwert bewirkt, daß Egge erst in
zwei Stücke auseinanderfällt, da er sich, ohne von seiner Todeswunde etwas zu ahnen,
bücken will. Singer schließt (in der Literaturgesch. d. deutsch. Schweiz im Mittelalter,
S. 39 f.) aus diesem Motiv, daß W. das Nibelungenlied in einer der Hs. Hundeshagens
(Berlin, Cod. Germ. f. 855) verwandten Fassung kannte, da er die eigentümliche Todes-
art Kriemhilds auf Ecke übertrug. S. dort 2377 a und b: Daz schwert daz schnaid
so drate, daz sy sein nit enpfant, daz sy het gerueret. Unsanft sy sprach ze hant:
'Dein waffen ist verplawen' usw. (s. R. 9037 ff.). Da zieht er einen Goldring vom
Finger und wirft ihn ihr mit den Worten vor die Füße: Hebt ir daz vingerlein auf
von der erden, so habt ir war, edel wip. Sie bückt sich darnach — und zerfällt in
Stücke (s. R. 9048 f.). Mit dieser Stelle bringt H. Lambel (AfdA. 30, 182 f.) Thidreks-

faga c. 68 (in den Papierhff. A B: f. A. Raßmann, Deutsche Heldensage, 2. Bd., S. 234 f.) den Tod des Amilias durch Wielands Schwert in Zusammenhang: auf deffen Bitte, fich zu schütteln, fällt A. in zwei Stücken vom Stuhl. Darauf geht wohl die „Spanische Geschichte" in Bd. 1, S. 55 der Fliegenden Blätter zurück: Progreffift: „Nur zugehauen, frisch! Wie lange werd' ich knien follen?" Moderados: „Sie find ja schon geköpft: wenn Sie nur gütigst schütteln wollen." (Der Hals des vor dem Henker Knienden ift bereits durchhauen.)

9035. an alles leiden = „ohne irgendwie Schmerz zu verurfachen". S. 9038 und auch 1976 und vgl. Virg. 96, 4 swaz ez (des Berners Schwert) begreif, daz muoste enzwei.

9037. Sprach her Egg nach Bleifch, S. 60. Der Fehler der Hf. ftammt aus 9024 zaig her (: Egger), worauf der Schreiber, durch das zeileneröffnende sprach ftußig gemacht, zurückblickte. Über diefes sprach f. Haupts Neidhart² 23, 17, Anm. und Zupißa zu Virginal 799, 11. Fr. Maurers Abhandlung in der Feftschr. f. Otto Behaghel, S. 141 ff. leidet unter der Unkenntnis diefer Zeugniffe. Bei W. erklärt fich die Fügung aus der Anlehnung an die Dietrichsepik, in deren Bannkreis er fich hier ja auch inhaltlich befindet. S. auch H. Paul, Deutsche Gr. IV, 1, § 62.

9040 f. Offenbar sprichwörtlich.

9042. in dem sin: f. zu 1749.

9046 f. Vgl. 5618 u. 6554. — 9047 ironisch.

9051. ener: f. zu 1209. — Vier Riesen find gefallen (f. 8897, 8945, 9046 u. 49), drei noch kampffähig, ebensoviele Recken, da Dietleib befinnungslos darniederliegt.

9055 ff. Über so in 9055 f. zu 2353 f., über nebel 9058 u. 62 zu 1165.

9061 ff. das wilde feur: f. das Lied vom Hürn. Seyfrid (Golther) Str. 79 ein solcher streyt geschach, das man das wilde fewre do auff den helmen sach. Die Belege der mhd. Wbb. entftammen auch z. T. der Heldenepik. Sie erwähnt in Kampfesschilderungen gerne das aus den Waffen hervorsprühende Feuer: f. Jänicke zu Biterolf 8808. Feueratem ift in der Heldenepik Dietrich von Bern eigen: f. W. Grimm, Deutsche Heldensage 105 f., Klemens Friedr. Meyer, Studien über deutsche Geschichte, Art und Kunft (1851), S. 93 f., O. Jänicke D.H.B. I, Einl. zu Laurin und Walberan, S. L, R. Heinzel, Oftgoth. Hfg., S. 97 f., O. L. Jiricek, D. Hfg. (1898) 1, 266 f. und L. Wolf, Der groteske u. hyperbol. Stil des mhd. Volksepos, S. 58 f., außerdem jüng. Sigenot (Schoener) 82, 9 ff. Der starke rise freissan begund sîn sweiz verrêren von der hitz . . . diu hern Dietrich von Berne ze sînem mund ûzbrach und 179, 7 ff. Dîn hêr der wolt mich hân verbrant, der tiufel ûz im gluote (der Riefe zu Hildebrand) und noch im Faftnsp. vom Berner und dem Wundrer (Keller Nr. 62, S. 551, 15 ff.) äußert der W. zum B.: Mir saget oft der vater mein, wie mich einer erschlagen gund, dem feur ging auß seinem mund, der wer genennet Dietrich.

9066. Sprichwörtliche Redensart: f. Lexer 1, 1266 und DWb. 4, 2, 499, 2 u. 501, 6.

S. auch Fischart, Flöhhaz (A. Hauffen) 3479 f. Aber es haißt hart wider hart, ain harte schwart wird hart gescharrt. Singer: Durum pro duro semper tibi reddere curo J. Werner, Lat. Sprichw., S. 25, 189.

9070. S. zu 2406; Vnd der Hf. stört zwischen so und das, während es 6415 u. 9400 im Satzbau begründet ist.

9077. Die Redensart erinnert an die ähnliche mit „Sack": z. B. Apollonius (Singer) 10161 f. Wer den anderen übermag, der scheubt in in den sagk, H. Sachs, Werke (Keller) 3, 499, 32 f. Welches das ander übermagk, das scheubt es gentzlich in den sack, s. auch Brant, Narrenschiff 69, 7 f. Wer andere stossen wil inn sack, der wart ouch selbs des backenschlack (und Zarncke z. St.), Murner, Gäuchmatt 4880 und W. Uhl z. St., BWb. 2, 360, DWb. 8, 1611, Graf u. Dietherr, Deutsche Rechtssprichw., S. 529, Nr. 332 u. 333, Singer, Alte schweiz. Sprichw. Nr. 221 und Nachtr. im Schweiz. Arch. f. Volkskunde 21, 236. Heute noch „jd. in den Sack stecken" = ihn überlegen abtun. Wander 3, 1818, 249. – Wenn hier chruog für „Sack" erscheint, ist vielleicht auch 8834 so zu fassen. Zu der Redensart zitiert Singer: ZfdPh. 47, 256, 156 (Schwabacher Hf.), ebd. 388, 62 (Prager Hf.), 48, 89, 22 (Münchner Hf.), Altswert, Kittel 53, 22 u. Makkabäer 2087. – Zu chruog = „Sack" verweist er auf Bölle-chrueg (Zürich), wo auch in Ermanglung eines wirklichen Kruges bloß ein Stück Papier spiralig zugeschnitten wird, so daß es hängend die Form eines Sacknetzes erhält (SJb. 3, 803).

9082 ff. Der Satzbau scheint irreales Gepräge zu haben wie 8643 ff. und 9108 ff.; aber nach 9085 (sprach) ist 9082 doch als Indikativ zu verstehen: Wolfdietrichs Hohn verfehlte seinen Zweck, weil die Heiden seine Worte nicht verstanden. In Grimms Mythologie⁴ 1, 459 wird, worauf Holland (in Kellers Vorrede, S. XII) verweist, von einem Tatarenriesen erzählt, daß er, als ein Pfeil in seine Brust drang, rief: „Was quält mich hier eine Fliege?" Dasselbe Motiv begegnet (nach Rabelais) auch in Fischarts Garg. (Alsleben), S. 369: Die so jm Schloß waren ... thaten wol neun tausent fünff vnnd zwentzig schuß auß Falckonetlin vnnd Toppelhacken nach jhm, daß jm die Kugeln vmb den Kopff sausseten, als ob die Meykäfer geflogen kämen ... da fieng er an zu keuchen ... vnd schry: 'Ha, ha, ... dise Mucken hie werden mich noch gar blenden: reych mir etliche Weidenbäume für ein Muckenwadel ... her, sie zu verscheychen!' Dann er sah dise Eisenmucken für Roßbrämen an.

9086 ff. Nach dem vorbereitenden Pfeilhagel aller heidnischen Mannschaften (9079) erfolgt der Angriff der Reiterei. Ihre Kampfesweise wird im allgemeinen 9087—96 geschildert (s. zu 7956). Die Recken reiben das Reitervolk auf (9097—9105), das Fußvolk nehmen ihnen die Schwyzer ab (9112 ff.). – Über auf und ... nider 9089 s. zu 3247. her und dar greift 9088 auf: der Nachdruck liegt auf snellechleichen.

9100. der phärt: von der Zahl im folgenden abh. Gen.

9101. Solche Hyperbeln in der Kampfesschilderung, wie sie W. sich hier, 9107, 9118 u. 9234 ff. erlaubt, sind ganz im Stile der Heldenepik, treiben aber die Sache parodistisch auf die Spitze. S. L. Wolf, Der groteske u. hyperbol. Stil des mhd. Volksepos, S. 86 ff. Über 9107 s. zu 7953 ff.

9110 f. Der Spruch aus der Antike: s. Otto, Sprichw. d. Römer 156, 2, Fr. Seiler, Das deutsche Lehnsprichw. 2, 153 f., Frommann zu Herborts Troj. Krieg 43 ff., Fecunda ratis (E. Voigt) 181, ferner Hartmanns Büchl. 1616 ff. swie herte ist ein stein, ob er etwâ lît, daz ein tropfe ze aller zît emzeclîchen drûf gât, swie kleine kraft ein tropfe hât, er machet durch den stein ein loch (s. A. E. Schönbach, Über Hartm. v. Aue, S. 217 f.), Laßberg, Lieders. 1, Nr. 5, 60 ff. ain tropf vff ainem herten stain ... so lang fallen mag, daz ze jüngst des valles slag den stain erhölt und machet lind und Altd. Wäld. 3, 229 f., Nr. XX stæte dvrchelt herten mut, als daz wazer den stein tvt.

9113 ff. Über fiess s. zu 1076; zu 9114 f. vgl. 7959 f. und zu 6538 f., zu 9119 s. 9137 und Lexer 2, 1245 f., zu 9120 ff. s. 7986.

9122. S. Morgant (A. Bachmann) 24, 5 Nachdem und das bochslen (= der Lärm) hinweg was (Einl. S. LXXIII).

9124 ff. S. 8050 ff. und zu 7953 ff. Zu 9126 f. vgl. 9234 f.

9128 ff. der ketzer (Gen. abh. von ein michel schar) = der haiden (s. 9135). — An die weit wie 9483 auf die weit. — Eine Gruppe der Heiden rückt ins offene Feld hinaus und bearbeitet die Gegner neuerlich (s. 9080 f.) mit Schußwaffen. Singer: Parthertaktik!

9134 f. S. 8231 f. und Max Jähns, Gesch. des Kriegswesens 752: „Die Kriegssense ... ist die gerade gerichtete Ackersense ... Sie hat nur eine Schneide; die Spitze ist leicht gegen die Seite dieser Schneide geneigt."

9136 f. Der Vergleich liegt nahe, da die Schwyzer eben Sensen als Waffen führen; er ist typisch und wird z. B. im Wolfdietr. D V, 132, 1 f. u. X, 88, 4 von fallenden Heiden gebraucht. S. L. Wolf, Der groteske u. hyperbol. Stil des mhd. Volksepos, S. 90, ferner Lamprechts Alexander (Str.) 1821 f. (Vor. 1312) daz here ... daz slûch er nider als ein gras, Apollonius (Singer) 7620 ff. was er ir mit dem schwert vant, di wurden nider gemett, als si dar waren gesatt und 7772 er matte sy nider als das hew, Morgant 259, 32 f. sy schluogentz nyder wie ein sägyß das gras vor ir, Fischart, Garg. (Alsleben), S. 280 meyet mit den Fochteln zu beiden händen und 325 daß (sie) nidersuncken, als hett man sie abgemäyet.

9146 ff. Da die Recken jetzt abziehen wie zuvor schon Laurin — der Dichter erwähnt es aber erst hier — ist die Walstatt von nun an von mythischen und heroischen Wesen frei.

9158. Won es ist zeit: s. 7101 u. 8848.

9163 ff. Die Schlachtordnung der Lappenhäuser entspricht genau den 8389 ff. für völlig ebenes Gelände gegebenen Vorschriften. Die Reiterei geht in Keilordnung vor

nach alter fränkischer und alemannischer Weise. S. Würdinger, Bayr. Kriegsgesch. 2,
361, M. Jähns, Gesch. des Kriegswesens, S. 915 u. 20. An den Meier schließen sich
die „Spießer" (Reiter mit langen Speeren: 8391 f.).

9171. derkücht wie 4383.

9173. ir: der Lappenhaufer (f. 9176)? Nach 7999 sind sie freilich nur 312 Mann
stark, ihre Gegner, die Schwyzer, nach 8061 f. gar nur 120: aber in diesen Kampfes-
szenen nimmt es der Dichter mit den Zahlen nicht genau. S. zu 7953 ff.

9181. S. Wander 1, 242, baß 3, Kirchhofer, Wahrheit u. Dichtung, S. 138 Wer
das mag, der thut bas, H. v. Bühel, Königstochter 4833 Kund' ich basz, ich tet auch
basz, Netz 9738 La. B Und möchtentz bas, si tæten das, in C Wann mochtends
basz, sie tæten basz, DWb. 8, 1611 (Mitte: die beiden Stellen aus Aventin); f. auch
Der sælden hort (H. Adrian) 3198 swer bas vliehen moht, der det daz, Joh. v.
Würzb., Wilh. v. Oft. 18076 ff. swer sich do baz vermohte, baz danne der ander
da für, Klingenberger Chronik (Anton Henne von Sargans) 119 wer je bas mocht,
der tät bas, Zimmerische Chronik (Barack) 1, 266, 23 wer baß kunden, hat mer
geton.

9182 ff. S. 8624 ff. In der Schlacht bei Sempach, die an einem heißen Julitage
stattfand, erstickten manche Ritter in ihrer Rüstung. S. die Klingenberger Chronik
(A. Henne von Sargans), S. 120 und die Straßburger Chronik Jak. Twingers v.
Königshofen, Chron. d. deutsch. Städte 9, 828, 3 ff. Ähnlich berichtet die Klingenberger Chronik, S. 38, von der Schlacht zwischen Albrecht v. Österreich und Adolf
von Nassau.

9188 f. S. zu 3071 ff. Spott über die Kampfeshitze der neugebackenen Ritter. S.
Abraham a S. Clara, Judas der Erz-Schelm (Bobertag S. 177, 7 f.) Bin ich jung,
so hab ich vil Hitz, bin ich alt, so sing ich bald schmitz.

9194. lös deutet A. Goetze (Litbl. 1932, Sp. 297) als „Säue". Der dem Bayr.
(BWb. 1, 1526) wie dem Alemann. (Stalder 2, 180) angehörige Ausdruck ist aber
allenthalben nur Scheltwort für Weiber (f. Lexer u. DWb. f. v.). Es liegt vielmehr das
Adj. lôs vor: vgl. 6875 u. 7170, auch 4627.

9198. schand ... und ... schaden: f. 1963. Über die stabreimende Verbindung der
beiden Ausdrücke f. Fr. Pfeiffer zu Boners Edelstein, Vorrede 50, S. 189, Martin
zu Kudrun 132, 4, DWb. 8, 1971 β u. 2132a; weitere Zeugnisse lassen sich den Artikeln
schade und schande der beiden mhd. Wbb. entnehmen und dieses Material ist unschwer
zu vermehren: schande und schade Lamprechts Alex. 71, Freidank 33, 12 (94, 8) u.
129, 18 (W. Grimm, S. 360), Renner 947, 10135, 10974, 11287 u. 14532, Tischzucht v 26 (bei Geyer), Beheim, Buch von den Wienern (Karajan) 361, 22, 390, 12, Lenz,
Chronik des Schwabenkriegs, S. 37a u. 159a, 1. Freiheitsbrief der Stadt Lichtensteig
(Senn, Toggenburg. Archiv, S. 9), H. Sachs, Fastnsp. (Goetze) 6, 157 u. 174, 11,
209 (vgl. 17, 168), Abr. a S. Clara, Judas der Erz-Schelm (Bobertag), S. 13, 12,

108, 24 u. 168, 28, ebb. schändlich... schädlich 83, 6 u. 299, 28; schade und schande Marienlied des 12. Jhdt.s (ZfdA. 10, 74) 19, Lamprechts Alex. 1641 und 1659, Nib. 2032, 3, Walther 83, 36, W. Gast 3470, 5279 u. 9952, Weinschwelg (E. Schroeder) 375, GA. Nr. 49, 996, Virginal 377, 2 (vgl. 466, 13 u. 1060, 13), Biterolf 7344 (j. schade und scham 8331), Dietrichs Flucht 8400, Boner, Vorrede 50, Renner 4411, 5606, 6494, 6776, 10650, 13846, 16250, 18361, 21161 u. 24126, Ritterspiegel 3011, Liederjaal 2, 169, 200, Beheim, Buch von den Wienern (Karajan) 364, 3, 390, 8 u. 28, Brant, Narrenschiff 15, 30, 56, 82 u. 103, 87, Joh. Lenz, Schwabenkrieg, S. 139a und 149b, Fischart, Garg. (Alsleben), S. 421 u. 56, Abr. a S. Clara, Judas (f. o.) 213, 22, ebb. 275, 30 schädlich und schändlich.

9200 ff. S. die Worte des Meiers 8592 ff. — Im Ausdruck vgl. zu 9201 f. oben 8595 f.; an... ze ift umb... ze zu vergleichen: f. zu 4612 ff. — frümcleich sonst nirgends im R. — 9203. zbaiden seiten: mit Rücksicht auf die Ordnung in einen spitz 9163. — dehaineu frist: f. zu 3957. — Zu wol und bas vgl. 9331. — In gantzem frid: f. 6817. — das widerwärtig ("das Gegenteil") wie 4865. Der Sinn erhellt aus 9207 ff.

9224 f. die: die Niffinger. — von rechter schantz wie 6895.

9227 f. S. 6734 ff.

9232. Bleisch S. 60 will (hinter Und) fuor einschalten, das DWb. 4, 1, 1, 1143b rait: doch f. zu 6170. Über rüssin f. zu 1205.

9236 ff. Ariofts Roland (IX, 68) spießt sechs Feinde, einen über den andern, als ob sie von Teig wären. Singer meint: vielleicht Erinnerung an den Thurgauer Riesen Einher zur Zeit Karls d. Gr.: f. Brüder Grimm, Deutsche Sagen Nr. 18: er mähet die Leut gleich wie das Gras mit einer Sensen alle nieder, hängt sie an den Spieß... „Ich trug ihr sieben oder acht am Spieß über die Achsel..."

9239. vor im wie 9241: offenbar Snegg. — Zu gewiss vor = „sicher vor" vgl. Rolandslied 5893 wir biren vore in gewis und DWb. 4, 1, 3, 6149, 3.

9240. eim türsten: f. Rochholz, Schweizersagen aus dem Aargau 1, 177. Gottfr. Keller, Züricher Novellen (Ursula), S. 402 Der Rottmeister Gyr reitet wie der wilde Türst durch die Dörfer und Winteler, Kerenzer Mundart, S. 65 den Familiennamen Türst. So ift auch Konr. v. Helmsdorf, Spiegel des menschl. Heiles 2477 ff. Nun hörend, wie der hellen fürsten, Lucifer, dem grossen dürsten, Jhesus ...hat... gesiget an zu verstehn (irrig Lindqvifts Anm. z. St.).

9243. Dar: f. Holland in Kellers Vorrede, S. XII. Im Ausdruck vgl. 4376 u. 7312.

9244. der verte „solcher Fahrten" (f. 9231 ff.).

9246. Im Ausdruck vgl. 9227, inhaltlich zum folgenden 6711 ff.

9249 ff. der chünig: 7262 f., ir hertzog: 7264 f.; der graf bleibt unsicher; denn „Markgraf" Triefnas (7272) überlebt die Schlacht und „Graf" Burkhart (7274 f.) fällt erst 9345 f.; es liegt wohl eine Ungenauigkeit W.s vor.

9256. Rüeflinn = Rüefli den; er ist auch der haubtman 9258.

9260. der zfüessen: f. zu 8395. Inhaltlich f. 9170 u. 8395 ff.

9270 f. S. zu 235 f. Im Ausdruck steht sehr nahe H. v. Bühel, Königstochter 1170 wie wol es mir lit hörticlich.

9273 f. S. Sterz. Sp. 9, 317 schlachen auff den grindt, ähnlich 13, 138; f. Brant, Narrenschiff 2, 30 und Zarncke z. St. – der lange schlaff: f. GA. Nr. 13, 322 den langen slâf er leider slief und DWb. 9, 269.

9276 ff. Zu 9276 f. f. 9260 f., zu 9278 f. vgl. 5981 f. – 9280 f. sprichwörtlich: f. zu 6059 ff. – 9282 f. Eine große Schar tapferen Volks von den Seinen (d. h. den Nissingern). – Zu 9288 f. 8583.

9290 f. Mit Betonung gegenüber 9280 f.: der Nachdruck liegt auf säld.

9297 ff. Vgl. Lohengrin 5637 ff. Er begreif in (= den vanen) mit der hant unt wolt in nider brechen. Dâ wâren al dar în gesmit nagel, die im wunden gâben durch der hende lit; Suchenwirt 14, 76 ff. Umb di stang an der panir slûg er dy arm ... untz im sein ross erstochen wart; dy panir mit im nider gie ... er ward in di arem wunt fümftzehen wunden tzu der stunt von nagelin in der stangen. – Über 9298 f. f. zu 5291 f.

9304. Sonst stets weder ... noch (50, 243, 1255, 2922, 7738, 7813): die ungewöhnliche Umstellung erfolgte wohl dem Rhythmus zu Liebe.

9308 ff. Die Nissinger geben keinen Pardon: f. 8495 ff. – 9308 u. 10 sind irreal.

9312. S. 7973 f. – piel scheint schweizerisch zu sein: f. SJb. 4, 913 u. appenzellerisch. biəl = „Beil" (Vetsch S. 117), Heinr. Bullingers Chron. von den Tigurinern 1, 8. Buch, 2. Kap., S. 249a u. ö. mitt iren schlacht Bielen (Hoffmann-Krayer, Schweiz. Arch. f. Volkskunde 1, 127).

9314. Dis: die Narrenhaimer, seu: die Lappenhauser.

9316 ff. S. zu 1586 f. – 9317. „Das Glücksrad drehte sich wieder herum": Vorstellung vom Glücke als einem sich drehenden Rade, das dessen Wandelbarkeit versinnlicht. Bei W. Wackernagel, Kl. Schr. 1, 242 f. finde ich nichts ganz Entsprechendes. S. K. Weinhold, Glücksrad und Lebensrad, Abhdlg. d. Berl. Ak. d. Wiss. 1892 I, 9, Anm. 2. Über gehulfen f. Weinhold, Alem. Gr. § 331, S. 321.

9320 ff. S. 8579 f. – Da die Sturmfahne der Lappenhauser verlorenging, improvisiert S. aus einer Reserveflagge mit dem Dorfwappen (8581 f.) und einem Speer eine neue. – Zu 9321 vgl. Morgant 227, 31 f. und gwann so vyl hertz; über 9322 f. zu 4218.

9332. ze hart wie 610.

9334. Des: f. zu 536.

9337. S. 8694, 9343 u. 47 sowie zu 5340.

9350 f. beliben für den Tod im Kampfe wie 9593.

9352. S. zu 5767.

9354 ff. Auf die schar: f. 9007. — Zu gar f. 7108 und Ausg. S. 339. hüerren-schelch: bezeugt das DWb. einmal aus Kellers Faftnfp.; palg ift in diefer Bedeutung unbezeugt. — Zu 9359 f. 8043 ff.

9364. mit paider chraft gehört dem folg. daz-Satze zu.

9371 f. S. 9332 f. Den Vorgang hat man fich wohl ähnlich wie 9325 ff. zu denken.

9373 ff. muostens (die Lappenhaufer) schreien (um Hilfe: f. 9379): weil man ihre Bedrängnis nicht fehen konnte (hieten 9375 ift Konj.).

9377. pulver (f. Ausg. S. 339) verftehen als Schießpulver Lerer f. v., DWb. 7, 2218, 2 und Baechtold, Gefch. d. deutfch. Lit. in d. Schweiz, S. 188. Aber in der ganzen Schlachtfchilderung war von Feuerwaffen nicht die Rede. 9619 fehlt es den Belagerern daran. Freilich bieten unfere Wbb. keinen Anhaltspunkt, daß p. auch den vom Boden aufgewirbelten Staub bedeutet. In der Situation ift ähnlich z. B. Dietr. Flucht 8925 ff. beidiu tunst unde nebel... begunde gegen den lüften gân. Ez mohte einander nieman vor dem tunste gesehen. Zu pulver = „Staub" zitiert Singer: ein kneht... nah rûweclichin siten gar gestalt: er hat das houbit... bestoubit mit pulvir R. v. Ems, Weltchronik (G. Ehrismann) 26815 und er sazte sih unwerde in das pulvir uf die erde ebb. 31140 (vgl. auch das sin sol werden alse vil als uf der erde pulvirs lit ebb. 6040), ferner der ander tail seines leib was aller zu pulver worden Joh. Hartlieb, Dialogus Miraculorum von Caefarius von Heifterbach 393, 23 (D. Terte d. Ma.s Bd. 33).

9382. von dem tisch (= „Mahlzeit"): alfo „wenn fie vollgefreffen find".

9385 f. S. 7979 f. — Zum Ausdruck in 9386 f. zu 1499.

9390 ff. Von diefen Bleikugeln an Eifenketten, die als Wurfgefchoffe dienen, hat jeder mehrere bei fich: fie find an den Kleidern befeftigt und vor dem Gebrauche abzulöfen. — smutzten = wurffend vorher.

9401. die swär gevie = „wurde schwer", bildlich.

9403. hieltens (die Niffinger) îr veld: f. 9156.

9407 f. sam auch ghört dar zuo: f. 8568. Inhaltlich vgl. Dietr. Flucht 9424 f. zwischen in wart ein vride gewegen unz an den andern tac dan.

9410. Bis untz an ift im R. vereinzelt; dagegen findet fich bis an in fiebzehn Stellen, bis auf in vier, ebenfo bis in (bis enmitten an drei), bis gen und ze je an einer, untz an nur 5851, bis hintz auf 1479. Untz bis bezeugt das Mhd. Wb. 1, 192a 20.

9413 f. Die Schlachtfchilderung klingt in eine ähnliche Wendung aus wie in Metzens Hochzeit die Rauferei und die Erzählung felbft; trats übernahm W. von dort, glags bildete er parallel dazu (für lag der Vorlage). S. DWb. 3, 1139 oben.

9418 ff. an die tat ift gegenüber 7510 ff. nicht am Platze: die Alte zog bei Niggels Drohungen ab, bevor es zu Tätlichkeiten kam.

9428. S. zu 919. Ewer eren... und ewers guots: formelhaft für die Gefamtheit aller Intereffen.

9430. D. h. „Zieht eine Kriegslist in Erwägung!"

9435 ff. ein tor: s. 7252. — Zu 9438 vgl. im Ausdruck 4128.

9445 f. Ich noch niemant s. sch. = „will ich doch niemand s.". — 9446 ist ein weit verbreitetes Sprichwort: s. Wander 1, 441, 10, Düringsfeld 1, 135, Seiler, Deutsch. Lehnsprichw. 1, 112 (Publilius Syrus 328 Malae naturae nunquam doctore indigent), Sprichwörter, Schöne, Weise Klugreden (Frankf. a. M. 1565) Bl. 53 a Das böß leret sich selbs. Die boßheit lert sich selbs, Ritterspiegel 1898 ff. schalgheit gelernit man schere ... untogunt darf man nimanden lere. Im Ausdruck vgl. 4989. — Mit diesem Sprichwort setzt der Dichter geschickt über eine lange Flucht von Ereignissen hinweg.

9451 f. Vgl. 2752 u. 4997 f. — 9452 ist wohl eine Redensart: s. 7533 u. DWb. 10, 1, 2592 d.

9454. euch wurde hinter ich übersehen: s. 8058 u. 8700.

9470 f. ist uns nicht gleich = „paßt uns nicht" (s. BWb. 1, 1422, gleich 2 a). — pist dir ... wider (s. 3400) = „widersprichst dir".

9474 f. S. DWb. 1, 1003, 3 „Die Diebsbande hat es nun bald ausgetrieben".

9478 f. Die Troßwagen sollen bei der dem Feinde offen entgegenziehenden Abteilung sein (s. 9487) und bei deren Scheinflucht gegen das Gehölz, wo die Hauptmacht lauert, die Beutegier des Verfolgers entfachen. S. des Meiers Warnung 8602 ff.

9482. Den andern tail: als ob es 9480 hieße unser schar einn tail.

9485 f. veintschar: sonst unbezeugt; trachten Konj.

9491. Formelhafte Zeile: s. 1096 und Schönbach, Vierteljahrsschr. f. Lit.-Gesch. 2, 324, zu 29.

9498 f. S. die Prophezeiung der Alten 7467 ff. und die Anm. zu 8495 ff. Ebenso schonungslos wie das Feldheer soll die Dorfbevölkerung behandelt werden 9523 ff.

9512 f. S. zu 2094. — Über die hültzin maur s. zu 7248 ff.

9530. pei dem tag wie 4358: der Waffenstillstand erlaubt den Überfall am Morgen (s. 9408).

9532. in herd (s. Ausg. S. 339): s. Joh. Lenz, Schwabenkrieg, S. 118 das ward ... in boden in verbrant, 119 branten es ab ouch in grund, Toggenburg. Chronik (G. Scherrer, S. 11) und verbrantend die II vestinen und schlaitztend sy uffen herd.

9533. Im Ausdruck s. 2578.

9535 f. S. zu 1486 f. Wie aus 9443 zu entnehmen war und 9661 ff. bestätigt wird, verlief alles programmgemäß im Sinne von 9515 ff.

9537 ff. sälich und ... reich: s. 3338. — Über den steg s. zu 6668 f.

9543. birlinch = „Heuschober": s. Stalder 1, 173, SJb. 4, 1502, Fischer 1, 1132 f.

9544 ff. Zu einem geschlossenen Bilde des Kriegslebens seiner Zeit, das alle einschlägigen Lehren zu entwickeln gestattete, benötigte W. noch die Berennung und Be-

lagerung eines feſten Plaßes: dazu mußte die groteske Szene mit Bertſchi auf dem Heu-
ſchober herhalten, den die Niſſinger vergeblich zu nehmen verſuchen. Daß der Streit-
müde die „Feſtung" in ſo kurzer Zeit nicht ſo trefflich inſtand ſeßen konnte, macht dem
keđen Fabulierer keine Beſchwer.

9545. höſchochen (gleichwertig birlinch: über birlig und ſchöchli ſ. die ergößliche
Stelle aus Gotthelf bei S. Singer, Schweizerdeutſch, S. 101 f.): SJd. 8, 115,
Lexer, Nachtr. u. DWb. u. heuschoche. t͡sɔχχə, ʃɔχχə ſind im Toggenburg (Wiget 112)
und in Appenzell (Vetſch §§ 144 u. 150) heute noch geläufig.

9560 ff. S. im Ausdruđ 8052, zum Inhalt 9498 f. — Gen. Pertschins wie in den
vorderen Partien des N.s (1205, 1243, 1647 u. 2574); dagegen ſpäter Pertschis
(5386, 5456 u. 6596); Dat. u. Akk. ſtets -in. — enden = „vollbringen". — her und
dorthin = her und dar (ſ. 9090). — Das heute noch lebendige senden umb ſehe ich
nur im DWb. 10, 1, 574 belegt. — laitern ſind Sturmleitern, mäntel Schußſchirme,
die chatze ein bewegliches Schußdach mit einem Sturmbođ: ſ. A. Schulß, Höf. Leb.² 2,
401 f. u. 406 f.

9573 f. Wohl ſprichwörtliche Redensart: werffen bezeichnet darnach das Schleudern
von Geſchoſſen aus der Höhe in die Tiefe (ſ. 9590 u. 9602, anders aber 9614), schiessen
das Gegenteil (ſ. 9576 u. 87, 9617); Wilwolt von Schaumburg (A. v. Keller) S. 102
ſpricht von schießen und werfen des Belagerers, die Limburger Chronik zu 1380 gebraucht mit werfen vnd schiesen von den Belagerten. — nider zert iſt unbezeugt.

9575 ff. S. M. Jähns, Geſch. des Kriegsweſens, S. 633: „Um ungeſtört von den
Schüſſen der Verteidiger dieſem Geſchäft (der Ausfüllung der Gräben) obliegen zu
können, konſtruierte man die Kaße, ein auf Rädern zu bewegendes hölzernes Blođhaus,
unter deſſen Schuße man ſicher arbeiten konnte und welches gegen Stein- und Feuer-
würfe von den Mauern geſichert wurde, indem man dieſe unter dichtem Pfeilhagel hielt."

9579. die maur (auch 9616) wie der turne 9581 und haus 9609 u. 34 bildlich.

9580 ff. Die 9563 ff. genannten Belagerungswerkzeuge kommen nun nacheinander
zur Verwendung: Kaße, Leitern, Biđel und Bleide. — Zu 9584 ſ. Wilwolt v. Schaumburg (A. v. Keller) S. 88 sie wolten die leitern . . . anwerfen und 89 sie wurfen
leitern an, Fiſchart, Garg. (Aisleben), S. 283 warff Leiter an.

9588 ff. Wenn es ſich 9588—94 u. 9600—4 nicht um zwei Kampfepiſoden handelt,
die durch die Schilderung der Lage Bertſchis getrennt werden, ſondern um Aufgreifung
derſelben, dann iſt eben Spötzinnkübel (ſ. spötzen im DWb., speutzen bei Stalder)
der Erſte und Schnellſte, in den pauch = auf ſein gissübel und 9591 ungenau durch
9603 f. erſeßt. Über 9593 f. ſ. zu 9350 und zu 6555. — vol (9596): offenbar mit
Steinen.

9598. ein pavesen: erg. hiet aus 9596. S. Max Jähns, Geſch. des Kriegsweſens
742: „Dieſe Fußvolktartſche iſt ein großer Schild von ovaler oder rechteđiger Geſtalt,
den insbeſondere Bogenſchüßen führten und der zuerſt gegen Ende des 13. Jhdt.s er-

scheint." Damals wurde die Armbrust mehr verwendet und die P. konnte als Hochschild den Armbrustschützen decken. S. Würdinger, Bayr. Kriegsgesch. 2, 390.

9601. Einer, der hiess: d. h. „ein gewisser".

9602. gissübel (f. Ausg. S. 339): A. Birlinger, Aus Schwaben 2, 497 verzeichnet gießübel = „Schandbühne" (aus 1731); dazu vgl. Gießübel als Namen eines Gefängnisturms in Regensburg (Karl Theodor Gemeiner, Regensburger Chronik 2, 26 [1341] u. 135 [1364]). Andrerseits ist Gissübel (SJb. 2, 949), Gießhübl u. ä. ein im Alpen- und Sudetengebiet weit verbreiteter Flurname. S. jetzt W. Steinhauser im Jahrbuch f. Landeskunde von Niederösterreich XXV (1932), 33.

9603 f. die laiter: Sing. (der Text bietet sw. Formen: f. 9563, 83 u. 91); vielent also wegen sampt mit im („die Leiter und er"). — zprosten (dagegen zerprist 2240): f. zerunnen 3150 und zeprochen 6543.

9609 f. S. Würdinger, Kriegsgesch. v. Bayern 2, 439: „Die Zerstörung der Burgen ... geschah meist mit Ausbrennen und Untergraben zugleich."

9617 f. Von büchsen ist 9563 ff. nicht die Rede; über pulver f. zu 9377, über büchse = „Feuerrohr" f. bes. BWb. 1, 198 f. Die deutsche Dichtung des 14. Jhdt.s erwähnt die neuen Feuerwaffen nur selten; f. Würdinger, a. a. O., S. 343: „Auffallend ist, daß kein einziger gleichzeitiger Chronist den ersten Feuerwaffen besondere Aufmerksamkeit schenkte, und erst, nachdem die Geschütze größere Dimensionen angenommen haben und den Mauern der Städte und Burgen gefährlich wurden, werden sie häufiger genannt." Die Stelle in Hundeshagens Nibelungenhf., die Zarncke (S. 423—26 u. 477 der 3. Ausg.) nach der Mitte des 14. Jhdt.s ansetzte, hat nach Bartsch (Germ. 13, 197) mit Feuerwaffen nichts zu tun; f. aber Laßberg, Lieders. Nr. 135, 80 f. Ich sach uz ainer büchsen schiessen, das ez nieman hört (Hf. aus 1371), Suchenwirt 9, 207 auz püchsen schiezzen manigen schuz (Ereignisse aus 1356. 57), Hugo v. Montfort 38, 25 ff. Dahin so mag chein büchs nicht gelangen noch die tonerplikch, H. v. Bühel, Königstochter 3515 das sie bringent büxsen grosz vnd böler vnd auch blyden, 3654 die wile man lad die büxen ser, Johan uz dem Virgiere (Priebsch) 1891 ff. do wurden gemachet bliden, lonkere, tribocke und bussen schozzen sere, katzen, schirm vnd domelere (= tumelere) und 1904 f. Notstelle, bossen: hie wurf, da schuz ... do was nit wan donreslag.

9625 ff. Vgl. Beheim, Buch v. d. Wienern (Karajan) 125, 3 ff. Do hertikait nit helffen maht, da versuchtens, ob si si mit waichen und sennften warten it mahten pringen vom hause, daz si kemen her ause.

9628 ff. Sonst kenne ich keinen Nachweis dieses Sprichworts. Die Parallele ist: alte Fische — alte Feinde. S. Keller, Fastnsp. 168, 13 u. 312, 28 hüett euch am freitag vor pösen fischen! und Zimmerische Chron. (Barack) 2, 206, 5 Post tres dies vilescit piscis und hospes und die Anm. z. St. — Singer: piscis pessima in tertia aqua sagten die Stiftsherren in Erlau, wenn sie Wein zum Fisch tranken.

9636. Nissinger, Schwyzer und Mätzendorfer.

9646. cheuwet: dagegen gekauwen (Partizip) 5798.

9652 ff. Die Nissinger, die auf dem Heimwege von dem zerstörten Lappenhausen durch die Belagerung Bertschis aufgehalten wurden (9538 ff.), kehren jetzt über den Steg (s. zu 6668 f.) in ihr Dorf zurück, während er — offenbar auf einem Umwege — über die Heide (das Nissvelt 7582) nach Lappenhausen eilt.

9656. dergangen: zeugmatisch (erg. was).

9660. Die Vorstellung von Blutbächen, in denen die Toten des Schlachtfelds schwimmen, gehört zum Stil der Heldenepik: s. Leo Wolf, Der groteske und hyperbol. Stil des mhd. Volksepos, S. 83 f., ferner Rabenschlacht 517 wir tungen daz gevilde, daz man enouwe sehe gân den bach von dem bluote, Rosengarten (W. Grimm) 1860 swâ sie beide stuonden, dâ swebte von bluote ein bach, auch Apollonius (Singer) 7633 ff. das dot slagen was so groß, das ain pach von in floß von plut, von roß und mannen, wol ain meil von dannen. S. zu 8853 f. Literatur über das Motiv des Blutstroms auf der Walstatt in verschiedenen Sagen bei Brunnhofer, Schweizerische Heldensage, S. 212, 216, 217 u. 220.

9666. tod: erg. was (aus 9662).

9669. ammacht (s. 5229 u. Bleisch S. 60): im Ausdruck vgl. z. B. Apollonius (Singer) 12774 ain groß amecht in enpfieng.

9674 ff. Vgl. im Wortlaut Mätzlis Klage 1959 ff.; über 9678 f. s. zu 1576 f.

9684. S. Ecclesiasticus 10, 12 Sic ... rex hodie est et cras morietur (Schulze, Bibl. Sprichw., S. 105), Walth. arch. I, 15 (J. Grimm, Kl. Schr. 3, 50) ... eri natus hodie moritur. Sehr nahe steht die bei Schulze S. 106 zitierte Stelle des Meißners Swer hiute lebet, der ist morgen tôt, noch näher Teichner C, Bl. 265 b (Karajan S. 92, Anm. 3) der hiute lebet, der stirbet morgen; s. auch Warnung 2148 ff. den man hiute frô siht, der muoz morgen kêren von friunden unt von êren und Singer, Alte schweiz. Sprichw. Nr. 130.

9689. „Die von unseren Werken abhängen" (s. Lexer 2, 1135).

9691. unverworcht: dagegen verwürcht 4599 (: fürcht 3. Sing., Konj. Präs.) u. verwürchet 4879.

9693. Triefnas endet sonach, wie später der abenteuerliche Simplicissimus, als Klausner im Schwarzwald. S. Uhland, Schriften 8, 369, Anm. 5. Der trübe Ernst, in den W.s öfters so übermütiges Werk verklingt, erfüllt auch das ganze 24. Kapitel im 5. Buch des Romans. Über Waldbrüder und -schwestern s. des Teufels Netz 5548 ff. u. 5839 ff. und Ildefons v. Arx, Geschichten des Kantons St. Gallen 2, 196 ff. und 202 ff. Wie er S. 205 vermerkt, waren Klausen und Waldhäuser meist von Bauerntöchtern bewohnt, Klöster dagegen von adeligen oder bürgerlichen Frauen.

9696 f. Eine beliebte Schlußformel: Eberhart Windecke verwendet sie am Ende

der Vorrede zu seinen Denkwürdigkeiten (W. Altmann, S. 2); im Schwabenkrieg des
Joh. Lenz (H. v. Dießbach) S. 168 f. Ludwig Sterners Schlußbemerkung: Nün
well im gott der herr gebenn ... nach disem zytt sin ewig leben und in Elsli
Tragdenknaben (Keller, Faſtnſp. Nr. 110, 899, 2 ff. (Ich) hab muot ... mit witz
mich bessern mit der zyt, ob mir so vil gott gnaden gyt und ouch uns allen wölle
geben nach disem jamerthal das ewig leben. — Sie begegnet aber auch sonst: ſ.
Renner 1289 f. daz sîn güete in gerüechte geben nâch disen êren daz êwige leben
und 22843 f. daz in got wölle geben nâch disem leben daz êwige leben, Ammenhausen 10057 f. darumb wil im got dort geben nâch disem leben das êwig leben,
Konr. v. Helmsdorf, Spiegel des menſchl. Heiles 3987 f. und mir, herre, wellist
geben nach diser zyt das ewig leben und 4745 f. dar zuo hat er ir gegeben nach
disem leben das ewig leben, ähnlich 3961 f., und Scheidts Grobianus 4937 f. Vnd
im verheissen hat zu geben nach diser welt das ewig leben; ſ. auch Apollonius
(Singer) 20344 ff. Da was freud und gemach. Das muß uns got auch geben und
nach dem tode ze himel leben!

9698 f. Formelhafte Umschreibung für den Allmächtigen, wie ähnliche in solchen an
er oder der gehefteten Relativſätzen in der mhd. Dichtung maſſenhaft verbreitet sind:
9698 bezieht sich scheinbar auf 4 Moses 20, 8 ff. (vgl. Marner XIV, 11, 161 ff. Got,
der ûz einem steine frischez wazzer fliezen hiez, Strauchs Anm. z. St. und Heinr.
v. Neuſtadt, Gottes Zukunft 1545 ff. und 1556 f. in Singers Ausg.), 9699 aber auf
Joh. 2, 9 (ſ. Johan uz dem Virgiere, Ausg. v. Priebſch, 653 f. Der do kerte wazzer
in den win, in des dienste sal wir sin); von hier aus ist auch 9698 zu verstehn
(Erant autem ibi lapideae hydriae uſw.).

Verzeichnis zu den Anmerkungen

der Sinnenlust 2101 ff., von ars auf 1089
Bestimmter Artikel vor Eigennamen 99, vor dem Possessivpron. 125, vor ir 932, fehlt vor Volksnamen 7141
artzen (Verb) 2157
Ärztliche Ausdrücke parodistisch 2141 ff.
äschen (fem. Subst.) 89, Äschenzelt 8762
Astrologisches 7476 f.
Atem, stinkender, bei Frauen 92, feuriger, des Kämpfers 9061 ff.
ätti (Subst.) 3740
au für mhd. â 6700
auf vor Zahlen 5267, auf den plan 437 f., auf und an 6204, auf und nider immerfort 3247, auf essen 5932 f., auf keren die pain 7042 ff., auf machen 2993 f., auf messen 4727, auf sagen 1855, auf saufen 5767, auf schreien u. ä. 881, auf wüschen 1318
Aufgebot der Kirche 5403 ff.
Höhnisches Aufgreifen der Worte des Vorredners 460 ff.
Aufwärter beim Mahle 5536 ff.
dein selbers aug daz vich macht faiss (sprichw.) 5126, bhalten ... sam dein augen (sprichw.) 4722 f., ind augen schlahen 2963
augstain 4504 f.
Aurach 6959
aus derbitten, sich 8515 ff., aus gezogen gezückt 1455, aus komen 2768, aus warten mit Dat. der Person 2798
ausrenthalb und innen 1520 f.
Ave Maria S. 139

Bach bei Lappenhausen 217
Badersignal 1394, Badeweiber 2565
pei dem pain 2220, sich auf die pain machen 6177
palch (Subst.) bildlich 3210 ff., im Sinne von „Leben" 9354 ff.
Palstersach 5332

päm (Plur. von paum) 1224 ff.
pei dem pan 2315
banch (Geschlecht) 751, auf der bank ligen (von Kranken) 1632, auf dem banch und in dem stro 2164
Die sechs Werke der Barmherzigkeit 3997
part bildlich 2429 ff., alter part hat weisshait (sprichw.) 3072 u. 9188 f.
Barthlome 4039 f.
wer bas mocht, der tett auch bas (Redensart) 9181
basler 8040
auf vollem pauch stet fröleichs haubt (sprichw.) 5976
Bauernarbeiten in typischer Aufzählung 1273, Bauernwaffen 5354
Bäume, ausgerissene, als Riesenwaffen 9012
paur 36, paurenmaister 6936
pauwull 4230 f.
bek, beki Musikinstrument 182
bedorff, bedorft 3391 ff.
begen mit Gen. 2652
begnaden 1784
behagen mit Gen. 1268
behalten (Partizip) 3098
pei (= lat. per) bei Personen 1735, pein henden fassen (den chruog) 5655 f.
peicht, die gemain oder offen 4077, Beichtformel S. 149
nit lenger peiten 391
bekennen 2136
beleiben im Kampfe fallen 9350 f.
Pelsabuk 7906
pengel im Turnier 945
Pentz, Pentza 144
sich benüegen 880
per, sam die wilden 6389
Perchtolt 5203
perg und tal 993, sam ein perg, ein man 6730 ff.
pern, den naken 4530 ff.
der Perner Dietrich von Bern 8066, die Münze 5497 f.

weltleichs mensch ward nie so rain,
es hunch an einem überpain (ſprichw.)
3723 f.
merhensun Schimpfwort 1334
merken hintersich 7833 ff.

mersand 78
merst 6656
mesner unbeliebt 7566
messen mit schlag, stich, streich 311
Meſſer als Waffe der Bauern (und Zwerge)
1004
michel und brait (gross, lang) 793
Milch ſchwarzer Frauen gut 3455
minne macht hönich aus galle uſw.
(ſprichw.) 2074 ff., minner 601, Minneallegorie 2283 ff., 2527 ff., Minnelehre
1667 ff.
minner, minr 3452
mist für das bäuerliche Anweſen 311,
fauler mist im Vergleich 4158 f.
mit allem 1938, mit enander 5288 ff.,
mit sampt 1369 u. 2773 ff., mit
(allem) fleiss 267, einem mit sein
2666
enmitten (en mit hin ein) 5582 ff.
Montalban 8025 ff.
moralis philosophia de honesto et utili
4419 ff., 4762 ff.
morgen Subſt. 1760, morgensterne,
mein von der Geliebten 1862, morgenstreit 7100 ff., morn Adverb 1760
mües Konj. Prät., in der Handſchr. ent-
ſtellt 226, müessen Partizip Prät.
4530 ff.
müli, mülibach 6526 ff.
aus dem mund u. ä. 427, mund und
nase 443
muome weibl. Verwandte 3748
muosset Prät. 2238
in seinem muot gedenken 770, in dem
muot han 2206
muoter ... rainiu mait von Maria 2,
daz kind in seiner muoter leib der-
mürden (Redensart) 7469 ff., daz ich

dein muoter clei (= chei)! Fluch 8972,
muoters ain 3504
müsten Verb. 7299
mutz 1566

Nabelreiber 1645
nach bei sterben, verderben in Minne-
phraſen 102, nach dem und 1858
nacht und tag 3266
nächt 3787 ff.
nak 4530 ff., einem auf dem nak sitzen
5081
nakent und bloss 2291
Nagenflek 2635
Fingernägel 5597 f., Nägel an der Fah-
nenſtange 9297 ff.
er wär nahent oder verr jedermann 66 f.
naigen intranſ. mit Dativ 2375
nain du 1656, naina abwehrend 1429
Namenreihen 2630 ff.
Adverbia auf -nan 1102
wo die toren bessers habend, da scholt
du dich ze narren machen (ſprichw.)
4534 ff., neuwer sitt die narren reit
(ſprichw.) 5058, narrenvart 6197,
narren messer, hüerren prüst sicht
man bleken oft umb süst (ſprichw.)
9040 f., närrel, närrli 1412, doch geschicht es ze den stunden, daz ain
närrli vindt ein list, die dem weisen
seltzen ist (ſprichw.) 3512 ff.
nase Deklination 3663 ff., Naſenbluten
aus Liebesbrunſt 1327, naswasser
5280 ff.
es von natuur han 1625, kainem man
gebresten mag, der sich benüegt ...
des da die sein natuur begert (ſprich-
wörtl.) 2933 ff.
Navarr 7613
ne- Konſtruktion ohne Negation 1560 ff.
nebel Staub 1165
Neker Fluß im Toggenburg 5912
Negationsumſchreibungen 269
neid Adjektiv 1777

Neithart mit her, ritter, best. Artikel und
  allein 158 ff., ortsfremd in Lappenhausen 333
nemen unternehmen 7178
nennen, Formen des Präteritums und des
  Partizips Prät. 135
netzfogel in Redensarten 6868 ff.
Wiener Neustadt in Steiermark 7660
nider zern 9573 f., niderwat neutr. 1367
niemant ist im selber gnuog in seiner
  sach (sprichw.) 3637 f., niemant anders
  5816 ff.
Nienderthaim 7272
sich nieten 625
Niggel 2633 f.
Nimindhand 75
Nissingen 5305 ff., Nissvelt 7582 f.
Noahs ungleiche Söhne als Ursprung des
  Standesunterschieds 7224 ff.
noch doch nur 4076, noch... weder 9304
von not 784, des ist einem not 5565 f.
Notierung durch die Schreibweise angedeu-
  tet 6267 ff.
nu dar, nu hin 872, nu we 321, 1151
numer dumen amen 321
nunne spottend von Männern 374
Nußschale als Trinkgefäß 5983 f., da,
  da, nüssli, da 2139 f.
nutz und er 3853, gemainer nutz der
  get hin für, ainiger bleibet pei der
  tür (sprichw.) 4789 f.

ob ein man ein weib schül nemen als
  Thema S. 129
obertail 8373 ff.
obrest Attribut Gottes u. a. 1, 2261 ff.
Ochsenchäs 7153 ff., Ochsenchroph 3619
Adjektiva auf -ocht 89
Ofen 6961, ofenchruke 179, Ofenstek
  2636, ofner 590
oft und dik 1300
öpfel Singular 3221, öpfeltrank 5682
oren zwai und einen mund im Sprichwort 3058 ff.

Öttel 5491

mein paradeis von der Geliebten 1791
Paraus 7632 ff.
Parodistische Phrasen 383, 1067, 2141 ff.
part und widerpart 922, alter part 3419
Partizip Prät. gleichwertig dem Infinitiv
  4254 f.
Pater noster S. 138 f.
pavese 9598
pein Geschlecht 7457 f.
der mensche wirt geporn kunstlos sam
  ein permet gschorn (sprichw.) 3894 f.
Personalpronomen, aufgegriffen durch ein
  Substantiv 6214, Enklise 7280 f.
pfaffhait Priesterstand 7816
phait neutr. 958
Rolle des Pfarrers 1152, 7566
pfeffer in Redensart mit seltzen 2167,
  Pfeffer und Wein für Pfefferfische
  2907, Pfefferräss 5328, ein pfeffer-
  chorn vil rässer ist dann ein grosser
  hauffen mist (sprichw.) 7440 f.
pheiff auf, spilman! 201 f., pheiffen
  sw. Verb. 389, pheiffer 181
pheil neutr. 2441, vergiftete Pfeile 8710
Philipps 4036
Pflegel 7153 ff.
in eim phluog 146, sam ein phluog 420
da für näm ich nicht hundert phund u. ä.
  (Redensart) 428
Popphart, der Appenzeller 5345 f.
Possessivpronomen im Zeileninnern niemals nachgestellt 199
Positiver und negativer Ausdruck desselben
  Begriffs 1976
Historisches Präsens 3677, 8717
den preis tragen, han 98
preganten 8082 ff.
prellen 398
Prettengö 5300 ff.
Preussenland 2882
Priamel sprichwörtlichen Gehalts 3769 ff.
  u. 5047 ff.

priol 7699
niemand wol gewesen mag ein prophet
in seinem land (sprichw.) 3869
Prügeln von Turnierteilnehmern 927, des
Bräutigams 5288 ff.
pulver Staub 9377

rabasch 5395
rain an sünden 4121, die raine die Geliebte 1720
tuon sam fuchs Rainhart, der umb die
faissen hennen warb (Redensart)
5209 f.
rainvail 3713
raisgezelt 4100 ff.
räss Adj. 532
rast neben hören 655
rat Gemeinderat 237, die vier Räte
Marias 2487 ff., rat und hilfe 2667,
nie chain dinch daz ward so schlecht,
guoter rat der chäm im recht (sprichwörtlich) 2683 f., daz ist mein rat 4131,
langer Rat, schnelle Tat (sprichw.)
6741 ff., zorn und eillen sint dem
rat widerwärtig fruo und spat (sprichwörtlich) 6744 ff., chain weiser chomen
schol von im selber zuo dem rat, dar
man in nicht gepetten hat (sprichw.)
7447 ff., Ratsversammlung in Lappenhausen und in Nissingen 6682 ff.
nu chöndin rauber nicht beleiben...,
hieltins unter enander nicht daz
gsetzt, daz zwüschen in geschicht
(sprichw.) 4570 ff.
Raufszenen beim Tanze 6458 ff.
rauschen stürmen 3035
Kanonisches Recht 7367 ff., daz ist recht
4281, rechtvertig guot S. 129, besser
ist... ze rechten zwüschen veintten
zwain danne zwüschen freuntten
gmain (sprichw.) 7708 ff.
rekke ironisch 190
süesseu red 417, reden umb 2905, len-
geu red stet übel an (sprichw.) 3198

Reflexiver Dativ 1676
Zwerge auf Rehen reitend 7917 f.
durch den reichen got 2055
Reim, erweiterter, besonders mit do : so
1054 ff., Reim î : i 8112
Reimpaar, formelhaftes: vollepracht : gedacht 1486 f., waffen, waffen : geschlaffen 231 f., sahen : jahen 1188 f.,
nach der grechten zal : über al 3950 f.,
vallen : mit seinen allen 7308 f., behalten : geschalten 2391 f., spilman :
lonan 201 f., glangen : dergangen
8950 f., tantzen : swantzen 1250 f.,
armen : erwarmen 1927 f., vart :
ward 5291 f., umbe daz : daz...
dester bas 2005 f., gewäschen : äschen
261 f., träg : läg 235 f., maister : laist
er 2045 f., stechen : sper ze brechen
185 f., stechen : brechen auch 3131 f.,
veh : reh 7917 f., aus derwelt : gezelt
948 f., gedens : gens 8947 f., ser : mer
580 f., lern : gern 2021 f., begert : gewert 1836 f., hertzen : smertzen
2557 f., chneten : treten 6388, treiben : pleiben 2113 f., treuw : neuw
7755 f., treuwen : reuwen 2557 f.,
vier : zier 2353 f., hofieren : mit stechen und turnieren 17 f., innen : beginnen 2015 f., ist : gmist 3655 f.,
pist : mist 4158 f., verdross : stoss
600 f., hön : schön 7931 f., chrumb :
wider umb 1586 f., güeti : gmüeti
1910 f.
Reimprecht, der Riese 7988 ff.
reiten = fahren 830 f., der nicht enhiet
ze reiten, der floh mit hend und
füessen (Redensart) 1501 f., reiten
= quälen 1621
Reuschindhell 3035 u. 5332 ff.
reuw das Sakrament der Buße 4008,
reuw und peicht und puoss 4088 ff.,
reuwen unpersönlich, mit Genitiv der
Sache 319
Richteinschand 2955

riem 7534 f., es ist nicht umb einn riem allain . . ., es gilt die haut gemain (sprichw.) ebb.

Riffian, riffianin 2595

rinder (Plural) 8667 f., Rindtaisch 6693

ring als Titel des Gedichts 8 ff., ze ring umb ebb., Ring des Bräutigams für die Braut 5277 ff., Ring aus Glas 5280 ff.

ring haftig 2433

Ritter vom Rheine 8689, hie besser ritter danne knecht (Formel beim Ritterschlag) 8637 ff., Ritterschlag vor der Schlacht 8624, rittermachen 8637 ff., rittersporn 8643 ff.

rittigmäss 128

rosenlecht 89

rubein für den Mund einer Schönen im Vergleich 1814 f.

Rüefli 152

rüeg Adj., sich rüegen 526

rüeren sich 526, r. = treffen 913, rüerung S. 150, 20 f., Rüerenmost 2632, Rüerenzumph 75

rumplen von ungestümer Bewegung 1162, die Stiege hinab 1506

ruoben Bauernspeise 142, ruobwasser 1523

Ruoprecht 7153 ff.

enruoch 3603

ruofen mit persönlichem Dativ 2629

Ruolant der Riese 7988 ff.

Rupfengeiler 7879 ff.

rüssin 1205

Rützingen 5305 ff.

rüwenchleichen und rüewechleichen 1959

in den selben sachen u. ä. 229, sach in Formeln 292, die sach der sachen 7358 f.

sag in Reimformeln 289

daz sag ich dir Zeilenschluß 2843 f., es recht (gar) her aus sagen 3725, sagen verbunden mit vor 3735

saichen 971

säien und sneiden als Gegensatz in Redensarten 1973 ff.

sak Magen 4329

Salamon 4112

säldenbar, -reich, -vol 2470

daz du . . . sälich müessist sein 1841 du scholt getrauwen swach einem in vil grosser sach, hast du noch nit mit im gessen ein vierding saltz wol auf gemessen (sprichw.) 4724 ff.

sam ob 96

sament 4179

sang Subst. Ährenbüschel 493 f.

sängeln 97

sart 102 u. 6198

säuberleich und stoltz 63, seubreu gstalt rains gemüet in ir behalt (sprichw.) 2972 ff.

Säufertraum 1307, saufen 5768

saumernsattel 174

in dem sausen (saus) 5362

sam säw zum nuosch zum Tische gehn (sprichw.) 5571

sch geschrieben für chs 6947

schad präbikativ 823, schade Verletzung 1512, daz was . . . ane schaden 1230 ff., schädli wäger dann ein schad (sprichwörtl.) 5052, ein schädleich man 4732

schaffzagel 8286

von liebe schaiden daz tuot we 6360 f.

schalk Adj. 6827

mit schalle her für springen u. ä. 327, mit schalle ruofen u. ä. 424

schalm 2923

schalmützen 6764

schand und laster 324, schand und schade 9198

scharff vom Blicke 407, wunderbare Schärfe von Dietrichs Schwert 9034 ff.

Schavon 7621 f.

scheiben, sich 1511

Scheissindpluomen 2642

sam ein scheit, ungetan 3006

törpel 41
totter neutr. 6055
tragedi von Venedi 7058 ff.
aus dem (einem) traum in Redensarten
 816
treiben disen tail oder es 1010
treten gen 3783
mit gantzen treuwen 797, es ist nicht
 new, wie smal sei aller werlten trew
 usw. (sprichw.) 2109 ff.
trewen, treuwen drohen 1570
Triefnas 62, der Tr. 191, Deklination
 5207
mich triegin dann die sinne mein 2100
Triel 7651 ff.
Trinkavil 144, trinken mit hin, her u. ä.
 verbunden 3612
Trintsch 8837
Troll 123
trost der cristenhait von Maria 2472,
 der fröd in im nicht hat, der tröst die
 andren gar ze spat (sprichw.) 8281 f.,
 trostleich 219 ff.
trumbel 2542
trümelen 6315
trun, truwen, trawen, trauwen Interjektion 158 ff.
Tugend allein macht adelig (sprichwörtl.)
 4422 ff., Tugend ist die rechte Mitte
 zwischen zwei Untugenden 4877 ff.,
 Tugendlehre 4419 ff.
tumbeln 466
grawes tuoch 3394
tuo dem freunt und iedem man, das
 du von im begerest han usw. (sprichw.)
 4692 ff., tuo so wol, gedench u. ä.
 7009 f., tuon und lassen 12, tuon
 sam ander leut (Redensart) 1838, es
 (daz ding) tuon 5504, enwicht tuon
 5614, es untersich tuon u. ä. 6174,
 tuon nach seiner vordern sitten
 (Redensart) 7043 ff., t. mit Dativ
 3328 ff.
turner mask. 896

türst Subst. 9240
entwerichs (entwerchs, enzwer) 8956
Twerg 131, tw. Geschlecht 251 f., Deklination 983

übel Attribut zu gaist 1747, für übel han
 1759
über- vor Adjektiven 58, über … dank
 223, über seu her! Kampfruf 472,
 über und über 556, über ab 8768
überal nach allen Seiten 6958, überpain
 in Redensarten 3723 f., übergen 4750,
 Übergriffe beim Tanze 6423, 6452,
 überflüssen Gen. Plur. 4257, übermachet 1050, überschossen vom Rücken
 83, Übertreibungen in Zahlen 7953 ff.,
 8061 ff., 9101, 9124 ff., 9173 u.
 9236 ff., überweis 4411, überweit
 3732, überwinden Schachausdruck
 2107 f.
umb und umbe 933, umb anders nichti
 dann umb das 2268, umb ze mit Infinitiv 3543 f. u. 4612 f., recht sam
 umb sust 5688, umbe gen als ein
 topf (Redensart) 64 f., umbe schlahen 6497
un- in einem zweiten Gliede zu ergänzen
 7787
und Einleitung von Konzessivsätzen 194
under druken 584 ff., under schlahen
 207, an underlass 7641 f.
ungpitig 1310, ein unglük daz ander
 reit (sprichw.) 8847, ungemach attributiv. Adj. 6515 f., Ungemäss 2644,
 ungerner Komparativ 5161 ff., ungeruoft 4689, ungeweicht 829, zuo
 seim ungewin Zeilenende 1499, ungewon ze 5253 f., unhold 8215 f., unleicht 6733, unleis 6826, unschad
 4728, unschadhaft 4581, unschädleich
 4732, unverzait 8277, unzerrissen
 8856 ff., unzerrüert ebb.
Der Unger kennt kein Federbett 2878 ff.
unser in vertraulicher Einführung 111

Uotz der Übelgsmak und vom hag 3622
üppig er S. 150, 25
mit urlaub 3167

vach Subst. Gattung 7292
vallen einem an mit Akkusativ 2159, val-
    len sich werfen 2570, Vallinsstro 2570
falschechait 678
Famagost 7627 f.
sam ich es vand (vind) 2302
var hin, brief usw. 1919 ff., Farindkuo
    2630, Varindwand 5341, varn, Per-
    fekt mit haben 2962, faren lan ver-
    zeihen 835
vart in Formeln des Zeilenschlusses 259 f.,
    auf sein lesteu vart beteuernd 859
vast und ser 832
der den leib mit vasten stört, pei dem
    weleibt die sele nicht (sprichw.) 4191 f.
einiger vatter füeret das siben kinder
    durch einn gatter dann siben kinder
    einen vatter (sprichw.) 3202 f.
nicht faul sein (Redensart) 1430
faustmesser 8930
feder Deklination 2259
vegen 180
junchfraw Feina 2646
veint mit veinten temmen schol ein
    man, der sich wil rechen wol (sprich-
    wörtlich) 7951 f., veintleich heftig
    6955, veintschar 9485 f.
feirtag 64 f.
veltros Stute 175
Venedi 7610
Venus, die Minn 2295 f., nackt 2291,
    blind 2299, mit Bogen und Pfeilen be-
    waffnet 2301 f., in einem Wagen sitzend
    2303 f., Weber und Schneider Kinder
    des Planeten Venus 7495 f.
verguot han 1759
verprinnen vom Feuer der Leidenschaft
    264, verdamnen 2412, verdriessen
    intransitiv 8740, vergelten mit Geni-
    tiv 2465, vergen von den Augen 5667 ff.,

vergessen selten ie 100, vergessen sein
    selbers 192, vergessen in Phrasen der
    Bedeutung „von Sinnen sein" 1622 f.
    u. 2151 ff., verhaissen mit bloßem In-
    finitiv oder ze und Infinitiv 5212, mit
    Akkusativ 5426, zur Bedeutung 8472 ff.,
    verheit 6153, verliesen preisgeben
    7719, verligen 8032, vermugen mit
    Infinitiv 8881 f., vermugent 4461,
    vernempt mich eben u. ä. 42, vernuft
    4061 f., verruochen (?) 2760, verschen-
    chen 5526 ff., verschlahen die kirchen
    7316, sam ich mich versich 4416,
    nach meinr versicht u. ä. 2944, sich
    versinnen sw. W. 2201, verstenleich
    3963, verstigen Partizip 763, ver-
    worcht und verwürcht Partizip 9691,
    verwüesten verletzen 521 f., verzetten
    5714 ff.
Ferrär 3379, der Markgraf von Ferrara
    ebd.
von verrem (verren) 3541
fertzen in grobianischen Szenen 1109 f.
Fesafögili 2633 f.
Vettringen 6959 ff.
das wilde feur 9061 ff.
grosses vich wil michel gras (sprichw.)
    3244
älleu viere streken u. ä. 509 f., vier tail
    der welt 2497, für ander vier 2858,
    sich vier nemen (Redensart) 3775,
    vier gemochten nie derstreiten so vil,
    daz einer hiet ze reiten (sprichw.)
    8447 f., Vierreime 2151 ff., Vorliebe
    für die Vierzahl 2858, mit vieren zeln
    (Redensart) 1377
fiess, sam ein fiess 1076
vil nach 3262, vilest Superlativ 3254
vinden einen fund 1850, sich vinden
    lassen 7582 f.
vinden für vende? 2107 f.
vingerli 8 ff.
die vische wellent gswemmet sein
    (Redensart) 5992

pricht durch den stain, ist sein lauff
da hin gemain (sprichw.) 9110 f.

wat fem. 1367

waz ist daz? 1281

mit we 941 ff.

we, was und we, wie 1031

we mir heut den tag! 1959

weder tiefel welcher Teufel 7903

wegen Präposition 1039

Wegge der Riese 7988 ff.

besser ist ze sterben dann ein böses weib
erwerben (sprichw.) 2755 ff., suoch ein
weib nicht verr hin dan ... einen herren ... vinde dir von verren (sprichwörtl.) 2788 ff., weiben Verb 2809,
weibisch 3666

Weiden 7639 f.

weil und zeit 1292, w. u. z. was im ze
lanch (sprichw.) ebd.

daz schaffet alz der wein 6271

weis und chluog 3709, ein weiser man
der chan her zellen alleu stuk und
dar aus wellen, was daz besser wesen
schol (sprichw.) 2735 ff., spricht der
weis 4220 ff., in böseu sel kumpt
weisshait nicht (sprichw.) 3862 f., weis-
leich 7725 ff.

ze gleicher weis sam 3518

weisen mit Akkusativ und Infinitiv 4750

wellen im Begriffe sein 102

welt und werlt 2109 ff., die werlt die
Leute 1229, die werlt ist böser listen
vol (sprichw.) 1968, nach der welt
7833 ff.

wen außer 260

sein seig wenich oder vil formelhaft 2318

went 2. Plur. von wellen 975

wercleich 6497

werde, der werde nachgestelltes Attribut
407 f. u. 482

mit werffen man das haus derwert, mit
schiessen man es nider zert (sprichw.)
9573 f.

wet der (wetter) tiefel 2176

es wett machen 2138

ein wicht 298, 408

wider mit Akkusativ 6820, w. derd
1537 f., kain buosse wirser tuot ...
dann wider geben (sprichw.) 4135, w.
komen 5663, sich w. stellen 88, widersinnigs 7499 f., an widerspächt 4280

Widersprüche im Inhalt 694, 4831 ff.

wie daß 2041, wie daz sei, daz 3968,
wie erstleichen 725, wie so? 7117

Eindringliche Wiederholung eines Ausdrucks 6209

wierte 5507

Wilder Mann 8719 ff.

willwenchen 4818

windelwäschen 3113 ff.

winden 5616

sam ein plauger winterper 4845 f.

euwer wirdü 4853

Wirtzpurg 7663 f.

Wurzeln der Wissenschaft bitter, Früchte
süß (sprichw.) 1977 ff.

wist, west Präteritum 4144

nu witter übel oder wol 5756

die witwen und die alten sind von
rehter minn geschalten (sprichw.)
1688 f.

dein witzichait 3297

wo ist ... her Salamon, ... Absolon,
Samson usw.? 4112 ff.

wo schilt, wo sper? Alarmruf 1533

woi Interjektion 320

wol = wolt in der Handschrift 911

wol an 5017, daz was wol 6249, wol
mir, daz ich ie gesach u. ä. 6996 f.,
wol geporn 3471 ff., wol getan 489

sam ein wolf gefangen liden (Redensart) 2781 f.

wolt 2. Plur. Präs. 362

Wortspiel edel—esel 59 f., tugend
schaft—tugenthaft 4426 f.

wüesti 3667 f.

wüeten sittenloses Treiben 3134, Wüetreich 6696 ff.

es ist ein wunder 5047 ff.

wurdist ie ein biderb knecht 1472 f.

Gefahr des Würfelspiels 4716 ff.

würken 2747 ff.

wüschen transitiv und intransitiv 1318

der zag sein 871

zagel das Ende des Reiens 6382 f.

zäher sw. 2519

ane zal 3878, Zahl in zwei Summanden zerlegt 216

zan Sing. im Reim, Plur. zen, Dativ zenden 77, der schimlig zan 3440

zange 493 f.

zart Attribut, besonders in der Anrede 3143 ff., zarter got 5908

zäumer 923

Zaun um den Turnierplatz 1036

ze vor Adj. und Adv. „recht" 982 f., fehlt vor Infinitiv nach Infinitiv mit ze 4057, steht auch bei dem von Infinitiv mit ze abhängingen Objekte 7015 f.

ze- für zer- 9603 f.

in einem zeisen 5070 ff.

es ist zeit u. ä. 1832 u. 9158, zeit temporaler Genitiv 4369 f., als Neutr. 6974, Zeitverhältnisse 7484 u. 8034, sorglos behandelt vom Dichter 2204

zementragerin 1717

zerpossen 699, zerhauwen ist e dann gepauwen o. ä. 1224 f., zerchnosten 874 f., zerserten sw. Verb. 102

zerleich 5729 f.

zieggel 2680, ziegglin 402

ziehen durch die äschen 1522

Ziel des Speeres 433

zier Attribut zu fiess 1243

ze dem zil u. ä. 3496

mich zimt = mich dünkt 2784

Zingg 6694

zipern Subst. 2217

Zippern 7627 f.

zogen 5355 ff.

pei den zöpfen vahen (Frauen) 1537 f.

von rehtem zorn 1362

zuht und er 164, züchticleich neben Werben der Rede 2469

zumph 75

ze lange zungen han (Redensart) 3241, kain flaisch ward nie so böse sam die liegent zung (sprichw.) 4626 f.

zuo hören 374, zuo legen 2233, zuonanner 1012

Zurufe, spottende 425 f.

Präpositionale Zusätze zu Personennamen 115

niemant zwain gedienen mag (sprichw.) 3089

zwar 2453 f.

durch ein zwek 2834

Zweigliedriger Ausdruck für éinen Begriff 352

zweiveln in 3912

enzwer 5832 ff.

Zwerge Freunde von Musik und Tanz 7928, mit Schleudern kämpfend 8673 f.

Zwölfzahl der Recken in der heroischen Epik 107

zwüschen mit Dativ und Genitiv (des Personalpronomens) 293 f.

Nachträge

1054 ff. S. außerdem 83 f. überschossen : drüber gossen, 1546 f. sitz und scheiss : dik und feiss, 2193 f. ward ir lanch : was ir gtranch, 2379 f. sagen wil : haben vil, 2395 f. mich so : mich fro, 2541 f. des schreibens : des treibens, 3051 f. die lesten : die besten, 3235 f. vergen : versten (umgekehrt 7811 f.), 3297 f. witzi-

chait : widerwärtikait, 4939 f. an der kost : an dem most, 5627 f. nider gelait :
wider brait, 6285 f. und ein hoppen : und ein zoppen, 6386 f. nie gestob : nie
geflog, 6458 f. geschehen was : gsehen das, 7016 f. zgeperen : zgeweren, 7482 f.
habent vil : haben wil, 7719 f. verliesen : derchiesen, 8743 f. und mit lauffen : und
mit rauffen, 9166 f. all hin nach : was in gach, 9443 f. was seu sprach : das geschach, 9507 f. derzagen : derschlagen, 9509 f. ir gesind : sich geswind.

2005 f. S. Karl Euling, Studien über Heinrich Kaufringer (Germanistische Abhandlungen, begr. von K. Weinhold, 18), S. 29.

2779. S. auch Zimmerische Chronik (Barack) 3, 546, 18 ff. da gleich irem herren
und gemahl ... die zwai hörner an der stirnen weren gewachsen.

2917 f. Singer verweist auf Les diz et proverbes des sages, ed. Morawski II, 26
Stultus, qui sibi non servit, si servum habere nequit.

5052. S. K. Euling, Studien über Heinr. Kaufringer, S. 22.

5501 f. S. auch J. L. Frisch, Teutsch-Lat. Wb. 2, 318a Ständel m. ein Kraut, das
etwan spannhoch wächst und wegen seines steifen Stengels also heißt, erecto membro
virili similis, in cuius radice bulbi sunt testiculorum forma.

7249. A. Goetze (Litbl. 1932) streicht „das aus 7250 vorausgenommene" mit, was
auch die Rhythmik der Zeile glättet; übermäss wäre dann als Adj. (= überlegen) zu
fassen, das freilich sonst nicht bezeugt ist.

7469 ff. Nach der Stelle in der Ilias Horaz, Oden IV, 6, 18 ff. nescios fari pueros
Achivis ureret flammis, etiam latentem matris in alvo.

Martha Kellers Beiträge zu Wittenwilers „Ring" (Heitz in Straßburg 1935) kamen
mir leider zu spät zu Gesichte, als daß ich sie noch hätte verwerten können.